Español
Santillana

Become an online "fan" and part of the adventure through Español Santillana's

fansdelespañol.com

We've created a website just for you! Log on and learn more about us and about the Spanish-speaking world. Discover surprising customs and traditions that will take you to fascinating far-off places, and follow the adventures of our *Fans del español* participants. Will they succeed in the cultural challenges they take on in the Spanish-speaking world?

¡Nosotros somos unos fans del español! ¿Y tú?

- Learn about fascinating Hispanic places and customs.

- Check out the cool photos and fascinating anecdotes posted by the participants.

- Take on your own challenge and demonstrate your knowledge of Spanish through fun online activities.

Log on to **fansdelespañol**.com and have fun practicing Spanish!

D1087188

The letter ñ, a very special letter

Spanish has a letter that does not appear in other languages: ñ. The letter ñ is used in words like *español* (Spanish), *España* (Spain), *niño* (boy), *pequeño* (small), *año* (year), *mañana* (morning, tomorrow), *otoño* (autumn), and many others. The letter ñ is also used in our webpage: www.*fansdelespañol*.com

How can you write the letter ñ on your computer?
That depends on the system you have:

MAC COMPUTERS

Press **Alt** [option] + **N** and then N or n.

COMPUTERS WITH MICROSOFT WINDOWS

Press **Alt** + **1 End** **6 →** **4 ←**, with **Num Lock** activated.

COMPUTERS WITH LINUX/BSD

Press **Shift** + **Ctrl** + **U** and then the code **F1** followed by the **Enter** key.

Español
Santillana

fans
del
Español

Español Santillana
Student Book Level 4
ISBN-13: 978-1-62263-242-8

Illustrator: **Bartolomé Seguí**
Picture Coordinator: **Carlos Aguilera**

Cartographer: **José Luis Gil, Tania López**
Cartographic Coordinator: **Ana Isabel Calvo**

Production Manager: **Ángel García Encinar**

Production Coordinator: **Julio Hernández, Marisa Valbuena**

Design and Layout: **Victoria Lucas, Raquel Sánchez, Eva Hernández**

Proofreaders: **Elizabeth A. Pease, Marta López**

Photo Researchers: **Mercedes Barcenilla, Amparo Rodríguez**

Santillana USA Publishing Company, Inc.
2023 NW 84th Avenue, Doral, FL 33122

Printed by Worzalla Publishing Co.

3 4 5 6 7 8 9 10   19 18 17 16 15 14

Español Santillana is a collaborative effort by two teams specializing in the design of Spanish-language educational materials. One team is located in the United States and the other in Spain.

Editorial Staff in the United States
Anne Silva
Ana Isabel Antón

Editorial Staff in Spain
Susana Gómez
Clara Alarcón
Belén Saiz
Mercedes Fontecha
M.ª Antonia Oliva

Linguistic and Cultural Advisers in Latin America and in the United States

Antonio Moreno
Content Director, Santillana México

Mayra Méndez
Content Director, Santillana Puerto Rico

Claudia Noriega
Content Director, Santillana Guatemala

Cecilia Mejía
Content Director, Santillana Perú

Graciela Pérez de Lois
Content Director, Santillana Argentina

Rodolfo Hidalgo
Content Director, Santillana Chile

Mario Núñez
Director of Professional Development, Santillana USA

Reviewers

Gabriel Alfaro
Houston, TX

Luis Altamirano
San Diego, CA

Esteban Longoria
Houston, TX

John W. McNulty
Chicago, IL

Maria L. Rodriguez-Burns
Bernalillo, NM

Tina Thymai Dong
Austin, TX

Writers

Paloma Lapuerta
teaches Spanish Language, Literature and Culture at Central Connecticut State University. She graduated from the University of Salamanca, Spain, and received her PhD from the University of Geneva, Switzerland. She has taught in different countries and is co-author of several Spanish textbooks.

María Lourdes Casas
received her Masters of Arts and PhD in Spanish at the University of Wisconsin-Madison. Dr. Casas has taught Spanish Language and Literature at the University of Wisconsin-Madison, Connecticut College, and Southern Connecticut State University. Currently she is an Associate Professor at Central Connecticut State University.

Lisa Berliner
received her MA in Educational Leadership from Central Connecticut State University. She is currently pursuing a Masters degree in Spanish. She teaches Spanish at the secondary level in Avon, CT.

Jan Ferrier Sands
received her BS in Spanish and MS in Curriculum and Supervision from Central Connecticut State University. She is a career teacher of Spanish at Simsbury High School, Simsbury, CT. From 2005 to 2008, she served as the World Languages Teacher-in-Residence at the Connecticut State Department of Education.

María Á. Pérez
received her MA in Spanish from Portland State University. She was the assistant director for the Spanish Basic Language Program at the University of Illinois in Chicago. She has taught college-level Spanish at several institutions, and has worked as an editor and writer for various publishers.

Contributing Writers

Ana Isabel Antón
Miami, FL

Clara Alarcón
Madrid, Spain

Susana Gómez
Madrid, Spain

Mercedes Fontecha
Madrid, Spain

M.ª Antonia Oliva
Madrid, Spain

Belén Saiz
Madrid, Spain

Anne Silva
Miami, FL

Contributors

Janet L. Glass
Dwight-Englewood School
Englewood, NJ

Jan Kucerik
Pinellas County Schools
Largo, FL

Carol McKenna Semonsky
Georgia State University
Atlanta, GA

Anne Nerenz
Eastern Michigan University
Ypsilanti, MI

Gerardo Piña-Rosales
North American Academy of the Spanish Language
The City University of New York, New York, NY

Paul Sandrock
ACTFL
Madison, WI

Emily Spinelli
AATSP
University of Michigan-Dearborn, Dearborn, MI

Brandon Zaslow
Occidental College
Los Angeles, CA

Advisers

Paula Hirsch
Windward School, Los Angeles, CA

María Orta
Kennedy High School, Chicago, IL

Developmental Editor
Susana Gómez

Editorial Coordinator
Anne Silva

Editorial Director
Enrique Ferro

Bienvenidos a

Las parejas

Eva Bishop y Ethan Thomas

Nosotros somos fans del español por el arte y la música. Nos encantan.

Daniel García y Michelle Liu

A nosotros nos interesan las costumbres y las tradiciones del mundo hispano.

Español Santillana

Quiénes somos

Somos una comunidad de fans del español y de la cultura hispana. Nuestro objetivo es dar a conocer el mundo que habla español: sus gentes, sus ciudades, sus fiestas y tradiciones, sus alimentos... Y para eso hemos creado la página web Fans del español (www.fansdelespañol.com).

Nuestra historia

Nuestra página web nació hace unos años con los primeros fans del español: Andy y su hermana Janet; Tess y su madre Patricia; Diana y su tía Rita; y Tim y su abuelo Mack. Las cuatro parejas decidieron viajar por los países hispanohablantes para resolver unos desafíos: encontrar los lugares más sorprendentes, los vestidos más exóticos, las costumbres y tradiciones más divertidas...

Los desafíos continúan

Hoy formamos una gran comunidad con muchas personas que quieren participar y saber más sobre Latinoamérica y sobre España.

Este año nuestros protagonistas son tres parejas: Eva y Ethan; Daniel y Michelle; y Asha y Lucas. Los seis están estudiando High School y son grandes fans del español. Por eso están dispuestos a enfrentarse a nuevos desafíos. Su objetivo: mejorar su español y conocer mejor la cultura y las formas de vida de los países hispanos.

¿Quieres pertenecer a nuestra comunidad? Puedes seguir nuestras aventuras a través de este libro y de nuestra página web. Tú también tienes Tu Desafío.

Los veteranos

Asha Patel y Lucas Cardoso

Queremos viajar por el mundo hispano. Hay lugares increíbles.

Andy, Tess, Diana y Tim

¡Adelante!

(1) Cataratas del Iguazú (Argentina)

(2) Carnavalito (Perú)

(3) El caballito (México D. F.)

Los temas de los desafíos

Las tres parejas y los veteranos han hecho un listado de temas de su interés. Seguro que tú ya sabes algo sobre esos temas.

Comunicación y relaciones sociales

¿Qué celebraciones típicas del mundo hispano conoces? ¿En cuáles te gustaría participar? ¿Por qué?

Los alimentos y la salud

¿Qué alimentos del mundo hispano te gustan más? ¿Qué sabes de su origen?

Los estudios y el trabajo

¿Qué profesionales hispanos destacados conoces? ¿Por qué son conocidos? ¿Qué estudios realizaron?

El ocio y los viajes

¿Qué géneros musicales hispanos conoces? ¿Qué sabes de su historia? ¿Quiénes son los intérpretes más destacados?

Historia y sociedad

¿Qué sabes de la época precolombina y del período colonial en las Américas? ¿Y qué sabes de la independencia de Hispanoamérica?

Arte y literatura

¿Qué artistas y escritores hispanos conoces? ¿Cuáles son tus obras favoritas? ¿Por qué?

Los escenarios de los desafíos

Usa tus conocimientos de la geografía de Hispanoamérica y de España para responder a estas preguntas:

1. ¿Qué tres países de habla hispana forman parte de la región del Río de la Plata?

2. Menciona cuatro países de Centroamérica y tres de las Antillas donde se hable español.

3. ¿Qué país de Suramérica tiene mayor extensión de costa?

4. ¿Qué océanos y mares rodean España?

Tu desafío

Tú también tienes unos desafíos que resolver. En cada unidad vas a elegir un desafío de una pareja para hacer una tarea relacionada con él. Ese será TU DESAFÍO.

Preparación para el AP* Spanish Language and Culture Exam

¿Vas a prepararte para tomar el *AP* Spanish Language and Culture Exam*? Español Santillana te va a ayudar de distintas maneras.

1. En las unidades encontrarás muchas actividades marcadas con estos íconos:

Estas actividades te ayudarán a desarrollar y practicar las destrezas comunicativas necesarias para tener éxito en las distintas pruebas del *AP* Exam*.

2. Al final de cada unidad encontrarás una sección específica titulada "Hacia el *AP* Exam*" que se dirige específicamente a la preparación de la prueba. En ella encontrarás información sobre la estructura del examen y las características de cada ejercicio, y algunas estrategias para resolverlo con éxito. Y encontrarás también unos ejercicios modelo que te ayudarán a familiarizarte con las distintas pruebas del examen.

- Actividades de interpretación de textos escritos reales (*Interpretive Communication: Print Texts*).

- Actividades de interpretación de textos orales reales (*Interpretive Communication: Audio Texts*).

- Actividades de interacción escrita (*Interpersonal Writing: E-mail Reply*).

- Actividades de presentación escrita (*Presentational Writing: Persuasive Essay*).

- Actividades de interacción oral (*Interpersonal Speaking: Conversation*).

- Actividades de presentación oral (*Presentational Speaking: Cultural Comparison*).

Además, la serie cuenta con un *"Preparation Workbook for AP*"* con el que podrás preparar a fondo el examen. En el cuaderno encontrarás instrucciones para resolver las pruebas, modelos de examen resueltos y diferentes pruebas para practicar.

*AP is a registered trademark of the College Board, which was not involved in the production of, and does not endorse, this product.

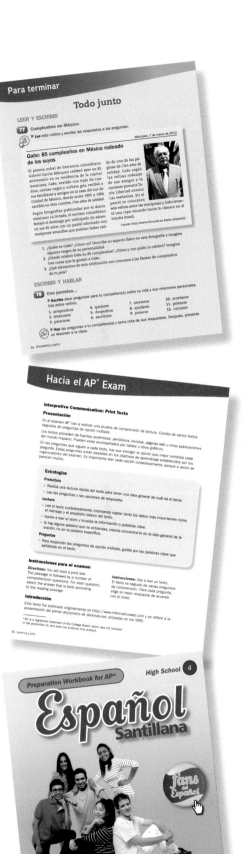

Contenidos

Gramática	Cultura		Escritura	Hacia el AP* Exam
Expresar gustos, intereses, sentimientos y emociones Los adjetivos Los verbos pronominales Los verbos reflexivos y recíprocos Hablar de acciones en curso Expresar cantidad	• Lectura informativa: *El oficio más romántico: escribir cartas de amor por encargo* (reportaje) • Lectura literaria: *El diario a diario* (Julio Cortázar)	• Mapa cultural: Unidad y variedad del español	Un correo de presentación	Interpretación de textos escritos
Las construcciones impersonales. El pronombre *se* Los pronombres de OD y OI Los verbos con preposición Los artículos La voz pasiva *Ser* y *estar*	• Lectura informativa: *El cáncer y su prevención* (artículo científico) • Lectura literaria: *La piedra mágica* (cuento popular)	• Mapa cultural: Sistemas de salud en el mundo hispano	Recomendaciones de viajes	Interpretación de textos orales
El participio pasado El presente perfecto y el pluscuamperfecto Los pronombres relativos El futuro perfecto Expresar deseos Expresar condición	• Lectura informativa: *La globalización económica* (artículo de economía) • Lectura literaria: *Un constructor de ecuaciones* (Juan Bonilla)	• Mapa cultural: La economía de Latinoamérica	Tu currículum ideal	Interacción escrita
Expresar frecuencia Expresar probabilidad (I) Expresar probabilidad (II) El presente perfecto de subjuntivo Expresar causa Expresar consecuencia	• Lectura informativa: *Como la vida misma* (Rosa Montero; columna periodística) • Lectura literaria: *Vivir para contarla* (Gabriel García Márquez)	• Mapa cultural: El turismo en Latinoamérica	Un blog de viajes	Interacción oral
Los numerales ordinales Expresar certeza y duda Expresar finalidad Expresar dificultad Expresar condición. El pluscuamperfecto de subjuntivo Expresar tiempo	• Lectura informativa: *María Eva Duarte de Perón* (biografía) • Lectura literaria: *El exiliado* (Cristina Peri Rossi)	• Mapa cultural: La inmigración hispana en los Estados Unidos	Un ensayo	Presentación escrita
Las comparaciones El artículo neutro *lo* Expresar opinión Hacer valoraciones Los diminutivos Dar consejos y hacer recomendaciones	• Lectura informativa: *Rafael Moneo* (entrevista) • Lectura literaria: *El Sur* (Jorge Luis Borges)	• Mapa cultural: El «boom» de la literatura latinoamericana	Una reseña	Presentación oral

Nos relacionamos

Comunicación y relaciones sociales

www.fansdelespañol.com

UNIDAD 2

Nos cuidamos

Los alimentos y la salud

www.fansdelespañol.com

UNIDAD 3

Trabajamos

Los estudios y el trabajo

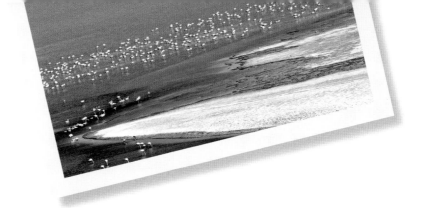

www.fansdelespañol.com

UNIDAD 4

Nos divertimos

El ocio y los viajes

Las tareas

DESAFÍO 1

DESAFÍO 2

DESAFÍO 3

Para terminar

MAPA CULTURAL

ESCRITURA

PROYECTO

DESAFÍO ①

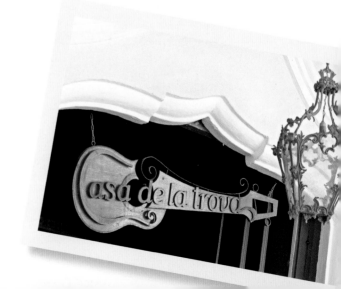

www.fansdelespañol.com

UNIDAD 5

Participamos

Historia y sociedad

www.fansdelespañol.com

fans del Español

UNIDAD 6

Creamos

Arte y literatura

www.fansdelespañol.com

preliminar

Llegamos a la meta

¡¡Hola, fan del español!! ¡¡Y felicidades: ya estás en 4º!! Eso quiere decir que has hecho un buen trabajo.

Hemos recorrido juntos un largo camino en el que has aprendido a hablar, a leer, a escribir, a comunicarte en español. Y has conocido muchos aspectos de los países hispanos: su geografía, sus lugares, sus costumbres, su cultura.

Este año vamos a profundizar en lo que ya sabes. Nuestro objetivo es que puedas expresarte en español de una manera precisa y efectiva, que puedas participar en conversaciones, intercambiar opiniones y argumentar tus puntos de vista con mayor fluidez, con mayor naturalidad y con mayor corrección. Y que sigas profundizando también en el conocimiento de la cultura hispana.

¡Acompáñanos en nuestra aventura!

Este año te esperan muchas sorpresas de la mano
de Eva, Ethan, Daniel, Michelle, Lucas y Asha, nuestros
fans del español. Ellos te guiarán por los nuevos
desafíos y te ayudarán a descubrir nuevos lugares
y nuevas costumbres del mundo hispano. Y te
acercarán a la actualidad de Latinoamérica
y de España, a su economía, a su literatura,
a su historia, a sus problemas sociales.

¿Estás preparado(a)? Pues adelante. Pero antes
de empezar, vamos a recordar algunas de
las cosas que ya sabes.

¡Adelante!

1. Contar hechos actuales
El presente de indicativo

2. Contar hechos pasados
El pretérito

3. Describir en el pasado
El imperfecto

4. Hablar del futuro
El futuro

5. Dar órdenes e instrucciones
El imperativo afirmativo

1. CONTAR HECHOS ACTUALES

Gramática

El presente de indicativo

- Usamos verbos en presente en estos casos:
  - Para hablar de acciones y situaciones que ocurren cuando se habla.

    Ahora **voy** a ver a mi hermana.
  - Para describir rutinas o acciones que se repiten.

    Los domingos **duermo** hasta las 10:00 a. m.
  - Para describir situaciones estables o hacer afirmaciones de valor universal.

    Madrid **es** la capital de España.

    Dos y dos **son** cuatro.
  - Para presentar como actuales hechos pasados.

    Colón **llega** a América el 12 de octubre de 1492.
  - Para hablar de horarios y de eventos futuros previstos o planificados.

    Este verano **vamos** a México.

- Algunos verbos irregulares tienen cambios vocálicos en el presente:
  - e > ie: querer ⟶ quiero
  - i > ie: adquirir ⟶ adquiero
  - e > i: pedir ⟶ pido
  - o > ue: contar ⟶ cuento
  - u > ue: jugar ⟶ juego

- Otros tienen irregular la forma yo:

  hacer ⟶ hago   poner ⟶ pongo   salir ⟶ salgo   traer ⟶ traigo

  conocer ⟶ conozco   ver ⟶ veo   saber ⟶ sé

  Repasa la conjugación del presente en las páginas R12 (verbos regulares) y R13 (verbos irregulares).

TERMINACIONES DEL PRESENTE

Verbos regulares en -ar:

-o	-amos
-as	-áis
-a	-an

Verbos regulares en -er:

-o	-emos
-es	-éis
-e	-en

Verbos regulares en -ir:

-o	-imos
-es	-ís
-e	-en

---

1 **¡Vaya día!**

▶ **Escucha** la conversación entre Ethan y Eva, y decide si estas oraciones son ciertas o falsas. Después, corrige las oraciones falsas.

1. Eva está estresada porque tiene un examen de Ciencias.
2. Ethan tiene siete clases y Eva tiene seis.
3. Eva estudia dos idiomas este año.
4. Ethan piensa que Eva está demasiado ocupada.
5. Eva planea dejar alguna de sus actividades si ve que no puede con todo.
6. Ethan tiene clase de guitarra por la tarde.

2 Un sábado típico en la familia de Eva

▶ **Escribe.** ¿Qué hacen Eva y su familia un sábado típico?

Modelo   1. *Eva y su familia desayunan juntos.*

desayunar juntos

hacer la compra

poner la lavadora

lavar los platos

leer

ir al cine

▶ **Habla** con tu compañero(a). ¿Cómo es un sábado típico en tu casa?

3 Cosas de jóvenes

▶ **Lee** los resultados de una encuesta realizada a jóvenes mexicanos y responde a las preguntas.

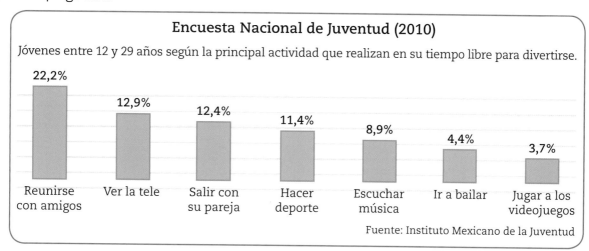

Encuesta Nacional de Juventud (2010)

Jóvenes entre 12 y 29 años según la principal actividad que realizan en su tiempo libre para divertirse.

22,2% Reunirse con amigos	
12,9% Ver la tele	
12,4% Salir con su pareja	
11,4% Hacer deporte	
8,9% Escuchar música	
4,4% Ir a bailar	
3,7% Jugar a los videojuegos	

Fuente: Instituto Mexicano de la Juventud

1. ¿Cuál es la actividad preferida por los jóvenes mexicanos?
2. ¿Qué actividades realizan en grupo? ¿E individualmente?
3. ¿Qué haces tú en tu tiempo libre?
4. ¿Qué actividades de tiempo libre son más populares entre los jóvenes de tu país?

Gramática

El pretérito

- Usamos verbos en pretérito para hablar sobre acciones o eventos pasados que se presentan como completos:

  Ayer **discutí** con mi novio porque me **mintió**.

- Los verbos que terminan en -car, -gar y -zar requieren un cambio ortográfico en la forma yo del pretérito:

  bus**car** ⟶ bus**qué**   lle**gar** ⟶ lle**gué**   empe**zar** ⟶ empe**cé**

- Algunos verbos muy comunes son irregulares en el pretérito:

  pedir ⟶ pidió
           pidieron
  dormir ⟶ durmió
           durmieron
  decir ⟶ dije
  querer ⟶ quise
  hacer ⟶ hice
  venir ⟶ vine

  estar ⟶ estuve
  saber ⟶ supe
  poder ⟶ pude
  tener ⟶ tuve
  poner ⟶ puse
  traer ⟶ traje

  dar ⟶ di
  ir ⟶ fui
  ser ⟶ fui

TERMINACIONES DEL PRETÉRITO

Verbos regulares en -*ar*:

-é	-amos
-aste	-asteis
-ó	-aron

Verbos regulares en -*er*, -*ir*:

-í	-imos
-iste	-isteis
-ió	-ieron

Repasa la conjugación del pretérito en las páginas R16 y R17 (verbos regulares y verbos irregulares).

¡**Pasaron** muchísimas cosas! Arturo **tuvo** un accidente de tráfico. Carmen no **fue** a la entrevista de trabajo. Silvia **rompió** con su novio...

¿Qué **pasó** ayer en la telenovela? **Estuve** muy ocupada y no **pude** verla.

---

4 **Descubrimiento arqueológico en Perú**

 ▶ **Escucha** una noticia sobre un descubrimiento arqueológico en Perú y une las dos columnas.

 A

 B

1. Los arqueólogos...
2. La civilización wari...
3. Los incas...
4. En las tumbas waris...
5. El «Señor de Wari»...
6. La prensa y el público...

a. siguieron algunas prácticas de los waris.
b. fue un gobernante wari.
c. se encontraron objetos de oro y plata.
d. fue anterior al imperio inca.
e. eligieron el nombre del «Señor de Wari».
f. descubrieron varias tumbas waris en la selva de Perú.

5 Una buena noticia

▶ **Completa** esta noticia. Usa la forma correcta del pretérito de estos verbos.

> informar colocar perder durar participar lograr

El Universal, 8 de junio de 2012

Un éxito, el primer trasplante de brazos

Gabriel Granados, de 52 años, ___1___ los brazos a causa de una descarga eléctrica ocurrida en enero de 2011. Sin embargo, una nueva cirugía de trasplante de extremidades superiores realizada por un grupo de especialistas del Instituto Nacional de Ciencias Médicas y Nutrición «Salvador Zubirán» ___2___ que Gabriel volviera a tener brazos y manos. Este novedoso trasplante ___3___ a México como el primer país en América Latina en aplicar esta técnica.

Martín Iglesias Morales, jefe del Servicio de Cirugía Plástica del Instituto, ___4___ que la operación ___5___ 17 horas y que en ella ___6___ al menos 19 especialistas.

Fuente: http://www.eluniversal.com.mx (selección)

6 ¿Qué pasó?

▶ **Elige** una de estas fotografías y escribe una noticia explicando qué pasó.

Modelo   *Ayer a las seis de la tarde tuvo lugar el desfile de...*

7 Una anécdota

▶ **Habla** con tu compañero(a) sobre algo que te sucedió. Puedes usar las ideas del cuadro.

> tu primer día de clase
> un pequeño accidente
> un viaje de vacaciones
> una entrevista de trabajo
> una celebración o un evento

Este verano hice cámping con mi familia y me pasó algo gracioso.

¿Un oso les robó la comida?

3. DESCRIBIR EN EL PASADO

Gramática

El imperfecto

- Usamos el imperfecto en estos casos:
  - Para hablar de acciones pasadas que son habituales o que ocurren repetidamente.

    Cuando era niño, **jugaba** al fútbol todos los sábados.

  - Para hablar de acciones pasadas como acciones que duran un tiempo indeterminado, sin mencionar su final.

    Antes **vivíamos** en Texas.

  - En las narraciones, para describir personajes y lugares y para explicar las circunstancias que rodean a un evento.

    Ernesto **salía** muy poco, pero ese día decidió dar un paseo a pesar de que **llovía** y no **había** nadie en la calle.

- Solo hay tres verbos irregulares en el imperfecto:
  - ir ⟶ iba, ibas, iba, íbamos, ibais, iban.
  - ser ⟶ era, eras, era, éramos, erais, eran.
  - ver ⟶ veía, veías, veía, veíamos, veíais, veían.

Repasa la conjugación del imperfecto en la página R17.

TERMINACIONES DEL IMPERFECTO

Verbos regulares en -*ar*:

-aba	-ábamos
-abas	-abais
-aba	-aban

Verbos regulares en -*er*, -*ir*:

-ía	-íamos
-ías	-íais
-ía	-ían

Elena **llegaba** siempre tarde al trabajo. **Sabía** que **podían** despedirla, pero no **era** capaz de levantarse cuando **sonaba** el despertador. Una mañana...

---

8 · Mi niñez

▶ **Completa** estas oraciones con la forma correcta del imperfecto.

Cuando era niña...

1. ... __1__ de vacaciones a Florida, donde __2__ mis abuelos.

(ir) (estar)

2. ... __3__ todos los fines de semana con mi amiga Alicia.

(jugar)

3. ... __4__ clases de *ballet* porque mis padres __5__, pero a mí no me __6__.

(tomar) (querer) (gustar)

4. ... mi familia y yo __7__ en una casa que __8__ de dos plantas.

(vivir) (ser)

9 Vacaciones en la playa

▶ **Escucha** y clasifica los verbos de las oraciones en una tabla como esta.

	Pretérito	Imperfecto
1		llovía
2		
3		
4		
5		
6		
7		
8		

10 Tu opinión cuenta

▶ **Lee** las entradas de este blog de viajes y responde a las preguntas.

Hacienda Orquídea: Opiniones de los huéspedes

Viajera 25

Estupenda, pero muy aislada ★★★★ 6/08/13
Buscaba un hotel exclusivo en la zona cafetera de Colombia. Esta hacienda parecía cumplir con esos requisitos, y así fue. Sin embargo, estaba más lejos de los centros urbanos de lo que pensaba.

Viajero 13

La hacienda bien, la comida regular ★★★ 25/07/13
La comida era un poco repetitiva. El menú diario variaba muy poco. Por lo demás, la habitación era amplia y cómoda, y el baño estaba bien equipado. La decoración colonial le daba un aire muy elegante a la hacienda.

Viajero 32

Ideal para desconectar ★★★★ 15/07/13
Se respiraba mucha paz. Los jardines estaban muy bien cuidados y había también senderos para caminar en plena naturaleza. Mi única queja es que no había cobertura wifi en la habitación. Tenía que ir a a la recepción cuando necesitaba acceso a Internet, y la conexión era lenta.

1. ¿Cómo eran las habitaciones y los baños de este hotel?

2. ¿Qué tipo de hotel era? ¿Cómo era la decoración?

3. ¿Cómo eran las zonas verdes? ¿Qué actividades podían realizarse allí?

4. ¿Qué aspectos positivos mencionan los viajeros? ¿Y negativos?

5. ¿Para qué tipo de viajeros crees que es recomendable este hotel? ¿Por qué?

▶ **Escribe** una entrada de blog similar sobre un hotel donde te hayas alojado.

Gramática

El futuro

- Usamos el futuro para hablar de eventos que ocurrirán en el futuro:

  Mañana **hará** mucho calor.

  Este fin de semana no **saldré** porque tengo que estudiar.

- Algunos futuros tienen la raíz irregular:

  caber → cabr-   haber → habr-   saber → sabr-

  poder → podr-   poner → pondr-   tener → tendr-

  salir → saldr-   valer → valdr-   venir → vendr-

  decir → dir-   hacer → har-   querer → querr-

  Repasa la conjugación del futuro en la página R18.

TERMINACIONES DEL FUTURO

Verbos regulares en -ar, -er, -ir:

-é	-emos
-ás	-éis
-á	-án

- Para hablar de eventos futuros, usamos también la estructura: ir a + *infinitivo* conjugando el verbo ir en presente.

  El año que viene mis padres **van a vender** la casa.

En diez años, este teléfono que ahora es tan moderno no **valdrá** nada y nadie lo **querrá**.

¡Claro! Para entonces los teléfonos **tendrán** pantalla flexible y **serán** tan finos como una hoja de papel.

11 ¿Qué pasará?

▶ **Escribe** oraciones para contar hechos futuros. Utiliza las tres columnas.

Modelo   *El próximo verano mi profesora irá de viaje a otro país.*

Ⓐ	Ⓑ	Ⓒ
el próximo verano	los médicos	tener una casa
el mes que viene	yo	ir de viaje a otro país
en cincuenta años	mi mejor amigo(a)	salir a cenar
este fin de semana	mis padres y yo	hacer un examen
en cinco años	mis compañeros(as)	poder hablar español perfectamente
dentro de diez años	mi profesor(a)	curar todos los tipos de cáncer

12 Eventos futuros

 ▶ **Escucha** y relaciona cada oración con la fotografía correspondiente.

A

B

C

D

E

F

▶ **Elige** dos de las fotografías y escribe más predicciones sobre esas personas.

Modelo   *El niño será arquitecto. Sus padres tendrán dos hijos más y...*

13 ¿Te atreves a predecir el futuro?

▶ **Completa** una tabla como esta con tus predicciones para el futuro.

	En 10 años	En 100 años
1. El clima de mi región.		
2. El medio ambiente de mi región.		
3. Los recursos naturales de mi estado.		
4. Las actividades económicas de mi país.		
5. El nivel de vida de mi país.		

 ▶ **Intercambia** tu tabla con tu compañero(a) y comenten sus predicciones.
¿Quién tiene una visión más optimista del futuro? ¿Y más pesimista? ¿Por qué?

14 Tus planes

 ▶ **Habla** con dos compañeros(as) sobre sus planes
y objetivos futuros en estas áreas.

¿Ya sabes qué estudiarás
o qué profesión tendrás?

Educación

Trabajo

Estoy segura de que estudiaré algo
relacionado con el medio ambiente.

Familia

Vivienda

5. DAR ÓRDENES E INSTRUCCIONES

Gramática

El imperativo afirmativo

- Usamos las formas del imperativo afirmativo *(informal or formal affirmative commands)* para dar órdenes o pedir a una persona que haga algo.

  Ten paciencia.   **Lleguen** a tiempo.
  Coma frutas y verduras.   **Practiquen** algún deporte.

- Usamos la forma nosotros(as) del imperativo para expresar lo que tenemos que hacer o para sugerir algo.

  Vayamos al gimnasio esta tarde.

- Algunos verbos muy comunes son irregulares en el imperativo:

  decir → di, diga, digan   dar → da, dé, den
  poner → pon, ponga, pongan   ser → sé, sea, sean
  tener → ten, tenga, tengan   ir → ve, vaya, vayamos,
  hacer → haz, haga, hagan   vayan
  salir → sal, salga, salgan
  venir → ven, venga, vengan

  Repasa la conjugación del imperativo afirmativo en las páginas R22 (verbos regulares) y R23 (verbos irregulares).

TERMINACIONES DEL IMPERATIVO AFIRMATIVO

Verbos regulares en -*ar*:

-a	tú
-e	usted
-emos	nosotros(as)
-ad	vosotros(as)
-en	ustedes

Verbos regulares en -*er*:

-e	tú
-a	usted
-amos	nosotros(as)
-ed	vosotros(as)
-an	ustedes

Verbos regulares en -*ir*:

-e	tú
-a	usted
-amos	nosotros(as)
-id	vosotros(as)
-an	ustedes

Yo voy a diseñar las invitaciones. Y tú, **pide** presupuesto para alquilar el salón y **piensa** en la decoración.

Pero primero, ¡**hagamos** la lista de invitados!

---

15 **Una fiesta sorpresa**

 ▶ **Escucha** a Eva y a Ethan, y decide quién va a realizar estas tareas. Después, escribe dos órdenes más para ellos.

	Eva	Ethan	Los dos
Planificar la fiesta sorpresa.			✔
Elegir la música.			
Comprar la comida y la bebida.			
Pedir el dinero para el regalo.			
Hacer la lista de invitados.			
Enviar las invitaciones.			

16 **¿Qué me recomiendan?**

▶ **Lee** este foro y complétalo con las formas correctas del imperativo de estos verbos.

| hacer | preparar | trabajar | dar | sembrar | decir | aumentar | disminuir |

Autor	Mensaje
JuliaMari ▭ Publicado: 10/09/2013 7:00 p. m.	Hola a todos. Acabo de descubrir que tengo un nivel alto de colesterol y debo cambiar mis hábitos alimenticios. ¿Qué me recomiendan? ___1___ me ideas, por favor.
Lola15 ▭ Publicado: 10/09/2013 7:15 p. m.	Hola, JuliaMari. Te felicito por tu decisión de cambiar. Antes que nada, ___2___ las grasas saturadas de tu dieta y ___3___ el consumo de frutas y verduras. Y ___4___ ejercicio al menos tres veces por semana.
JuliaMari ▭ Publicado: 10/09/2013 7:25 p. m.	Gracias, Lola15. Tengo un pequeño jardín detrás de la casa y he pensado en sembrar algunas verduras. A lo mejor así animo también a mi hijo de 8 años y a mi esposo a comer más hortalizas.
PedroDíaz ▭ Publicado: 10/09/2013 8:00 p. m.	Hola, JuliaMari. ¡Excelente idea! ___5___ juntos en el pequeño jardín familiar. Estoy seguro de que eso los animará a comer de forma más saludable. ¡Y es un buen ejercicio!
Lola15 ▭ Publicado: 10/09/2013 8:05 p. m.	Yo también siembro verduras, pero en macetas porque no tengo jardín. ___6___ distintas verduras y así tendrán variedad. ___7___ le a tu hijo qué minerales y vitaminas tiene cada verdura y ___8___ platos juntos.

17 **Consejos para todos**

▶ **Escribe** tres recomendaciones para cada caso.

Modelo   1. *Haga ejercicio tres o cuatro veces a la semana. Reduzca…*

1. Tu profesor(a) quiere ponerse en forma y bajar de peso.

2. Tu mejor amigo(a) quiere aprender bailes latinos.

3. Tus compañeros(as) y tú quieren sacar mejores notas.

18 **Una semana dedicada a la salud**

▶ **Habla** con tu compañero(a). Planeen una «Semana de la Salud» en la escuela.

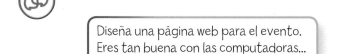

Diseña una página web para el evento. Eres tan buena con las computadoras…

Sí, pero ayúdame con el contenido. Y decidamos juntos qué actividades incluir.

▶ **Escriban** el plan y después preséntenlo a la clase.

UNIDAD 1

Nos relacionamos

Comunicación y relaciones sociales

DESAFÍO 1

Grabado con un chasqui indígena (Perú).

▶ **Describir personas**

Vocabulario
Características físicas y rasgos de personalidad

Gramática
Expresar gustos, intereses, sentimientos y emociones

Los adjetivos. Posición y significado

DESAFÍO 2

▶ **Expresar acciones habituales**

Vocabulario
La oficina de correos

Gramática
Los verbos pronominales

Los verbos reflexivos y recíprocos

Grupo de piñatas (México).

DESAFÍO

3

▶ # Hablar de acciones en curso

Vocabulario
Los medios de comunicación

Gramática
Hablar de acciones en curso

Expresar cantidad

Escolares de la isla de
La Gomera practicando
el silbo (España).

Ritos y celebraciones

Los personajes quieren seguir aprendiendo más cosas sobre el mundo y la cultura hispana. Esta vez han decidido investigar sobre antiguos ritos y costumbres que aún se conservan. Lee el mensaje de Tim y averigua qué desafíos les propone.

Hola, amigos. ¿Cómo les va? Estoy encantado de que quieran seguir aprendiendo con nosotros. El tema de la comunicación y las relaciones sociales es apasionante, así que les van a encantar los desafíos que les he preparado. ¿Están listos?

Asha y Lucas me contaron que tienen una nueva compañera de clase que es mexicana y que pronto va a ser su cumpleaños. Seguramente ella echa de menos su país de origen, así que van a prepararle una fiesta típica mexicana para celebrar su cumpleaños. Deberán hacer una piñata y aprender una canción tradicional de México para felicitarla.

Ethan y Eva van a hacer un cartel y un eslogan para promocionar una carrera de chasquis que se celebrará en unos días en Huancayo (Perú). Seguramente se están preguntando qué es un chasqui, ¿verdad? Pues no se lo voy a decir, eso sería demasiado fácil. Tendrán que descubrirlo ustedes. Les aseguro que será fascinante.

Para terminar, Michelle y Daniel van a aprender a decir una frase en un misterioso lenguaje de las islas Canarias (España). La frase es: «¡Somos los mejores fans del español!» ¿Qué les parece?

Ya saben que estaré aquí para ayudarlos. Mucha suerte y, sobre todo... ¡que se diviertan!

Este es un buen desafío, ¿no?

Sí. A Margarita le encantará que le preparemos una fiesta mexicana.

Me apetece mucho hacer un cartel y un eslogan, pero... ¿qué serán los chasquis?

No tengo ni idea, la verdad. Quizá sean autos o algún animal...

¿Habías oído hablar alguna vez de un lenguaje misterioso de las islas Canarias?

No, ¡pero me fascinan los enigmas!

1 **¿Comprendes?**

▶ **Escribe.** ¿Qué tiene que hacer cada pareja?

1. Lucas y Asha...   2. Ethan y Eva...   3. Michelle y Daniel...

▶ **Responde** a estas preguntas.

1. ¿Qué le parece el desafío a Asha?
2. ¿Sabes qué es una piñata?
3. ¿Qué saben Ethan y Eva sobre los chasquis?
4. ¿Qué le fascina a Daniel?

▶ **Explica.** ¿Qué desafío te parece más interesante? ¿Por qué?

2 **Investiga**

▶ **Escribe** tres palabras del texto que sean nuevas para ti. ¿Qué crees que significan?

Antes de empezar

EXPRESIONES ÚTILES

Para saludar y responder al saludo:

—¿Cómo te va?
—Muy bien, gracias. ¿Y tú, qué tal?

—¡Cuánto tiempo! Me alegro de verte. ¿Cómo estás?
—Bien, como siempre. ¿Y tú?

Para despedirse:

Hasta luego.
Hasta el lunes./Hasta la semana que viene.
Hasta pronto./Hasta la vista.

Para expresar buenos deseos al despedirse:

Que tengas un buen día.   Que pasen un buen fin de semana.
Que te vaya bien.   Que tengas buen viaje.
Que descanses.   Que te mejores. [cuando alguien está enfermo]
Que se diviertan.

3 ¡Cuánto tiempo sin verte!

▶ **Escucha** y decide. ¿Cómo continúa cada diálogo?

a. ¿Cómo están?   d. Hasta pronto, amigos.

b. Hasta luego, Marta.   e. Muy bien, gracias. ¿Y tú?

c. Hasta la semana que viene.   f. Me alegro de verte.

4 Buenos deseos

▶ **Escribe** buenos deseos para las personas de las fotografías.

RECUERDA

Características físicas

la barba	pelo lacio/rizado/castaño
el bigote	calvo(a)
la cicatriz	apuesto
el lunar	
las pecas	

Rasgos de personalidad

amable	impaciente
amistoso(a)	perezoso(a)
cariñoso(a)	reservado(a), tímido(a)
comprensivo(a)	sincero(a)
egoísta	trabajador(a)
fiel	seguro(a) de sí mismo(a)
generoso(a)	travieso(a)

Relaciones personales

la amistad	el abrazo
el amor	el beso
la confianza	
la fidelidad	

apoyar	llevarse bien/mal
apreciar	mentir
discutir	pedir perdón
echar la culpa	querer
enamorarse	reconciliarse
equivocarse	respetar
estar celoso(a)	romper
estar enamorado(a)	tener razón

5 Así son mis hermanos

▶ **Completa** el texto.

Cuatro hermanos

Mi hermano mayor se llama Felipe. Es serio y no le gusta mucho hablar de sí mismo;
es muy ___1___. Entre Felipe y yo está Juana. Ella tiene muchos amigos y siempre
piensa en los demás. Es muy ___2___. Siempre está hablando por teléfono con Jonás,
su novio; creo que los dos están muy ___3___. Nuestra hermana pequeña se llama
Luisa. Es muy divertida, pero no está quieta ni un minuto; es bastante ___4___.
Los cuatro somos muy diferentes, pero nos ___5___ bien y nos queremos mucho.

6 ¿Cuánto sabes?

▶ **Fíjate** en el cuadro Recuerda y escribe tres palabras para cada fotografía.
Después, compara tu lista con la de tu compañero(a) y añade más palabras.

Un cumpleaños importante

Asha y Lucas tienen que preparar una fiesta de cumpleaños para Margarita, una nueva compañera de clase que es mexicana. Además de encargarse de los preparativos para la fiesta, tendrán que hacer una piñata tradicional y aprenderse la canción *Las mañanitas* para felicitar a su compañera.

LUCAS: Hola, Asha. ¿Ya has enviado las invitaciones? Margarita me dijo que una vieja amiga suya viene de visita ese fin de semana y le gustaría que la invitáramos.

ASHA: Sí, ya las mandé. Pero no te preocupes, invitaré también a su amiga. Oye, he visto unas piñatas grandes con forma de muñecos en el supermercado. ¿Compro una?

LUCAS: ¿Con forma de muñecos? ¡No! Hay que hacer una piñata tradicional, una piñata de barro.

ASHA: Ah, no sabía que las piñatas fueran de barro.

LUCAS: Es que las piñatas son una tradición muy antigua. Unos dicen que proceden de los pueblos originarios de México. Otros creen que proceden de China y que fue Marco Polo quien las llevó a Europa, desde donde pasaron a México. Tendré que investigar un poco.

ASHA: Si te parece, tú puedes encargarte de averiguar más cosas sobre las piñatas y yo me ocupo de aprenderme la canción *Las mañanitas*. Se me da muy bien cantar.

LUCAS: Es una gran idea, pero... ¿tenemos que cantar los dos? Es que lo hago tan mal...

7 ## Detective de palabras

▶ **Completa** estas oraciones.

1. Asha vio en el supermercado unas piñatas _____ con forma de muñecos.

2. A Lucas le parece una _____ idea que Asha se ocupe de aprenderse *Las mañanitas*.

▶ **Explica.** ¿Qué significa la palabra que has escrito en cada oración?

8 **¿Comprendes?**

▶ **Responde** a estas preguntas.

1. ¿A quién quiere invitar Lucas a la fiesta de cumpleaños de Margarita?
2. ¿Cómo eran las piñatas que vio Asha en el supermercado?
3. ¿De qué están hechas las piñatas tradicionales?
4. ¿De dónde proceden las piñatas?
5. ¿Qué idea le propone Asha a Lucas?
6. ¿Qué tal canta Lucas?

9 **Organizando la fiesta**

▶ **Escucha** la conversación entre Asha y Lucas, y elige la opción correcta.

1. Las piñatas tradicionales tienen forma de _____.
   a. muñeco   b. estrella   c. animales

2. La costumbre tradicional consiste en _____ la piñata.
   a. romper   b. quemar   c. esconder

3. Según Lucas, las piñatas tradicionales son bonitas y _____.
   a. luminosas   b. enormes   c. vistosas

4. La canción *Las mañanitas* se canta en las fiestas de _____.
   a. Navidad   b. graduación   c. cumpleaños

▶ **Escribe** un párrafo describiendo cómo sueles celebrar tu fiesta de cumpleaños.

▶ **Habla** con tu compañero(a). ¿Cómo celebra él / ella su cumpleaños? ¿Cuáles son las semejanzas y las diferencias entre su celebración y la tuya?

CULTURA

Las piñatas

Las piñatas son muy populares en México, en América Central y en el sur de los Estados Unidos. Su origen es incierto, pero muchos dicen que proceden de China y que fueron llevadas a las Américas por los conquistadores europeos.

Las piñatas mexicanas son ollas de barro o cajas de cartón que contienen dulces, frutas y pequeños regalos. La piñata se adorna con papeles de colores y se cuelga o se coloca en un lugar alto, para que una persona con los ojos vendados *(blindfolded)* la rompa con un palo *(stick)* y haga caer su contenido. El momento de romper la piñata es el punto central en los cumpleaños y en las fiestas infantiles.

10 **Explica.** ¿Conoces alguna tradición similar a la costumbre de romper la piñata? ¿Has participado alguna vez en una fiesta con piñata? ¿Te parece divertido?

Vocabulario

Características físicas y rasgos de personalidad

De:	Asha
Para:	Emi
Asunto:	

¡Hola, Emi!

¿Cómo te va? ¿Estás contenta en tu nueva escuela? Yo estoy muy emocionada; hoy comenzaron las clases y tengo muchas cosas que contarte.

Este año hay un chico nuevo en la clase. Se llama Juan Pablo. Es moreno y tiene el pelo ondulado, casi rizado. ¡Y se parece a Orlando Bloom! Bueno, a mí me parece que son idénticos, ¡como dos gotas de agua! Siempre está haciendo cosas sin pensar demasiado: es muy impulsivo. A Elena le cae mal porque dice que siempre está haciendo bromitas y tomándole el pelo. Pero a mí me parece que tiene mucho sentido del humor porque me hace reír. Es apasionado y tiene personalidad. Me cae bien.

Nuestro profesor de Español es el señor Rodríguez. ¿Te acuerdas de él? Es mayor. No tiene el pelo blanco, pero tiene muchas canas y algunas arrugas en la cara. Es muy seguro. Algunos chicos dicen que es un poco vanidoso y parece muy estricto, pero es sensible y bondadoso. ¡Me gustan sus clases!

Escríbeme y cuéntame
qué tal en tu nueva escuela.

Hasta pronto. Besos.

Asha

Más vocabulario

Características físicas

ciego(a)	blind
mudo(a)	mute
sordo(a)	deaf
diestro(a)	right-handed
zurdo(a)	left-handed

Rasgos de personalidad

astuto(a)	shrewd
cobarde	cowardly
envidioso(a)	envious
humilde	modest, humble
indeciso(a)	indecisive
maleducado(a)	bad-mannered
terco(a)	stubborn
valiente	brave

¡Atención!

| sensato(a) | sensible |
| sensible | sensitive |

---

11 **Palabras relacionadas**

▶ **Une** las palabras con sus opuestos.

(A)	(B)
1. valiente	a. vanidoso
2. humilde	b. seguro
3. terco	c. razonable
4. indeciso	d. cobarde
5. estricto	e. flexible

12 **¿Comprendes?**

▶ **Lee** de nuevo el mensaje de Asha y responde a estas preguntas.

1. ¿Cómo tiene el pelo Juan Pablo?
2. ¿Cómo es la personalidad de Juan Pablo?
3. ¿Qué tal se llevan Asha y Juan Pablo? ¿Y Elena y Juan Pablo?
4. ¿Cómo es físicamente el señor Rodríguez?
5. ¿Qué piensa Asha del señor Rodríguez?

13 **Entre amigos**

▶ **Escucha** y completa las oraciones con la forma correcta de estos adjetivos.

tímido(a)　　terco(a)　　impulsivo(a)　　apasionado(a)　　seguro(a)

1. Martín es…
2. Rafa es…
3. Andrea es…
4. Marta es…
5. Jimena es…

▶ **Habla** con tu compañero(a). ¿Cómo es tu mejor amigo(a)? ¿Qué es lo que más te gusta de él/ella? ¿Y qué es lo que menos te gusta?

CONEXIONES: LENGUA

Los diminutivos

En español, muchas palabras admiten el sufijo diminutivo -ito(a) para expresar que algo es de tamaño pequeño. Pero el diminutivo puede añadir otros matices (*nuances*), como expresar afecto, restar importancia o, incluso, mostrar desprecio. Según las zonas, se emplean también otros sufijos diminutivos como -illo(a), -ico(a) o -ín(a).

Me he comprado un bolsito precioso para ir a tu fiesta.
Esta tarde vamos a visitar a mi abuelita.
Papá, tengo que contarte una cosita.
Tú siempre gastando bromitas…

14 **Explica.** ¿Existen diminutivos en inglés? ¿Pueden expresar distintos matices, como en español?

Gramática

Expresar gustos, intereses, sentimientos y emociones

Los verbos como *gustar* (a mí me...)

- Muchos verbos que expresan gustos, intereses, sentimientos y emociones siguen el modelo del verbo gustar: se conjugan generalmente en tercera persona (singular o plural) y llevan un pronombre de objeto indirecto: me, te, le, nos, os, les.

PRONOMBRE	VERBO EN 3.ª PERSONA	ALGO O ALGUIEN (SUJETO)
Me	gustan	los helados.
Nos	encanta	ser tus amigos.
Les	preocupa	que no estudie.

Observa que el sujeto va generalmente detrás del verbo.

- La mayoría de estos verbos se pueden conjugar también en primera y en segunda persona.

    Tú **me gustas** mucho.   Yo **te sorprendo** cada día.

- Los verbos como gustar se pueden conjugar en diferentes tiempos *(tenses)*, igual que cualquier otro verbo.

PRESENTE	A mi amiga Carla **le encantan** las películas románticas.
PRETÉRITO	**Nos molestó** la actitud agresiva del vendedor.
IMPERFECTO	Cuando era niño, **me asustaban** las tormentas.
FUTURO	Creo que a ustedes **les aburrirá** esa película.

VERBOS COMO GUSTAR

aburrir	encantar
alegrar	enfadar
apetecer	enojar
asustar	extrañar
caer bien/mal	fascinar
dar miedo	importar
dar pena	interesar
deprimir	molestar
divertir	parecer
doler	preocupar
emocionar	sorprender

15 **Piensa.** ¿Cómo traduces las siguientes oraciones al inglés?

a. Me interesan las matemáticas.   **b.** Nos sorprendió el final de la película.

16 **Gustos y emociones**

▶ **Completa** las oraciones con estos verbos. Usa el presente y los pronombres adecuados.

encantar   deprimir

dar miedo   molestar

apetecer   preocupar

1. A mis padres _____ mucho los ruidos.
2. La crisis económica _____ a todo el mundo.
3. A Elsa y a mí _____ las películas de terror; no nos gustan nada.
4. A mí _____ hacer deporte al aire libre.
5. Eva, ¿_____ ir conmigo al cine esta tarde?
6. A Juan _____ los días lluviosos, se pone muy triste.

17 Cine y teatro

 ▶ **Escucha** la conversación y decide si estas afirmaciones son ciertas o falsas. Después, corrige las falsas.

1. A Sara le fascina el cine argentino.
2. A Sara le aburre el teatro.
3. A Gabriel le encanta la ópera.
4. A Paula le gusta mucho ir al teatro con Gabriel.
5. A Sara le molesta que la gente haga ruido en el cine.
6. A Paula le alegra ir al cine con Sara.

 ▶ **Escucha** de nuevo y escribe oraciones que expresen los gustos, intereses y emociones de Sara, Paula y Gabriel.

Modelo   *A Paula le apetece ir al teatro.*

a. Ir al teatro.
b. El cine argentino.
c. La última película argentina que vio.
d. Ir con Gabriel al teatro.
e. Oír ruidos durante la proyección.
f. Hacer cosas juntas.

18 ¿Qué te gusta a ti?

▶ **Escribe** un párrafo sobre tus gustos e intereses. Piensa también en algunas experiencias que hayas tenido y escribe qué sentiste.

 ▶ **Habla** con tu compañero(a) sobre lo que han escrito. Comparen sus gustos y emociones.

Modelo   A. *A mí me emociona ver jugar a mi equipo de fútbol.*
          B. *¡A mí también! Y me divertí mucho viendo la última final con mis amigos.*

 **CULTURA**

El mariachi (México)

Las fiestas populares y las celebraciones familiares en México suelen ir acompañadas de música de mariachi. Este género musical forma parte de la identidad nacional y es una de las expresiones culturales del país más reconocidas en el mundo.

El mariachi procede de la región occidental de México, en el actual estado de Jalisco. Originariamente se tocaba con instrumentos de cuerda, pero después se incorporaron instrumentos de viento, como la característica trompeta. Algunas de las canciones más conocidas interpretadas por mariachis son *Cielito lindo*, *El rey* y *Las mañanitas*.

19 **Explica.** Escucha alguna canción mariachi. ¿Qué instrumentos reconoces? ¿Qué temas y sentimientos tratan las canciones?

Gramática

Los adjetivos. Posición y significado

Posición de los adjetivos calificativos

- En español, los adjetivos que expresan clases (día festivo) y cualidades o propiedades propias de uno o varios individuos (persona sensible) van detrás del nombre.

  > Cartagena de Indias es una ciudad **turística**. Tengo una amiga **argentina**.

  En cambio, los adjetivos que expresan una cualidad típica del nombre van delante.

  > A lo lejos se veían las **altas montañas**.

- Muchos adjetivos se pueden poner delante o detrás del nombre por razones estilísticas, pero algunos tienen significados distintos según su posición.

  ADJETIVOS CON CAMBIO DE SIGNIFICADO

Adjetivo	Antes del nombre	Después del nombre
antiguo(a)	*former, ex-* un antiguo compañero	*ancient, antique* un mueble antiguo
viejo(a)	*long-standing* una vieja canción	*old, elderly* una casa vieja
nuevo(a)	*different, other* una nueva computadora	*brand new* una computadora nueva
gran/grande	*great, famous* un gran amigo	*big, large* un edificio grande
pobre	*unfortunate* un pobre hombre	*penniless* un hombre pobre
único(a)	*only* un único libro	*unique* un libro único

Los adjetivos apocopados

- Los adjetivos bueno, malo y grande tienen formas cortas: buen, mal y gran. Las formas cortas se usan delante de los nombres en estos casos:

  | bueno → buen
malo → mal + nombre masculino singular | Jaime es un **buen** compañero. |

  | grande → gran + nombre singular | Meryl Streep es una **gran** actriz. |

20 **Compara.** ¿Hay adjetivos en inglés que cambien de significado según su posición?

21 **Antes o después**

▶ **Explica** el significado de los adjetivos destacados en estas oraciones.

1. Admiro mucho a tu padre. Es un **viejo** amigo y una **gran** persona.
2. Espero tener una **nueva** oportunidad de viajar a Perú el año próximo.
3. Este viaje es una ocasión **única**, no te lo puedes perder.

22 **Parejas**

▶ **Completa** las oraciones con una palabra de cada cuadro en la forma y el orden correctos.

Adjetivos	
nuevo	bueno
único	grande
antiguo	viejo

Nombres	
libro	auto
compañero	amigo
casa	actor

1. Mis padres ya no viven allí. Su _____ es ahora una tienda de ropa.

2. Robert de Niro es un _____. Me encantan todas sus películas.

3. Antonio tiene un _____. Se ha comprado el último modelo, qué suerte.

4. David es un _____. Siempre está ahí cuando lo necesito.

5. El *Quijote* de mi amigo Francisco es un _____ en el mundo. No hay otro igual.

6. Elisa y yo somos _____. Las dos íbamos a la misma escuela.

23 **Una historia en imágenes**

▶ **Escribe** oraciones para describir estas imágenes. Cada oración debe incluir al menos un adjetivo delante o detrás del nombre.

①

②

③

④

⑤

⑥

▶ **Escribe** una historia breve usando las oraciones que has creado en el apartado anterior.

▶ **Habla** con tu compañero(a). Comparte con él/ella tu historia. Después, inventen una nueva historia usando sus relatos y cuéntensela a la clase.

Antes de leer: estrategias

1. Lee el título y recuerda. ¿Qué son *Las mañanitas*?

2. Mira el texto y localiza un fragmento de *Las mañanitas*.

3. Comenta con tus compañeros(as). ¿Por qué creen que esta canción tiene ese título?

Las mañanitas

LUCAS: ¿Ya te aprendiste la canción *Las mañanitas*?

ASHA: ¡Sí! La escuché en Internet y tomé nota de la letra. Hay varias versiones, pero creo que esta es la más popular. Te la voy a cantar:

Estas son las mañanitas
que cantaba el rey David,
hoy por ser día de tu santo,
te las cantamos a ti.

Despierta mi bien, despierta,
mira que ya amaneció.
Ya los pajarillos cantan,
la luna ya se metió.

LUCAS: ¡Qué bonita! ¿Y sabes algo de su origen?

ASHA: Es una canción tradicional mexicana que se canta desde antes de la Revolución. Pero no averigüé nada de su autor.

LUCAS: ¿Y por qué dice «Hoy por ser día de tu santo…»?

ASHA: Pues creo que porque antes a los niños les solían poner el nombre del santo de ese día, así que el santo solía coincidir con el cumpleaños.

LUCAS: ¿El santo?

ASHA: Sí, he leído que en los países de tradición católica cada día del año está asociado a los nombres de algunos santos y santas. Las personas que se llaman como ellos celebran el santo ese día.

LUCAS: ¡Qué curioso!

ASHA: Por ejemplo, el santo de Lucía se celebra el 13 de diciembre, el de Juan el 24 de junio, y el tuyo…

LUCAS: ¿El mío?

ASHA: Sí, lo he buscado y el tuyo se celebra el 18 de octubre.

LUCAS: ¡Ah, qué bien! ¿Y sabes por qué la canción se titula *Las mañanitas*?

ASHA: Porque antes se cantaba para despertar al cumpleañero.

LUCAS: ¡Qué divertido! ¡Podemos despertar así a Margarita el día de su cumpleaños!

24 ¿Comprendes?

▶ **Responde** a estas preguntas.

1. ¿Existe una sola versión de la canción *Las mañanitas*?

2. ¿Se sabe quién es el autor de la canción y cuándo se escribió?

3. ¿Por qué dice «Hoy por ser día de tu santo...» si es una canción de cumpleaños?

4. ¿Por qué se titula *Las mañanitas*?

25 Tu versión

▶ **Escucha** la canción *Las mañanitas* y traduce la letra al inglés. Ten en cuenta que debe encajar en la melodía.

Las mañanitas

Estas son las mañanitas
que cantaba el rey David,
hoy por ser día de tu santo,
te las cantamos a ti.

Despierta mi bien, despierta,
mira que ya amaneció.
Ya los pajarillos cantan,
la luna ya se metió.

▶ **Canta** tu versión de *Las mañanitas* a tus compañeros(as). ¿Cuál les gusta más?

26 Con tus propias palabras

▶ **Investiga** sobre la celebración del santo en los países hispanos y escribe un texto breve explicándolo. Además, si el nombre de tus amigos y familiares se corresponde con el de algún santo, anota quién era y cuándo se celebra.

▶ **Comenta** con tus compañeros(as) lo que has averiguado.

Comunicación

27 **Un cumpleaños mexicano**

▶ **Lee** el texto y escribe seis oraciones sobre los sentimientos que expresa Julieta. Usa estos verbos.

alegrar   divertir   dar pena   apetecer   encantar   emocionar

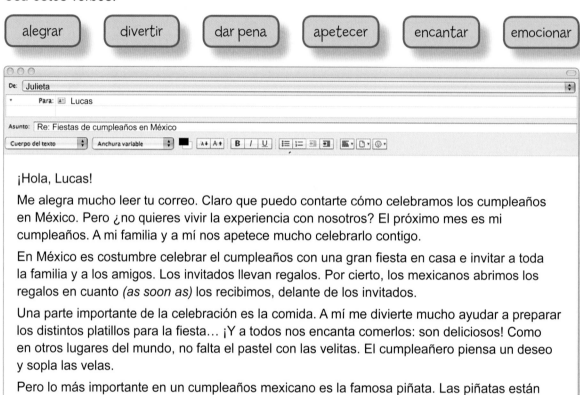

De: Julieta
Para: Lucas
Asunto: Re: Fiestas de cumpleaños en México

¡Hola, Lucas!

Me alegra mucho leer tu correo. Claro que puedo contarte cómo celebramos los cumpleaños en México. Pero ¿no quieres vivir la experiencia con nosotros? El próximo mes es mi cumpleaños. A mi familia y a mí nos apetece mucho celebrarlo contigo.

En México es costumbre celebrar el cumpleaños con una gran fiesta en casa e invitar a toda la familia y a los amigos. Los invitados llevan regalos. Por cierto, los mexicanos abrimos los regalos en cuanto *(as soon as)* los recibimos, delante de los invitados.

Una parte importante de la celebración es la comida. A mí me divierte mucho ayudar a preparar los distintos platillos para la fiesta… ¡Y a todos nos encanta comerlos: son deliciosos! Como en otros lugares del mundo, no falta el pastel con las velitas. El cumpleañero piensa un deseo y sopla las velas.

Pero lo más importante en un cumpleaños mexicano es la famosa piñata. Las piñatas están llenas de dulces y otros regalitos, así que hay que romperlas para que caigan las sorpresas. ¡A mí me emociona romper la piñata!

Ah, se me olvidaba. En México tenemos una canción de cumpleaños típica: *Las mañanitas*. A veces la cantan unos mariachis en fiestas de cumpleaños y en serenatas. Siempre me gusta escucharlos. ¿Sabes, Lucas? ¡Las fiestas de cumpleaños en México son tan divertidas que me da pena cuando se acaban!

Hasta pronto.

Julieta

▶ **Habla** con tu compañero(a). Utilicen estas preguntas como guía.

1. ¿Cómo celebras tu cumpleaños?
2. ¿Qué semejanzas y qué diferencias hay entre la celebración típica de México y la tuya?
3. ¿Conoces costumbres de cumpleaños propias de otros países?

▶ **Compartan** sus comentarios con la clase. Hagan entre todos una tabla comparando las costumbres para celebrar el cumpleaños en los distintos países.

28 Titulares de prensa

▶ **Escucha** y completa estos titulares con un nombre y un adjetivo.

> Detenido un « __1__ » al intentar robar un banco

> __2__ de México a través del arte

> Descubren en los Estados Unidos un __3__ con quince cuernos

> El jugador del F. C. Barcelona fue la __4__ contra Uruguay

▶ **Escribe** cuatro sentimientos que te provoquen estas noticias.

Final del desafío

Lucas: Asha, encontré mucha información y algunos videos para hacer una piñata. Además, le pregunté a mi amiga mexicana. Ella es muy __1__ y me regaló esta vasija de barro.

Asha: Yo traje lo que me pediste: papel de periódico, papel de colores y pegamento.

Lucas: Estupendo... Yo compré un montón de dulces y regalitos para poner dentro de la piñata. No creas que soy nada __2__ .

Asha: ¡Noooo, cómo voy a pensar eso...! Si tú eres siempre el primero en comprar y en invitar...

Lucas: ¡No me tomes el pelo!

Asha: ¿Y qué tal *Las mañanitas*? ¿Ensayamos la canción? Que no te dé vergüenza, Lucas. ¡Tienes que ser menos __3__ y más __4__ !

Lucas: Gracias, Asha, pero es que... ¡canto tan mal!

Asha: No seas __5__ , Lucas, no insistas más.

29 Desafíos muy artísticos

▶ **Completa** el texto del final del desafío. Usa estos adjetivos.

> terco   valiente   generosa   indeciso   egoísta

▶ **Habla** con tu compañero. ¿Crees que Asha y Lucas lograron su desafío? ¿Por qué?

Los nuevos chasquis

Ethan y Eva tienen que preparar un cartel y un eslogan para promocionar una carrera de chasquis. Pero antes deben averiguar qué es un chasqui...

CARTERO: Buenas tardes. Traigo una carta certificada para Eva Bishop. ¿Es usted?

EVA: Sí, soy yo. Muchas gracias. Mira, Ethan. El cartero me trajo una carta, pero no está escrito el nombre del remitente. Solo sé que viene de Lima. ¿Tú conoces a alguien allí?

ETHAN: No, qué va.

EVA: Fíjate, la estampilla es muy rara. Tiene una especie de cuerda con nudos.

ETHAN: A lo mejor es una pista para el desafío. Venga, abre el sobre, a ver qué dice la carta.

EVA: Tenías razón. Aquí dice que la estampilla muestra un quipu, que es un objeto que usaban los incas para contar y también como forma de escritura. Pero no sé qué tiene que ver eso con nuestro desafío. Por cierto, ¿averiguaste lo que son los chasquis?

ETHAN: Sí. Eran los mensajeros del imperio inca. Transmitían noticias y mensajes de un lugar a otro.

EVA: O sea, que eran como los carteros de hoy en día.

ETHAN: Sí. Tal vez los chasquis llevaban quipus para contar las historias.

EVA: Tiene sentido. Pero todo esto es muy raro. Tenemos que hacer el cartel de una carrera de chasquis. ¿Tú crees que todavía existen?

ETHAN: No creo...

30 Detective de palabras

▶ **Busca** en el diálogo las palabras que corresponden a estas imágenes.

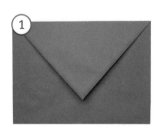

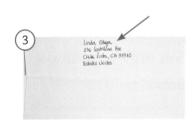

31 Un sistema muy bien organizado

▶ **Escucha** a Eva y a Ethan, y decide si estas afirmaciones son ciertas o falsas. Después, corrige las afirmaciones falsas.

1. Eva piensa que los chasquis existen todavía.
2. El quipu era un libro donde los chasquis anotaban sus mensajes.
3. Los colores y los nudos del quipu tenían diferentes significados.
4. Los incas fueron la única civilización antigua que utilizaba mensajeros.
5. Los tambos eran lugares para el relevo (*changing*) de los chasquis.

32 Los chasquis hoy

▶ **Lee** la noticia y escribe la respuesta a estas preguntas.

Sábado, 23 de junio de 2012

En Huancayo reviven carrera de ancestrales chasquis

Evocando a los ágiles corredores del imperio que cubrían largas distancias llevando los mensajes del Inca, 130 corredores participaron en la carrera de chasquis.

La competencia comenzó en el puente centenario que une los distritos de Huancayo y El Tambo, donde históricamente existía un lugar de aprovisionamiento y descanso para los corredores.

Los competidores cubrieron una distancia de 25 kilómetros entre avenidas y caminos rurales en 1 h 15 min, con relevos cada 2 kilómetros aproximadamente. El ganador fue el equipo de chasquis «Los amigos de Huancayo».

Fuente: http://www.rpp.com.pe (texto adaptado)

1. ¿De qué competencia habla la noticia? ¿Dónde se celebró y cuántos participantes hubo?
2. ¿Cuántos kilómetros recorrieron los participantes? ¿Cuánto tiempo tardaron?
3. ¿Existen chasquis hoy en día?

 **CULTURA**

Los chasquis (Perú)

Los chasquis eran mensajeros al servicio del soberano del imperio inca. Su misión era llevar los mensajes reales desde rincones distantes del imperio hasta su capital, Cuzco, recorriendo grandes distancias en un breve período de tiempo.

Los chasquis registraban la información en un *quipu*, formado por una serie de cuerdas de distintos colores y con nudos que indicaban cantidades. También llevaban un *pututu*, que era una trompeta hecha con una caracola (*conch*), y un textil o *qëpi* a la espalda.

33 Investiga. ¿Para qué necesitaban los chasquis el *pututu* y el *qëpi*?

Vocabulario

La oficina de correos

EVA: ¿A quién vas a enviar ese paquete, Ethan?

ETHAN: A un amigo que vive en Argentina. Este jueves es su cumpleaños y le voy a mandar un regalo. Me gustaría que el cartero se lo entregara el mismo día de su cumpleaños.

EVA: Seguro que se alegrará mucho. A mí me emociona recibir cartas y paquetes. ¿Se lo vas a mandar por correo aéreo?

ETHAN: Sí, por correo aéreo certificado y urgente, para asegurarme de que llega a tiempo.

EVA: Pero el envío será muy caro, ¿no?

ETHAN: No creo, el paquete no es muy pesado ni frágil.

EVA: Claro, tienes razón. ¿Y sabes cuánto tiempo tardará en llegar?

ETHAN: Se lo preguntaré al empleado de correos.

La carta

la estampilla

el remitente

el destinatario

el sobre

la dirección

el código postal

Mariana Domínguez
c/ Antamina 165
Tambo de Monterrico
Surco Lima 33
Perú

Linda Ortega
276 Santillana Ave.
Chula Vista, CA 91910
Estados Unidos.

Más vocabulario

El correo

la balanza	scale
el buzón	mailbox
la correspondencia	mail
la tarjeta postal	postcard
la tarjeta de felicitación	greeting card
la tarjeta navideña	Christmas card
el franqueo	postage

¡Atención!

la firma	signature
firmar	to sign

34 Servicio postal

▶ **Escribe** los verbos correspondientes a estas acciones. Después, escribe un pie de foto para cada fotografía.

1

2

3

35 **Mi relación con el correo postal**

▶ **Completa** los bocadillos con las palabras del cuadro.

buzones	cartas personales	cartero	correspondencia	envíos
franqueo	tarjeta de felicitación	paquetes	tarjetas navideñas	correo

Me llamo Mario Hernández y soy ___1___. Mi profesión ha cambiado mucho en los últimos años, ya que el número de ___2___ postales ha descendido notablemente. Cada día reparto la ___3___, pero los ___4___ no se llenan nunca, ni siquiera (*even*) en diciembre con las ___5___.

Me llamo Lucía y me encanta el correo postal. Aunque utilizo mucho el ___6___ electrónico, no he dejado de escribir ___7___ a mis amigos y siempre les mando una ___8___ por su cumpleaños. También envío ___9___ a mi familia de Argentina. A veces son muy pesados y el ___10___ es alto, ¡pero la alegría es mayor!

▶ **Habla** con tu compañero(a). Por turnos, hagan preguntas y respondan sobre el uso que hacen ustedes y sus familias del correo postal.

CONEXIONES: LITERATURA

Juan Rulfo

El escritor mexicano Juan Rulfo (1917-1986) está considerado uno de los autores más influyentes del siglo XX por su novela *Pedro Páramo*. Poco después de su muerte, su esposa, Clara Aparicio, decidió publicar las cartas que él le escribió los primeros años de su noviazgo. Son poemas y cartas de amor en las que él le describía su vida, su trabajo y su pasión por la fotografía, y que nos permiten conocer más aspectos de la vida de este gran autor.

36 **Explica.** Lee este fragmento de una de las cartas de Juan Rulfo a Clara Aparicio. ¿Qué te parece? ¿Alguna vez has escrito una carta de amor? ¿Crees que las cartas de amor van a desaparecer?

D*esde que te conozco, hay un eco en cada rama que repite tu nombre; en las ramas altas, lejanas; en las ramas que están junto a nosotros, se oye. Se oye como si despertáramos de un sueño en el alba. Se respira en las hojas, se mueve como se mueven las gotas del agua. Clara: corazón, rosa, amor...*

Juan Rulfo. *Cartas a Clara.* Editorial RM.

Gramática

Los verbos pronominales

Los verbos pronominales (yo me...)

- Los verbos que se conjugan con un **pronombre reflexivo** (me, te, se, nos, os, se) que se refiere al sujeto se llaman verbos pronominales. Estos verbos tienen la forma yo me..., tú te..., él se...

    Me despierto a las 7:00 a. m.   Los amigos **se saludaron** con un beso.

- Los verbos pronominales tienen el pronombre se en el infinitivo (despertarse, saludarse) y se pueden conjugar en cualquier tiempo verbal.

PRESENTE	Siempre **me levanto** de buen humor.
PRETÉRITO	Mi amigo Carlos y yo **nos conocimos** en la escuela.
IMPERFECTO	De pequeña **me llevaba** muy mal con mi hermana mayor.
FUTURO	Tú y yo no **nos pelearemos** nunca.

Verbos con cambio de significado

- Algunos verbos se conjugan siempre con un pronombre reflexivo.

    ¿**Te atreves** a viajar a países lejanos?

- Otros verbos se pueden conjugar con pronombres reflexivos o sin ellos, pero el significado cambia.

VERBOS CON PRONOMBRE REFLEXIVO

arrepentirse	to regret
atreverse	to dare
enterarse	to find out
esforzarse	to make an effort
fugarse	to run away
quejarse	to complain

VERBOS CON CAMBIO DE SIGNIFICADO

acabar	to finish	acabarse	to end, to run out	parecer	to seem	parecerse	to look like
acordar	to agree	acordarse	to remember	poner	to put	ponerse	to put on
aprender	to learn	aprenderse	to memorize	quedar	to arrange to meet	quedarse	to stay
dormir	to sleep	dormirse	to fall asleep	romper	to break something	romperse	to get broken
estudiar	to study	estudiarse	to learn	salir	to leave, to go out	salirse	to go beyond
ir	to go	irse	to leave, to go away				the limits
levantar	to lift	levantarse	to get up	volver	to come back	volverse	to turn

37 **Piensa.** ¿Existe en inglés una forma de expresar la diferencia entre Luis **rompió** un vaso y Luis **se rompió** un dedo?

38 **Con pronombre**

▶ **Completa** las oraciones con el verbo correcto en la forma adecuada.

1. ¿Vamos de compras esta tarde? Si quieren, _____ a las cinco.
    quedar/quedarse

2. Sandra _____ mucho a su hermana mayor.
    parecer/parecerse

3. No vi toda la película; estaba tan cansada que _____ en el cine.
    dormir/dormirse

39 **¿Qué hacen?**

▶ **Escucha** los diálogos y une las tres columnas. Después, escribe oraciones completas.

Ⓐ	Ⓑ	Ⓒ
1. Raquel va a...	acabar	ayer.
2. Raquel no...	acabarse	de comprar sal.
3. Raquel tiene que...	acordar	de que está sosa.
4. Los vecinos...	acordarse	en la fiesta hasta muy tarde.
5. Nadie...	levantar	la mano para reunirse a las seis.
6. La última reunión de vecinos...	levantarse	muy tarde.
7. Luisa prueba la sopa y...	ponerse	reunirse a las ocho.
8. La sal...	quedarse	temprano al día siguiente.
9. César no...	quejarse	un vestido azul para la fiesta.

40 **¡Vaya día!**

▶ **Escribe** una oración para explicar cada imagen. ¿Qué le pasó a Silvia ayer?

①

②

③

④

⑤

⑥

41 **Para conocernos mejor**

▶ **Escribe** diez preguntas para saber más cosas sobre tu compañero(a).
Usa verbos de la ficha de Gramática.

Modelo   *¿Te acuerdas del cumpleaños de todos tus amigos?*

 ▶ **Habla** con tu compañero(a). Túrnense para hacerse las preguntas y responder.

Los verbos reflexivos y recíprocos

Los verbos reflexivos

- Los verbos reflexivos son verbos pronominales que expresan una acción que se refleja en el sujeto.

  ¿A qué hora **te despertaste**?　　**Vístete**, por favor.

- Muchos verbos reflexivos se refieren a hábitos y a la higiene personal.

  Me lavo el pelo dos veces por semana.

- El nombre que funciona como objeto directo de un verbo reflexivo puede ir en singular (uno) o en plural (varios). Y, a diferencia del inglés, cuando se refiere a partes del cuerpo o al vestido lleva delante un artículo, no un adjetivo posesivo.

  Me lavaré **el pelo** con champú.　　Ella se puso **la camisa** al revés.

  Ellos se lavaron **la cara**.　　Él se puso **los zapatos** nuevos.

VERBOS REFLEXIVOS

acostarse
bañarse
ducharse
lavarse
levantarse
maquillarse
vestirse

Los verbos recíprocos

- Los verbos recíprocos son verbos pronominales que expresan acciones recíprocas *(each other, one another)*.

  Ana y Luis **se quieren** (uno al otro).

- Los verbos recíprocos se conjugan como los verbos reflexivos, pero siempre en plural (nosotros(as) nos..., vosotros(as) os..., ustedes se..., ellos(as) se...).

  Ellos **se conocieron** en una fiesta el año pasado.

  Antes mi novio y yo **nos llamábamos** todos los días.

  ¡**Abrácense** y **perdónense**!

VERBOS RECÍPROCOS

abrazarse	hablarse
apoyarse	llamarse
ayudarse	mirarse
besarse	odiarse
conocerse	pelearse
contarse	perdonarse
despedirse	quererse
entenderse	saludarse
escribirse	verse

42 **Piensa.** Traduce al español estas oraciones.

　　a. *They always get up late.*

　　b. *My grandparents used to write each other letters.*

43 **¿Reflexivos o recíprocos?**

▶ **Decide** si estos verbos son reflexivos o recíprocos, y escribe una oración con cada uno.

1. ayudarse
2. despertarse
3. hablarse
4. saludarse
5. levantarse
6. escribirse
7. maquillarse
8. vestirse

44 **Una carta muy particular**

▶ **Lee** la carta de Paula y complétala con los verbos del cuadro en presente.

ayudarse	levantarse	llevarse	hablarse
peinarse	pelearse	perdonarse	quererse

Queridos Reyes Magos de Oriente:

Este año me estoy portando muy bien. Todos los días ____1____ temprano para llegar a tiempo a la escuela. Mis hermanos y yo ____2____ bien y ____3____ mucho con las tareas. Aunque algunas veces ____4____... Ahora mi hermano Javi y mi hermano Leo están enfadados y no ____5____ porque Javi se puso un suéter de Leo sin pedirle permiso. ¡Siempre están igual! Pero seguro que pronto ____6____. Si pueden traerles algo de ropa, seguro que les gustará mucho y así no discutirán.

Mis padres ____7____ mucho, ¡y yo los quiero mucho también! Me gustaría que les trajeran un auto nuevo. Y para mí... Bueno, me gusta mucho un chico de otra clase, que ____8____ como Justin Bieber y es guapísimo. Me gustaría conocerlo. ¿Pueden ayudarme?

Muchas gracias y ¡hasta el año que viene!

Paula

▶ **Lee** de nuevo la carta y completa estas oraciones.

1. Todos los días Paula...
2. Paula y sus hermanos...
3. Javi y Leo...
4. Los padres de Paula...

▶ **Escribe** tu carta a los Reyes Magos. Usa verbos reflexivos y recíprocos.

 CULTURA

La carta a los Reyes Magos

En España y en muchos países hispanos es tradición que los niños reciban regalos de los Reyes Magos la noche del 5 al 6 de enero. Para ello deben escribir una carta pidiéndoles lo que desean. La condición para recibirlos es haberse portado bien; si se portaron mal, solo recibirán carbón dulce.

Los niños pueden entregar sus cartas directamente a los Reyes Magos o echarlas a uno de los buzones especiales que se instalan en las oficinas de correos y en los centros comerciales. Desde hace unos años también es posible escribirles una carta virtual a través de Internet o de las redes sociales.

45 **Explica.** ¿Conoces tradiciones similares a las de los Reyes Magos? ¿Quién trae los regalos navideños en tu país?

Antes de leer: estrategias

1. Lee el titular *(headline)* del reportaje. ¿Qué otros oficios y profesiones te parecen románticos?

2. Lee la entradilla *(lead)*. ¿Qué detalles te gustaría conocer de esta historia?

3. Lee las partes del texto destacadas en negrita *(bold)*. Resume con tus palabras la información que has obtenido.

El oficio más romántico: escribir cartas de amor por encargo

Una mujer cubana lleva 15 años escribiendo cartas románticas a clientes de 20 países distintos

A mano, con sentimiento y buena letra, como en los mejores romances clásicos, **una periodista cubana** escribe cartas de enamorados. Lleva 15 años haciéndolo, y es que posee uno de los trabajos más románticos que se pueden tener: **redacta cartas de amor por encargo**, convencida de que en la era informática «la gente aún no ha perdido la fe» en ellas, según cuenta a la prensa de su país.

Se llama **Liudmila Quincose**, tiene 34 años y es poetisa. Le encanta escribir y utiliza su talento para ayudar a los demás. «**Una carta de amor es una necesidad para cualquier persona. Cuando las escribo, siempre pienso en quien la va a recibir, en la emoción o el alivio[1] que va a sentir**», asegura. Defensora del amor, un día de junio de 1994 decidió colgar un singular cartel a las puertas de su casa, en Sancti Spíritus (Cuba): «Escribanía[2] Dollz. Se escriben cartas de amor a cualquier hora. Cartas de negocios y cartas de suicidas de 8:30 a. m.

a 3:00 p. m.» Un primer cartel un tanto serio, pero que le ha valido el reconocimiento y la fama de ser **la mejor «Cupido» del país**.

Aquella vez tuvo que esperar un mes hasta que alguien se decidió a entrar en la escribanía. Su primer cliente fue un hombre, bastante desesperado, que creía perder a su esposa. «Eran cerca de las 10 de la noche; entró, se acomodó en un sillón y me contó casi toda su vida. Aquello me sorprendió. **Él esperaba que yo hiciera un milagro**». Afortunadamente, la carta hizo su mágico efecto, todo salió bien, consiguió reconciliarse con su mujer y recuperó la tranquilidad.

Una idea que en un principio le pareció graciosa, pero que pronto se convirtió en un negocio y, lo más importante, en una vía[3] para dar rienda suelta[4] a la «**mucha necesidad de comunicación**» que Liudmila encuentra en la sociedad. Desde aquella primera historia, cientos de personas han pasado ya a visitar

Una mujer cubana posee uno de los trabajos más románticos: escribe cartas de amor por encargo.

a Liudmila. Tiene **fama en toda Cuba** porque sus cartas siempre resultan eficaces. Su secreto está en su gran sensibilidad[5], en poner todas sus energías en cada una de las historias de amor y, por supuesto, en su gran dominio de la escritura.

Las cartas «más fáciles son las que se regalan para decirle a otra persona cuánto se le quiere», y «las más difíciles son cuando las parejas están peleadas», explica Liudmila, que perdió la cuenta de «cuántas» ha redactado en estos 15 años y no asume el raro oficio como «un medio[6] de vida», asegura.

«Cada vez que una persona viene, yo siento una felicidad muy grande. No es un medio de vida porque de esto yo no vivo; si tienen cinco pesos, me los pagan, pero por ejemplo, las que yo respondo, que son más que las que vendo, son totalmente gratis», explica la mujer, cuya escribanía atiende pedidos de unos 20 países.

Preguntada por el éxito de sus amorosas cartas, Liudmila es humilde: **«El amor todo lo perdona, lo salva, no pone peros[7].»**

¿Podríamos decir que es una escribana[8] en pleno siglo XXI? «De los viejos escribanos envidio el trazo[9] de sus letras, los dibujos de sus firmas. Sus cartas eran bellas, yo solo escribo en un papel especial», cuenta.

Eso sí, Liudmila agradece que el hecho de hacer cartas de amor por encargo le ha aguzado[10] los sentidos. Se ha ido adentrando[11] en un mundo creativo cada vez más rico, que le permite evolucionar como escritora y también ayudar a sus clientes. Liudmila necesita inspiración, pero, como ha contado a la prensa cubana, le gusta ver las caras a las personas. **Tal y como ellos hablan, ella escribe**. «No puedes hacer una carta muy elevada[12] para alguien medio. Hay gente muy práctica y no debes redactarle un mensaje muy poético, porque se da cuenta el que la recibe.» Una mujer convertida en mensajera del amor, probablemente el oficio más dulce del mundo.

Fuente: http://www.hola.com
(selección)

---

1. consuelo
2. *writing desk*
3. manera, modo
4. *to give free rein*
5. delicadeza
6. manera, modo
7. *find fault*
8. *scribe*
9. *dibujo*
10. *sharpened*
11. metiendo
12. formal, erudita

---

46 ¿Comprendes?

▶ **Responde** a estas preguntas.

1. ¿Cuál es la profesión de Liudmila? ¿De qué vive realmente?
2. ¿Por qué escribe cartas de amor?
3. ¿Sus cartas suelen causar el efecto deseado? Pon un ejemplo.
4. ¿Qué tipo de cartas le cuesta más escribir a Liudmila?
5. ¿Qué estilo emplea Liudmila al escribir las cartas?

47 Palabras y expresiones

▶ **Busca** en el texto las palabras destacadas en estas oraciones y responde a las preguntas.

1. ¿Qué otras cosas se suelen hacer **a mano**?
2. ¿Qué se puede comprar **por encargo**?
3. Cuando lloramos, ¿a qué sentimientos **damos rienda suelta**?
4. ¿Qué otros **medios de vida** inusuales conoces?

48 Con tus propias palabras

▶ **Habla** con tus compañeros(as). ¿Le encargarías una carta de amor a Liudmila? ¿En qué situación? ¿Crees que el oficio de Liudmila tiene futuro? Justifica tus respuestas.

Comunicación

49 **Servicios postales**

▶ **Escucha** los diálogos y relaciona las personas con las imágenes correspondientes.

1. la señora　　　**2.** Jesús y Alicia　　　**3.** Carlos y su padre

Ⓐ 　　Ⓑ 　　Ⓒ

Ⓓ 　　Ⓔ 　　Ⓕ

▶ **Escribe** una oración explicando cada imagen y su relación con cada persona.

Modelo　*La señora quiere enviar un paquete a Lima.*

50 **¿A quién le escribo?**

▶ **Lee** este fragmento de un cuento y responde a las preguntas.

Una carta a Dios

Lencho era un hombre rudo y trabajaba como una bestia en los campos, pero sin embargo sabía escribir. El domingo, con la luz del día, empezó a escribir una carta que él mismo llevaría al pueblo para echarla al correo.

«Dios —escribió— si no me ayudas, pasaré hambre con toda mi familia durante este año. Necesito cien pesos para volver a sembrar y vivir mientras viene la nueva cosecha, porque el granizo...». Escribió «A Dios» en el sobre, metió la carta y, todavía preocupado, fue al pueblo. En la oficina de correos, le puso una estampilla a la carta y echó esta en el buzón. Un empleado, que era cartero y también ayudaba en la oficina de correos, llegó riéndose mucho ante su jefe, y le mostró la carta dirigida a Dios. El jefe de la oficina —gordo y amable— también empezó a reír, pero muy pronto se puso serio.

Gregorio López y Fuentes. *Cuentos campesinos de México.* (http://fhuhs.org) (texto adaptado)

1. ¿Cómo es Lencho? ¿Cuál es su profesión?

2. ¿Qué problema tiene? ¿Qué hace para solucionarlo?

3. ¿Cómo reaccionan los empleados de la oficina de correos? ¿Por qué?

▶ **Escribe** un principio y un final para la historia de Lencho.

Estampillas conmemorativas

▶ **Haz** una lista de personajes famosos de la actualidad que te gustaría que aparecieran en una estampilla de correos y piensa por qué.

Mario Vargas Llosa

Premio Nobel de Literatura 2010
Mario Vargas Llosa
CORREOS
ESPAÑA 0,80€

▶ **Habla** con tu compañero(a). Elijan el personaje que más les gusta de sus listas y hagan su propuesta a la clase justificando su elección.

Final del desafío

EVA: Estoy escribiendo eslóganes para nuestro cartel.

ETHAN: Estupendo, Eva. Yo estaba buscando información y algunas imágenes. En realidad, las carreras de chasquis se organizan para celebrar diversos eventos: el Día del Cartero, el Día del Indígena…

EVA: Yo creo que suelen ser una celebración de la herencia cultural indígena.

ETHAN: Sí, y a veces también son un homenaje a la tierra, ¿no? ¿Tú ___1___ de que en Perú celebran el Día del Campesino con carreras de chasquis?

EVA: Sí, es un evento tradicional. Y normalmente los corredores ___2___ como los antiguos chasquis.

ETHAN: Deberíamos dibujar un chasqui en nuestro cartel.

EVA: Mejor que lo hagas tú, Ethan; yo no ___3___ a dibujar, se me da muy mal.

ETHAN: De acuerdo, voy a ___4___ para hacer un buen dibujo. Pero si no me sale bien, luego no puedes ___5___ , ¿eh?

EVA: No, hombre. Te voy a leer mis eslóganes, a ver qué te parecen. Mira, este es el primero: *Tu pasado es tu futuro.* Otro es: *Todos somos chasquis.* Y el último, jugando con las palabras: *Tan rápidos como un CHASQUIdo (snap).*

ETHAN: ¡El último, sin duda!

Preparando el cartel

▶ **Completa** el diálogo poniendo estos verbos en la forma correcta.

acordarse   atreverse   esforzarse   quejarse   vestirse

▶ **Habla** con tu compañero(a). ¿Cuál de los eslóganes de Eva les gusta más? ¿Por qué?

▶ **Escribe** tres eslóganes más con tu compañero(a) para ayudar a Ethan y a Eva. Después, compártanlos con el resto de la clase y voten para elegir el mejor.

Un extraño lenguaje

Michelle y Daniel tienen que aprender a decir una frase en un extraño lenguaje de las islas Canarias (España). Daniel está ansioso por aprender más sobre ese lenguaje misterioso, pero Michelle tiene otra preocupación...

MICHELLE: Daniel, en las islas Canarias se habla español. ¿No será que tenemos que aprender algo en español?

DANIEL: Ya hablamos español. No creo que nos hayan dado un desafío tan fácil.

MICHELLE: En España hay otras lenguas, además del español. Quizá el desafío se refiere a una de ellas.

DANIEL: No creo, porque en Canarias solo se habla español.

MICHELLE: Tengo un mensaje de voz de Tim. Voy a poner el altavoz para que puedas escucharlo.

DANIEL: Y sube el volumen para oírlo bien. ¡Uy! Qué raro. En esta grabación no se oyen palabras, solo silbidos (*whistles*).

MICHELLE: ¡Ya sé lo que es! La profesora de Español nos contó que en La Gomera, una de las islas Canarias, se creó hace siglos un sistema de comunicación basado en silbidos.

DANIEL: ¿Por qué?

MICHELLE: Porque los habitantes de la isla necesitaban comunicarse entre ellos salvando (*overcoming*) los precipicios que los separaban. Piensa que entonces no había teléfonos ni computadoras.

DANIEL: ¿Entonces tenemos que aprender a silbar como ellos? ¡Qué divertido!

MICHELLE: Sí, pero es un desafío bastante difícil. ¡Sobre todo si uno no sabe silbar!

53 ## Detective de palabras

▶ **Completa** estas oraciones.

1. Michelle puso el ___1___ para que Daniel pudiera escuchar el ___2___ de Tim.

2. Daniel le pidió a Michelle que subiera el ___3___ para oír bien el mensaje.

3. En la ___4___ de Tim solo se oían silbidos.

4. En una isla canaria se creó hace siglos un ___5___ basado en silbidos.

5. Los silbidos servían para comunicarse a distancia cuando no había ___6___ ni computadoras.

54 **¿Comprendes?**

▶ **Responde** a estas preguntas.

1. ¿En qué cree Michelle que consiste el desafío?
2. ¿Qué se oye en el mensaje de voz de Tim?
3. ¿Para qué usaban los silbidos en la isla de La Gomera?
4. ¿En qué consiste el desafío de Michelle y Daniel?

Maqueta de La Gomera.

55 **Un lenguaje de silbidos**

▶ **Lee** este artículo y escribe. ¿Por qué el silbo de La Gomera es un legado cultural tan valioso? Explícalo usando tus propias palabras.

CULTURA

El silbo gomero, declarado por la UNESCO Patrimonio de la Humanidad

El silbo gomero ha sido declarado Patrimonio Cultural Inmaterial de la Humanidad en una reunión celebrada por la UNESCO en Abu Dhabi (Emiratos Árabes). El Gobierno de Canarias explica que la candidatura se sustentó en que el silbo gomero tiene un valor excepcional como muestra del genio creador humano, presenta una gran complejidad técnica y estética, y es expresión de la cultura popular de un territorio. Además destacó su valor como producto cultural y por su capacidad para ser transmitido de unas generaciones a otras. El Gobierno también resalta que el silbo gomero es una parte viva dentro de la actividad social de la comunidad gomera y su origen está en las tradiciones y necesidades de un pueblo.

Fuente: http://www.laopinion.es (selección)

 **CULTURA**

El silbo gomero

El silbo gomero es el lenguaje silbado (*whistled*) de la isla canaria de La Gomera. Es el único lenguaje silbado del mundo completamente desarrollado y practicado en una comunidad numerosa.

El silbo gomero reproduce la lengua de los habitantes de La Gomera, es decir, el español, y se creó para transmitir noticias, convocar a fiestas y funerales, etc. Ha sido transmitido de unas generaciones a otras durante siglos y hoy se enseña en las escuelas. En 2009 fue declarado Patrimonio Inmaterial de la Humanidad por la UNESCO.

56 **Piensa y explica.** ¿Por qué es útil un lenguaje de silbidos en La Gomera? ¿Crees que se conservará en el futuro?

Vocabulario

Los medios de comunicación

«Mi pasión son las nuevas tecnologías.»
Andrea, 35 años

Yo soy una apasionada de las nuevas tecnologías. Soy periodista y trabajo en prensa digital. Escribo **artículos** para la **sección internacional** y colaboro en la **sección de finanzas** porque me interesa mucho la economía. En el futuro me encantaría escribir **editoriales** para la **sección de opinión**.

«Estoy loco por el cine.»
David, 27 años

Me encanta ir al cine. Veo muchas películas extranjeras en **versión original** con **subtítulos**. En casa también veo **canales** de cine y sigo algunas **series** y **programas** en distintas **cadenas** de televisión. También suelo ver los **noticieros** para estar bien informado, pero la **programación** me parece bastante mala, en general.

«Vivo pegado al teléfono.»
Ricardo, 40 años

En mi trabajo utilizo mucho el teléfono porque hablo con muchos clientes. Y en el auto activo el **altavoz** de mi celular para seguir hablando. Siempre tengo mensajes en mi buzón de voz y en casa voy con el **teléfono inalámbrico** de un lado a otro. Tengo que admitir que vivo pegado al teléfono.

Más vocabulario

La televisión

el concurso	*game show*
el documental	*documentary*
el botón	*button*
el control remoto	*remote control*
el sonido	*sound*
el volumen	*volume*

La prensa

la noticia	*news*
el titular	*headline*
la primera plana	*front page*

¡Atención!

comentar	*to discuss*
discutir	*to argue, to discuss*

57 **Definiciones**

▶ **Escribe** definiciones que ayuden a comprender el significado de estas palabras.

Modelo *El teléfono inalámbrico sirve para hablar por teléfono desde cualquier lugar de casa porque puedes llevarlo de un sitio a otro.*

1. el teléfono inalámbrico
2. el altavoz
3. el noticiero
4. la serie de televisión
5. el titular
6. el editorial

58 El noticiero

 ▶ **Escucha** las noticias y completa estos titulares.

El presidente viaja a Canadá para reunirse con el primer ___1___

La OMS alerta sobre el uso excesivo de los ___2___

Gasol vuelve a las ___3___

El carbón superará al ___4___ como primera fuente de energía en 2017

▶ **Clasifica.** ¿A qué sección del periódico corresponde cada titular?

> FINANZAS   SALUD   POLÍTICA   DEPORTES

 59 Una entrevista

▶ **Entrevista** a tu compañero(a) usando estas preguntas y toma nota de sus respuestas.

1. ¿Sueles ir al cine? ¿Qué películas has visto en español?
2. ¿Ves canales de cine en la televisión? ¿Cuáles?
3. ¿Sigues alguna serie de televisión? ¿En qué cadena?
4. ¿Utilizas mucho el teléfono? ¿A quién sueles llamar?

▶ **Escribe** un resumen de la entrevista. Después, preséntalo a la clase.

CONEXIONES: TECNOLOGÍA

¿Prensa digital o prensa en papel?

Según un estudio de la empresa Telefónica, la lectura de diarios en formato digital aumentó en 2011 en España más de un 38 % respecto al año anterior.

Muchos usuarios prefieren los periódicos en papel a las versiones digitales porque les resultan más fiables y completos o porque los pueden leer en cualquier sitio y disfrutar más de la lectura. En cambio, los lectores de diarios en la red los prefieren por el precio, porque pueden acceder a noticias muy recientes o de hace tiempo, y porque Internet les permite personalizar sus preferencias de lectura.

 60 **Explica.** ¿Cómo prefieres leer las noticias: en periódicos impresos o digitales? ¿Crees que el futuro de los periódicos en papel está en peligro? ¿Por qué?

Gramática

Hablar de acciones en curso

La conjugación progresiva

- La conjugación progresiva se utiliza para hablar de acciones pasadas, presentes o futuras que están en desarrollo.

    Ahora María **está leyendo** y antes **estaba haciendo** la comida.

- Los tiempos progresivos *(progressive tenses)* se forman con el verbo estar y el gerundio *(present participle)* de un verbo. Repasa la formación del gerundio en la página R11.

PRESENTE PROGRESIVO

estar (en presente) + gerundio

Ahora Bill **está escuchando** música.

PRETÉRITO PROGRESIVO

estar (en pretérito) + gerundio

Ayer **estuve leyendo** hasta las 9:00 p. m.

IMPERFECTO PROGRESIVO

estar (en imperfecto) + gerundio

Estaba comiendo cuando me llamaste.

FUTURO PROGRESIVO

estar (en futuro) + gerundio

Mañana a esta hora **estaré trabajando**.

Uso de la conjugación progresiva

- En español, la conjugación progresiva es frecuente con actividades dinámicas que duran cierto tiempo (hablar, leer, escribir, mirar, pensar, trabajar, llover…) o que admiten progreso (crecer, acercarse, enfadarse…). En cambio, no se suele usar con los verbos ir, venir, conocer, saber o creer.

    Vengo de mi casa y ahora voy a la escuela.

- Para expresar planes futuros, usamos el futuro o la expresión voy a…, no el futuro progresivo. En cambio, utilizamos el futuro progresivo para expresar probabilidad.

    Mañana **voy a ir** a una fiesta. A estas horas **estaré bailando**.

61 **Compara.** ¿Cómo se forman los tiempos progresivos en inglés? ¿Tienen los mismos usos que en español?

62 **Todos estudiamos**

▶ **Une** las columnas y escribe oraciones completas.

Ⓐ

1. No puedo ir porque estoy estudiando…
2. Javier estuvo estudiando…
3. Isabel y yo estábamos estudiando…
4. Ana y Jimena estarán estudiando…

Ⓑ

a. cuando Natalia vuelva a casa.
b. cuando llamó Luis.
c. en la biblioteca ayer.
d. para el examen de mañana.

▶ **Escribe** cuatro oraciones usando los cuatro tiempos de la ficha de Gramática.

63 **¿Estamos o estaremos?**

▶ **Completa** las oraciones poniendo los verbos del cuadro en presente o en futuro progresivo.

> organizar   proyectar   trabajar   ver   vivir   volar

1. Mis profesores _____ un ciclo de cine hispanoamericano para el próximo otoño.
2. Cuando empieces tus estudios en la universidad, yo ya _____ como abogada.
3. Hoy _____ una película mexicana en versión original en el taller de cine de la escuela.
4. El domingo a esta hora Antonio y Cecilia _____ a su país.
5. Mi hermano siempre quiere cambiar de canal cuando yo _____ la televisión.
6. El año que viene nosotros _____ en Sydney.

64 **Informe policial**

▶ **Escucha** la declaración de la señora Rodríguez y localiza los errores en este informe que hizo un policía. Después, escríbelo de nuevo.

> ### INFORME
>
> La señora Rodríguez llegó a su casa a las ocho de la tarde. Cuando estaba abriendo la puerta, sonó el teléfono. Era su marido. Estuvo hablando con él algunos minutos; él le dijo que estaba saliendo del trabajo y que se dirigía a casa. Mientras preparaba la cena, la señora Rodríguez estuvo viendo el noticiero. Después estuvo mirando por la ventana para ver si llegaba su marido. Entonces, vio a dos personas extrañas, pero no le pareció importante. Estaba viendo la televisión cuando oyó un ruido inusual. Estuvo escuchando atentamente un buen rato y le pareció oír a dos hombres que estaban riéndose. Luego oyó que un hombre decía: «Quédate quieto, no grites y no te pasará nada», y a otro hombre que gritaba pidiendo ayuda. Inmediatamente, miró por la ventana y vio un auto deportivo que estaba entrando en el garaje de sus vecinos. A continuación, llamó a la policía. Estuvo esperando a su marido, pero él no llegó.

COMUNIDADES   f   t   Sonico   :)

REDES SOCIALES EN ESPAÑOL

Las redes sociales suponen (signify) una verdadera revolución en el mundo de la comunicación y son una herramienta (tool) indispensable en el mundo laboral, los negocios, la publicidad y los medios de comunicación.

Facebook y Twitter, las redes sociales con más millones de seguidores, están disponibles en español. Pero además, varios países hispanos han creado sus propias redes sociales, algunas de ellas muy populares, como la argentina Sonico o la española Tuenti.

65 **Explica.** ¿Utilizas las redes sociales habitualmente? ¿Para qué las usas? ¿Qué redes sociales hispanas conoces? ¿Participas en alguna de ellas?

Gramática

Expresar cantidad

Los cuantificadores numerales

- Para expresar cantidad de una manera precisa, usamos los numerales *(numbers)*: uno, cien, mil, un millón…

- Algunos numerales expresan una parte:

medio	un tercio (de)	un cuarto (de)	un quinto (de)
la mitad (de)	la tercera parte (de)	la cuarta parte (de)	la quinta parte (de)

- Otros numerales sirven para multiplicar:

×2 el doble	×3 el triple	×4 el cuádruple
dos veces más	tres veces más	cuatro veces más

Los cuantificadores indefinidos

- Para expresar cantidad de una manera imprecisa, usamos los adjetivos y los pronombres indefinidos, y los adverbios de cantidad.

  - Los **adjetivos** y los **pronombres indefinidos** (algún, poco, mucho, todo…) se refieren a un nombre y concuerdan *(agree)* con él en género y en número.

    Este verano he visto **bastantes películas** en español.

    Repasa los adjetivos y pronombres indefinidos más comunes en la página R4.

  - Los **adverbios de cantidad** (poco, mucho, demasiado…) se refieren a un verbo o a un adjetivo. Los adverbios no tienen variación de género ni de número.

    Estas revistas son **bastante buenas**.

    Repasa los adverbios de cantidad más comunes en la página R7.

- Las expresiones la mayoría o la mayor parte también se refieren a una cantidad imprecisa.

    La mayor parte de mis amigos **tiene/tienen** celular.

66 **Piensa.** ¿Cómo dices en inglés La mayoría de los estudiantes lee / leen en español?

67 **Cantidades**

▶ **Completa** estas oraciones.

1. No estoy cansado porque he dormido _____ horas.
2. Vino mucha gente a la fiesta, pero no vi a _____ amigo tuyo.
3. No me encuentro bien porque he comido _____ pollo.
4. Pregunté tres veces por Cristina, pero no respondió _____ .

> bastantes
> demasiado
> nadie
> ningún

68 El doble y la mitad

 ▶ **Escucha** los diálogos y une las columnas.

Ⓐ Ⓑ

A	B
1. la mitad	a. de las canciones del grupo
2. la mayoría	b. de los aficionados
3. el doble	c. de los componentes del grupo musical
4. el triple	d. del tiempo previsto
5. cuatro veces más	e. de público
6. un tercio	f. de puntos

 ▶ **Escucha** de nuevo y escribe oraciones con los elementos que has unido.

69 ¿Todo o nada?

▶ **Lee** estas estrofas de dos canciones de grupos musicales españoles y complétalas con los indefinidos de los cuadros.

Con lo ___1___ que quedaba
de lo ___2___ que empezó
se terminó nuestro amor.
Yo lo mío, tú lo tuyo.

___3___ tuyo, ___4___ mío
hemos perdido los dos.
Tanta emoción racionalizada
que acabé sin sentir ___5___.

Nena Daconte

algo
algo
mucho
nada
poco

Nada es ___6___ y no sé por qué
me falta ___7___ y no sé qué.
Tengo de ___8___, dentro de un orden *(within limits)*,
pero, en el fondo *(deep inside)*, ___9___ que importe.

Pereza

algo
nada
suficiente
todo

 ▶ **Escucha** y comprueba tus respuestas.

 ▶ **Habla** con tu compañero(a). Respondan a estas preguntas.

1. ¿De qué sentimiento habla la primera canción? ¿Qué experiencia vivieron sus protagonistas?

2. ¿Qué le pasa al protagonista de la segunda canción? ¿Qué sentimiento expresa?

▶ **Escribe** una estrofa similar expresando el sentimiento que tú quieras: amor, desamor, amistad, desengaño, etc. Usa indefinidos.

Antes de leer: estrategias

1. Lee el título y observa la fotografía. ¿Qué significa *diario*? ¿Y la expresión *a diario*?

2. Lee el primer párrafo del cuento. ¿Describe una imagen frecuente en la actualidad? Justifica tu respuesta.

El diario a diario

Un señor toma el tranvía después de comprar el diario y ponérselo bajo el brazo. Media hora más tarde desciende con el mismo diario bajo el mismo brazo.

Pero ya no es el mismo diario, ahora es un montón de hojas impresas que el señor abandona en un banco de la plaza.

Apenas queda solo en el banco, el montón de hojas impresas se convierte otra vez en un diario, hasta que un muchacho lo ve, lo lee y lo deja convertido en un montón de hojas impresas.

Apenas queda solo en el banco, el montón de hojas impresas se convierte otra vez en un diario, hasta que una anciana lo encuentra, lo lee y lo deja convertido en un montón de hojas impresas. Luego se lo lleva a su casa y en el camino lo usa para empaquetar medio kilo de acelgas[1], que es para lo que sirven los diarios después de estas excitantes metamorfosis.

JULIO CORTÁZAR. *Historias de cronopios y de famas.*
© Herederos de Julio Cortázar, 2014.

----

1. *Swiss chard*

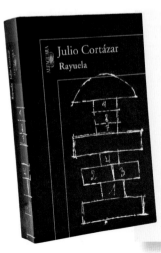

Julio Cortázar (Bruselas, 1914-París, 1984)

El escritor argentino, nacionalizado francés, Julio Cortázar destaca sobre todo como autor de libros de relatos breves, caracterizados por la fantasía, el humor, la paradoja y el juego con los conceptos del tiempo y el espacio. Entre ellos sobresalen *Bestiario* (1951), *Final del juego* (1956) e *Historias de cronopios y de famas* (1962).

Cortázar escribió también algunas novelas, entre ellas *Rayuela* (1963), que es una referencia fundamental de la literatura hispanoamericana. Esta obra se puede leer siguiendo el orden normal de los capítulos o siguiendo el orden que da el autor; según el orden elegido, la obra tiene distintas interpretaciones.

70 **¿Comprendes?**

▶ **Decide** en cada caso. ¿Qué es el periódico según el relato: un diario o un montón de hojas impresas?

1. Una persona compra un _____ para leerlo.
2. Un señor va con un _____ que aún no ha leído.
3. Una persona está leyendo un _____.
4. Alguien deja en un banco un _____ porque ya lo ha leído.
5. Hay un _____ abandonado en un banco que alguien puede encontrar y leer.
6. Cuando se utiliza para envolver cosas, es un _____.

▶ **Explica** con tus palabras. ¿Qué convierte un montón de hojas impresas en un diario según el relato?

71 **Palabras y expresiones**

▶ **Reescribe** estas oraciones sustituyendo las palabras destacadas por otras equivalentes.

1. Media hora más tarde **desciende** con el mismo diario bajo el mismo brazo.
2. Ahora es un montón de hojas impresas que el señor **abandona** en un banco.
3. Apenas queda solo en el banco, el montón de hojas impresas **se convierte** otra vez en un diario.
4. Hasta que un muchacho lo ve, lo lee, y lo **deja** convertido en un montón de hojas impresas.
5. En el camino lo usa para **empaquetar** medio kilo de acelgas.

72 **Con tus propias palabras**

▶ **Habla** con tus compañeros(as). ¿Qué otros objetos cotidianos sufren a diario una transformación similar?

▶ **Escribe** un relato similar a *El diario a diario* que tenga como protagonista alguno de los objetos de los que han hablado. Completa cuatro párrafos que empiecen así:

> Un señor...
>
> Pero ya...
>
> Apenas...
>
> Luego...

Comunicación

73 Medios de comunicación hispanos

 ▶ **Escucha** un reportaje sobre los medios de comunicación hispanos en los Estados Unidos y decide si estas afirmaciones son ciertas o falsas.

1. El crecimiento de la población hispana ha significado un crecimiento de los medios de comunicación en español.
2. La mayoría de los medios de comunicación hispanos no han podido crecer en los últimos años.
3. Univisión y Telemundo son dos de las cadenas hispanas con mayor audiencia.
4. La publicidad proporcionó importantes beneficios a las cadenas de televisión.

5. La prensa diaria en español registró pérdidas en las principales ciudades estadounidenses con población hispana y por eso cuelga sus artículos en Internet.
6. Los medios de comunicación son un reflejo de los cambios que se están produciendo en la población hispana de los Estados Unidos.

 ▶ **Investiga y habla** con tus compañeros(as). ¿Qué medios de comunicación hispanos conocen? ¿Siguen espacios de noticias o de entretenimiento a través de algunos de estos medios? ¿Qué les interesa de ellos?

 ▶ **Debate** con tus compañeros(as). ¿Qué medio te parece mejor? ¿Por qué?

 la prensa escrita vs. la radio   la radio vs. la televisión    la televisión vs. Internet

74 Tus cantidades

▶ **Completa** estas oraciones. Después, escribe cinco oraciones más sobre ti con expresiones de cantidad.

1. La mayoría de los jóvenes...
2. Un cuarto de la población de los Estados Unidos...
3. Un tercio de los estudiantes de mi clase...
4. La mitad de mi familia...
5. Me gusta diez veces más...
6. Tardo el doble de tiempo en...

 ▶ **Comparte** con tu compañero(a) lo que has escrito y hazle preguntas para saber más sobre él/ella.

¿Cómo te imaginas el futuro?

 ▶ **Escribe** seis oraciones siguiendo el modelo. Utiliza el futuro progresivo. Después, compara tu futuro con el de tu compañero(a). ¿Qué coincidencias tienen?

Modelo 1. *Mañana a esta hora estaré haciendo las tareas de la clase de Español.*

1. mañana a esta hora
2. el próximo domingo por la tarde
3. el 4 de julio del próximo año
4. el día de tu 25 cumpleaños
5. el 31 de diciembre de 2030
6. el día de las próximas elecciones presidenciales

Final del desafío

MICHELLE: Yo creo que en La Gomera hay ____1____ personas con celular. Con el silbo, no necesitan teléfono para comunicarse... ¡Y no tienen ____2____ problema con la cobertura *(range)* o la batería del celular!

DANIEL: Desde luego, este sistema de comunicación me parece fantástico. ¿Y sabes que con el silbo podemos decir también palabras en ____3____ lenguas? ¡Podemos comunicarnos con el silbo en inglés!

MICHELLE: ¡Pero yo no sé silbar, Daniel! ¡Y no sabemos qué dice el mensaje de la grabación! ¡Me parece un desafío ____4____ difícil!

DANIEL: Bueno, Michelle, no te desanimes. ____5____ los niños de La Gomera aprenden a silbar en la escuela, así que nosotros también aprenderemos. Vamos a escuchar de nuevo la grabación.

MICHELLE: ____6____ sonidos son graves y ____7____ agudos... A veces los sonidos se unen y a veces se cortan...

DANIEL: Tenemos que encontrar a ____8____ que nos enseñe.

Otra forma de comunicarse

▶ **Completa** el diálogo con las palabras del cuadro.

| alguien | algunos | demasiado | ningún | otros | otras | pocas | todos |

 ▶ **Habla** con tu compañero(a).

1. ¿Qué les parece el desafío de Michelle y Daniel? ¿Creen que lo conseguirán?
2. ¿Les gustaría a ustedes aprender el silbo gomero? ¿Por qué?

Todo junto

LEER

77 **Cumpleaños en México**

▶ **Lee** esta noticia y escribe las respuestas a las preguntas.

Miércoles, 7 de marzo de 2012

Gabo: 85 cumpleaños en México rodeado de los suyos

El premio nobel de literatura colombiano Gabriel García Márquez celebró ayer su 85 aniversario en su residencia de la capital mexicana. *Gabo*, vestido con traje de cuadros, camisa negra y corbata gris, recibió a sus familiares y amigos en la casa del sur de Ciudad de México, donde entre 1965 y 1966 escribió su obra cumbre, *Cien años de soledad*.

Según fotografías publicadas por el diario mexicano *La Jornada*, el escritor colombiano festejó el domingo por anticipado *(in advance)* sus 85 años con un pastel adornado con mariposas amarillas que podrían haber sali-do de una de las páginas de *Cien años de soledad*. *Gabo* sopló las velitas rodeado de sus amigos y la cantante peruana Tania Libertad entonó *Las mañanitas*. En el pastel se colocaron seis velitas entre las mariposas y *Gabo* levantó una copa mirando hacia la cámara en el brindis *(toast)*.

Fuente: http://www.elmundo.es (texto adaptado)

1. ¿Quién es *Gabo*? ¿Cómo es? Describe su aspecto físico en esta fotografía e imagina algunos rasgos de su personalidad.
2. ¿Dónde celebró *Gabo* su 85 cumpleaños? ¿Cómo y con quién lo celebró? Imagina tres cosas que le gustan a *Gabo*.
3. ¿Qué elementos de esta celebración son comunes a las fiestas de cumpleaños de tu país?

ESCRIBIR Y HABLAR

78 **Con permiso...**

▶ **Escribe** doce preguntas para tu compañero(a) sobre su vida y sus relaciones personales. Usa estos verbos.

1. arrepentirse	4. quejarse	7. atreverse	10. acordarse
2. levantarse	5. despedirse	8. ayudarse	11. pelearse
3. parecerse	6. escribirse	9. ponerse	12. contarse

▶ **Haz** las preguntas a tu compañero(a) y toma nota de sus respuestas. Después, presenta un resumen a la clase.

Tu desafío

79 **Los desafíos**

¿Recuerdas los desafíos que Tim les planteó a los personajes? ¿Cuál te gusta más? Elige una de estas opciones y resuelve tu desafío.

DESAFÍO Ⓐ

Vas a organizar en tu casa una fiesta de cumpleaños al estilo mexicano. Escribe un correo electrónico a tu mejor amigo(a) para que te ayude a organizarla. Explica:

- A quién te apetece invitar y por qué. Ten en cuenta que los invitados deben llevarse bien.

- Qué elementos típicos de México debe haber en la fiesta.

- Qué vas a preparar tú y en qué te puede ayudar él/ella.

DESAFÍO Ⓑ

Diseña un cartel para promocionar el servicio de correo postal de tu ciudad. Incluye un dibujo o una fotografía y un eslogan convincente. Escribe también un breve texto o una lista con los beneficios que aporta este servicio.

DESAFÍO Ⓒ

Investiga sobre el silbo gomero y toma notas. Si puedes, mira algún video en Internet para ver cómo suena y cómo lo practican los habitantes de La Gomera.

Haz una presentación en clase explicando qué es y qué representa este lenguaje silbado.

Una tradición de antes para el mañana

El Silbo Gomero

Patrimonio Cultural Inmaterial de la Humanidad

Unidad y variedad del español

El español es la lengua materna de unos 450 millones de personas en más de 20 países. Esta amplia distribución geográfica produce variaciones en el vocabulario, en la gramática y en la pronunciación.

Variaciones léxicas

Más del 80 por ciento del vocabulario es común a todos los hispanohablantes, pero hay diferencias que pueden dar lugar a malentendidos. A veces, una misma palabra tiene distintos significados según las regiones. Y, a veces, en distintos lugares se emplean palabras diferentes para expresar un mismo concepto.

¿Qué significa?

pena

tristeza *(España)*

vergüenza *(México, Caribe y Am. Central)*

¿Cómo se dice?

	bañador *(España)* malla *(Argentina, Chile)* traje de baño *(México)* trusa *(Cuba)*	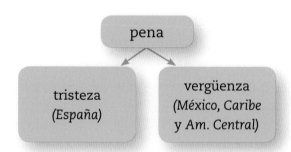	alberca *(México)* pileta *(Argentina)* piscina *(España)*
	camiseta *(España)* franela *(Venezuela)* playera *(México, Nicaragua)* polera *(Chile, Bolivia)* remera *(Argentina, Chile)*		autobús *(España)* bus *(Chile, Colombia)* camión *(México)* colectivo *(Argentina)* guagua *(Cuba, islas Canarias, Rep. Dom.)*
	amigo *(España)* compadre *(Chile)* cuate *(México, Guatemala)* llave *(Colombia)* mano *(varios países)*		caucho *(Venezuela)* goma *(varios países)* llanta *(México)* neumático *(España)*

Variaciones gramaticales

Las variaciones gramaticales no son tan numerosas como las variaciones léxicas, y no suelen impedir la comprensión entre los hablantes. Afectan sobre todo a los pronombres.

El voseo

En Argentina, Uruguay y Paraguay se usa *vos* en lugar de *tú*. Este fenómeno se llama voseo y provoca también un cambio en la forma verbal: *vos cantás* (en lugar de *tú cantas*); *vos sos* (en lugar de *tú eres*).

El uso de *vosotros* y de *ustedes*

En el centro y el norte de España se distingue entre *vosotros* (tratamiento de confianza) y *ustedes* (tratamiento de respeto).

En el sur de España y en las Américas se usa solo *ustedes* como forma de confianza y de respeto.

80 **Una lengua muy diversa**

▶ **Investiga.** Con tu compañero(a), busca palabras que se usan para hablar de la ropa y el calzado, la alimentación, las profesiones… en estas ciudades.

- Ciudad de México
- Caracas
- Buenos Aires
- Madrid

▶ **Escribe** un breve diálogo con tu compañero(a) usando las palabras que encontraste. Después, represéntenlo.

Un correo de presentación

La correspondencia personal

La correspondencia personal está formada por las cartas, mensajes y correos electrónicos que utilizamos en nuestra vida cotidiana para hacer una invitación, felicitar, agradecer, presentarnos, etc.

Al escribir una carta o un mensaje personal hay que tener muy en cuenta a quién nos dirigimos y con qué propósito, con el fin de elegir el tratamiento, el tono y el registro adecuados.

Imagina que vas a pasar un mes con una familia mexicana como estudiante de español. Vas a escribir un correo electrónico para presentarte.

La presentación y la corrección ortográfica dicen mucho de tu forma de ser, así que debes cuidarlas especialmente. Además, es importante que seas educado(a) y expreses tu agradecimiento por poder vivir con ellos durante tu estancia en el extranjero.

Piensa

■ ¿Qué aspectos de ti mismo, de tu familia y de tu vida crees que debe conocer la familia de acogida? Selecciona los que te parezcan más adecuados y añade los que creas necesario.

Presentación

– Nombre, edad, lugar de residencia…
– Rasgos de personalidad.
– Estudios.
– Aficiones.
– Razones por las que estudias español.
– Razones por las que quieres ir a su país.

Descripción de tu familia

– Sus miembros (nombre, edad, profesión, etc.).
– Tu relación con ellos.
– Qué cosas hacéis juntos.

Otra información de interés

– Horarios.
– Alergias.

■ ¿Qué te gustaría a ti saber de ellos? ¿Qué dudas te surgen? Haz una lista.

Modelo

Sobre la familia: ¿Cuántos miembros la componen? ¿Hay alguien de mi edad?
Sobre la casa: ¿La casa está cerca de la escuela a la que iré? ¿Tendré una habitación individual?
Sobre el barrio: ¿Hay algún centro deportivo? ¿Hay alguna biblioteca cerca?

Escribe

■ Utiliza las ideas que anotaste en el paso anterior y escribe la primera versión de tu mensaje.

■ Recuerda utilizar la forma *usted*, ya que no conoces a la familia a la que va dirigido el mensaje.

■ No olvides agradecer a la familia su acogimiento.

Expresiones útiles

Saludo:

Querido(a)… / Estimado(a)…   *Dear …*

Cuerpo:

Me dirijo a usted(es)…   *I am addressing you …*
Me pongo en contacto   *I have contacted you …*
   con usted(es) …

Despedida y firma:

Un saludo.   *Regards …*
Reciba(n) un cordial saludo.   *Please accept my*
                              cordial greetings.

A la espera de sus noticias,   *I look forward to*
   le(s) saluda…   *hearing from you …*

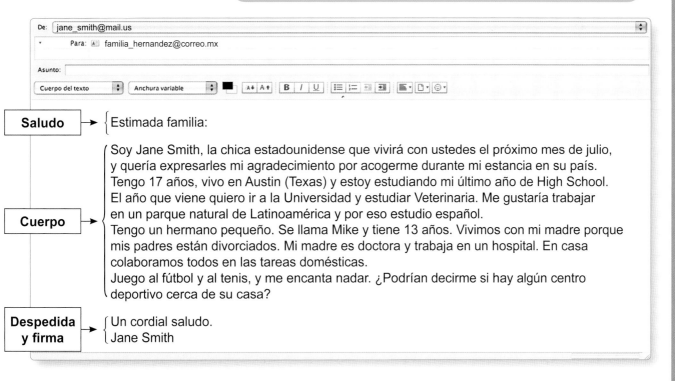

De: jane_smith@mail.us

Para: familia_hernandez@correo.mx

Asunto:

Saludo → Estimada familia:

Cuerpo → Soy Jane Smith, la chica estadounidense que vivirá con ustedes el próximo mes de julio, y quería expresarles mi agradecimiento por acogerme durante mi estancia en su país. Tengo 17 años, vivo en Austin (Texas) y estoy estudiando mi último año de High School. El año que viene quiero ir a la Universidad y estudiar Veterinaria. Me gustaría trabajar en un parque natural de Latinoamérica y por eso estudio español.
Tengo un hermano pequeño. Se llama Mike y tiene 13 años. Vivimos con mi madre porque mis padres están divorciados. Mi madre es doctora y trabaja en un hospital. En casa colaboramos todos en las tareas domésticas.
Juego al fútbol y al tenis, y me encanta nadar. ¿Podrían decirme si hay algún centro deportivo cerca de su casa?

Despedida y firma → Un cordial saludo.
Jane Smith

Revisa

■ Intercambia tu mensaje con tu compañero(a) y revisa su correo.

   – ¿El texto cumple el objetivo? ¿La información está bien organizada?
   – ¿Ha empleado un vocabulario y unas construcciones gramaticales correctas?

   Devuelve el mensaje a su autor(a) con tus sugerencias.

■ Revisa tu trabajo e incorpora los cambios que sean necesarios para escribir la versión definitiva.

Comparte

■ Lee tu mensaje a la clase. ¿Qué opinan tus compañeros(as)? ¿Creen que tu mensaje refleja bien cómo eres? ¿Ofrece una buena imagen de ti mismo(a)?

Características físicas y rasgos de personalidad

Características físicas
Ser...

ciego(a)	blind		
mudo(a)	mute		
sordo(a)	deaf		
diestro(a)	right-handed		
zurdo(a)	left-handed		
como dos gotas de agua	identical		

Tener...

arrugas	wrinkles
canas	grey hairs
el pelo ondulado	wavy hair

Rasgos de personalidad
Ser...

apasionado(a)	passionate
astuto(a)	shrewd
cobarde	cowardly
envidioso(a)	envious
estricto(a)	strict
humilde	modest, humble
impulsivo(a)	impulsive
indeciso(a)	indecisive
maleducado(a)	bad-mannered
terco(a)	stubborn
valiente	brave
vanidoso(a)	vain

¡Atención!

sensato(a)	sensible
sensible	sensitive

caer bien/mal	to like/dislike
tener personalidad	to have personality
tener sentido del humor	to have a sense of humor
tomarle el pelo a alguien	to trick, to tease someone

La oficina de correos

El correo

la balanza	scale
el buzón	mailbox
el/la cartero(a)	mail carrier
el correo aéreo	air mail
la correspondencia	mail
el envío	shipment
el franqueo	postage
el paquete	package
la tarjeta de felicitación	greeting card
la tarjeta navideña	Christmas card
la tarjeta postal	postcard
frágil	fragile
pesado(a)	heavy
certificado(a)	certified
urgente	urgent

La carta

el código postal	ZIP code
el/la destinatario(a)	addressee
la dirección	address
la estampilla	stamp
el/la remitente	sender
el sobre	envelope

Acciones

entregar	to deliver	recibir	to receive
enviar, mandar	to send	tardar	to delay

¡Atención!

la firma	signature	firmar	to sign

Los medios de comunicación

La prensa

el artículo	article
el editorial	editorial
la noticia	news
la primera plana	front page
la sección...	
de opinión	opinion section
de finanzas	finance section
internacional	international news
el titular	headline

La televisión

la cadena	network
el canal	channel
el concurso	game show
el documental	documentary
el noticiero	news
el programa	program
la programación	programming
la serie	series
el botón	button
el control remoto	remote
el sonido	sound
el volumen	volume

El cine

con subtítulos	with subtitles
en versión original	in the original version

El teléfono

el altavoz	loudspeaker
el teléfono inalámbrico	wireless telephone

¡Atención!

comentar	to discuss
discutir	to argue, to discuss

1 **¡Qué diferentes!** Describe a cada persona usando otros adjetivos que expresen las mismas ideas.

Modelo   *Raúl tiene el pelo ondulado y, aunque es joven...*

Raúl tiene el pelo casi rizado y, aunque es joven todavía, tiene algunas canas. Él cree que es muy atractivo y muy inteligente; no es nada humilde. Raúl pone mucha pasión en las cosas que hace y sabe bien lo que quiere.

A Marisa le encanta salir con sus amigos. Siempre piensa en cómo se sienten los demás y qué necesitan. Nunca tiene miedo. A veces hace las cosas sin pensar demasiado, pero siempre está haciendo bromas y es muy divertida.

 DESAFÍO 2

2 **Adivínalo.** Escribe. ¿A qué palabras se refieren estas oraciones?

1. Las necesito para franquear una carta. Representan símbolos o emblemas de un país: escudos o banderas, flores, animales, personajes públicos, etc.
2. Cuando viajo, siempre compro algunas como recuerdo. Me gustan las que representan monumentos o paisajes típicos de un lugar. Y suelo escribirles una a mis familiares.
3. ¡Si no lo escribo en el sobre, la carta no llega! ¿Cómo van a saber en la oficina de correos a quién enviársela?
4. El empleado de correos la utiliza para pesar las cartas y los paquetes.
5. Va de casa en casa entregando las cartas y los paquetes postales.

DESAFÍO 3

3 **Ocio y comunicación.** Completa los bocadillos con las palabras del cuadro.

| artículos | series | editoriales | noticieros | versión original | prensa |

Yo practico el español siempre que puedo. Me gusta ver las películas en ___1___ y sigo varias ___2___ de televisión en español.

Yo veo los ___3___ en la televisión y leo la ___4___ todos los días. Me interesan los ___5___ de la sección internacional y los ___6___.

Expresar gustos, intereses, sentimientos y emociones (pág. 22)

me		
te	gustar	
le	encantar	+ infinitivo
nos	+ preocupar	+ que + subjuntivo
os	molestar	
les	sorprender	

Verbos pronominales (pág. 34)

VERBOS CON CAMBIO DE SIGNIFICADO

acabar/acabarse	parecer/parecerse
acordar/acordarse	poner/ponerse
aprender/aprenderse	quedar/quedarse
dormir/dormirse	romper/romperse
estudiar/estudiarse	salir/salirse
ir/irse	volver/volverse
levantar/levantarse	

Verbos reflexivos y recíprocos (pág. 36)

VERBOS REFLEXIVOS

acostarse	lavarse	vestirse
bañarse	levantarse	
ducharse	maquillarse	

VERBOS RECÍPROCOS

abrazarse	despedirse	odiarse
apoyarse	entenderse	pelearse
ayudarse	escribirse	perdonarse
besarse	hablarse	quererse
conocerse	llamarse	saludarse
contarse	mirarse	verse

Expresar cantidad (pág. 48)

LOS CUANTIFICADORES NUMERALES

medio / la mitad (de)
un tercio, un cuarto, un quinto
la tercera parte, la cuarta parte, la quinta parte
el doble, el triple, el cuádruple
dos / tres / … veces más

Los adjetivos. Posición y significado (pág. 24)

POSICIÓN DE LOS ADJETIVOS CALIFICATIVOS

- Detrás del nombre, los adjetivos que expresan clases y cualidades.

  Cartagena de Indias es una ciudad turística.

- Delante del nombre, los adjetivos que expresan una cualidad típica.

  A lo lejos se veían las altas montañas.

ADJETIVOS CON CAMBIO DE SIGNIFICADO

Adjetivo	Antes del nombre	Después del nombre
antiguo(a)	former, ex-	ancient, antique
viejo(a)	long-standing	old, elderly
nuevo(a)	different, other	brand new
gran / grande	great, famous	big, large
pobre	unfortunate	penniless
único(a)	only	unique

Hablar de acciones en curso (pág. 46)

PRESENTE PROGRESIVO

estar (en presente) + gerundio

PASADO PROGRESIVO

estar (en imperfecto) + gerundio

estar (en pretérito) + gerundio

FUTURO PROGRESIVO

estar (en futuro) + gerundio

LOS CUANTIFICADORES INDEFINIDOS

algún, alguno(a)(os)(as)	bastante(s)	alguien
ningún, ninguno(a)	suficiente(s)	nadie
poco(a)(os)(as)	todo(a)(os)(as)	algo
mucho(a)(os)(as)	varios(as)	nada
demasiado(a)(os)(as)	otro(a)(os)(as)	
	cualquier(a)	

DESAFÍO 1

4 **Gustos y emociones.** Completa estas oraciones.

1. A mi hermana _____ mi maleta roja.
   _{encantar}
2. A sus amigos _____ el cine español.
   _{interesar}
3. Ayer vi a Rosa en el teatro y _____ que no me saludara.
   _{extrañar}
4. A Sara y a Jaime _____ nuestros antiguos compañeros de la escuela.
   _{caer bien}
5. Vengan conmigo a la montaña el próximo sábado, _____ sus paisajes únicos.
   _{fascinar}

DESAFÍO 2

5 **¿Con o sin pronombre?** Elige la opción correcta.

1. Este paquete es muy pesado, casi no puedo _____.
   a. levantarse   **b.** lo levanto   **c.** levantarlo
2. La profesora _____ el nombre de todos los alumnos el primer día de clase.
   a. aprendió   **b.** aprende   **c.** se aprendió
3. Ayer no _____ muy tarde de la fiesta porque estaba muy cansado.
   a. me fui   **b.** fue   **c.** fui
4. Este objeto es frágil; si no lo llevas con cuidado, puede _____.
   a. romperlo   **b.** romper   **c.** romperse
5. No _____ leche en el refrigerador.
   a. le quedan   **b.** queda   **c.** se queda

DESAFÍO 3

6 **Acciones en curso.** Completa usando el presente, el pasado o el futuro progresivo.

1. Ayer, mientras esperaba a Javier…
2. Ahora mismo yo…
3. Cuando Luisa salga del trabajo, tú y yo…
4. Cuando tú fuiste de vacaciones a Costa Rica, yo…
5. El día que tú tomes el avión a Nueva York, mi familia y yo…

CULTURA

7 **Tradiciones.** Responde a estas preguntas.

1. ¿De qué están hechas las piñatas tradicionales? ¿Qué contienen?
2. ¿Cómo se llamaban los mensajeros del imperio inca?
3. ¿Qué lengua reproduce el silbo gomero? ¿Para qué se creó este lenguaje silbado?

Una página web de

nuestra clase de Español

En este proyecto vas a diseñar una página web para tu clase de Español. En ella deberás recoger información útil e interesante para ustedes.

PASO 1 Elige las secciones

- Reúnete con tres o cuatro compañeros(as) y decidan qué secciones les gustaría que tuviera su página web. Aquí tienen algunas sugerencias:

> información sobre la escuela y la clase de Español

> información sobre los desafíos

> lo que más les gusta del español

> lo que más les gusta de la cultura hispana

> consejos para aprender mejor

> trabajos y proyectos realizados en clase

> fotos o videos de momentos importantes del curso

> enlaces a páginas web interesantes

- Decidan si quieren incluir un foro en su página web donde sus compañeros(as) puedan hacer comentarios y escribir sus opiniones.

PASO 2 Prepara la información de las secciones

- Escriban una primera versión de los textos para cada una de las secciones elegidas.
- Busquen fotos e imágenes para ilustrar cada sección.

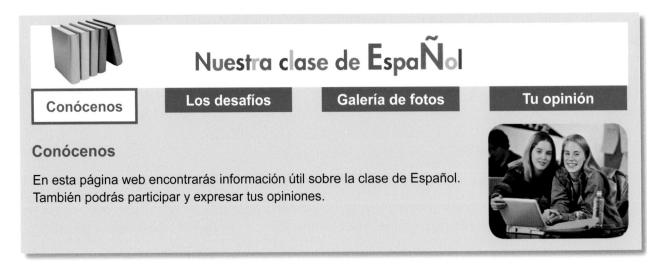

Nuestra clase de EspaÑol

| Conócenos | Los desafíos | Galería de fotos | Tu opinión |

Conócenos

En esta página web encontrarás información útil sobre la clase de Español. También podrás participar y expresar tus opiniones.

PASO 3 Decide el diseño

- Definan el diseño de su página web. Piensen en los colores, en el tipo de letra...

- Diseñen los iconos que van a aparecer en la página.

PASO 4 Desarrolla las secciones

- Revisen los textos que prepararon en el Paso 2 y escriban la versión final. Después, seleccionen las imágenes definitivas para cada sección.

Conócenos

En esta página web encontrarás toda la información de la clase de Español: horarios, libros de texto, actividades, excursiones...

Además, tú podrás participar en este espacio aportando tus opiniones, comentarios, experiencias y mucho más.

¡Seguro que este curso lo disfrutaremos todos!

PASO 5 Presenta tu página web

- Presenten su página web a la clase y contesten las preguntas y dudas de sus compañeros(as). Pueden hacer un póster, una presentación de Power Point...

- Entre todos(as), elijan la página web que más les guste. Deben explicar las razones de su elección.

- ¿Cuál ha sido la página favorita? ¿Por qué no la hacen entre todos(as)? Así podrán utilizarla durante el curso.

Unidad 1

Autoevaluación

¿Qué has aprendido en esta unidad?

Haz estas actividades para comprobar tu progreso.

> Evalúa tus habilidades. Para cada punto, di Muy bien, Bien o Necesito practicar más.

a. ¿Puedes describir personas?

▶ Describe las características físicas y los rasgos de personalidad de tu personaje favorito de ficción.

▶ Compara este personaje con tu primer(a) amigo(a). ¿Qué cosas te sorprenden de esta comparación?

b. ¿Puedes expresar acciones habituales?

▶ Explica qué hace una persona en la oficina de correos.

▶ Describe una relación por correspondencia real o imaginaria con un(a) amigo(a); cómo se comunican ustedes, qué se dicen en sus cartas, etc.

c. ¿Puedes hablar de acciones en curso?

▶ ¿Qué estás haciendo en este curso? Escribe un párrafo explicando con detalle lo que estás haciendo.

Interpretive Communication: Print Texts

Presentación

La primera prueba del examen AP* es una prueba de comprensión de lectura. Consta de varios textos seguidos de preguntas de opción múltiple.

Los textos proceden de fuentes auténticas: periódicos, revistas, páginas web u otras publicaciones del mundo hispano. Pueden estar acompañados por tablas u otros gráficos.

En las preguntas que siguen a cada texto, hay que escoger la opción que mejor contesta cada pregunta. Estas preguntas están basadas en los objetivos de aprendizaje establecidos por los organizadores del examen. Es importante leer cada opción cuidadosamente, porque a veces se parecen mucho.

Estrategias

Prelectura

- Realiza una lectura rápida del texto para tener una idea general de cuál es el tema.
- Lee las preguntas y las opciones de respuesta.

Lectura

- Lee el texto cuidadosamente, intentando captar tanto los datos más importantes como el mensaje y el propósito básico del texto.
- Vuelve a leer el texto y localiza la información o palabras clave.
- Si hay alguna palabra que no entiendas, intenta concentrarte en la idea general de la oración, no en la palabra específica.

Preguntas

- Para responder las preguntas de opción múltiple, guíate por las palabras clave que señalaste en el texto.

Instrucciones para el examen

Directions: You will read a print text. The passage is followed by a number of comprehension questions. For each question, select the answer that is best according to the reading passage.

Instrucciones: Vas a leer un texto. El texto va seguido de varias preguntas de comprensión. Para cada pregunta, elige la mejor respuesta de acuerdo con el texto.

Introducción

Este texto fue publicado originalmente en http://www.informativoweb.com y se refiere a la presentación del primer diccionario de abreviaturas utilizadas en los SMS.

---

*AP is a registered trademark of the College Board, which was not involved in the production of, and does not endorse, this product.

Nace 'exo x ti y xa ti', el primer diccionario de abreviaturas SMS

El proyecto diccionarioSMS.com, presentado como una iniciativa de la Asociación de Usuarios de Internet (AUI) con motivo del próximo Día de Internet, pretende recoger los términos y las abreviaturas que emplean los jóvenes cuando escriben mensajes en sus teléfonos móviles o a través de la Red (messenger, correo electrónico, chat, etc.), en lo que se ha configurado como «una especie de dialecto propio, práctico, instantáneo y trasgresor», según Miguel Pérez Subías, presidente de esta asociación. «Queremos ayudar a los padres, profesores y lingüistas a no ignorar, sino conocer mejor esta realidad».

Ns vms n la fsta sta trd. qdms a ls 8. bss

diccionarioSMS.com permitirá consultar y traducir términos SMS en castellano, catalán, euskera y gallego, así como conocer qué términos son los más utilizados, además de incorporar comentarios colaborativos, al estilo de Wikipedia. Puede consultarse tanto por Internet en diccionarioSMS.com como por teléfono móvil enviando un mensaje corto al 5857 seguido de la palabra clave ddi y del término SMS que se quiere consultar.

Paralelamente, los organizadores han anunciado las bases del concurso diario entre todos los usuarios que registren los términos y abreviaturas. El lote de premios diarios consiste en 21 teléfonos móviles de última generación, 10.000 horas de descarga de música, 10 juegos para la plataforma xBox, una consola xBox, y bonos para enviar hasta 9.000 SMS desde el PC al móvil.

José de la Peña, director de Acción Institucional de Telefónica Móviles España, ha destacado «las posibilidades del móvil como una herramienta de comunicación inmediata, rápida y muy personal, que ha facilitado que los usuarios, principalmente los jóvenes, hayan creado un lenguaje específico. diccionarioSMS.com contribuirá a ordenar, entender y clarificar este nuevo lenguaje, de uso cada vez más frecuente».

«Las comunicaciones online y sms se están introduciendo en los hábitos de los jóvenes, a las que dedican cada vez más tiempo. Con este diccionarioSMS.com nos acercamos a esta realidad con un completo manual que nos ayudará a entender mejor este nuevo «lenguaje», declara Víctor Castro, Country Manager de MSN España. Por su parte, Sisco Sapena, director ejecutivo de Lleida.net, ha subrayado que «los jóvenes adaptan constantemente las nuevas tecnologías a sus formas de comunicación y a sus relaciones interpersonales. El proceso de elaboración de este primer diccionario SMS, de elaboración popular, será una muestra palpable de este fenómeno social.»

«Esta iniciativa es una demostración de que el uso de los teléfonos móviles forma parte del modo de comunicarse de los jóvenes actuales, como lo demuestra el uso masivo que hacen del servicio de mensajes cortos», ha asegurado Joaquín Mollinedo, Director Corporativo de Relaciones Institucionales y Regulación de Grupo Auna.»

«Cada 90 segundos se envía un millón de SMS en todo el mundo, con un lenguaje universal,» ha explicado Miguel Udaondo, director de Relaciones Corporativas de Vodafone España. «Los usuarios nos hemos adaptado al terminal para ser entendidos, suprimiendo en el mensaje todo aquello que no es necesario.»

Nuevos usos que interesan y mucho en los colegios. «Me preocupa el uso que se hace de nuestro idioma por el alejamiento que supone de la uniformidad del idioma creando un código que dificulte la comunicación», explica Concha Badía, profesora de Lengua del Colegio Ramón y Cajal, «pero por otra parte, considero que la lengua está viva y es, sobre todo, de los hablantes y por tanto suya y, como tal, pueden transformarla. Quiero con esto decir que hay que escuchar y plantearse si hay una parte valiosa en su forma de comunicación. Un rechazo frontal no creo que nos condujera a nada.»

Fuente: http://www.informativoweb.com

1 ¿Cuál es el objetivo del artículo?

(A) Analizar la situación actual de los SMS.

(B) Mostrar las abreviaturas utilizadas en los SMS.

(C) Informar acerca del proyecto diccionarioSMS.com.

(D) Promover el uso de diccionarioSMS.com.

2 ¿Qué recurso utiliza el autor para argumentar su artículo?

(A) La opinión de diferentes personas.

(B) El resultado de encuestas realizadas.

(C) Una investigación realizada por una compañía de teléfonos.

(D) La búsqueda de información en Internet.

3 ¿A qué se refiere la frase «una especie de dialecto propio, práctico, instantáneo y trasgresor»?

(A) A la forma de comunicación empleada por los jóvenes.

(B) Al lenguaje utilizado en los SMS.

(C) Al objetivo de diccionarioSMS.com.

(D) A la opinión de Miguel Pérez Subías.

4 ¿Qué frase resume mejor el objetivo de diccionarioSMS.com?

(A) «Contribuirá a ordenar, entender y clarificar este nuevo lenguaje, de uso cada vez más frecuente».

(B) «Ha facilitado que los usuarios, principalmente los jóvenes, hayan creado un lenguaje específico».

(C) «Las comunicaciones online y SMS se están introduciendo en los hábitos de los jóvenes».

(D) «Esta iniciativa es una demostración de que el uso de los teléfonos móviles forma parte del modo de comunicarse de los jóvenes actuales».

5 ¿Quiénes pueden participar en el concurso que han preparado los organizadores?

(A) Los usuarios que se registren en diccionarioSMS.com.

(B) Las personas que colaboren enviando términos y abreviaturas a diccionarioSMS.com.

(C) Padres, profesores y lingüistas.

(D) Los jóvenes menores de 21 años.

6 Según el artículo, ¿qué ha facilitado el uso del móvil como herramienta de comunicación?

(A) Que los usuarios hayan creado un lenguaje particular.

(B) Que los jóvenes ordenen y entiendan el lenguaje.

(C) Que los usuarios puedan clarificar los mensajes.

(D) Que los jóvenes se adapten a las nuevas tecnologías.

7 ¿Con qué propósito la Asociación de Usuarios de Internet presentó el proyecto diccionarioSMS.com?

(A) Para demostrar que los SMS son un fenómeno social.

(B) Para enviar 9.000 SMS desde el PC al móvil.

(C) Para celebrar el Día de Internet.

(D) Para conocer qué términos SMS son los más utilizados.

8 ¿Qué se puede afirmar acerca del proceso de elaboración de este primer diccionario SMS?

(A) Que solo los jóvenes pueden registrar nuevos términos y abreviaturas.
(B) Que pueden colaborar todas las personas interesadas.
(C) Que los colaboradores deben tener un teléfono móvil de última generación.
(D) Que solo pueden participar los miembros de la Asociación de Usuarios de Internet.

9 ¿Qué grupo de acciones resume mejor las posibilidades de diccionarioSMS.com?

(A) comentar, buscar, traducir, hablar
(B) conocer, escribir, comentar, llamar
(C) traducir, consultar, aprender, colaborar
(D) cooperar, comunicar, abreviar, escribir

10 ¿A qué se refiere Sisco Sapena con «fenómeno social»?

(A) Al uso de nuevas formas de comunicación entre los jóvenes.
(B) A la creación de diccionarioSMS.com.
(C) Al peligro del uso incorrecto del idioma.
(D) A las abreviaturas que utilizan los jóvenes para escribir mensajes.

11 Según el artículo, ¿qué opinan los entrevistados acerca de la comunicación a través de SMS?

(A) Creen que es una amenaza a la correcta utilización del idioma.
(B) Es el resultado de utilizar el móvil como herramienta de comunicación.
(C) Representa la adaptación constante de los jóvenes a las nuevas tecnologías.
(D) Es una forma de comunicación que debemos rechazar.

12 ¿Por qué a Concha Badía le preocupa el uso que se hace del idioma en los SMS?

(A) Porque no le gustan las abreviaturas en la comunicación.
(B) Porque es una forma diferente de acercarse al idioma y se debe investigar.
(C) Porque puede obstaculizar la comunicación.
(D) Porque los usuarios eliminan todo lo que no es necesario en los mensajes.

13 ¿Por qué cree Concha Badía que un rechazo frontal al lenguaje SMS no conduciría a nada?

(A) Porque a los jóvenes no les interesa la opinión de los adultos.
(B) Porque es preferible investigar los valores de esta nueva forma de comunicación.
(C) Porque el uso del móvil como herramienta de comunicación es muy importante.
(D) Porque cada 90 segundos se envía un millón de SMS en todo el mundo.

14 Para obtener más información sobre diccionarioSMS.com, ¿cuál de las siguientes actividades harías?

(A) Conversar con un especialista en comunicación audiovisual.
(B) Entrevistar al presidente de una compañía de teléfonos.
(C) Preguntarle a tu profesor de Computación.
(D) Visitar la página web de diccionarioSMS.com.

Nos cuidamos

Los alimentos y la salud

DESAFÍO

1

DESAFÍO

2

▶ **Hablar sobre alimentos**

Vocabulario
En el restaurante

Gramática
Las construcciones impersonales. El pronombre *se*

Los pronombres de objeto directo e indirecto

Comida saludable.

▶ **Hablar de la salud**

Vocabulario
La sala de urgencias

Gramática
Los verbos con preposición

Los artículos

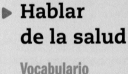

Científica trabajando en un laboratorio.

DESAFÍO ③

▶ **Referirse a cambios y estados**

Vocabulario
Estados físicos y anímicos

Gramática
La voz pasiva

Ser y *estar*

Boda tradicional
de Yucatán (México).

Desafíos para todos los gustos

Los personajes quieren aprender más sobre costumbres hispanas relacionadas con los alimentos y la salud. Lee el chat para saber qué desafíos les propone Tess.

Mostrar mensajes de: Hoy | Esta semana | Últimos 30 días | Todos

Tess dice: 9:45

Hola, chicos. En nuestros viajes por el mundo hispano tuvimos la oportunidad de probar comidas y bebidas buenísimas típicas de varios países. Mmmm, se me hace la boca agua solo de pensarlo.

Ethan dice: 9:47

No me extraña. A mí también me encanta probar comidas nuevas. Hace poco estuve en un restaurante peruano y pedí ceviche. ¡Estaba delicioso!

Michelle dice: 9:48

¿Quieren dejar de hablar de comida, por favor? ¡Acabo de cenar y no puedo pensar en comer más! Estoy llena.

Tess dice: 9:50

¡Ja, ja! De acuerdo, hablemos de sus desafíos. No van a viajar como nosotros, pero van a vivir experiencias similares en sus propias ciudades. Tú y Daniel van a participar en una feria de gastronomía internacional. Hay un premio para el mejor puesto. ¡Espero que lo consigan!

Daniel dice: 9:51

¿Gastronomía internacional? ¡Qué divertido!

Tess dice: 9:52

Ethan y Eva van a ayudar a organizar una serie de charlas con hispanos relevantes en su escuela. Tienen que encontrar un científico hispano e invitarlo a participar.

Ethan dice: 9:55

¿Invitar a un científico famoso? ¡Qué interesante!

Tess dice: 9:56

Asha, Lucas, ¿a ustedes también les gusta la buena comida? Espero que sí, porque van a darse una comilona... ¡en una boda mexicana! Pero no van a asistir a la boda solo para eso. Tienen que hacer un reportaje fotográfico que muestre las costumbres de las bodas mexicanas. ¡Buena suerte!

▼ Conectado

Michelle, tenemos que pensar en algo que le guste a todo el mundo.

Ya, pero a mí no se me da bien cocinar.

Me encanta nuestro desafío, Ethan.

A mí también. ¡Pero no se me ocurre ningún científico hispano al que podamos invitar!

La boda será este sábado. ¿Alguna vez has asistido a una boda mexicana?

Sí, mi prima se casó con un mexicano. ¡El evento fue tan lindo...!

1 **¿Comprendes?**

▶ **Responde** a estas preguntas.

1. ¿En qué tipo de restaurante estuvo Ethan hace poco? ¿Qué comió?
2. ¿Por qué Michelle no quiere oír hablar de comida?
3. ¿Qué tienen que hacer Michelle y Daniel?
4. ¿En qué consiste el desafío de Ethan y Eva?
5. ¿Para qué tienen que ir Asha y Lucas a una boda mexicana?

▶ **Escribe.** ¿Cuál de los tres desafíos te parece más interesante? ¿Por qué?

2 **Investiga**

▶ **Busca** en el texto estas expresiones relacionadas con la comida. ¿Qué crees que significan? Coméntalo con tu compañero(a) y escribe una oración con cada expresión.

hacérsele (a alguien) la boca agua

estar lleno(a)

darse una comilona

Antes de empezar

EXPRESIONES ÚTILES

Para decir que una comida está muy rica:

> Se me hace la boca agua.
> Este plato está **para chuparse los dedos**.

Para decir que ya no quieres comer más:

> Estoy lleno(a).

Para decir que alguien come mucho:

> Tess **come como una fiera/como una lima**.
> **Nos pusimos las botas** en aquel restaurante tan bueno.
> El día de Acción de Gracias **nos dimos una comilona/un atracón**.

3 Cosas de la comida

▶ **Completa** los diálogos poniendo estas expresiones en la forma correcta.

a. hacérsele (a alguien) la boca agua   c. darse un atracón

b. estar lleno(a)   d. comer como una lima

1. —Diego, ¿quieres un trozo de pastel?
   —No, gracias, Lucía. He comido muchísimo arroz ¡y dos platos de pollo! _____ .

2. —Pablo ha crecido mucho, ¿verdad?
   —Sí. Es un chico muy atlético. Hace mucho deporte y además _____ .

3. —¿Tienes hambre, Sara? Estoy preparando una comida muy rica.
   —¡Qué bien huele, David! _____ .

4. —Pedro, ¿dónde está tu hermano?
   —Está enfermo. Ayer _____ y hoy no se encuentra bien.

4 Diálogos

▶ **Escribe** un diálogo para estas fotografías usando las expresiones útiles.

RECUERDA

Alimentación

el aceite	el melón
el arroz	el pollo
el atún	el queso
la carne de cerdo	el salmón
la carne de res	la sandía
las fresas	las uvas
los frutos secos	el vinagre
los guisantes	la zanahoria

Salud

aumentar de peso	entrenar
bajar de peso	hacer ejercicio
cuidarse	relajarse
descansar	respirar

Estados de ánimo

aburrido(a)	nervioso(a)
contento(a)	relajado(a)
enojado(a)	tranquilo(a)
estresado(a)	triste

Enfermedades y síntomas

la alergia	la fiebre
el catarro	la gripe
doler	estornudar
estar hinchado(a)	picar
estar mareado(a)	tener escalofríos
estar roto(a)	toser

La consulta médica

el análisis de sangre	las píldoras
el antibiótico	la radiografía
el diagnóstico	la receta
el examen físico	la revisión médica

Especialistas médicos

el/la dentista
el/la oculista
el/la pediatra
el/la psicólogo(a)

---

5 ¿Cuánto sabes?

▶ **Fíjate** en el cuadro Recuerda. ¿Conoces más vocabulario sobre esos temas? Escríbelo.

Modelo   *Alimentación: lechuga, espinacas, frijoles...*

6 Síntomas

 ▶ **Escucha** el diálogo, e indica qué síntomas tiene el paciente.

1. Le duele la cabeza.
2. Tiene escalofríos.
3. Tiene fiebre.
4. Se siente mal.
5. Está mareado.
6. Tiene alergia.

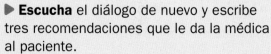 ▶ **Escucha** el diálogo de nuevo y escribe tres recomendaciones que le da la médica al paciente.

 ▶ **Escribe** con tu compañero(a) un diálogo similar y represéntenlo ante la clase.

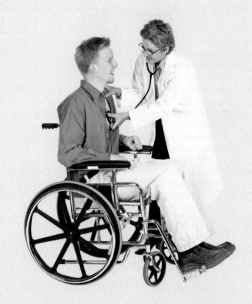

Se vende mate

Daniel y Michelle van a participar en una feria de gastronomía internacional. Tienen que presentar una comida o una bebida de algún país hispano, pero los concursantes ya eligieron las más conocidas. ¿Qué llevarán ellos?

MICHELLE: Daniel, no sé qué podemos llevar a la feria.

DANIEL: ¿Has probado el mate?

MICHELLE: No, ¿qué es?

DANIEL: Es como un té, pero con un sabor un poco amargo. Se toma mucho en Argentina, en Uruguay y en Paraguay.

MICHELLE: ¿Y cómo se prepara? Espero que no sea muy difícil.

DANIEL: Creo que es muy sencillo, aunque me parece que hay distintas formas de prepararlo.

MICHELLE: ¿Qué tal si hacemos una cata (*tasting*) para que todos puedan probar varios tipos de mate y elijan el que más les guste?

DANIEL: ¡Qué creativa, Michelle! ¡Seguro que ganamos! Pero primero tenemos que aprender a prepararlo. Aquí dice que el mate es una infusión de yerba mate. Se prepara en un recipiente que también se llama mate, que tradicionalmente se fabricaba con calabazas.

MICHELLE: ¿Con calabazas? ¡Qué curioso! ¿Y cómo se prepara?

DANIEL: Se ponen dentro las hojas de yerba mate y se echa agua caliente. Y para beberlo se coloca la bombilla, que es una especie de pajita (*straw*) metálica.

MICHELLE: ¿Y no se pone nada más? Pues no parece muy difícil.

7   Detective de palabras

▶ **Completa** estas oraciones.

1. El mate ___1___ en Argentina, en Uruguay y en Paraguay.

2. El mate ___2___ en un recipiente que también ___3___ mate.

3. Para prepararlo, ___4___ las hojas de yerba mate en el recipiente, ___5___ agua caliente y ___6___ la bombilla.

▶ **Escribe.** ¿Qué tienen en común las seis formas verbales del apartado anterior? ¿Sabes por qué se usa esa estructura verbal?

8 **¿Comprendes?**

▶ **Responde** a estas preguntas.

1. ¿En qué países es costumbre tomar mate?
2. ¿Cómo se prepara el mate?
3. ¿Qué se necesita para tomarlo?
4. ¿Qué crees que se le puede añadir al mate para preparar algunas variantes?

9 **¡Cuántas variedades de mate!**

▶ **Escucha** y anota cuáles de estos ingredientes necesitan Michelle y Daniel para preparar las distintas variedades de mate.

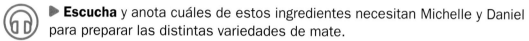

| ① leche | ② dulce de leche | ③ rodajas de limón | ④ azúcar |

| ⑤ corteza de naranja | ⑥ canela | ⑦ moras | ⑧ jugo de toronja | ⑨ miel |

CULTURA

El mate

El término *mate* tiene su origen en la palabra quechua *mati*, que significa *calabacita*. El mate es la infusión de la yerba mate, que se elabora con una planta originaria de la cuenca del Río de la Plata. Era consumido ya en la época precolombina por los indígenas guaraníes y forma parte del patrimonio cultural de Argentina, Paraguay y Uruguay. En el español de esta zona, se llama *matear* a tomar el mate, prepararlo es *cebarlo* y la persona que lo prepara es el *cebador*. El mate representa un auténtico ritual familiar y social.

10 **Investiga.** ¿Qué comida o bebida representa un ritual social en tu cultura?

Vocabulario

En el restaurante

Restaurante El mate

Primeros platos

**Ensalada de lentejas
con pepino y aguacate**

**Huevos revueltos
con calabacita y jamón**

**Berenjenas rellenas
de carne molida y hongos**

Segundos platos

**Chuletas de cordero
con papas y pimientos**

**Pechuga de pavo asada
con ciruelas**

**Filete de bacalao
con langostinos**

Postres

**Helado de mora
y de frambuesa**

**Durazno al horno
con canela**

Nueces con miel

Más vocabulario

Carne		Pescado y marisco		Fruta	
las alitas de pollo	*chicken wings*	el cangrejo	*crab*	las cerezas	*cherries*
el filete de pavo	*turkey fillet*	la langosta	*lobster*	las pasas	*raisins*
el lomo de ternera	*veal loin*	el pez espada	*swordfish*	la toronja	*grapefruit*

11 Asociaciones

▶ **Busca** el intruso en cada grupo. Justifica tu respuesta.

① frambuesas   cerezas
pepino   durazno

② lentejas   berenjenas
pimientos   hongos

③ cordero   bacalao
jamón   ternera

12 Ricos platos

▶ **Fíjate** en todos los ingredientes de la ficha de Vocabulario y haz una lista de otros platos que se pueden preparar con ellos. Puedes añadir otros ingredientes.

▶ **Habla** con tu compañero(a) y, con sus listas, elaboren estos tipos de menús completos (primer plato, segundo plato y postre).

Modelo *Para el menú vegetariano te sugiero una ensalada de aguacate, lechuga y piña.*

	Primer plato	Segundo plato	Postre
Menú vegetariano	Ensalada de aguacate, lechuga y piña.		
Menú económico			
Menú navideño			
Menú infantil			

13 Decisiones

▶ **Habla** con tu compañero(a). Van a visitar el restaurante El mate y tienen que decidir qué van a pedir. Utilicen el menú de la página 78 para conversar sobre los platos.

▶ **Escribe** un párrafo contando tu experiencia en El mate: ¿Con quién fuiste? ¿Qué comieron? ¿Quién pagó? ¿Dejaron propina?

CULTURA

Las tapas españolas

Las tapas son parte fundamental de la cultura gastronómica de España. Una tapa es una pequeña porción de comida que se sirve para acompañar la bebida y se toma como aperitivo. Desde las sencillas aceitunas o las tradicionales croquetas hasta recetas más modernas y sofisticadas, la cantidad y variedad de tapas es casi infinita.

El origen de las tapas se sitúa en la Edad Media. El rey Alfonso X ordenó que en los mesones se sirviera algo de comida con el vino. Entonces se empezó a poner una loncha de jamón o de queso tapando la jarra de vino. De ahí el nombre de *tapa*.

14 Investiga. ¿De dónde viene el nombre de una comida típica de tu cultura?

Gramática

Las construcciones impersonales. El pronombre *se*

El pronombre *se* impersonal

- En inglés, cuando hablamos de una acción sin decir exactamente quién la hace, usamos la voz pasiva o un sujeto como *you, it, one, they* o *people*: *Spanish is spoken; it said that...* En español, esa misma idea se expresa con la construcción se + *verbo en 3.ª persona*.

se + verbo en 3.ª persona

Se habla español en más de 20 países.
Se dice que habrá una exposición en la escuela.

Uso de *se* + verbo en tercera persona

- En las construcciones con se + *verbo en 3.ª persona* el verbo puede ir en singular o en plural:

  – Delante de un infinitivo o de una cláusula que comienza por que, el verbo va en singular:

  Se prohíbe comer en clase.

  Se sabe que las verduras son saludables.

  – Cuando el verbo se refiere a un nombre, concuerda con él en número (singular o plural):

  Se vende casa de campo.

  Se necesitan cocineros con experiencia.

- La construcción se + *verbo en 3.ª persona* se puede conjugar en cualquier tiempo verbal.

PRESENTE	**Se dice** que el pescado azul es beneficioso.
PRETÉRITO	**Se exportaron** dos millones de toneladas de trigo.
IMPERFECTO	Antes **se comía** bien en ese restaurante.
FUTURO	En el futuro **se venderán** más alimentos por Internet.

El pronombre *se* de involuntariedad

- Con verbos como caer, olvidar, perder, romper... usamos el pronombre se para presentar la acción como un accidente o como algo involuntario. En estos casos, se va seguido de un pronombre de objeto: me, te, le, nos, os, les. Ese pronombre representa a quien experimenta la acción y concuerda en número con el nombre al que se refiere.

VERBOS DE INVOLUNTARIEDAD

acabarse	*to run out of*
caerse	*to drop*
olvidarse	*to forget*
perderse	*to lose*
romperse	*to break*

se + pronombre de objeto indirecto + verbo en 3.ª persona

Mi padre perdió las llaves. —→ A mi padre **se le perdieron** las llaves.

15 **Compara.** ¿Cómo expresas en inglés que una acción fue involuntaria o accidental?

16 **¿Singular o plural?**

▶ **Completa** estas oraciones.

1. En muchas guías se _____ que el restaurante Casa Botín de Madrid es el restaurante
   más antiguo del mundo.
   <small>decir</small>

2. En casa siempre se _____ las carnes y los pescados al horno.
   <small>preparar</small>

3. En Argentina se _____ mucho mate.
   <small>beber</small>

4. Cuando era pequeño, no se _____ llevar comida de casa a la escuela.
   <small>poder</small>

17 **El restaurante ideal**

▶ **Escribe** una lista con diez reglas para el restaurante ideal. Usa el pronombre se.

Modelo

> *Las diez reglas del restaurante ideal*
>
> 1. *Solo se contrata a cocineros profesionales.*
> 2. *Se compran ingredientes de primera calidad.*
> 3. *Cada día se sirven…*

18 **¡Qué mala suerte!**

▶ **Escribe** una oración para cada ilustración explicando qué le pasó a Mike. Usa estos verbos.

| caerse | olvidarse | perderse | acabarse |

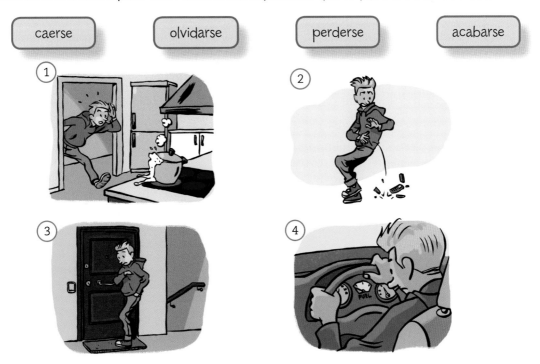

▶ **Escribe** con tu compañero(a) la historia completa de Mike.

 ▶ **Habla** con tu compañero(a). ¿Alguna vez te ha pasado algo similar? Cuéntaselo y hazle
preguntas para conocer más detalles de su anécdota.

Gramática

Los pronombres de objeto directo e indirecto

Los pronombres de objeto

- Con frecuencia, los nombres de objeto directo y objeto indirecto se sustituyen por un pronombre para evitar repeticiones.

  —¿Compraste la fruta?   —¿**Le** traigo el postre al niño?
  —Sí, **la** compré.   —Sí, tráiga**selo**.

- El pronombre de objeto es obligatorio con los verbos pronominales y también en estos casos:
  – Cuando el objeto indirecto es a + *pronombre* (a mí, a ti, a usted...) o a + *nombre*: **Le** envié un mensaje a Pedro.
  – Cuando el nombre objeto va delante del verbo:

    Estas fresas **las** compré ayer.

PRONOMBRES DE OBJETO DIRECTO	
me	nos
te	os
lo, la	los, las

PRONOMBRES DE OBJETO INDIRECTO	
me	nos
te	os
le	les

Posición de los pronombres de objeto

- Los pronombres de objeto se colocan así:
  – Delante del verbo conjugado, excepto en las formas del imperativo *(affirmative commands)*:

    No **le** compres nada.   Ella **se los** da.   **Los** vimos ayer.

  – Detrás de un imperativo, un infinitivo o un gerundio, unidos a la forma verbal:

    Dí**melo**.   Comprár**sela** fue un acierto.   Pensándo**lo** bien, tienes razón.

- En las construcciones de *verbo + infinitivo* o *verbo + gerundio*, los pronombres pueden ir delante del verbo conjugado o detrás del infinitivo o del gerundio.

    Ella **se los** va a dar./Ella va a dár**selos**.   Ella **se los** está dando./Ella está dándo**selos**.

- Si un mismo verbo lleva dos pronombres de objeto, el de objeto indirecto va delante:

    Le pido la cuenta al mesero. ⟶ **Se la** pido.

  Observa en el ejemplo que cuando hay dos pronombres de objeto, le (y también les) se convierte en se.

19 **Compara.** Traduce estas oraciones al inglés. ¿Los pronombres funcionan igual que en español?

  a. La llamo por teléfono todos los días.   **b.** Le añadí sal a la sopa.

20 **Soluciones para todo**

▶ **Escucha** los diálogos. ¿Cómo continúan? Escribe oraciones completas siguiendo el modelo.

Modelo   1. *Se lo regalé a mi amiga Berta.*

1. regalar (a mi amiga Berta)
2. pedir (a mi compañero)
3. comprar (para Patricia)
4. explicar (a Michelle y a Daniel)
5. dar (a tu hermana)
6. prestar (a mi primo)

▶ **Lee** el mensaje de Michelle y complétalo con los pronombres de objeto directo e indirecto correctos.

De: Michelle

Para: ✉ Tess

Asunto: ¡Necesitamos ayuda!

Cuerpo del texto ▾ | Anchura variable ▾ | ■ | A▾ A▴ | B | I | U | ≣ ≣ ≣ ≣ | ▤▾ ▯▾ ☺▾

¡Hola, Tess!

¿Cómo estás? ___1___ escribo para ver si puedes ayudar _2_ a Daniel y a mí. Hemos elegido el mate para la feria de gastronomía. Como queremos tener mucho éxito, no queremos preparar _3_ de la forma tradicional y hemos decidido hacer algunas variedades de mate para organizar una cata. ¿Qué te parece?

Tenemos muchas ideas: podemos servir _4_ solo con las hojas de yerba mate. Pero a la infusión también ___5___ podemos añadir azúcar, corteza de naranja, jugo de limón (esta es una variedad fría; hay que poner _6_ hielo), un poco de leche y azúcar... Ahora solo nos falta practicar. Hemos conseguido la yerba mate, pero no pudimos encontrar suficientes mates para la cata. Daniel dice que podemos preparar las variedades en otro recipiente y servir _7_ en vasos para la cata, pero yo creo que no saldrá igual.

La feria es dentro de poco y no sabemos de dónde sacar tantos mates. Estuvimos en varias tiendas de la ciudad, pero no ___8___ encontramos. Y si ___9___ pedimos a través de Internet, me temo que no llegarán a tiempo. ¿Se ___10___ ocurre algo? Si tienes alguna idea, cuéntanos _11_, por favor. Nos encanta el desafío, pero no sé si ___12___ podremos lograr.

Un beso.

Michelle

CULTURA

Inca Kola

Inca Kola es el nombre de un refresco muy popular en Perú. Se hace con hierba luisa *(lemon verbena)* y tiene un sabor muy dulce. Este refresco se ha convertido en la bebida de Perú, tal como muestran algunos de sus eslóganes:
- *Inca Kola, solo hay una y no se parece a ninguna.*
- *Hay una sola y el Perú sabe por qué.*
- *Destapa el sabor del Perú.*

Es tan popular que en los años noventa venció a los gigantes del sector (Coca-Cola y Pepsi) y Coca-Cola tuvo que comprar parte de la compañía para poder competir en Perú.

22 **Explica.** ¿Hay alguna bebida o plato típico en la región donde vives? Prepara un eslogan para popularizarlo y comparte tus ideas con la clase.

Antes de leer: estrategias

1. Lee el título del texto. ¿Qué es un ritual?

2. Anota todas las palabras que ya conoces relacionadas con el mate.

3. Fíjate en la fotografía. ¿Qué muestra sobre el ritual del mate?

El ritual del mate

Grupo de amigos tomando mate.

DANIEL: Ahora que ya tenemos pensado los tipos de mate que vamos a preparar, tenemos que averiguar cómo se toma.

MICHELLE: Creo que es muy común que el mate se tome en grupo. Fabio, mi amigo argentino, dice que es una muestra de amistad y de bienvenida para las visitas.

DANIEL: ¿Y cómo se toma entonces? ¿Se le da un recipiente a cada uno?

MICHELLE: A veces sí, pero también se puede hacer una rueda de mate entre un grupo de gente que se reúne para charlar.

DANIEL: ¿Y todos beben del mismo mate?

MICHELLE: Sí. El cebador, que es la persona que lo prepara, se lo pasa a la persona que va a tomarlo. Creo que es de buena educación que la bombilla, que es la caña que se utiliza para sorber (*sip*) el mate, esté orientada hacia él.

DANIEL: ¿Y qué debe hacer después de beber?

MICHELLE: Pues debe devolvérselo al cebador para que vuelva a llenar el recipiente, o cebarlo, como ellos dicen, y se lo entregue al siguiente. Esto es una ronda de materos. ¡Ah! Y creo que está mal visto limpiar la bombilla cada vez que alguien toma.

DANIEL: Es todo un arte esto de matear.

MICHELLE: Ya lo creo. Y un detalle importante: no se le agradece al cebador cada mate. Cuando una persona dice «gracias» en el momento de devolver el mate, quiere decir que ya no quiere seguir tomando.

23 **¿Comprendes?**

▶ **Responde** a estas preguntas.

1. ¿Con qué tipo de gente se suele compartir el mate?
2. ¿Hay un recipiente para cada persona?
3. ¿Cómo se debe colocar la bombilla al entregar el mate?
4. ¿Qué se hace después de haberlo tomado?
5. ¿Qué se debe decir cuando ya no quieres tomar más?

▶ **Resume** el ritual que se sigue para tomar mate.

Persona cebando el mate.

24 **Palabras y expresiones**

▶ **Busca** en el texto las palabras que se corresponden con estas definiciones.

1. Tomar el mate.
2. Añadir agua caliente al mate para prepararlo.
3. Persona que prepara el mate.
4. Utensilio que se utiliza para sorber el mate.
5. Recipiente en el que se prepara el mate.
6. Persona aficionada a tomar mate.

25 **Con tus propias palabras**

▶ **Habla** con tus compañeros(as). ¿Qué piensas que significa esta afirmación de Laura Esquivel, autora de la novela *Como agua para chocolate*? ¿Te parece que podría aplicarse al ritual del mate? ¿Por qué?

«Uno es lo que come, con quien lo come y como lo come.»

▶ **Investiga** sobre otro ritual relacionado con comidas o bebidas de tu cultura o del mundo hispano. Haz una presentación para tus compañeros(as) explicándolo y comparándolo con el ritual del mate. Ten en cuenta estos aspectos:

– Qué comida o bebida se sirve.
– Cuándo se toma.
– Qué se necesita para prepararla.
– Quién la prepara.
– Quién la sirve.
– A quién se le prepara.
– Qué se considera de mala o de buena educación durante la ceremonia.

Familia comiendo el Roscón de Reyes (España).

Comunicación

26 En el restaurante

▶ **Escucha** una conversación en un restaurante y toma notas sobre lo que pasa.

▶ **Imagina** qué le contó Ana a su madre al día siguiente sobre la cena con Sofía y escribe el diálogo con tu compañero(a).

Modelo   —Mamá, se me olvidó reservar una mesa anoche.
        —¿Y había mesas libres?
        —Sí. Nos sentaron en una mesa perfecta, pero a Sofía no le gustó.

27 El ritual de la comida

▶ **Lee** esta entrada de blog y decide si las oraciones que siguen son ciertas o falsas. Después, corrige las falsas.

Recupera tu comida y transforma tu día

Me ha llamado la atención una iniciativa que acaba de poner en marcha una organización norteamericana llamada *The Energy Project*. Se llama *Recupera tu comida y transforma tu día*. Según datos de esta organización, el 60 % de los 1.200 profesionales encuestados respondieron que comen en menos de 20 minutos, y un 20 % en menos de 10. Una cuarta parte reconoció que no abandona su mesa de trabajo durante el almuerzo y que come frente al ordenador.

Este grupo acaba de lanzar una iniciativa que consiste en organizar cada miércoles una comida colectiva nacional en parques de todo el país. Esto nos puede parecer algo ridículo, pero somos cada vez más los que comemos delante del ordenador. A veces estamos tan obsesionados con el trabajo que ponemos en riesgo nuestra salud física y mental. Tal vez no sea mala idea prestar más atención al ritual de la comida.

Fuente: http://www.vidasencilla.es (texto adaptado)

---

1. Según la encuesta, la mayoría de los profesionales comen en menos de diez minutos.
2. Se dice que el 25 % de los profesionales siguen trabajando mientras comen.
3. La organización ha propuesto hacer una reunión semanal para restablecer el ritual de la comida.

▶ **Habla** con tus compañeros(as) sobre el problema presentado en el blog y propongan soluciones.

28 **Una receta especial**

▶ **Escribe** las características de tu plato preferido. Explica cómo se prepara, qué ingredientes y utensilios se necesitan para prepararlo, cuándo se come, etc.

 ▶ **Presenta** tu receta a tus compañeros(as). Después, decide los tres platos que más te gustaría probar y explica por qué.

Final del desafío

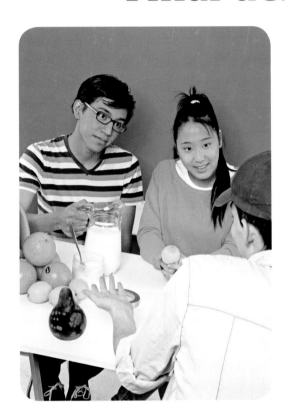

FABIO: Ya veo que consiguieron las calabazas secas y limpias, chicos. Excelente.

MICHELLE: ¿Ya podemos preparar el mate? Tenemos todos los ingredientes: el azúcar, los limones y las naranjas, la leche, el hielo…

FABIO: No seas impaciente, Michelle. Como las calabazas son nuevas, tenemos que curarlas.

MICHELLE: ¿Curarlas? No sabía que esto fuera tan complicado. ¿Cómo se hace?

FABIO: Es muy fácil. Se llenan los recipientes con yerba mate, se echa agua caliente y se deja reposar. Al día siguiente se tira la yerba y el agua, se limpian bien los mates para quitar los restos y se repite el mismo proceso.

DANIEL: ¿Nos dará tiempo? Recuerda que la feria es dentro de unos días.

FABIO: Claro, yo los ayudaré. Vamos a empezar.

29 **Una solución muy creativa**

▶ **Responde** a estas preguntas.

1. ¿Qué problema tenían Daniel y Michelle al principio del desafío? ¿Qué idea tuvieron para resolver el problema?
2. ¿A qué los va a ayudar Fabio?

30 **Expertos materos**

 ▶ **Habla** con tu compañero(a). Escriban los ingredientes que Daniel y Michelle van a añadir al mate para preparar distintas variedades. ¿Cuál les gustaría probar?

▶ **Habla** con tus compañeros(as). ¿Qué creen que significa la expresión argentina «Con bombilla hacia atrás, para que no volvás»?

Un científico con corazón

La escuela de Ethan y Eva está organizando un ciclo de charlas con personajes hispanos relevantes. Ellos tienen que invitar a un científico hispano, pero ¿a quién elegirán?

Eva: ¿Por dónde empezamos a buscar un científico hispano? Yo no conozco a ninguno.

Ethan: Mi dermatóloga es de Nicaragua... Podemos invitarla a ella.

Eva: Tu dermatóloga no es famosa, Ethan. Tenemos que encontrar a alguien que haya hecho descubrimientos importantes. Por ejemplo, una persona que haya investigado sobre una enfermedad grave, como el cáncer.

Ethan: O alguien que haya desarrollado una vacuna. Mira, aquí dice que la primera vacuna contra la malaria la desarrolló un investigador colombiano.

Eva: Ah, pues ese es un gran descubrimiento. La malaria es una enfermedad muy grave. Hay millones de enfermos cada año. ¿Y quién es ese investigador?

Ethan: Manuel Patarroyo. Es de un pequeño pueblo de Colombia, pero estudió Medicina aquí, en los Estados Unidos. Y mira qué interesante: decidió donar la patente de la vacuna a la Organización Mundial de la Salud en lugar de vendérsela a una compañía farmacéutica.

Eva: Vaya, eso sí es un científico con corazón... Bueno, pues invitemos a Manuel Patarroyo a dar una charla. ¿Crees que aceptará?

Manuel Elkin Patarroyo.

31 **Detective de palabras**

▶ **Completa** estas oraciones.

1. Ethan y Eva tienen que invitar a un _____ hispano.

2. La _____ de Ethan es de Nicaragua.

3. Eva propone buscar a alguien que haya investigado sobre una enfermedad como el _____.

4. Ethan sugiere que inviten a un científico que haya desarrollado una _____.

5. Un _____ colombiano desarrolló la vacuna contra la malaria.

6. La malaria es una enfermedad muy _____.

32 **¿Comprendes?**

▶ **Responde** a estas preguntas.

1. ¿Qué actividad organiza la escuela de Ethan y Eva?
2. ¿Por qué no quiere Eva invitar a la dermatóloga de Ethan?
3. ¿Qué sugiere Ethan?
4. ¿Qué desarrolló Manuel Patarroyo?
5. ¿Qué enfermedades se mencionan en el diálogo?
6. ¿Por qué dice Eva que Patarroyo es «un científico con corazón»?

33 **El trabajo de Patarroyo**

▶ **Escucha** la conversación entre Ethan y su profesor, y decide si estas oraciones son ciertas o falsas. Después, corrige las oraciones falsas.

1. El profesor piensa que invitar a Manuel Patarroyo es una buena idea.
2. Patarroyo ha investigado sobre las enfermedades que afectan a los países más industrializados.
3. El equipo de Patarroyo dedicó unos 10 años a desarrollar la vacuna de la malaria.
4. La vacuna de la malaria es controversial porque no es efectiva en todos los casos.
5. La malaria es una enfermedad que afecta a pocas personas.
6. El profesor va a invitar personalmente a Manuel Patarroyo al ciclo de charlas.

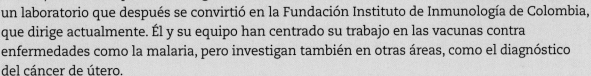

CONEXIONES: CIENCIAS

Manuel Patarroyo

Manuel Elkin Patarroyo nació en 1946 en un pequeño pueblo de Colombia. Estudió en Bogotá y en la Universidad de Yale (Estados Unidos). Su interés por la investigación biomédica lo llevó a crear un laboratorio que después se convirtió en la Fundación Instituto de Inmunología de Colombia, que dirige actualmente. Él y su equipo han centrado su trabajo en las vacunas contra enfermedades como la malaria, pero investigan también en otras áreas, como el diagnóstico del cáncer de útero.

Patarroyo es Doctor Honoris Causa por varias universidades y ha recibido numerosos premios y reconocimientos en todo el mundo.

34 **Investiga.** Visita la página web de la Fundación Instituto de Inmunología de Colombia (www.fidic.org) y busca más información sobre sus actividades.

Vocabulario

La sala de urgencias

Creo que mi esposa está sufriendo un **infarto**. Siente **molestias** en el pecho y en el brazo.

Le voy a **tomar la presión arterial** mientras viene la **cardióloga**.

Mi hija se cortó con un cuchillo. El **corte sangraba** mucho y, al verlo, **me mareé** y **perdí el conocimiento**. Creo que me hice un **esguince** en el tobillo.

¿Es **grave**, doctora? ¿Me van a **ingresar** en el hospital?

No, tranquilo, pero es una enfermedad **contagiosa**. ¿Sabe si sus familiares se pusieron la **vacuna** de pequeños?

Más vocabulario

Enfermedades y síntomas

el asma	asthma
las náuseas	nausea
la quemadura	burn
tener el colesterol alto	to have high cholesterol
vomitar	to throw up

Especialistas

el/la dermatólogo(a)	dermatologist
el/la oncólogo(a)	oncologist

¡Atención!

asistir (a)	to attend (to)
ayudar	to assist

35 ¿Qué es?

▶ **Une** las dos columnas.

Ⓐ

1. Desarrollo anormal e incontrolado de ciertas células.
2. Concentración excesiva de azúcar en la sangre.
3. Excesiva acumulación de grasa en el sistema circulatorio.
4. Obstrucción de las arterias.
5. Dificultad al respirar y tos.

Ⓑ

a. diabetes
b. colesterol alto
c. cáncer
d. asma
e. infarto

36 En la consulta

▶ **Escucha** la conversación y completa estas oraciones.

1. El paciente tiene _____ y está muy mareado.
2. El paciente no ha perdido el _____ .
3. El doctor le toma el pulso y la _____ arterial.
4. El paciente pregunta si tiene alguna enfermedad _____ .
5. El doctor le dice que tiene _____ .
6. El doctor le aconseja que se ponga la _____ contra la gripe cada año.

37 Mi experiencia personal

▶ **Habla** con tu compañero(a) sobre alguna experiencia personal relacionada con una de las dolencias del cuadro. Incluye esta información:

> un corte
> un esguince
> una quemadura

1. ¿Cómo ocurrió?
2. ¿Cómo te sentías?
3. ¿Cómo reaccionaron tus padres o tus amigos?
4. ¿Fuiste al médico o al hospital? ¿Por qué?
5. ¿Qué hiciste para curarte?
6. ¿Cuánto tiempo tardaste en recuperarte?

▶ **Escribe** un párrafo contando la historia de tu compañero(a). Al final, incluye algunas recomendaciones para evitar ese tipo de dolencia en el futuro.

COMPARACIONES

Los horarios de las farmacias

Como sucede en otros establecimientos comerciales, los horarios de las farmacias en los países hispanos son cada vez más amplios y no es raro encontrar algunas que abren las 24 horas del día. No obstante, desde hace tiempo es obligatorio que las farmacias se turnen para ofrecer un servicio de urgencias durante las noches y los días feriados. Es lo que se conoce como *farmacias de guardia* o *farmacias de turno*.

Aparte de medicamentos, en la mayoría de las farmacias se venden otros productos relacionados con la salud y la cosmética, como cremas, colonias, pañales (*diapers*) o curitas (*adhesive bandages*), que suelen estar al alcance del público.

38 **Compara.** ¿Qué diferencias y semejanzas encuentras entre las farmacias en los Estados Unidos y en el mundo hispano?

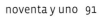

Gramática

Los verbos con preposición

- Muchos verbos necesitan un complemento que va introducido por una preposición. A veces, esta preposición es la misma en español y en inglés, pero a veces es diferente.

Me **niego a** irme. Ella se **quejó del** hospital.
I **refuse to** leave. She **complained about** the hospital.

- Estos son algunos verbos que llevan una preposición específica:

Verbos con la preposición a

acostumbrarse a (to get used to)	No me **acostumbro a** levantarme temprano.
asistir a (to attend)	Los empleados **asistieron a** la reunión.
atreverse a (to dare)	Lola se **atrevió a** probar la salsa picante.
ayudar a (to help)	Este jarabe **ayuda a** calmar la tos.
renunciar a (to give up)	**Renunciaré a** los dulces para adelgazar.

Verbos con la preposición con

amenazar con (to threaten to)	La actriz **amenaza con** dejar la serie.
casarse con (to marry)	María se **casó con** su novio de toda la vida.
contar con (to count on)	Puedes **contar con** mi ayuda.
enojarse con (to get mad at)	Javier se **enojó con** su mejor amigo.
soñar con (to dream of)	Raúl **sueña con** ser un psiquiatra famoso.

Verbos con la preposición de

acordarse de (to remember)	No me **acordé de** la cita médica.
alegrarse de (to be pleased to)	Me **alegro de** conocerte.
darse cuenta de (to realize)	Elsa se **dio cuenta de** su error.
depender de (to depend on)	El precio **depende de** la calidad.
despedirse de (to say good-bye to)	Se **despidió de** su familia y se fue.

Verbos con la preposición en

confiar en (to trust)	**Confiamos en** nuestros amigos y familiares.
consistir en (to consist of)	Tu tarea **consiste en** ordenar tu cuarto.
fijarse en (to notice)	Siento llegar tarde; no me **fijé en** la hora.
insistir en (to insist on)	Kim **insiste en** comprar un auto deportivo.
pensar en (to think about)	Roberto se pasa el día **pensando en** su novia.

- Algunos verbos se construyen sin preposición cuando llevan complemento de cosa:

Construcciones sin preposición

agradecer (to be grateful for)	**Agradezco** la atención médica que recibí.	esperar (to wait for)	Los viajeros **esperan** el tren, pero no llega.
buscar (to look for)	Estoy **buscando** las llaves.	mirar (to look at)	Los niños **miran** las ilustraciones del libro.
escuchar (to listen to)	Siempre **escuchas** la misma música.	pedir (to ask for)	Después de comer, **pedimos** la cuenta.

39 **Piensa.** ¿Qué preposiciones se pueden emplear con el verbo ir? ¿Y con el verbo to go? ¿Qué indican esas preposiciones?

40 **La boda de mi primo**

▶ **Completa** el blog de Martín. Pon los verbos en la forma correcta del pasado o del presente, y añade la preposición cuando sea necesario.

atreverse	asistir	darse cuenta	casarse
pensar	depender	soñar	pedir

¡La boda del año!

PUBLICADO POR MARTÍN, 17 DE NOVIEMBRE

El sábado pasado, mi familia y yo ____1____ la boda de mi primo Diego. A las doce de la mañana él ____2____ su novia Teresa. Fue una boda espectacular. Diego y Teresa se conocieron cuando él tenía solo 18 años. Al principio, él no ____3____ hablar con ella, pero por fin se decidió y le ____4____ una cita. Diego dice que enseguida ____5____ que ella era la chica perfecta, así que se casaron solo dos años después.

Yo todavía no ____6____ el matrimonio, soy demasiado joven. ____7____ graduarme de la universidad a los 23 años y conseguir un buen trabajo antes de casarme. Aunque a lo mejor eso ____8____ mi futura novia, ja, ja.

COMENTARIOS (0)   ENVIAR UN COMENTARIO

▶ **Lee** de nuevo el blog y responde a las preguntas.

1. ¿A qué evento asistió Martín el sábado?

2. ¿Por qué se casaron tan jóvenes Diego y Teresa?

3. ¿Por qué Martín no piensa aún en el matrimonio?

4. ¿Con qué sueña Martín?

41 **¿Qué ocurre?**

▶ **Escribe** oraciones para explicar cada imagen. Utiliza los verbos de la ficha de Gramática.

Gramática

Los artículos

- Los **artículos indefinidos** (un, una, unos, unas) se usan delante de seres, objetos o entidades que no son conocidos, no están determinados o no han sido nombrados antes: un niño, una ciudad… En cambio, los **artículos definidos** (el, la, los, las) se usan delante de seres, objetos o entidades que son únicos (**el** sol, **la** luna), que están determinados (**la** ciudad de San Diego), que son conocidos o que han sido nombrados antes. Por tanto, el artículo indefinido sirve para presentar el nombre; una vez presentado, se utiliza el artículo definido.

> Ayer fui a comprar **una** falda. **Las** faldas que me probé me quedaban muy bien.

- A diferencia del inglés, en español se usa artículo en estos casos:

USO DEL ARTÍCULO EN ESPAÑOL

INGLÉS (SIN ARTÍCULO)	ESPAÑOL (CON ARTÍCULO)
Con los nombres abstractos y los nombres usados en un sentido general.	• El amor es el sentimiento más fuerte. • Me gusta el queso, pero no los huevos.
Con las partes del cuerpo y las prendas de vestir.	• Lleva un suéter en la mano.
Con los títulos, salvo *don* y *doña*.	• El doctor García es un médico muy conocido.
Con los días, las horas y las fechas.	• Los viernes salgo del trabajo a las 4:00 p. m. Pero Hoy es lunes, 12 de octubre.
Con los nombres de las calles, los parques, etc.	• Vivo en la calle Mayor, frente al parque Sol.
Con los porcentajes y los números.	• El 80 por ciento aprobó el examen. • Abre la página 80 del libro, en el capítulo 2.

Ausencia del artículo

- En español es frecuente utilizar el nombre sin artículo para referirnos a seres o a objetos no específicos y el nombre con artículo para referirnos a seres o a objetos específicos:

> Compra helado (helado en general, sin especificar tipo o cantidad).
> Compra un helado (un helado cualquiera).
> Compra el helado (un helado concreto y conocido).

- El uso sin artículo es frecuente con verbos como comprar, necesitar, querer, dar, traer, hacer, etc., para hablar de nombres no contables en singular (quiero sopa) o de nombres contables en plural (necesito camisas).

- Tampoco se utiliza el artículo en estos casos:
  - Con el verbo ser, para hablar de oficios, cargos y ocupaciones: es médico; es directora. Pero si el nombre lleva un adjetivo calificativo o un complemento, usamos el artículo: es un médico famoso; es la directora de la escuela.
  - Con verbos como tener, llevar o ponerse, para referirnos al atuendo (lleva falda) o a propiedades típicas de un objeto (esa casa tiene ascensor).

42 **Piensa.** Explica por qué se usa o no artículo en Carla es profesora, Carla es una profesora excelente y Carla es la profesora de mi hermano.

43 Recomendaciones del médico

▶ **Completa** cada oración con el artículo apropiado cuando sea necesario.

1. Si usted tiene diabetes, es necesario seguir ___1___ dieta con poco azúcar.
2. Cuando ___2___ niños no se sienten bien, no deben comer ___3___ dulces.
3. ___4___ señora García es ___5___ enfermera. Ella va a examinarle ___6___ garganta.

44 Eva está enferma

▶ **Escucha** la conversación entre Ethan y Eva, y toma notas. Después, escribe un resumen. Usa los artículos definidos e indefinidos necesarios.

Modelo   *Ethan llamó a Eva porque ella no había ido a la escuela. Eva le contó que le dolía el estómago y...*

▶ **Habla** con tu compañero(a). ¿Has tenido una experiencia como la de Eva? Describe los síntomas que experimentaste.

45 La invitación

▶ **Escribe.** Ethan prepara el borrador de un correo electrónico para invitar a Manuel Patarroyo al ciclo de charlas de su escuela. Lee el principio y termínalo.

> *Estimado señor Patarroyo:*
>
> *Mi nombre es Ethan Thomas y soy estudiante de High School. Le escribo porque la escuela a la que asisto organiza un ciclo de conferencias y...*

CONEXIONES: LENGUA

El lenguaje periodístico

En los periódicos, especialmente en Latinoamérica, es frecuente encontrar titulares donde se omite el artículo en casos donde en el lenguaje habitual habría que utilizarlo. Este uso se explica por la necesidad de condensar la información en un espacio muy limitado.

> **Presidente se reúne con trabajadores**

46 Investiga.
Busca en Internet páginas de periódicos latinoamericanos y escribe ejemplos de titulares donde se omite el artículo.

Antes de leer: estrategias

1. Lee el título del texto. ¿De qué manera crees que se puede prevenir el cáncer?

2. Observa el gráfico. Busca las palabras que no conozcas en el diccionario.

El cáncer y su prevención

El cáncer es una enfermedad causada por la proliferación de células[1] anormales que invaden y destruyen algunos tejidos[2].

Hablamos de tumor cuando se forma una masa[3] de células indiferenciadas (cancerosas) en alguna parte del organismo. Este tumor es benigno si está localizado, es de crecimiento lento y no invade otros tejidos; y maligno o canceroso si invade otros tejidos y puede provocar en ellos crecimientos secundarios, denominados metástasis.

Existen varias causas de cáncer: predisposición genética, los virus, las radiaciones, algunas sustancias químicas, etc.

Las investigaciones recientes parecen mostrar que el cáncer tiene un cierto componente hereditario. Al parecer, lo que se hereda no es la enfermedad, sino la propensión a padecerla.

En muchos casos, el cáncer se desencadena[4] por determinados agentes que se llaman cancerígenos; el tabaco, por ejemplo, es uno de los agentes cancerígenos más peligrosos. En otros casos puede aparecer como consecuencia de una lesión o de forma espontánea, sin una causa clara.

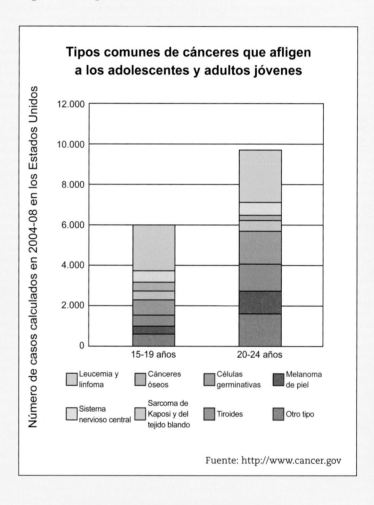

Tipos comunes de cánceres que afligen a los adolescentes y adultos jóvenes

Número de casos calculados en 2004-08 en los Estados Unidos

Leyenda: Leucemia y linfoma · Cánceres óseos · Células germinativas · Melanoma de piel · Sistema nervioso central · Sarcoma de Kaposi y del tejido blando · Tiroides · Otro tipo

Fuente: http://www.cancer.gov

Todos los médicos están de acuerdo en que la principal arma de la lucha contra el cáncer es la prevención y la detección precoz[5]. Algunos hábitos saludables, como evitar la vida sedentaria y el consumo de alcohol y tabaco, protegerse adecuadamente de los rayos solares o incluir frutas y verduras en la dieta, pueden ayudar a prevenir el cáncer.

Si un cáncer es diagnosticado a tiempo, puede ser eliminado por diversos medios (normalmente mediante una intervención quirúrgica[6]). A continuación, los médicos prescriben un tratamiento con unos fármacos especiales que impiden la actividad de las células cancerosas y frenan[7] su dispersión. Este tratamiento se denomina quimioterapia y tiene el inconveniente de que es muy agresivo con el organismo. En algunos casos se realiza un tratamiento con rayos (radioterapia) como complemento del anterior.

Fuente: *La enciclopedia del estudiante. Ciencias de la vida*. Santillana

1. *cells*
2. *tissues*
3. *mass*
4. se produce
5. temprana
6. operación
7. *slow*

47 ¿Comprendes?

▶ **Explica.** ¿De qué habla el texto? ¿Qué información da?

▶ **Responde** a estas preguntas. Justifica tus respuestas.

1. ¿Qué es el cáncer?
2. ¿Qué dos tipos de tumores hay?
3. ¿Qué es la metástasis?
4. ¿Se pueden prevenir todos los tipos de cáncer?
5. ¿Cuáles pueden ser las causas del cáncer?
6. ¿Qué medidas podemos adoptar para prevenirlo?

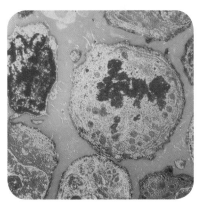

Células cancerígenas.

48 Palabras y expresiones

▶ **Explica** con tus palabras estos términos y expresiones que aparecen en el texto.

1. proliferación
2. causas genéticas
3. propensión
4. agentes cancerígenos
5. detección precoz
6. vida sedentaria

49 Con tus propias palabras

▶ **Elige** uno de los tipos de cáncer del gráfico de la página 96. Busca información sobre él y haz una breve presentación explicando en qué consiste la enfermedad y su tratamiento.

▶ **Busca** testimonios de adolescentes o jóvenes que hayan superado un cáncer. Comenta con tus compañeros(as) su historia y lo que has aprendido de ella.

Comunicación

50 **Un avance tecnológico**

▶ **Lee** esta noticia y complétala con los artículos definidos e indefinidos necesarios.

TECNOLOGÍA   Lunes, 9 de enero de 2012

Diagnosticar la malaria con el móvil

Evaluar una prueba de imagen, controlar los niveles de glucosa, detectar ___1___ enfermedad en la piel... Todas estas «tareas» médicas ya pueden realizarse de una forma ágil y sencilla con la simple ayuda de ___2___ teléfono móvil.

Las aplicaciones sanitarias cada vez ganan más terreno en el creciente mundo de ___3___ *smartphones* y algunas de estas nuevas propuestas tienen el potencial de mejorar las técnicas de diagnóstico e incluso el acceso a ___4___ atención en muchas zonas del mundo. Es el caso de un reciente desarrollo realizado desde EEUU que permite diagnosticar ___5___ malaria solo con la ayuda de un móvil.

Según sus creadores, investigadores de *Lifelens Project*, su tecnología detecta ___6___ enfermedad de forma rápida y con ___7___ precisión mayor que la que proporcionan los test de diagnóstico rápido.

___8___ aplicación funciona colocando una gota de sangre del paciente en una tira que contiene un marcador reactivo al parásito de la malaria. Después, se toma una imagen de esa tira con un teléfono inteligente equipado con ___9___ pequeñas lentes que permiten ampliar la fotografía hasta 350 veces.

Un *software* especial permite identificar ___10___ células sanguíneas en esa imagen y comprobar si el paciente está afectado por la enfermedad. Además, la aplicación también hace posible subir esos datos a Internet, lo que, según sus creadores, puede ayudar a realizar un seguimiento del trastorno y conocer qué zonas están más afectadas.

Fuente: http://www.elmundo.es
(selección)

▶ **Lee** la noticia de nuevo y responde a las preguntas.

1. ¿Qué dos ventajas ofrecen las aplicaciones sanitarias de los *smartphones*, según el texto?

2. ¿Para qué sirve la aplicación creada por *Lifelens Project*?

3. ¿Por qué se puede decir que esta aplicación es mejor que una prueba de sangre tradicional?

4. ¿Qué se necesita para realizar la prueba?

5. ¿Qué beneficios tiene subir los datos de la prueba a Internet?

▶ **Resume** el procedimiento que se sigue para diagnosticar la malaria con el móvil.

▶ **Habla** con tu compañero(a). Hagan una lista de consejos para prevenir enfermedades.

Modelo   *Para prevenir las enfermedades más graves lo mejor*
es vacunarse.

▶ **Escribe** con tu compañero(a) un anuncio sobre la prevención de una enfermedad. Incluyan un eslogan y presenten el anuncio a la clase.

Final del desafío

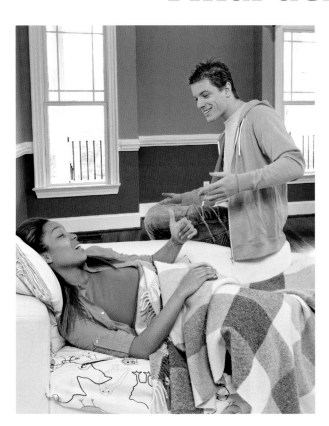

ETHAN: Ayer escribí a Manuel Patarroyo para invitarlo al ciclo de charlas de la escuela.

EVA: ¡Qué bien, Ethan! ¿Y ya te contestó?

ETHAN: ¡Pues claro! Dice que podemos contar con él y que quiere asistir a todas las charlas.

EVA: ¡Fabuloso!

ETHAN: Me alegro de que podamos contribuir a este evento tan importante de la escuela.

EVA: Yo también. Y te agradezco el trabajo que hiciste redactando tú solo el mensaje.

ETHAN: No ha sido nada. Siempre soñé con conocer a un científico muy famoso.

EVA: Tenemos que preparar las preguntas que le vamos a hacer. Yo me ocupo.

ETHAN: ¡Pero tú estás enferma, tienes que descansar!

EVA: No, no. Insisto en ayudarte.

ETHAN: De acuerdo. ¡Pues a trabajar!

52 Respondió que sí

▶ **Lee** el diálogo y responde a estas preguntas.

1. ¿Quién invitó a Manuel Patarroyo al ciclo de charlas?

2. ¿Aceptó la invitación? ¿Qué palabras del diálogo justifican tu respuesta?

▶ **Escribe** con tu compañero(a) tres preguntas que Ethan y Eva pueden hacerle a Manuel Patarroyo. Después, preséntenlas a la clase.

Modelo   *¿Ha habido más investigaciones para mejorar la vacuna de la malaria?*

Una boda impresionante

Asha y Lucas tienen que asistir a la boda de una vecina mexicana y hacer un reportaje fotográfico del evento que muestre las costumbres típicas.

ASHA: ¡Qué elegantes están todos! Y la iglesia se ve hermosa, ¿no crees?

LUCAS: Sí, yo nunca había estado en una boda católica. Mira, ahí está el novio.

ASHA: Ese no es el novio, Lucas, es el padrino. Los padrinos son las personas que acompañan y ayudan a los novios durante la ceremonia. La madrina es esa mujer que está de pie hablando con el novio. Anda, sácales una foto.

LUCAS: Ya está. También hay padrinos en los bautizos, ¿no?

ASHA: Sí. Mira, ya viene la novia. Lleva un vestido blanco precioso. ¡Y qué ramo de flores tan lindo! Date prisa, hazle una foto.

LUCAS: Oye, Asha, esta boda es muy larga... Y estoy muerto de hambre.

ASHA: Shhh... ¡Calla, Lucas, me estás avergonzando!

LUCAS: Es que me quiero enterar. ¿Qué hacen ahora? ¿Qué le está dando el novio a la novia?

ASHA: Le está presentando las arras, que son trece monedas simbólicas. Su madre me contó que esas arras son muy antiguas y que las han utilizado en todas las bodas de su familia desde hace muchísimos años.

LUCAS: ¡Y yo me siento como si lleváramos años aquí sentados! Oye, parece que los padrinos están atando a los novios con una cuerda. No sabía que era tan literal el compromiso...

ASHA: Ay, Lucas, eso es el lazo. También es un símbolo. No seas bobo...

53 Detective de palabras

▶ **Completa** estas oraciones.

1. Todos ___1___ elegantes en la boda.

2. La madrina ___2___ una mujer que ___3___ de pie.

3. Asha opina que el ramo de flores de la novia ___4___ muy lindo.

4. La boda ___5___ larga y Lucas ___6___ muerto de hambre.

5. El novio ___7___ presentando las arras a la novia.

6. Asha le explica a Lucas que el lazo que ponen a los novios ___8___ un símbolo.

54 ¿Comprendes?

▶ **Responde** a estas preguntas.

1. ¿A qué ceremonia asisten Asha y Lucas?
2. ¿Dónde se celebra esa ceremonia?
3. ¿Quiénes son los padrinos?
4. ¿Qué lleva la novia en la mano?
5. ¿Qué son las arras?
6. ¿De qué otro símbolo hablan Asha y Lucas?

55 ¡Cuántos preparativos!

▶ **Escucha** la conversación entre Asha y Lucas, y responde a las preguntas.

1. ¿Cómo se encuentra Lucas?
2. ¿Cuánto tiempo tardaron los novios en organizar la boda?
3. ¿Cuál va a ser el plato principal en la comida?
4. ¿Cuál es uno de los ingredientes básicos del plato principal?
5. ¿Qué tipo de música van a tocar?
6. ¿Por qué no pueden empezar a bailar Asha y Lucas?

▶ **Escribe** un párrafo describiendo la última boda a la que asististe. Incluye explicaciones y detalles sobre los ritos y costumbres que viste.

▶ **Habla** con tu compañero(a). ¿Qué diferencias y semejanzas hay entre las bodas que han descrito?

CULTURA

Las bodas en México

México es un país de gran diversidad y esto se ve reflejado en sus celebraciones. En las bodas de la región de Guadalajara, por ejemplo, es frecuente que el novio se vista de charro y llegue a la iglesia a caballo. Otros ritos propios de las bodas están más extendidos por todo el país, como la costumbre de que la novia tenga dos ramos de flores: uno para llevarlo como adorno en la ceremonia religiosa y otro para ofrecérselo a la Virgen de Guadalupe. También es frecuente que actúen unos mariachis durante la ceremonia o en la celebración posterior.

56 **Investiga.** ¿Conoces alguna tradición (de boda o de otra ceremonia) propia de alguna región de tu país? ¿Sabes cómo comenzó? Busca información y prepara una presentación sobre ella.

Vocabulario

Estados físicos y anímicos

Estos son mis compañeros de clase. La chica que está de pie es mi mejor amiga, María, y el chico que está a su lado de perfil es su novio, Sergio. Los que están agachados son Julio y Nuria. La chica que está de rodillas es Belén, mi otra mejor amiga. Y el chico que está acostado es Javi. Ah, yo soy la que está sentada a su derecha.

Publicar

Amigos   Ver todos

 Marta García

Pongan la televisión en el canal 1 y vean el documental que están emitiendo. Me ha puesto furiosa ver cómo estamos destruyendo el planeta. Por favor, ¡RECICLEN!

Me gusta · Comentar

 Ismael Arribas ▶ Marta García

Sí, yo también lo estoy viendo y me avergüenza lo que estamos haciendo. Estoy muy desanimado y un poco harto de nuestro comportamiento.

Me gusta · Comentar

 Ana Alcaraz ▶ Marta García

Pues yo estoy esperanzada porque los niños de ahora están muy concienciados. Estamos mejorando y creo que hay que alegrarse por ello.

Más vocabulario

Estados físicos y anímicos

(in)cómodo(a)	(un)comfortable
(des)contento(a)	(un)happy
de buen/mal humor	in a good/bad mood
estar muerto(a) de hambre/sed	very hungry/thirsty
estar muerto(a) de sueño	very sleepy

Ciclo de la vida

crecer	to grow
envejecer	to get old
morir	to die

¡Atención!

avergonzado(a)	embarrased
embarazada	pregnant

---

57   **¿Cómo se sienten?**

 ▶ **Escucha** a los personajes y completa las oraciones con las palabras y expresiones del cuadro.

1. Lucas…
2. Eva…
3. Asha…
4. Ethan…
5. Daniel…
6. Michelle…

> está cómodo(a)
> está de mal humor
> está desanimado(a)
> está harto(a)
> está muerto(a) de sed
> está muerto(a) de sueño

58 Posturas

▶ **Escribe** oraciones para describir a estas personas. Incluye detalles sobre su aspecto físico, su postura, dónde están y qué están haciendo.

59 Tu perfil

▶ **Entrevista** a tu compañero(a). Hazle las siguientes preguntas y toma nota de sus respuestas. Luego, comenta a la clase lo que más te haya llamado la atención.

1. ¿Cuándo y dónde naciste? ¿Dónde creciste?
2. ¿En qué lugar del mundo te gustaría envejecer?
3. ¿Cómo te sientes en este momento?
4. ¿Hay algo que te avergüence fácilmente?
5. ¿De qué puedes decir que estás harto(a)?
6. ¿Qué te pone de buen humor? ¿Y de mal humor?

CULTURA

La celebración de la madurez

En muchas civilizaciones y culturas del mundo hay ritos y ceremonias para celebrar la llegada de una persona a la vida adulta.
Los antiguos incas realizaban el Warachikuy para celebrar el paso de la adolescencia a la madurez. Este rito consistía en superar una serie de duras pruebas físicas en las que los jóvenes demostraban sus capacidades como futuros guerreros. En la actualidad, el Warachikuy se representa en el parque arqueológico de Sacsayhuamán (Perú) y en él participan unos 1.500 jóvenes que se preparan con meses de antelación.

60 Explica.
¿Conoces alguna celebración antigua o actual que marque el paso a otra etapa de la vida? ¿Dónde se celebra? ¿En qué consiste?

Gramática

La voz pasiva

- La voz pasiva es una construcción que presenta al sujeto como receptor de la acción, no como agente. La cláusula pasiva suele constar de tres elementos:
  - Un sujeto que recibe la acción (**sujeto paciente**).
  - Un **verbo en voz pasiva**.
  - Un complemento con la preposición por que nombra a quien realiza la acción (**complemento agente**).

El ratón	fue atacado	por el gato.
sujeto paciente	verbo en voz pasiva	complemento agente

- La voz pasiva de los verbos se forma en español de la misma manera que en inglés: con el verbo ser + *participio*. El participio concuerda con el sujeto en género y número.

VOZ PASIVA VERBO AYUDAR. PRESENTE DE INDICATIVO

yo	soy **ayud**ado(a)	nosotros(as)	somos **ayud**ados(as)
tú	eres **ayud**ado(a)	vosotros(as)	sois **ayud**ados(as)
usted, él, ella	es **ayud**ado(a)	ustedes, ellos(as)	son **ayud**ados(as)

- La voz pasiva se puede conjugar en cualquier tiempo verbal.

PRESENTE	La boda **es oficiada** por el alcalde.
PRETÉRITO	La boda **fue oficiada** por el alcalde.
IMPERFECTO	Todas las bodas **eran oficiadas** por el alcalde.
FUTURO	La boda **será oficiada** por el alcalde.

Uso de la voz pasiva

- En español, la pasiva con ser es menos común que en inglés; se usa poco en estos casos:

  - Con un objeto indirecto: Los clientes le dejaron propina **al mesero**.
  - Con los tiempos progresivos: El chef **está preparando** la comida.
  - Con verbos de percepción (ver, oír, sentir...) o emoción (querer, odiar...): Ayer **vi** una película interesante.

- Tampoco se usa en instrucciones. En este caso se prefiere la construcción se + *verbo en 3.ª persona*: **Se ruega** silencio.

61 **Compara.** ¿Cuándo se usa la voz pasiva en inglés?

62 **¿Voz activa o voz pasiva?**

▶ **Traduce** estas oraciones al español.

1. The cake is being baked by my grandmother.

2. She was given a present by her friends.

63 Quinceañera

▶ **Escucha** la conversación y elige la opción correcta.

1. La quinceañera de Rocío se celebró…
   a. en el pueblo de su papá.
   b. en un pueblo del estado de Morelos.
   c. en los Estados Unidos.

2. La celebración comenzó con…
   a. música de mariachi.
   b. una comida en una hacienda.
   c. una ceremonia religiosa.

3. El sacerdote de la ceremonia religiosa era…
   a. el padrino de Rocío.
   b. el tío de Rocío.
   c. el sacerdote del pueblo.

▶ **Completa** estas oraciones usando la voz pasiva. Después, escucha otra vez y comprueba los resultados.

1. La ceremonia _____ por mi tío Pedro.
   <small>oficiar</small>

2. Todas mis canciones favoritas _____ por unos mariachis.
   <small>interpretar</small>

3. Los zapatos _____ a mano.
   <small>hacer</small>

64 Presentación en sociedad

▶ **Escribe.** ¿Has ido alguna vez a una fiesta de quinceañera o a una celebración similar? Cuenta tu experiencia. Usa la voz pasiva cuando sea posible.

COMUNIDADES

ESTRUCTURA FAMILIAR EN LATINOAMÉRICA

En las sociedades latinoamericanas es muy habitual que los abuelos convivan con sus hijos y sus nietos en la misma casa. También es común que los parientes más próximos vivan cerca, lo que favorece que distintas unidades familiares conformen una gran familia.

A diferencia de los Estados Unidos, en los países hispanos muchos jóvenes no se independizan hasta que se casan.

65 **Explica.** ¿Qué ventajas y desventajas encuentras en este tipo de estructura familiar?

Gramática

Ser y *estar*

- El verbo ser se usa principalmente para hablar de los **rasgos** o las **cualidades** propios de las personas (origen, nacionalidad, religión, profesión, parentesco, afiliación, apariencia, personalidad...), los animales, las ideas y las cosas.

> Santiago **es** abogado y **es** de Panamá. **Es** apuesto y muy cariñoso.
> El cristal **es** frágil.

- En contraste, el verbo estar se usa:

  - Para expresar el **lugar** donde están las personas o las cosas: Mis padres **están** en casa.

  - Para expresar **sentimientos y estados**: **Estoy** muy contento.

  - Para hablar del **resultado de un proceso**: La casa ya **está** ordenada.

- Además, el verbo ser y el verbo estar tienen otros usos en español:

EL VERBO SER

Para decir la fecha y la hora.	Hoy **es** martes y **son** las tres de la tarde.
Para expresar posesión.	Ese auto azul **es** de mi hermano.
Para localizar eventos.	La fiesta **es** en el club náutico.
Para expresar precio o material.	**Son** quince dólares con cincuenta centavos. El vestido de la novia **es** de seda.
En igualdades matemáticas.	Dos más dos **son** cuatro.
Con propósito o función (con para).	El sillón **es** para sentarse.

EL VERBO ESTAR

Para expresar estado.	Sue **está** delgada porque se puso a dieta.
Con bien y mal.	¿**Estás** bien?
En los tiempos progresivos.	Lucas **está** cocinando.
En expresiones idiomáticas con de.	estar muerto(a) de hambre, estar de buen / mal humor...

Adjetivos que cambian de significado con *ser* o *estar*

- Muchos adjetivos cambian de significado cuando se usan con ser o con estar.

> El kiwi **es** verde (*green*) por dentro y, cuando **está** verde (*unripe*), es muy ácido.

66 **Piensa.** ¿Cuál es la diferencia entre Andrés es feliz y Andrés está feliz? ¿Cómo se expresa esta diferencia en inglés?

ADJETIVOS QUE CAMBIAN DE SIGNIFICADO

	SER	ESTAR
atento(a)	*courteous*	*alert*
callado(a)	*reserved*	*quiet*
listo(a)	*smart*	*ready*
malo(a)	*bad*	*sick, ill*
orgulloso(a)	*arrogant*	*proud*
rico(a)	*rich*	*delicious*
seguro(a)	*safe*	*sure, certain*
verde	*green*	*unripe*
vivo(a)	*bright, sharp*	*alive*

67 **Mi mejor amiga**

▶ **Completa** este texto con las formas apropiadas de los verbos *ser* o *estar*.

Laura ___1___ mi mejor amiga. Tiene 16 años y ___2___ de Ecuador, pero ahora ___3___ en los Estados Unidos porque su familia se mudó aquí. ___4___ muy linda y tiene unos ojos preciosos; ___5___ verdes y muy grandes. Laura ___6___ muy lista y siempre ___7___ atenta en las clases. Y me gusta porque no ___8___ orgullosa.

68 **Descripciones**

▶ **Escucha** las descripciones y elige la opción correcta. Después, escribe ejemplos con las respuestas que no seleccionaste.

1. **a.** Es verde.
   b. Está verde.

2. **a.** Son ricos.
   b. Están ricos.

3. **a.** Es listo.
   b. Está listo.

4. **a.** Es callada.
   b. Está callada.

5. **a.** Es mala.
   b. Está mala.

6. **a.** Es atento.
   b. Está atento.

69 **¡Qué mala pata!**

▶ **Escribe** oraciones para describir cada dibujo. Describe a los personajes y di qué están haciendo y cómo están.

▶ **Habla** con tu compañero(a) y comparen sus descripciones.

▶ **Escribe** con tu compañero(a) un final para esta historia describiendo la escena y a los personajes detalladamente.

Antes de leer: estrategias

1. Observa la fotografía. ¿Qué crees que es? ¿Para qué se utiliza?

2. ¿Qué ingredientes suele tener una sopa? Haz una lista.

La piedra mágica

Un guerrero que regresaba de la guerra llegó a un pueblo. Como tenía mucha hambre, se paró delante de la primera granja que encontró y pidió que le dieran algo de comer. Los granjeros le dijeron:

—No podemos darte nada. No tenemos ni siquiera[1] para nosotros.

Pero el guerrero no estaba dispuesto a[2] quedarse sin comer.

—Pero sí tendréis al menos una marmita[3] —dijo.

—Eso sí —le respondieron.

—¿Y tenéis agua para echar en la marmita?

—Claro —respondió la granjera.

—Entonces, todo arreglado[4] —dijo el guerrero—. Tomad la olla, llenadla de agua y ponedla al fuego. Yo traigo una piedra que hace sopa.

Muerto de curiosidad, el padre tomó rápidamente la marmita, la llenó de agua y la puso encima del fuego. Entonces el guerrero metió la mano en uno de sus bolsillos, sacó una piedra y la echó en la marmita.

—Ya está —dijo el guerrero—. Ahora solo hay que esperar a que hierva el agua.

Toda la familia se sentó, asombrada[5], alrededor del fuego.

Después de un rato, el guerrero preguntó:

—¿No tendríais un poquito de sal para la sopa?

—Sí, claro —dijo la granjera—. Y le dio un tarro de sal.

El guerrero tomó un buen puñado[6] y lo echó en la marmita.

Poco después, el guerrero comentó:

—Algunas zanahorias darían mejor gusto a la sopa.

El granjero se levantó y trajo un hermoso manojo[7] de zanahorias. Mientras las zanahorias se cocían, el guerrero comenzó a contar aventuras.

Tras unos minutos dijo:

—¿No pensáis que algunas patatas[8] espesarían[9] la sopa?

—Nos quedan algunas patatas —dijo la hija mayor—. Voy a buscarlas.

Las patatas entraron en la marmita y de nuevo se esperó a que la sopa hirviera.

En ese momento llegó el hijo mayor; volvía de cazar con dos hermosas liebres[10].

—He aquí lo que nos falta para enriquecer la cena —dijo el guerrero.

Y en un instante las liebres fueron despiezadas[11] y metidas en la marmita.

Al fin, la sopa estuvo preparada; era, en efecto, excelente y había suficiente para satisfacer el hambre de todos, incluso la de los vecinos. Los granjeros estaban asombrados.

—Es una piedra maravillosa —decía el granjero.

—Es una piedra milagrosa —decía su mujer.

—Sí, es verdad —afirmó el guerrero—. Y hace siempre sopa si se sigue la fórmula que ya sabéis.

Cuando llegó la hora del adiós, el guerrero dio la piedra a la mujer para agradecer sus atenciones. Ella no quería aceptarla, pero el guerrero insistía:

—Es poca cosa, mujer. Tomadla, os lo ruego[12].

Ante tales palabras, la mujer aceptó quedársela. El guerrero continuó entonces su camino sin la milagrosa piedra, pero totalmente feliz y seguro de que encontraría otra antes de llegar al siguiente pueblo.

Basado en F. PINTO y A. JIMÉNEZ. *Bajo la Jaima. Cuentos populares del Sáhara.* 1996

---

1. *not even*
2. no quería
3. olla, cazuela
4. preparado
5. sorprendida
6. *handful*
7. *bunch*
8. papas (en España)
9. harían más densa
10. *hares*
11. cortadas en trozos
12. *I beg*

70 ¿Comprendes?

▶ **Escribe** la receta de la sopa del cuento. Incluye la lista de los ingredientes y los pasos para realizarla.

71 Palabras y expresiones

▶ **Busca** en el texto las palabras y expresiones destacadas, y responde a las preguntas.

1. ¿Qué otros platos se pueden preparar en una **olla** o **marmita**?
2. ¿En qué otros platos hay que **hervir agua** para prepararlos?
3. ¿Qué otras cosas se guardan en **tarros**?
4. ¿De qué otras cosas puedes tomar un **puñado**?
5. ¿Qué otras cosas se compran en **manojos**?
6. ¿Qué otros ingredientes hay que **despiezar** para cocinarlos?

72 Con tus propias palabras

▶ **Explica** con tus palabras la enseñanza que se desprende del cuento y coméntala con tus compañeros(as).

▶ **Habla** con tus compañeros(as). ¿Conoces otros cuentos populares con moraleja (*moral*)? Elige uno y cuéntalo.

Comunicación

73 **Cambios de humor**

▶ **Lee** el artículo y complétalo con estas palabras. Ten en cuenta que no todas son válidas.

adolescencia	cambios	incómodos	enojas	confusión	alegría
preocupación	adolescente	divertido	humor	cómodos	solo

¿Por qué estoy de tan mal humor?

¿Te ocurre alguna vez que te ___1___ con facilidad sin tener ninguna razón? ¿O que cambias de ___2___ y te sientes triste sin saber por qué? Cambiar de la tristeza al enfado y de vuelta a la ___3___ en cuestión de minutos puede hacer que los adolescentes se sientan como si estuvieran perdiendo el control. ¿Por qué estos cambios tan bruscos de sentimientos son tan comunes entre los adolescentes?

Tener que hacer frente a ___4___ y presiones constantes es parte de la respuesta. Quizás has comenzado a asistir a una nueva escuela y no has podido ver a tus antiguos amigos tanto como quisieras. Obtener buenas notas o querer mejorar en los deportes u otras actividades puede ser una ___5___ para muchos. Es posible que se sientan como si no tuvieran tiempo suficiente para hacer todo.

Ser adolescente significa luchar con la identidad y la imagen de uno mismo. Ser aceptado por los amigos es percibido como algo sumamente importante. Quizás quieras tomar tus propias decisiones, pero al mismo tiempo puede ser abrumador y hacer que te sientas ___6___ de vez en cuando. Así como este período de tu vida puede ser ___7___ y excitante, también es una temporada de ___8___ y conflicto. Puede tomar algún tiempo para que los adolescentes y sus familiares se sientan ___9___ ante la transición entre la niñez y la edad adulta.

Entender que casi todas las personas atraviesan cambios en su estado de ánimo durante la ___10___ puede que haga que estos momentos sean más fáciles de manejar.

Fuente: © The Nemours Foundation/Kidshealth (texto adaptado)

▶ **Piensa.** ¿Cuál es la idea fundamental del texto? Escribe un resumen.

▶ **Habla** con tus compañeros(as). ¿Te identificas con lo que dice el texto? ¿Crees que se da una imagen real de los adolescentes y sus problemas? Justifica tu opinión.

▶ **Busca** una foto de tu familia y tráela a la clase. Piensa en los detalles del día en el que se sacó: lugar, personas, actividades, sentimientos, etc.

▶ **Habla** con tu compañero(a) y cuéntale todos los detalles de la fotografía. ¿Qué tienen en común sus familias?

Final del desafío

LUCAS: Ven, Asha. Acabo de descargar las fotos de la boda en mi computadora. Ahora tenemos que seleccionarlas. ¿Me ayudas?

ASHA: Claro. A ver… Esta foto ___1___ muy bien. Se ve a los novios y a los padrinos. Y todos ___2___ muy alegres.

LUCAS: También se ve a los invitados que ___3___ sentados en la iglesia. ¡Había mucha gente!

ASHA: Esta puede ser la primera foto del reportaje.

LUCAS: ¿___4___ segura? ¿No prefieres esta otra de los novios?

ASHA: No. Recuerda que el reportaje ___5___ para mostrar las tradiciones y ahí no se ve nada especial. ¿Recuerdas lo que ocurrió cuando los novios ___6___ saliendo de la iglesia?

LUCAS: Ah, sí. ¡Pobres novios! Los invitados comenzaron a tirarles un montón de arroz. Aquí está.

ASHA: La foto ___7___ muy buena. Parece que está nevando sobre los novios. El arroz ___8___ un símbolo de prosperidad y de buena suerte.

LUCAS: Entonces, seleccionada también.

ASHA: Sigamos…

75 **El reportaje**

▶ **Completa** el diálogo usando la forma correcta de los verbos *ser* o *estar*.

▶ **Habla** con tu compañero(a). ¿Crees que Asha y Lucas están haciendo una buena selección de fotos? ¿Qué incluirías tú para que el reportaje fuera lo más completo posible?

Todo junto

ESCUCHAR Y HABLAR

76 **Un programa gastronómico**

▶ **Escucha** este fragmento de un programa de radio y elige la opción correcta.

1. En el programa hablan sobre...

   a. cocina internacional.   **b.** una cocinera colombiana.   **c.** un libro de cocina.

2. La receta del lomo de cerdo lleva una salsa de...

   a. peras.   **b.** moras.   **c.** almendras.

3. A la invitada le gusta la receta del lomo de cerdo porque...

   a. mezcla sabores distintos.   **b.** es muy exitosa.   **c.** es fácil de hacer.

4. La torta navideña se hace con...

   a. frutas.   **b.** natilla.   **c.** crema.

5. El brazo de reina también se llama...

   a. rollo.   **b.** cremita.   **c.** pionono.

▶ **Habla** con tu compañero(a) de los platos que asocias a alguna celebración o ritual. Explica qué ingredientes llevan y en qué ocasiones especiales se comen.

ESCRIBIR Y LEER

77 **Una boda accidentada**

▶ **Mira** esta ilustración. ¿Qué crees que ha pasado? Escríbelo.

▶ **Escribe** la historia completa incluyendo detalles sobre lo que ocurrió y cómo se sentían los personajes.

▶ **Lee** la historia de tu compañero(a) y ponle un título.

Tu desafío

78 Los alimentos y la salud

¿Recuerdas los desafíos de los personajes? ¿Cuál te gusta más? Elige una de estas opciones y resuelve tu desafío.

DESAFÍO (A)

Elige un plato de un país hispano que te guste mucho y prepara un cartel o un folleto para presentarlo a un concurso gastronómico. Incluye estos datos:

- El nombre del plato y una breve historia sobre su origen, cuándo se come, etc.
- Los utensilios que se necesitan para prepararlo.
- Los ingredientes que lleva.
- La forma de prepararlo.

Tacos de pollo.

DESAFÍO (B)

Investiga sobre un(a) científico(a) importante del mundo hispano (por ejemplo, Mariano Barbacid) y prepara una presentación para la clase. Debes explicar:

- ¿Quién es? ¿De dónde es? ¿A qué se dedica?
- ¿Por qué es una figura relevante? ¿Ha inventado o descubierto algo importante?

Conferencia de Mariano Barbacid.

DESAFÍO (C)

Haz una presentación sobre una celebración típica de un país hispano con fotografías y dibujos. Explica:

- Cuándo y dónde se celebra.
- Quiénes participan.
- En qué consiste.
- Cómo deben ir vestidos los participantes. Si hay platos o bebidas típicas...

Día de los difuntos (México).

Sistemas de salud en el mundo hispano

La salud es fundamental para el bienestar. Un sistema sanitario avanzado es una muestra del desarrollo económico y social de los pueblos. Durante los últimos años, los países hispanos han hecho progresos hacia la universalización de los sistemas de salud.

Hospital en Guadalajara (México).

El sistema mexicano: cobertura sanitaria universal

En México hasta 2004 la atención médica solo estaba disponible para los ciudadanos que pudieran pagar sus cuotas de la seguridad social a través de su empleo, o para quienes disponían de un seguro privado. En 2012, se logró la cobertura universal a través del Sistema de Protección Social en Salud (SPSS). Desde entonces, cada mexicano tiene acceso a una protección sanitaria en los centros de salud y hospitales de los Servicios Estatales de Salud.

Premio Príncipe de Asturias de Investigación Científica y Técnica

El doctor Arturo Álvarez-Buylla, licenciado en Investigación Biomédica por la Universidad Nacional Autónoma de México, recibió el Premio Príncipe de Asturias en 2011. Su principal campo de trabajo es el cerebro humano.

Turismo sanitario en Costa Rica

La diferencia entre los distintos sistemas sanitarios es la causa del llamado turismo sanitario: algunos pacientes aprovechan sus vacaciones para someterse a algún tratamiento médico en otro país en el que pueden encontrar servicios médicos de calidad a un precio más barato.

En América, uno de los destinos preferidos por los ciudadanos norteamericanos es Costa Rica, que ofrece un sistema sanitario de prestigio con precios y tiempo de espera mucho menores que en otros países. Los servicios más demandados son los tratamientos cosméticos y dentales, y otros tratamientos médicos y quirúrgicos más avanzados.

Hospital en San José (Costa Rica).

El Sistema Nacional de Salud de España

En España la atención sanitaria es pública, gratuita y universal, es decir, para todos los ciudadanos.

El Sistema Nacional de Salud se organiza en dos niveles asistenciales: la atención primaria, a través de los Centros de Salud, y la atención especializada, que se presta en Centros de especialidades y en hospitales.

La Organización Nacional de Trasplantes

España es líder mundial en la realización de trasplantes de órganos. La Organización Nacional de Trasplantes (ONT), creada en 1980, coordina la donación y el trasplante de órganos, tejidos y células en el conjunto del Sistema Sanitario Español.

Desde la creación de la ONT, el número de donantes en España se ha incrementado en un 280 %. Los trasplantes que más se realizan son los de riñón, hígado, corazón y pulmón.

¿Sabías que...?

La esperanza de vida es el promedio de años que se calcula que puede llegar a vivir un recién nacido. Es un buen indicador del nivel de vida de una población.

ESPERANZA DE VIDA EN EL MUNDO HISPANO

	Hombres	Mujeres		Hombres	Mujeres
España	78	85	Argentina	72	79
Costa Rica	77	81	Uruguay	72	79
Chile	76	82	Paraguay	72	77
Estados Unidos	76	81	Venezuela	71	78
Cuba	76	80	Nicaragua	71	77
Panamá	74	79	República Dominicana	71	72
Perú	74	77	El Salvador	68	76
Colombia	73	80	Honduras	67	73
Ecuador	73	78	Guatemala	66	73
México	73	78	Bolivia	66	70

Datos de 2009. Fuente: Organización Mundial de la Salud (OMS). http://www.who.int/es/

79 Sistemas sanitarios

▶ **Investiga** y compara el sistema sanitario de tu país con el de otro país hispano. Después, comenta tus conclusiones con tus compañeros(as).

– Tipo de sistema de asistencia sanitaria (público o privado; universal o no; gratuito o no).
– Organización (atención primaria, atención especializada, etc.).
– Prestación farmacéutica (gratuidad de los medicamentos).
– Datos relevantes sobre la salud de la población (esperanza de vida, principales enfermedades, factores de riesgo, etc.).

Recomendaciones de viajes

Textos prescriptivos

Los textos prescriptivos tienen como objetivo explicar al lector cómo hacer algo. Este tipo de textos están muy presentes en la vida cotidiana: recetas de cocina, instrucciones para usar un aparato, normas de comportamiento, leyes, reglamentos, etc.

La información de los textos prescriptivos debe formularse de forma sencilla, clara, precisa y fácil de seguir, evitando ambigüedades e interpretaciones erróneas.

En estos textos se utilizan con frecuencia los verbos en imperativo o en infinitivo, y las construcciones con *hay que* o con *se*.

En las guías de viajes se da todo tipo de información de interés para el viajero sobre el país o la ciudad: museos y monumentos, mapas y transporte, hoteles, restaurantes, tiendas, etc. Y también suelen ofrecer datos de utilidad y recomendaciones relativas a horarios, cambio de moneda, clima, costumbres, salud o seguridad.

En esta unidad vas a escribir la sección de salud para una guía de viajes de algún país hispanohablante.

Piensa

■ Elige un país hispanohablante que te gustaría visitar. ¿Qué necesitarías saber sobre cuestiones relacionadas con la salud si viajaras a ese país? Escribe al menos seis preguntas sobre estos temas u otros que se te ocurran:

- – Posibles enfermedades.
- – Vacunación.
- – Botiquín de primeros auxilios.
- – Sistema de asistencia sanitaria.
- – Emergencias, hospitales y farmacias.
- – Consumo seguro de alimentos.

Modelo

¿Debo contratar un seguro médico para viajar a Perú?

■ Busca en Internet las respuestas a las preguntas que escribiste. Consulta fuentes fiables, como portales oficiales de turismo o de salud, guías de viajes, etc.

■ Selecciona algunas imágenes que podrían ilustrar tu guía para hacerla más didáctica y atractiva.

Escribe

■ Redacta el borrador de tu texto respondiendo a las preguntas que escribiste en el paso anterior.

Utiliza construcciones impersonales con *se* y las expresiones del cuadro.

■ Pon un título atractivo al texto y cita al final las fuentes que utilizaste.

Si viajo a Perú…

¿Debo contratar un seguro médico?

Casi todos los hospitales peruanos exigen el pago al contado de los tratamientos, y la estancia en una clínica privada puede resultar muy cara, así que se recomienda contratar un seguro de viaje con antelación.

¿Cómo puedo evitar el mal de altura?

Para evitar el mal de altura o soroche, se recomienda ascender gradualmente para la debida aclimatación, descansar el día de llegada, consumir comidas ligeras, beber abundante líquido y tener a mano caramelos de limón o chicles. Si sufre del corazón, consulte con su médico antes de viajar.

Fuentes: *Perú. Guías visuales*. El País Aguilar (2012) y http://www.peru.travel/es

Revisa

■ Cuando termines de escribir tu texto, revísalo.

– ¿La información es clara y comprensible? ¿Está bien organizada?
– ¿Empleaste un vocabulario y unas construcciones gramaticales correctas?

■ Intercambia tu texto con tu compañero(a). Lee el suyo y completa una tabla como esta con valores del 1 al 5 (5 es la mejor puntuación).

Criterio	Guía de preguntas	Puntuación
Información	¿Es completa? ¿Echas de menos alguna información relevante?	
Redacción	¿El texto está redactado de manera clara y comprensible? ¿Hay alguna parte que no entiendas? ¿Se repiten mucho algunas palabras?	
Gramática y ortografía	¿Está bien escrito el texto? ¿Tiene algún error gramatical u ortográfico? ¿Se usan bien los signos de puntuación?	
Presentación	¿La guía resulta atractiva? ¿Son relevantes las imágenes seleccionadas?	

■ Devuelve el texto a su autor(a). Revisa el tuyo y pásalo a limpio.

Comparte

■ Presenta tu trabajo a la clase. Entre todos(as), elijan las secciones de salud más completas y visualmente más atractivas.

En el restaurante

Carne

las alitas de pollo	*chicken wings*
la carne molida	*ground beef*
las chuletas de cordero	*lamb chops*
el filete de pavo	*turkey fillet*
el jamón	*ham*
el lomo de ternera	*veal loin*
la pechuga de pavo	*turkey breast*

Pescado y marisco

el bacalao	*cod*
el cangrejo	*crab*
la langosta	*lobster*
los langostinos	*prawns*
el pez espada	*swordfish*

Verduras y hortalizas

el aguacate	*avocado*	el pepino	*cucumber*
la berenjena	*eggplant*	el pimiento	*pepper*
la calabacita	*squash*		

Fruta

la cereza	*cherry*	la mora	*blackberry*
la ciruela	*plum*	la pasa	*raisin*
el durazno	*peach*	la toronja	*grapefruit*
la frambuesa	*raspberry*		

Otros alimentos

la canela	*cinnamon*	las lentejas	*lentils*
los hongos	*mushrooms*	la miel	*honey*
los huevos revueltos	*scrambled eggs*	la nuez	*nut*

Preparación de los alimentos

al horno	*baked*	relleno(a)	*filled*

La sala de urgencias

Enfermedades y síntomas

el asma	*asthma*
el corte	*cut*
el esguince	*sprain*
el infarto	*heart attack*
las molestias	*ache*
las náuseas	*nausea*
la quemadura	*burn*
marearse	*to get dizzy*
perder el conocimiento	*to lose consciousness*
sangrar	*to bleed*
tener el colesterol alto	*to have high cholesterol*
vomitar	*to throw up*
contagioso(a)	*contagious*
grave	*serious*

Especialistas

el/la cardiólogo(a)	*cardiologist*
el/la dermatólogo(a)	*dermatologist*
el/la oncólogo(a)	*oncologist*

Diagnóstico y tratamiento

ingresar	*to hospitalize*
tomar la presión arterial	*to take one's blood pressure*
la vacuna	*vaccine*

¡Atención!

asistir (a)	*to attend (to)*
ayudar	*to assist*

Estados físicos y anímicos

(in)cómodo(a)	*(un)comfortable*
(des)contento(a)	*(un)happy*
de buen/mal humor	*in a good/bad mood*
desanimado(a)	*depressed*
esperanzado(a)	*hopeful*
harto(a) (de)	*fed up (with)*
muerto(a) de hambre	*very hungry*
muerto(a) de sed	*very thirsty*
muerto(a) de sueño	*very sleepy*
alegrarse	*to be happy*
avergonzar	*to embarrass*
ponerse furioso(a)	*to become furious*

Ciclo de la vida

crecer	*to grow*
envejecer	*to get old*
morir	*to die*

Posturas

acostado(a)	*lying down*
agachado(a)	*crouching*
de perfil	*in profile*
de pie	*standing*
de rodillas	*kneeling*
sentado(a)	*seated*

¡Atención!

avergonzado(a)	*embarrassed*
embarazada	*pregnant*

DESAFÍO 1

1 **¡A comer!** Une las palabras de las dos columnas.

Ⓐ

1. lomo
2. berenjenas
3. alitas
4. chuletas
5. pechuga
6. huevos

Ⓑ

a. revueltos
b. de ternera
c. de cordero
d. de pollo
e. rellenas
f. de pavo

DESAFÍO 2

2 **¿Qué le pasa?** Adivina qué enfermedad tienen o qué les pasó a estas personas.

1. Tengo que comer alimentos sin grasa, comer más fruta y verdura, y hacer ejercicio.

2. Me mareé y me caí... Y cuando abrí los ojos, no recordaba qué había pasado. Me sorprendió verme en el suelo.

3. Tengo ataques de tos y dificultad para respirar.

4. Esta mañana estaba corriendo y me hice mucho daño en el pie. Lo tengo muy hinchado.

5. Estaba cortando la verdura y, de pronto, sentí un gran dolor y empecé a sangrar.

6. Me dolía el brazo y tenía molestias en el pecho.

DESAFÍO 3

3 **Mi diario.** Completa este fragmento del diario de Sonia.

| de buen humor | de pie | desanimada |
| sentada | muerta de sueño | furiosa |

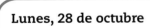

Lunes, 28 de octubre

Ayer estaba triste y ___1___, pero hoy me siento bien y estoy ___2___. Esta mañana, estaba ___3___ en un banco a la puerta de la escuela cuando vi a Jeff. Yo estaba ___4___, como todos los lunes, pero al verlo, me desperté de golpe (*suddenly*). Y vi que venía hacia mí, ¡qué nervios! Entonces Amanda, que estaba ___5___ junto a la puerta, me miró con una cara horrible. Y cuando vio que Jeff hablaba conmigo, se puso ___6___ y se marchó. Creo que a Amanda le gusta Jeff... Pero es que yo estoy enamorada de él. ¡Y creo que le gusto! ☺

Construcciones impersonales. El pronombre *se* (pág. 80)

EL PRONOMBRE SE IMPERSONAL
Se habla español en más de 20 países.

USO DE SE + VERBO EN TERCERA PERSONA
Se prohíbe comer en clase.
Se sabe que las verduras son saludables.
Se vende casa de campo.
Se necesitan cocineros con experiencia.

EL PRONOMBRE SE DE INVOLUNTARIEDAD
A mi padre se le perdieron las llaves.

Los verbos con preposición (pág. 92)

acostumbrarse a asistir a atreverse a ayudar a renunciar a	amenazar con casarse con contar con enojarse con soñar con
acordarse de alegrarse de darse cuenta de depender de despedirse de	confiar en consistir en fijarse en insistir en pensar en

La voz pasiva (pág. 104)

FORMACIÓN DE LA VOZ PASIVA

> **sujeto paciente** (receptor) + **verbo en voz pasiva**
> + **complemento agente** (con por)

El partido fue interrumpido por una tormenta.

USO DE LA VOZ PASIVA
- En español se usa poco la voz pasiva:
  - Con un objeto indirecto.
  - Con los tiempos progresivos.
  - Con verbos de percepción (ver, oír, sentir...) o emoción (querer, odiar...).
- En instrucciones no se suele usar la voz pasiva. Se prefiere la construcción se + *verbo* en 3.ª *persona*.

Los pronombres de objeto directo e indirecto (pág. 82)

PRONOMBRES DE OBJETO DIRECTO

me	nos
te	os
lo, la	los, las

PRONOMBRES DE OBJETO INDIRECTO

me	nos
te	os
le (se)	les (se)

Ella va a dárselos./Ella se los va a dar.

Los artículos (pág. 94)

En español llevan artículo:
- Los nombres abstractos y los nombres usados con un sentido general.
- Las partes del cuerpo y las prendas de vestir.
- Los títulos (excepto don y doña).
- Los días, las horas y las fechas.
- Los nombres de las calles, los parques, etc.
- Los porcentajes y los números.

En español se omite el artículo:
- Para referirnos a seres u objetos no específicos.
- Con verbos como comprar, necesitar, dar, traer, hacer, etc., para hablar de nombres no contables en singular o de nombres contables en plural.
- Con el verbo ser, para hablar de oficios, cargos y ocupaciones.
- Con verbos como tener, llevar o ponerse, para referirnos al atuendo o a propiedades típicas de un objeto.

Ser y estar (pág. 106)

ADJETIVOS QUE CAMBIAN DE SIGNIFICADO

	SER	ESTAR
atento(a)	courteous	alert
callado(a)	reserved	quiet
listo(a)	smart	ready
malo(a)	bad	sick, ill
orgulloso(a)	arrogant	proud
rico(a)	rich	delicious
seguro(a)	safe	sure, certain
verde	green	unripe
vivo(a)	bright, sharp	alive

DESAFÍO 1

4 **Fue involuntario.** Completa estas oraciones con los verbos del cuadro.
Usa el pronombre *se* y el pronombre de objeto indirecto correspondiente.

> acabarse   caerse   olvidarse   perderse   romperse

1. Mi hermana tiene mala suerte. El verano pasado, ___1___ la cámara el segundo día del viaje y no pudo hacer más fotos.

2. Anoche no pude entrar en casa. ¡___2___ las llaves dentro!

3. Queríamos hacer un pastel de fresas para el cumpleaños de Laura, pero cuando lo estábamos preparando, ___3___ el azúcar… Así que tuvimos que comprar un pastel.

4. ¡Qué desastre! Al mesero ___4___ la bandeja al suelo y ___5___ todos los platos.

DESAFÍO 2

5 **Sueños.** Completa estas oraciones. Usa las preposiciones adecuadas.

1. Desde pequeño(a), sueño…
2. No consigo acostumbrarme…
3. Mi familia y yo nos alegramos…
4. Siempre confío…
5. Lo siento mucho. No me acordé…
6. Antes no me atrevía…

DESAFÍO 3

6 **¿Ser o estar?** Completa estas oraciones con los verbos *ser* o *estar*.

1. Yo siempre _____ atento en las clases para entender las explicaciones.
2. Mi hermano _____ muy orgulloso de sí mismo porque saca muy buenas notas.
3. He estudiado mucho, pero no _____ segura de la respuesta a este ejercicio.
4. Gonzalo me cae bien, aunque _____ muy callado y bastante tímido.

CULTURA

7 **Comida, salud… y bodas.** Responde a estas preguntas.

1. ¿Qué son las tapas? ¿De dónde son típicas y por qué se llaman así?
2. ¿Quién es Manuel Patarroyo? ¿Cuál es su descubrimiento más importante?
3. ¿Qué tradiciones propias de la celebración de una boda en México conoces?

Un cómic

sobre la salud

En pequeños grupos, van a elaborar un cómic para concienciar a sus compañeros(as) sobre algún tema relacionado con la salud.

PASO 1 Elige el tema

- Decidan sobre qué quieren hacer el cómic.

  Aquí tienen algunas ideas:

  – Concienciar sobre algún tema. Por ejemplo, la importancia de donar sangre.
  – Informar sobre la importancia de unos hábitos saludables. Por ejemplo, cuidar la alimentación, hacer deporte…
  – Dar consejos para evitar el estrés y la ansiedad.

  También pueden preguntar a sus compañeros(as) qué temas relacionados con la salud les preocupan o buscar en Internet qué problemas afectan a los(as) chicos(as) de su edad.

Mira, aquí en el folleto pone que la sangre no se puede fabricar y que se necesita para muchas operaciones por enfermedades y accidentes de tráfico.

PASO 2 Busca información

- Busquen información sobre el tema que eligieron y tomen notas. Apunten las dudas que tengan para intentar resolverlas con ayuda de un(a) médico(a) o experto(a).

PASO 3 Define los personajes

- Piensen en los personajes de su cómic.
  – ¿Cuántos personajes va a haber?
  – ¿Va a haber un protagonista?
  – ¿Los personajes van a ser conocidos: un superhéroe, un personaje de cómic, un actor o cantante famoso…? También pueden protagonizar el cómic ustedes mismos o sus compañeros(as).

- Si los personajes son inventados, completen una ficha para cada uno con estos datos y hagan un dibujo.

Mis personajes
Nombre: _____
Edad: _____
Características físicas: _____
Rasgos de personalidad: _____
Cómo va vestido(a): _____

PASO 4 Escribe el guion

- Escriban el guion de su cómic. Especifiquen los siguientes aspectos para cada viñeta:

  – ¿Qué personajes intervienen?
  – ¿Dónde se desarrolla la escena?
  – ¿Qué hacen los personajes?
  – ¿Cuál es su estado de ánimo?

- Escriban los diálogos de las viñetas.

VIÑETA 1

Luis, Sonia y Roberto están en la puerta de la escuela. Están de pie, hablando. Al lado de la escuela hay un autobús para donar sangre.

LUIS (contento): ¿Qué les parece que vayamos a donar?

ROBERTO (poco animado): Mejor otro día, que esta noche hay fiesta...

PASO 5 Desarrolla las viñetas

- Decidan la forma y dimensiones de las viñetas y dibújenlas.

  Si los protagonistas son ustedes o sus compañeros(as), pueden hacer fotografías.

- Escriban los textos definitivos de las viñetas.

VIÑETA 2

PASO 6 Presenta tu cómic

- Presenten su cómic a sus compañeros(as). ¿Cuál les gusta más? ¿Por qué?

Autoevaluación

¿Qué has aprendido en esta unidad?

Haz estas actividades para comprobar tu progreso.

Evalúa tus habilidades. Para cada punto, di Muy bien, Bien o Necesito practicar más.

a. ¿Puedes hablar sobre alimentos y restaurantes?

▶ Escribe una crítica sobre tu restaurante preferido o sobre el restaurante que menos te gusta.

b. ¿Puedes hablar sobre la salud?

▶ Escribe un resumen de lo que pasa en la enfermería de la escuela un día normal. Explica con qué tipo de dolores o enfermedades van ustedes allí generalmente y lo que la enfermera les suele decir que hagan.

c. ¿Puedes referirte a estados físicos y anímicos?

▶ Describe tu foto de familia favorita. Identifica a todas las personas, describe su postura en la foto y cuenta una breve anécdota sobre cada uno.

Interpretive Communication: Audio Texts

Presentación

La segunda prueba del examen AP* tiene dos partes: una que mide la comprensión de un texto oral y otra que combina la comprensión oral con la comprensión lectora. La prueba consta de varios textos y grabaciones de audio seguidos de preguntas de opción múltiple. Los textos y las grabaciones proceden de fuentes auténticas: periódicos, revistas, páginas web, cadenas de radio y otros medios de comunicación del mundo hispano.

En las preguntas que siguen a cada texto, tienes que escoger la opción que mejor contesta cada pregunta. Estas preguntas están basadas en los objetivos de aprendizaje establecidos por los organizadores del examen.

Estrategias

Antes de escuchar

– Lee el título de la grabación. Esto te permitirá tener una idea de cuál es el tema y predecir o anticipar el contenido de la grabación.

Primera escucha

– Identifica el tema central de la grabación y toma nota de las ideas principales.
– Intenta reconocer los cognados para facilitar la comprensión.

Segunda escucha

– Toma nota de los detalles específicos que apoyan la idea principal de la grabación.
– Haz un pequeño resumen de lo que has escuchado.

Lectura

– Aplica las estrategias de lectura que practicaste en la unidad anterior (ver página 66).

Preguntas

– Para responder las preguntas de opción múltiple, guíate por las palabras clave que señalaste en el texto y en tu resumen de la grabación.

Instrucciones para el examen

Directions: You will read a print text and then listen to an audio selection. You will first have a designated amount of time to read the print selection. You will then have a designated amount of time to read the introduction to the audio and preview the questions before the audio plays. The audio will be played twice. As you listen, you may take notes. For each question that follows, choose the answer that is best according to the audio and/or reading selection.

Instrucciones: Vas a leer un texto y luego vas a escuchar una grabación. Primero, vas a tener un tiempo determinado para leer el texto. Luego, vas a tener un tiempo determinado para leer la introducción de la grabación y prever las preguntas antes de que comience. Vas a escuchar la grabación dos veces. Mientras escuchas, puedes tomar apuntes. Para cada pregunta, elige la mejor respuesta según la grabación y/o el texto.

Fuente número 1: introducción

Este texto fue publicado originalmente en el diario El País (España) y se refiere a la celebración de los 25 años de la fundación del Banco de Alimentos de Barcelona.

EL PAÍS   25 de junio de 2012

El Banco de Alimentos cumple 25 años como aliado de la Administración

El Banco de Alimentos de Barcelona ha celebrado este lunes su 25 aniversario con un acto en el que representantes de las principales instituciones catalanas han realzado la labor social de esta ONG (Organización No Gubernamental) como gran aliada de la administración en la lucha contra la pobreza.

«Hay mucha gente que lo está pasando mal y es importante llegar a todos, pero la administración no lo puede hacer sola; se debe apoyar en el Banco de Alimentos para dar respuesta a la gente», ha destacado el alcalde de Barcelona, Xavier Trias. Esta ONG cuenta actualmente con 180 voluntarios y distribuirá este año más de 10 toneladas de comida de manera gratuita a 325 entidades benéficas que, a su vez, la reparten a las personas más necesitadas.

Nacido en 1987, el Banco de Alimentos es una fundación benéfica, privada e independiente que lucha para evitar que se destruyan alimentos consumibles que no se comercializan y se puedan aprovechar para los más desfavorecidos.

También organiza campañas de recogida de alimentos como la «Gran Recolecta» de las pasadas Navidades, en la que logró 1.095 toneladas de comida de donaciones particulares y de supermercados.

A la Fundación le ha llegado el 25 aniversario en el momento más crítico desde su creación: si en el año 2009 eran 70.000 personas las beneficiarias de la ayuda alimentaria, en 2011 fueron 114.000 y este año serán más de 120.000, solo en la provincia de Barcelona.

Actualmente hay 245 bancos de alimentos en 19 países europeos, de los que 53 están en España, uno en cada provincia.

En su primer año de funcionamiento, el Banco de Alimentos de Barcelona gestionó 227.000 kilos de alimentos aportados por 29 empresas donantes y, con 18 voluntarios, benefició a 1.500 personas. Veinticinco años después, el Banco reparte más de 10 toneladas de alimentos a más de 120.000 personas, con 320 empresas donantes y 180 voluntarios.

Entre 2010 y 2011, el total de kilos de alimentos gestionados ha pasado de 8.245 a 10.162, es decir, un 23% de incremento.

Fuente: http://www.elpais.com (selección)

Fuente número 2: introducción

Esta grabación trata de la cantidad de alimentos que se tiran a la basura. La entrevista fue transmitida el 24 de abril de 2011 en el programa *Punto de fuga* de la Cadena SER (España). La grabación dura aproximadamente seis minutos y en ella entrevistan a Agustín Alberti, representante de la Federación Española de Bancos de Alimentos.

1 **¿Cuál es el objetivo del artículo?**

(A) Informar acerca de la campaña de recogida de alimentos llamada la «Gran recolecta».

(B) Analizar el momento crítico que atraviesan los bancos de alimentos en España.

(C) Informar sobre la celebración del 25 aniversario del Banco de Alimentos de Barcelona.

(D) Solicitar ayuda del Banco de Alimentos de Barcelona.

2 **¿Por qué, según Xavier Trias, la administración necesita el apoyo del Banco de Alimentos?**

(A) Porque en el Banco de Alimentos trabajan 180 voluntarios.

(B) Porque hay muchas personas que necesitan ayuda.

(C) Porque al alcalde no le gusta trabajar solo.

(D) Porque hay muchos alimentos para repartir.

3 **Según el artículo, ¿qué es el Banco de Alimentos?**

(A) Una fundación privada que recoge alimentos para los más necesitados.

(B) Una institución pública que recoge alimentos y los entrega a instituciones benéficas.

(C) Una fundación que lucha para que se destruyan alimentos consumibles que no se comercializan.

(D) Una ONG que exporta alimentos a países en vías de desarrollo.

4 **¿Qué sucedió en la «Gran recolecta» de las Navidades de 2011?**

(A) Que 70.000 personas se beneficiaron de la ayuda alimentaria.

(B) Que el Banco de Alimentos de Barcelona recogió 1.095 toneladas de comida de donaciones particulares.

(C) Que los supermercados y las grandes superficies no donaron alimentos.

(D) Que el Banco de Alimentos de Barcelona recogió más de mil toneladas de comida.

5 **¿Qué significa la frase «A la Fundación le ha llegado el 25 aniversario en el momento más crítico desde su creación»?**

(A) Que no hay suficientes alimentos para repartir.

(B) Que está aumentando el número de personas que necesitan ayuda.

(C) Que los alimentos están en mal estado.

(D) Que los voluntarios no quieren participar en la «Gran recolecta».

6 **Según el artículo, ¿qué factor contribuyó a que el Banco de Alimentos de Barcelona pudiera ayudar a 120.000 personas 25 años después de su fundación?**

(A) El aumento de bancos de alimentos en Europa.

(B) El aumento del número de personas necesitadas.

(C) El aprovechamiento de alimentos consumibles.

(D) La participación de un mayor número de empresas donantes.

7 **¿Qué afirma el artículo con relación a la cantidad de alimentos gestionados entre 2010 y 2011?**

(A) Que la cantidad de alimentos gestionados aumentó más de un 20%.

(B) Que el total de kilos de alimentos gestionados se ha mantenido igual desde la fundación del Banco de Alimentos.

(C) Que el incremento del 23% en la gestión de alimentos está relacionado con el 25 aniversario del Banco de Alimentos de Barcelona.

(D) Que la cantidad de alimentos gestionados ha pasado de 8.000 a 12.000 kilos.

8 ¿Por qué, según la grabación, se tira mucha comida en los aviones?

(A) Porque la comida de los aviones no es saludable.
(B) Porque no todas las personas compran comida cuando viajan.
(C) Porque no es bueno comer si estás viajando.
(D) Porque las compañías no conocen los bancos de alimentos.

9 ¿A quién se entrevista en la grabación?

(A) A un miembro de la Federación Española de Bancos de Alimentos.
(B) Al director del Banco de Alimentos de Madrid.
(C) Al alcalde de Barcelona.
(D) Al responsable de la creación de los Bancos de Alimentos en España.

10 ¿Por qué en España la ley no permite reutilizar la comida que sobra en restaurantes y supermercados?

(A) Porque a las empresas no les gusta donar la comida que sobra.
(B) Porque no es posible garantizar que los alimentos estén bien conservados.
(C) Porque muchos supermercados tiran la comida que no han vendido ese día.
(D) Porque los bancos de alimentos no son importantes en España.

11 ¿Cuál es el objetivo de la ley aprobada en el Parlamento italiano?

(A) Dar a conocer el trabajo de los bancos de alimentos en Italia.
(B) Crear un banco de alimentos en todas las ciudades del país.
(C) Reutilizar los alimentos que sobran.
(D) Prohibir a los supermercados la donación de alimentos.

12 ¿A qué se refiere Agustín Alberti cuando dice que hay empresas que tienen una responsabilidad social muy acusada?

(A) A que las empresas tienen poca responsabilidad social.
(B) A que las empresas no tienen ninguna responsabilidad social.
(C) A que las empresas tienen una alta responsabilidad social.
(D) A que las empresas acusan a otras empresas de falta de responsabilidad social.

13 ¿Qué factor influye en que las empresas no donen alimentos?

(A) Que hay empresas que devuelven a las compañías productoras los alimentos que no han vendido.
(B) Que las empresas no quieren cooperar con los bancos de alimentos y prefieren devolver la comida.
(C) Que hay empresas que tienen una alta conciencia solidaria.
(D) Que los bancos de alimentos tienen creados los mecanismos para distribuir alimentos.

14 ¿Qué iniciativa se está llevando a cabo en la Escuela Superior de Ingenieros Agrónomos?

(A) Un programa para no tirar comida en los aviones.
(B) Un nuevo sistema para almacenar comida en los bancos de alimentos.
(C) Una red social para estudiantes que trabajan en supermercados.
(D) Una red social para poner en contacto a las empresas con los bancos de alimentos.

15 ¿Qué tienen en común el artículo y la grabación?

(A) Que promocionan la campaña de la «Gran recolecta».
(B) Que destacan la importancia del trabajo realizado por los bancos de alimentos en España.
(C) Que celebran el 25 aniversario del Banco de Alimentos de Barcelona.
(D) Que hacen un análisis del crecimiento de la cantidad de alimentos gestionados.

Trabajamos

Los estudios y el trabajo

DESAFÍO
1

Paisaje en el salar de Uyuni (Bolivia).

▶ **Hablar de acciones pasadas**

Vocabulario
La escuela

Gramática
El participio pasado

El presente perfecto y el pluscuamperfecto

DESAFÍO
2

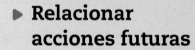

▶ **Relacionar acciones futuras**

Vocabulario
La economía

Gramática
Los pronombres relativos

El futuro perfecto

Profesor y estudiantes en una escuela (Chile).

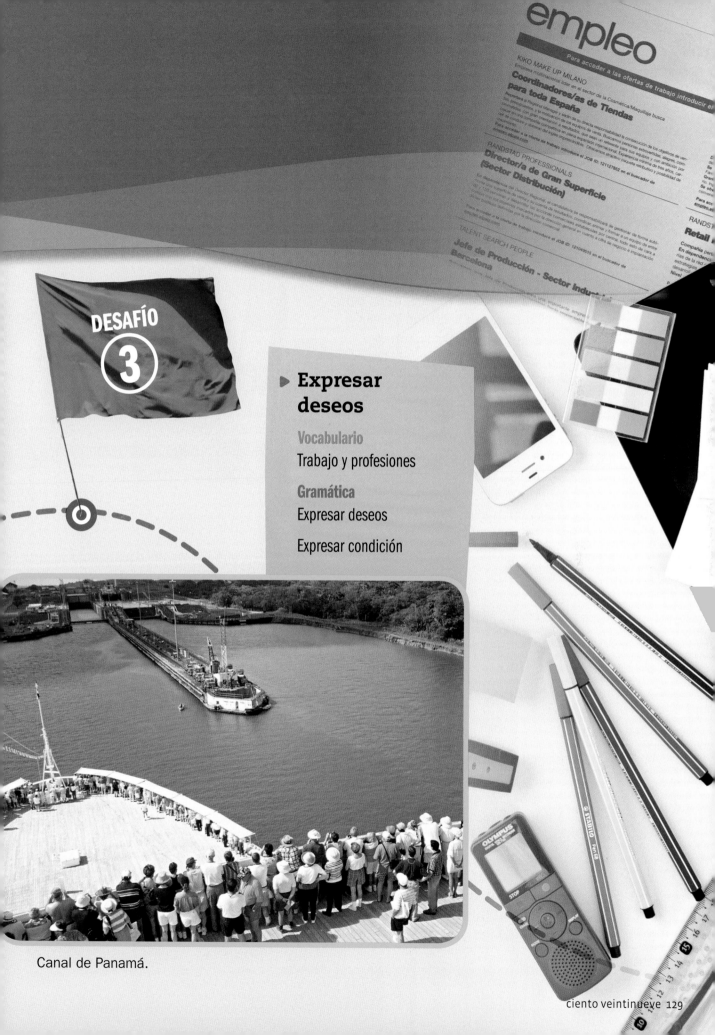

DESAFÍO ③

▶ Expresar deseos

Vocabulario
Trabajo y profesiones

Gramática
Expresar deseos

Expresar condición

Canal de Panamá.

Estudiantes con futuro

Los personajes reciben un mensaje que les envían Andy y Diana para explicarles sus nuevos desafíos. Esta vez están relacionados con los estudios y el trabajo. Lee el texto para saber en qué consisten.

DIANA: ¿Qué tal les va? Andy y yo ya tenemos listos sus nuevos desafíos. Van a tener que trabajar duro, pero estamos seguros de que les van a ser muy útiles para su futuro profesional. El primer desafío es para Ethan y Eva. Como sabemos que les encanta viajar y conocer lugares nuevos, van a buscar una escuela en Chile que tenga un programa de intercambio de estudiantes y establecer contacto con la escuela para obtener información. Tal vez puedan ir un tiempo a estudiar allí.

ANDY: Hola, amigos. Yo tengo preparado el desafío de Daniel y Michelle. Ustedes van a participar en un debate sobre el futuro del salar de Uyuni. Primero tendrán que averiguar por qué este tema es tan importante y buscar información sobre él. ¡Ah, y deberán prepararse muy bien para no quedarse en blanco en el debate!

DIANA: Por último, el desafío de Asha y Lucas tiene que ver con un lugar que seguro que conocen: el canal de Panamá. Les suena, ¿no? Bien, pues su tarea consiste en averiguar si hay algún puesto de trabajo al que puedan presentarse como candidatos. Y si no lo consiguen... ¡no se den por vencidos! Quizás lo logren más adelante.

¡Yo quiero ir a estudiar a Chile! ¿Crees que me aceptarán en alguna escuela?

¡Pues claro! ¡Si siempre sacas muy buenas notas!

El salar de Uyuni... ¿Te suena de algo?

¡Qué va! No tengo ni idea.

Este desafío es genial. ¿No te encantaría trabajar en el canal de Panamá?

Sí, pero me gustaría empezar por un trabajo a tiempo parcial.

---

1 ¿Comprendes?

▶ **Responde** a estas preguntas.

1. ¿Qué es un intercambio de estudiantes? ¿Quiénes van a participar en uno? ¿Dónde?
2. ¿Qué tienen que hacer Daniel y Michelle? ¿Qué saben sobre el salar de Uyuni?
3. ¿Qué sabes tú sobre el canal de Panamá? ¿Qué tienen que hacer Asha y Lucas?
4. ¿Qué desafío te parece más interesante? ¿Por qué?

2 Investiga

▶ **Busca** en el texto y en los bocadillos las expresiones para completar estas oraciones.

1. Si de pronto no recuerdas algo que sabías, dices que te has quedado en ___1___.
2. Un trabajo puede ser a tiempo completo o a tiempo ___2___.
3. Un sinónimo de *rendirse* es darse por ___3___.
4. Cuando alguien trabaja mucho, decimos que trabaja ___4___.
5. Si estudias mucho y haces bien los exámenes ___5___ buenas ___6___.

EXPRESIONES ÚTILES

Para hablar de los estudios:

Yo siempre **saco buenas notas**, pero mi hermano no.

Si **faltas a clase** no vas a salir bien en los exámenes.

Para decir que no recuerdas algo:

El día del examen me puse nervioso y me quedé
en blanco: no me acordaba de nada.

Para referirse a las condiciones laborales:

Mis padres **trabajan a tiempo completo**, de 9 a. m. a 6 p. m.

Ahora **trabajo a tiempo parcial** porque tengo que estudiar.

Trabajo por cuenta propia: tengo una empresa de publicidad.

Para decir que alguien trabaja mucho:

Debes **trabajar duro** si quieres lograr tus objetivos.

Para animar:

No te des por vencida, Eva. Sigue intentándolo.

Sigue adelante, no te desanimes.

---

3 **Expresiones**

▶ **Escucha** a varias personas. ¿Qué oración corresponde a cada intervención?

a. Se quedó en blanco.

b. Trabaja a tiempo parcial.

c. Se da por vencida muy fácilmente.

d. Trabaja por cuenta propia.

4 **¿Qué opinas?**

▶ **Haz** estas preguntas a tu compañero(a) y toma nota de sus respuestas.
Después, coméntenlas. ¿Están de acuerdo en todo?

1. ¿Qué hay que hacer para sacar siempre buenas notas?

2. Si un(a) estudiante saca malas notas en un examen, ¿es porque no ha estudiado o
puede deberse a otras razones?

3. ¿Qué se puede hacer para no quedarse en blanco en un examen?

4. ¿Qué opinas de la gente que se da por vencida fácilmente? ¿Por qué?

5. ¿Qué se debe hacer si un(a) estudiante falta mucho a clase? ¿Por qué?

RECUERDA

Asignaturas

la Biología
la Física
la Geografía
la Historia
la Literatura
las Matemáticas
la Química

La escuela

hacer un examen
levantar la mano
prestar atención
tomar apuntes

La computadora

la impresora
la pantalla
el ratón
el teclado
bajar/subir un archivo

Profesiones

el/la abogado(a)
el actor/la actriz
el/la administrativo(a)
el/la arquitecto(a)
el/la banquero(a)
el/la comerciante

el/la contador(a)
el/la empresario(a)
el/la ingeniero(a)
el/la periodista
el/la programador(a)
el/la traductor(a)

Cargos

el/la coordinador(a)
el/la director(a)

el/la empleado(a)
el/la presidente(a)

El trabajo

el contrato
los deberes
los derechos

la jornada completa
la media jornada
el sueldo

Cualidades

amable
ambicioso(a)
creativo(a)
eficiente

emprendedor(a)
exigente
organizado(a)
responsable

---

5 **Definiciones**

▶ **Escribe** las definiciones de tres palabras del cuadro Recuerda. Después, léeselas a tu compañero(a). Él/Ella tiene que adivinar de qué palabras se trata.

Modelo   A. *Es un acuerdo entre un empleador y un trabajador.*
         B. *El contrato.*

6 **¿Cuánto sabes?**

▶ **Habla** con tu compañero(a). ¿A qué se dedican estas personas? ¿Qué hacen en su trabajo? ¿Qué tipo de condiciones crees que tienen: contrato, horario, sueldo...?

Un intercambio cultural

Ethan y Eva quieren participar en un programa de intercambio de estudiantes con una escuela de Santiago (Chile). Tienen que encontrar un programa y presentar su propuesta a la directora de su escuela... ¡y a sus padres! ¿La aceptarán?

ETHAN: ¡Qué interesante sería estudiar en un país hispano! ¿Te gustaría irte un semestre o todo el curso?

EVA: Yo creo que un semestre sería suficiente. Además, pasar todo el curso en Chile sería complicado porque tienen un calendario escolar muy distinto al nuestro. Me han dicho que el curso comienza a principios de marzo y tienen los exámenes parciales en julio y los finales en noviembre.

ETHAN: ¿Y cuándo tienen las vacaciones?

EVA: En julio tienen dos semanas de vacaciones de invierno. Y las vacaciones de verano son desde mediados de diciembre hasta principios de marzo.

ETHAN: Tienes razón, es mejor matricularse para un semestre. ¿Sabes si tienen información para estudiantes extranjeros?

EVA: Sí, he escrito a la escuela y les he pedido información sobre las becas que ofrecen. ¿Sabes? Cuando tomas el examen de ingreso, también te evalúan para concederte una beca.

ETHAN: ¿Un examen de ingreso? ¡Qué miedo! Voy a tener que repasar mis apuntes.

EVA: Yo ya he preparado el formulario de matriculación. Si apruebo todo, podré matricularme para el segundo semestre en el Colegio San Miguel, en Santiago.

ETHAN: ¿Y si repruebas algún examen?

EVA: ¡Espero que no! ¡Voy a seguir estudiando!

Panorámica de Santiago de Chile.

---

7 ## Detective de palabras

▶ **Completa** estas oraciones.

1. Eva cree que estudiar un _____ en Chile será suficiente.

2. En el calendario escolar chileno los exámenes _____ son en julio.

3. Ethan está de acuerdo en que es mejor _____ para un semestre.

4. A Ethan le asusta tener que tomar un examen de _____.

5. Para pasar el examen, Ethan va a tener que _____ sus apuntes.

6. Eva no cree que vaya a _____ ningún examen.

8 **¿Comprendes?**

▶ **Responde** a estas preguntas.

1. ¿Por qué Eva prefiere ir solo un semestre a Chile?
2. ¿Cuándo terminan el curso en Chile?
3. ¿Cuándo son las vacaciones de verano en Chile?
4. ¿Para qué semestre y dónde quiere matricularse Eva?
5. ¿Quién crees que está más preparado para este desafío: Ethan o Eva? ¿Por qué?

9 **Buscando información**

▶ **Escucha** y decide si estas afirmaciones son ciertas o falsas.

1. Ethan está leyendo un folleto sobre las escuelas en Chile.
2. Ethan busca información sobre el calendario escolar.
3. A Eva le preocupa la prueba de Matemáticas del examen de ingreso.
4. Eva le recomienda a Ethan que comience a estudiar ya.
5. Ethan no ha encontrado suficiente información sobre los exámenes.
6. Eva le pide a Ethan que busque más información en Internet.

▶ **Habla** con tu compañero(a). ¿Qué pruebas incluirían ustedes en un examen de ingreso para una escuela?

10 **Diferencias**

▶ **Lee** de nuevo el diálogo de la página 134 y escribe una lista con las diferencias que encuentras entre la escuela de Chile y la tuya.

▶ **Habla** con tu compañero(a) y comparen sus listas. ¿Hay muchas diferencias? ¿Por qué creen que el calendario escolar es tan diferente?

COMPARACIONES

El calendario escolar

El año escolar empieza y termina en cada país en distintas fechas, en función del clima y la situación geográfica. En España y en México, por ejemplo, el curso va de septiembre a junio. En la zona del ecuador, donde no existen grandes cambios estacionales, el año escolar comienza en enero y termina en noviembre. En cambio, en los países del hemisferio sur, suele comenzar en marzo, después de las vacaciones de verano, y terminar en diciembre.

11 **Piensa.** ¿Cómo está organizado tu calendario escolar? ¿Por qué es así? ¿Cuáles son las ventajas y desventajas de esa organización?

Vocabulario

La escuela

Chat room

Colegio San Miguel

Me parece muy bien tu decisión de **matricularte** para el segundo **semestre** del **curso** académico. Comenzarás las clases después de los **exámenes parciales**.

Eva

¿Cuándo son esos exámenes?

Colegio San Miguel

En julio. Ya sabes que evaluamos la materia que los estudiantes han aprendido en un semestre, en este caso, entre marzo y julio. Y en diciembre tenemos los **exámenes finales**.

Eva

Gracias. Sé que tengo que hacer un **examen de ingreso**. ¿Puede decirme en qué consiste?

Colegio San Miguel

Es un examen para determinar el nivel en dos materias: Lengua y Matemáticas. La primera examina el nivel de español por medio de una lectura y la escritura de un **párrafo** de doce a quince **oraciones** sobre un tema específico. En la segunda hay que demostrar que se hacen sin problemas algunas operaciones básicas como las **sumas**, las **restas**, las **multiplicaciones**, las **divisiones** y las **fracciones**.

Eva

¿Y qué pasa si **repruebo** el examen?

Colegio San Miguel

Si normalmente sacas buenas notas, seguro que vas a **aprobar**. Pero debes **esforzarte** y hacerlo bien si quieres optar a una **beca** para ayudarte económicamente.

Eva

De acuerdo. Voy a ponerme a **repasar** mis apuntes de clase.

Participantes

- Colegio San Miguel

- Eva

Más vocabulario

Matemáticas

más	+	entre	÷
menos	−	igual a	=
por	×	por ciento	%

Lengua

mayúscula	A
minúscula	a
punto	.
coma	,
punto y coma	;
dos puntos	:

¡Atención!

descansar	to rest
restar	to subtract

12 **Operaciones matemáticas**

▶ **Escribe** una ecuación o expresión numeral para mostrar el significado de estos términos matemáticos.

1. resta   2. suma   3. porcentaje   4. división   5. fracción   6. multiplicación

▶ **Habla** con tu compañero(a). Túrnense para leer y completar estas operaciones.

1. $34 \times 2 =$ 2. $95 - 10 =$ 3. $120 \div 10 =$ 4. $10\% \ de \ 100 =$

13 **En la escuela**

▶ **Completa** estas oraciones con palabras de la ficha de Vocabulario.

1. En esta escuela no hay exámenes _____, solo exámenes finales.

2. Para matricularte en esta escuela hay que hacer un examen de _____.

3. Ethan siempre tiene miedo de _____ los exámenes.

4. Si estudias y te _____, seguro que apruebas todas las asignaturas.

5. Además de estudiar todos los días, es conveniente _____ de vez en cuando.

6. Voy a solicitar una _____ para matricularme en la universidad.

14 **Tu vida escolar**

▶ **Habla** con tu compañero(a). Túrnense para hacerse estas preguntas.

1. ¿Cuándo te matriculaste en esta escuela?

2. ¿Cuál es tu asignatura favorita? ¿Y la que menos te gusta? ¿Por qué?

3. ¿Has recibido alguna vez una beca? ¿Esperas obtener alguna en el futuro? ¿Cuál?

4. ¿Reprobaste alguna materia en primaria? ¿Y en secundaria? ¿Por qué?

5. ¿Tienes algún sistema útil para repasar antes de los exámenes? ¿Cuál?

6. ¿Dónde te gustaría pasar un semestre como estudiante de intercambio? ¿Por qué?

COMPARACIONES

El coste de la educación

Universidad de Santiago de Chile.

En los países hispanos hay universidades públicas y universidades privadas. En la mayoría de los países, la universidad pública es gratuita o semigratuita y el coste de la matrícula es bastante menor que en las universidades privadas. No obstante, el precio de la educación universitaria no alcanza el nivel de los Estados Unidos. Por ello, la mayor parte de los estudiantes no piden préstamos para pagar sus estudios.

15 **Explica.** ¿Por qué crees que es tan caro el sistema educativo en los Estados Unidos? ¿Qué ventajas y desventajas tiene estudiar en una universidad pública? ¿Y en una privada?

Gramática

El participio pasado

- El participio pasado *(past participle)* es una forma verbal que termina generalmente en -ado (hablado) o en -ido (comido), y se utiliza para formar los tiempos compuestos de los verbos: ha hablado, habíamos comido, habrán llamado.

- Algunos verbos como decir, escribir, hacer o ver tienen participios pasados irregulares: dicho, escrito, hecho, visto... Repasa los participios pasados irregulares en la página R12.

El participio pasado usado como adjetivo

- El participio pasado se puede usar como un adjetivo para describir un nombre. En este caso, el participio concuerda en género y número con el nombre al que se refiere.

      La puerta del salón está **abierta**.   Hay veinte estudiantes **inscritos**.

El participio pasado usado como verbo

- El participio pasado tiene dos usos como verbo:

  – Con el verbo auxiliar haber se utiliza para formar los **tiempos perfectos**: el presente perfecto, el pluscuamperfecto... En este caso, el participio siempre termina en -o.

      Habíamos **estudiado** antes de hacer el examen.   Tania ha **recibido** una beca.

  – Con el verbo auxiliar ser se utiliza para formar la **voz pasiva** de los verbos. En este caso, el participio concuerda en género y número con el sujeto.

      Las fechas de los exámenes **serán publicadas** en la página web.

El participio pasado usado como nombre

- El participio pasado de muchos verbos se usa también para formar nombres:

      Masculinos: el asado, el cocido, el empleado, el enamorado, el tejido...
      Femeninos: la llamada, la nevada, la propuesta, la salida, la subida...

16 **Compara.** ¿En inglés se usa también el participio pasado como adjetivo, como verbo y como nombre? ¿Hay diferencias entre estas formas?

17 **Preparativos**

▶ **Une** las columnas y escribe oraciones. Pon los verbos en la forma correcta del participio.

(A)

1. Ethan y Eva han _____ (buscar)

2. Eva ha _____ (escribir)

3. Ethan y Eva están _____ (preocupar)

4. Eva nunca había _____ (hacer)

5. La propuesta será _____ (revisar)

6. Ethan y Eva aún no han _____ (resolver)

(B)

a. por la directora de su escuela.

b. a una escuela para pedir información.

c. un examen para estudiar en otro país.

d. su desafío.

e. información sobre colegios en Chile.

f. por el examen de ingreso.

18 **¿Qué han hecho?**

▶ **Piensa.** ¿Con qué verbos relacionas estos nombres? Escribe una oración con cada nombre.

Modelo   1. la empanada ⟶ *empanar*
         Ayer preparé una empanada de espinacas deliciosa.

1. empanada   **2.** bajada   **3.** invitados   **4.** acampada   **5.** llegada   **6.** mirada

19 **Un museo interactivo**

▶ **Escucha** a dos estudiantes y responde a estas preguntas.

1. ¿Qué actividad ha organizado la escuela?

2. ¿Por qué dice María que «no es un museo cualquiera»?

3. ¿Cuál es el lema del museo?

4. ¿Cómo se titula el taller al que van a asistir?

▶ **Escucha** de nuevo y completa estas oraciones con los participios correctos.

1. María le pregunta a su amiga si se ha _____ a la visita al museo.

2. El lema del museo dice que está _____ no tocar, no sentir y no pensar.

3. María explica que el museo está _____ para aprender.

4. El museo ha _____ un taller para estudiantes de secundaria.

5. La profesora les ha _____ que verán un reloj que funciona con jugo de naranja.

6. María ha _____ a Sonia para que se apunte a la visita.

▶ **Habla** con tu compañero(a). ¿Alguna vez han visitado un museo interactivo? ¿Les gustaría ir a alguno? ¿Por qué?

CULTURA

La Ciudad de las Artes y las Ciencias de Valencia

La Ciudad de las Artes y las Ciencias de Valencia (España), diseñada por los arquitectos españoles Santiago Calatrava y Félix Candela, es un conjunto de edificios destinados a la divulgación (*dissemination*) científica y cultural. El Museo de las Ciencias Príncipe Felipe y el Oceanogràfic —el mayor acuario de Europa— forman parte de este recinto, que se ha convertido en una de las principales atracciones turísticas de Valencia.

20 **Piensa y explica.** ¿Crees que es bueno que las ciudades apuesten por este tipo de proyectos? ¿Por qué?

Gramática

El presente perfecto y el pluscuamperfecto

El presente perfecto

- El presente perfecto *(present perfect)* se usa para hablar de acciones terminadas en un pasado inmediato o en un momento que todavía consideramos como presente.

EXPRESIONES TEMPORALES DEL PRESENTE PERFECTO

esta mañana/esta semana
este siglo/año/mes
hasta ahora
hoy
recientemente
últimamente

Pasado ← ha avanzado → Ahora

La tecnología **ha avanzado** mucho últimamente.

- El presente perfecto se forma así:

presente del verbo haber + participio pasado

he llamado, has comido, ha venido

Repasa la conjugación del presente perfecto en la página R15.

El pluscuamperfecto

- El pluscuamperfecto *(past perfect)* se usa para hablar de acciones terminadas que se produjeron en un pasado no inmediato antes de otra acción también pasada.

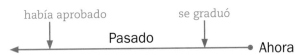

había aprobado   se graduó

Pasado ← → Ahora

Juan se graduó porque **había aprobado** todas sus clases.

- El pluscuamperfecto se forma así:

imperfecto del verbo haber + participio pasado

había llamado, habías comido, había venido

Repasa la conjugación del pluscuamperfecto en la página R18.

Los adverbios ya y *todavía*

- El presente perfecto y el pluscuamperfecto se usan frecuentemente con los adverbios ya y todavía:
  - Ya equivale a *already*. Usamos ya + *presente perfecto* o *pluscuamperfecto* para expresar que la acción está realmente terminada.

    Cuando llegué, ella **ya había comido**. (= había terminado de comer)

  - Todavía equivale a *still*. Usamos todavía + *presente perfecto* o *pluscuamperfecto* para expresar que la acción no ha empezado o está en desarrollo. Todavía se usa frecuentemente en construcciones negativas.

    Ella **todavía no había comido**. (= no había empezado a comer o no había terminado)

21 **Piensa.** Traduce al español estas oraciones.

    a. Katie had already taken the math exam when I talked to her.

    b. Scientists have not yet discovered a cure for cancer.

22 **La propuesta de Ethan y Eva**

▶ **Completa** estas oraciones. Pon los verbos del cuadro en presente perfecto o en pluscuamperfecto.

avanzar encontrar ir hacer escribir

1. Ethan está nervioso porque todavía no _____ su parte de la propuesta.

2. Ethan llamó a Eva para decirle que _____ un tercio de la propuesta.

3. Eva le preguntó si _____ la información que buscaba.

4. Ethan _____ bastante, pero no sabe cuándo va a terminar.

5. Ethan fue a hablar con la directora de la escuela, pero ella ya se _____.

23 **¿Ha hecho o había hecho?**

▶ **Escucha** y completa estas oraciones. Usa el perfecto o el pluscuamperfecto.

1. Esta mañana Lucas... → *ha repasado sus apuntes de Matemáticas.*

2. Antes de los diecisiete años, Eva...

3. Esta mañana Michelle...

4. Antes de que terminara el plazo para solicitar la beca, Daniel...

5. Cuando lo llamaron sus amigos, Ethan...

24 **¿Alguna vez...?**

▶ **Habla** con tu compañero(a). Túrnense para preguntar y responder.

Modelo   A. *¿Alguna vez has recibido un premio?*
　　　　　B. *Sí, este semestre he recibido un premio por un proyecto de Ciencias.*

1. Recibir un premio.
2. Ir al extranjero como estudiante de intercambio.
3. Tomar clases de Anatomía.
4. Ser estudiante de honor.
5. Hacer un experimento científico.
6. Pensar en estudiar otra lengua.

25 **Cuando cumplí quince años...**

▶ **Escribe** si habías hecho o no estas actividades cuando cumpliste quince años. Usa los adverbios *ya* y *todavía*.

- Visitar un país hispano.
- Participar en una obra de teatro.
- Escribir un ensayo o un poema en español.
- Trabajar como voluntario(a).
- Ser miembro de un equipo en la escuela.
- Representar a tu escuela en un concurso de deletreo (*spelling*).

Modelo
manejar un auto

→ *Cuando cumplí 15 años, todavía no había manejado un auto, pero ya había navegado en un velero.*

Antes de leer: estrategias

1. Lee el título del texto. ¿Qué es un *plan de estudios*?

2. ¿Qué asignaturas crees que cursarán Ethan y Eva en Chile?

3. Busca en el texto nombres que se refieran a asignaturas.
¿Cuáles crees que pueden resultar más difíciles para un estudiante extranjero?

El plan de estudios

EVA: Ya tengo preparado mi plan de estudios en Chile. Tengo Lengua Castellana[1] y Comunicación, Matemáticas, Historia y Ciencias Sociales, y Educación Física. Esas asignaturas son obligatorias. Además he elegido tres asignaturas optativas: Biología y Química del área de Ciencias, y Artes Musicales del área de Educación Artística.

ETHAN: ¡Vas a estudiar siete asignaturas en español! ¡Qué valiente!

EVA: Sí, la verdad es que estoy un poco asustada. Espero acostumbrarme pronto al español y no reprobar ninguna asignatura.

ETHAN: ¡Tranquila! Eres muy buena estudiante.

EVA: Eso espero. He consultado también los programas de las asignaturas. En Matemáticas, por ejemplo, veremos raíces cuadradas[2], ecuaciones, triángulos rectángulos[3], algo de estadística…

ETHAN: ¡Ah! Entonces no vas a tener ningún problema.

EVA: Creo que en Matemáticas no. Pero tendré que estudiar mucho en Lengua Castellana. Eso seguro. Y tú, ¿ya sabes qué asignaturas vas a cursar?

ETHAN: Sí, son parecidas a las tuyas. Pero en vez de Artes Musicales, he elegido Artes Visuales. Me encanta el programa. Analizaremos todas las disciplinas contemporáneas, desde el cómic hasta el cine o el video.

EVA: ¡Qué interesante!

ETHAN: Sí, y lo que más me gusta es que desarrollaremos nuestro propio proyecto.

EVA: Lo harás fenomenal. Eres muy creativo.

ETHAN: ¡Muchas gracias, Eva!

---

1. *Spanish*   **2.** *square roots*   **3.** *right triangles*

26 **¿Comprendes?**

▶ **Escribe.** ¿Qué asignaturas va a cursar Eva en Chile?

☐ Lengua Castellana y Comunicación   ☐ Física

☐ Francés   ☐ Química

☐ Matemáticas   ☐ Artes Visuales

☐ Historia y Ciencias Sociales   ☐ Artes Musicales

☐ Filosofía y Psicología   ☐ Educación Física

☐ Biología   ☐ Religión

▶ **Responde** a estas preguntas.

1. ¿Cómo se siente Eva respecto a su semestre en Chile? ¿Está tranquila?
2. ¿Confía Ethan en Eva? ¿Cree que le irá bien en Chile? ¿Por qué?
3. ¿En qué asignatura cree Eva que tendrá menos problemas? ¿Por qué?
4. ¿En qué asignatura cree Eva que tendrá que esforzarse más?
5. ¿Qué asignatura le hace más ilusión estudiar a Ethan? ¿Por qué?

27 **Palabras y expresiones**

▶ **Une** los contenidos con la asignatura correspondiente.

Ⓐ

1. La diversidad de civilizaciones
2. La música de concierto desde el siglo XX
3. Recursos verbales de la argumentación
4. Sistema nervioso: organización y función
5. Reacciones ácido-base
6. Deportes de colaboración y oposición
7. El diseño en la vida cotidiana
8. El movimiento circular uniforme

Ⓑ

a. Educación Física
b. Historia y Ciencias Sociales
c. Biología
d. Física
e. Química
f. Artes Visuales
g. Artes Musicales
h. Lengua Castellana y Comunicación

28 **Con tus propias palabras**

▶ **Piensa** en tu asignatura favorita y escribe lo que se estudia en el programa. ¿Puedes pensar en otros temas que se podrían añadir?

 ▶ **Habla** con tu compañero(a) y diseñen un proyecto que les gustaría desarrollar para esa asignatura. Después, preséntenlo.

Comunicación

29 Programas de intercambio

▶ **Lee** el texto y responde a estas preguntas.

Programas de intercambio en Educación Secundaria

Los programas de intercambio escolar en Chile son una gran experiencia porque proporcionan a los jóvenes la oportunidad de conocer una nueva cultura y adquirir destrezas en el idioma español, hablado por más de 400 millones de personas en el mundo, y, sobre todo, les permite crecer y desarrollar su personalidad.

La experiencia de intercambio significa que un joven vive con una familia chilena y asiste a un colegio de forma regular, participando en sus actividades y cumpliendo con las mismas obligaciones que el resto de sus compañeros.

Hay modalidades de intercambio que duran meses, semestres y un año. Los precios varían entre US$ 3.600 y US$ 8.000, lo que incluye pasajes y seguro médico. Los gastos académicos corren por parte del colegio que recibe al estudiante y su alojamiento es responsabilidad de la familia que lo acoge. A esto se deben sumar los gastos personales, que se estiman en US$ 250 al mes.

Para postular, el estudiante debe tener generalmente entre 15 y 18 años, y realizar una entrevista personal. Los postulantes deben tener conocimientos básicos de español.

Fuente: http://www.thisischile.cl (selección)

---

1. ¿Cuáles son las tres ventajas de este programa de intercambio escolar?
2. ¿Dónde se alojarán los estudiantes que participen en el programa?
3. ¿Quién paga los gastos de libros y otros materiales escolares?
4. ¿Qué requisitos debe cumplir un(a) estudiante que quiera participar en el programa?

▶ **Habla** con tu compañero(a). ¿Qué les parece este programa de intercambio? ¿Estarían dispuestos a participar en él? ¿Les parece caro? ¿Qué tipo de preguntas creen que les harían en la entrevista?

▶ **Escribe** un párrafo sobre las ventajas de participar en un intercambio de estudiantes.

30 Un intercambio para tu escuela

▶ **Escribe** con dos compañeros(as) un folleto publicitario sobre un programa de intercambio entre tu escuela y otra de un país hispano.

▶ **Presenten** el programa y el folleto a la clase.

▶ **Elijan** entre todos(as) el mejor programa. Justifiquen sus respuestas.

Final del desafío

Eva, ¿ ___1___ con la directora?
hablar

No. Cuando llegué a su oficina ella ya ___2___. Su secretaria me ___3___ que vuelva a las 2:00.
salir   decir

Yo ya ___4___ la propuesta a mis padres. ¿Y tú?
enseñar

Yo también, y les ___5___. ¡Estoy emocionada!
encantar

Estoy muy satisfecha con el trabajo que ___6___.
hacer

Gracias, señora Bell. Hasta ahora, nosotros nunca ___7___ en estudiar en otro país, pero esperamos conseguirlo. ¿Qué opina?
pensar

31 ¿Lo conseguirán?

▶ **Completa** los bocadillos. Usa el presente perfecto o el pluscuamperfecto.

▶ **Habla** con tu compañero(a).

1. ¿Qué crees que contestó la directora a la pregunta de Eva?
2. ¿Crees que Ethan y Eva podrán participar en el programa de intercambio? ¿Por qué?

El tesoro de Bolivia

Michelle y Daniel tienen que participar en un debate sobre el futuro del salar de Uyuni (Bolivia). Pero primero deben averiguar cuál es el problema.

MICHELLE: ¿Tú sabes por qué tenemos que debatir sobre el salar de Uyuni?

DANIEL: Pues no. Sé que es el salar más grande del mundo y que se ve desde el espacio. Contiene once mil millones (*billion*) de toneladas de sal. Pero no sé por qué es tan importante.

MICHELLE: Por lo que he leído, lo importante no es la sal, sino el litio que contiene. Resulta que el salar de Uyuni es una de las mayores reservas de litio del mundo. ¿Y sabes qué cosas se fabrican con litio?

DANIEL: Las baterías de nuestros celulares. Y las de los autos eléctricos e híbridos. ¡Claro! Entonces el litio del salar de Uyuni es clave para la fabricación de los autos modernos.

MICHELLE: ¿Y por qué hay un debate? ¿Cuál es el problema?

DANIEL: Aquí dice que el problema es quién debe extraer el litio: los bolivianos o compañías de otros países.

MICHELLE: Yo pienso que si hay países que tienen más recursos que Bolivia para extraer el litio y procesarlo, deberían poder hacerlo. Es un producto muy necesario.

DANIEL: Yo no estoy muy de acuerdo con eso. Si Bolivia tiene las materias primas, son ellos quienes deben extraer el litio.

32 Detective de palabras

▶ **Completa** estas oraciones.

1. El salar de Uyuni es una de las mayores reservas de _____ del mundo.

2. Las baterías de los celulares se _____ con litio.

3. Es posible que participen en el proyecto _____ de otros países.

4. Hay países que tienen más _____ que Bolivia para extraer el litio.

5. El litio es un _____ muy necesario para el futuro.

33 **¿Comprendes?**

▶ **Responde** a estas preguntas.

1. ¿Cuál es el tema del debate de Michelle y Daniel?
2. ¿Dónde está el salar de Uyuni?
3. ¿Por qué hay un debate sobre el salar de Uyuni?
4. ¿Cuál es la opinión de Michelle? ¿Y la de Daniel?

34 **Bolivia tiene recursos**

▶ **Escucha** a Daniel y a Michelle, y elige la opción correcta.

1. Se predice que para el 2020 _____ de cada diez autos usará una batería de litio.
   a. uno   **b.** tres   **c.** seis

2. Una fuente potencial de litio está en _____ .
   a. el Círculo Polar Ártico   **b.** el océano   **c.** el altiplano boliviano

3. El litio es _____ que tiene diversos usos.
   a. una piedra natural   **b.** un metal   **c.** una madera

▶ **Escucha** de nuevo y decide si estas oraciones son ciertas o falsas. Después, corrige las oraciones falsas.

1. En el futuro, la mayoría de las baterías funcionarán con litio.
2. Los autos que funcionan con una batería de litio también necesitan petróleo.
3. Bolivia no quiere extraer y vender el litio porque ya tiene una economía fuerte.
4. El presidente de Bolivia no tiene planes para producir autos eléctricos.

CULTURA

El salar de Uyuni (Bolivia)

El salar de Uyuni, con más de 12.000 kilómetros de extensión, es el salar más grande del mundo. Se formó por la evaporación de los mares que bañaban el continente hace miles de años.

Contiene muchos recursos naturales, como sodio, potasio, magnesio y litio, el más importante desde el punto de vista económico, puesto que tiene un gran potencial para la fabricación de autos eléctricos. El espectacular paisaje que genera el reflejo del sol en el salar lo ha convertido en un importante destino turístico, especialmente para los amantes de la fotografía.

35 **Piensa.** ¿Qué ventajas y desventajas crees que tiene extraer el litio del salar para los habitantes de esa zona?

Vocabulario

La economía

Gracias por invitarme a participar en este debate. Hoy hablamos del litio, un **recurso natural** presente en Bolivia, concretamente en el salar de Uyuni.

Algunos opinan que Bolivia debe extraer este mineral para **fabricar** y **exportar productos** como las baterías de los autos eléctricos. Esto le traería grandes beneficios, ya que son muchos los países que tienen que **importar** este mineral para fabricar mecanismos electrónicos. Pero hay expertos que señalan que Bolivia no cuenta con los recursos ni el **presupuesto** suficiente para extraer el litio. Por eso, opinan que se necesita el apoyo de **compañías** de otros países.

De hecho, muchas **multinacionales** han mostrado interés en participar en este proyecto.

El **comercio** internacional de **mercancías** es esencial para que Bolivia pueda competir en el mercado global, pero **llegar a un acuerdo** desfavorable no es la solución. En mi opinión, es esencial que el dinero que genere el **negocio** del litio beneficie a los bolivianos.

Más vocabulario

El banco

abrir una cuenta	*to open an account*	los gastos	*expenses*
ahorrar dinero	*to save money*	los ingresos	*income*
pedir una hipoteca	*to apply for a mortgage*	el saldo	*bank balance*
pedir un préstamo	*to apply for a loan*	la tasa de interés	*interest rate*

¡Atención!

ahorrar	*to save*	salvar	*to rescue*

36 **Términos económicos**

▶ **Une** las dos columnas.

A

1. recursos naturales
2. fabricar
3. exportar
4. multinacional
5. préstamo
6. cuenta

B

a. Crédito que se pide con garantía de devolución.
b. Depósito de dinero en un banco.
c. Compañía que tiene actividad en varios países.
d. Bienes que proporciona la Naturaleza.
e. Producir algo, generalmente por medios mecánicos.
f. Vender productos del propio país a otro.

37 En el banco

▶ **Completa** estas oraciones.

1. Si quieres ahorrar dinero, lo mejor es...
2. Para pedir una hipoteca, necesitas...
3. Si una empresa tiene demasiados gastos, debe...
4. Cuando una compañía no tiene ingresos, no puede...

38 El noticiero

▶ **Escucha** las noticias y toma nota de las palabras clave. Después, escribe un titular para cada noticia.

Modelo   1. *Bolivia y China firman un acuerdo militar.*

39 La economía de tu comunidad

▶ **Habla** con tu compañero(a) sobre la economía de tu comunidad. Utiliza estas preguntas como guía y toma notas.

1. ¿Cuáles son las compañías más grandes de tu comunidad?
2. ¿Qué se fabrica en tu comunidad?
3. ¿Qué recursos naturales tiene la zona donde vives?
4. ¿Cuáles son los productos que exporta tu comunidad?
5. ¿Qué productos importa tu comunidad?

▶ **Escribe** un breve informe sobre la economía de tu comunidad usando tus notas.

 **CULTURA**

La Comunidad Andina de Naciones

La Comunidad Andina de Naciones (CAN) es una organización formada por Bolivia, Colombia, Ecuador y Perú con el fin de promover (*promote*) el desarrollo de estos países y mejorar el nivel de vida de sus habitantes.

Entre sus objetivos está mejorar la posición de los estados miembros en el contexto económico internacional, favorecer su desarrollo económico y social, y fomentar la creación de empleo.

40 **Investiga.** ¿Qué crees que representa el emblema de la CAN? Visita la página web de la organización (www.comunidadandina.org) y averígualo.

Gramática

Los pronombres relativos

Las cláusulas adjetivas

- En español, como en inglés, usamos con frecuencia cláusulas introducidas por el pronombre relativo que para dar información sobre un nombre. Estas cláusulas se llaman cláusulas adjetivas o de relativo.

    En mi ciudad hay una <u>fábrica</u> **que** <u>produce calzado deportivo</u>.
                     noun   adjective clause

- Hay dos tipos de cláusulas adjetivas:
  - Cláusulas que dan una información esencial para identificar al nombre y, por tanto, no se pueden eliminar.

    El gobierno multó a las fábricas de papel **que contaminaban los ríos**.
    (Solo algunas fábricas contaminaban los ríos.)

  - Cláusulas que dan una explicación no esencial sobre el nombre y, por tanto, se pueden eliminar sin que el significado de la oración varíe. Estas cláusulas van entre comas.

    Las fábricas de papel, **que contaminaban los ríos**, tuvieron que pagar una multa.
    (Todas las fábricas contaminaban los ríos y todas fueron multadas.)

Los pronombres relativos

- Los pronombres relativos más frecuentes son que *(that)* y quien *(who)*.

    PRINCIPALES RELATIVOS

que	Se usa para personas y cosas.	Hay gobiernos **que** favorecen los tratados comerciales.
quien quienes	Se usan solo para personas.	Las empresarias de **quienes** te hablé tienen un supermercado.

- A diferencia del inglés, los pronombres relativos no se omiten en la lengua hablada.

    Este es el libro que compré.   *This is the book (that) I bought.*

Los relativos *el que, la que...*

- Usamos el que, la que, los que, las que en lugar del relativo que en estos casos:
  - Cuando la cláusula adjetiva comienza con una preposición (a, con, de, en…), en especial cuando el relativo se refiere a una persona.

    Tengo unos amigos mexicanos **con los que** siempre hablo en español.

  - Cuando la cláusula adjetiva va al principio de la oración.

    Los que quieran venir… Equivale a Los [chicos] que quieran venir…

  - Cuando el relativo se refiere a un nombre que está omitido.

    Ese niño es **el que** más sabe. Equivale a Ese niño es el [niño] que más sabe.

- En todos los casos, el artículo concuerda con el nombre en género y número.

    Describe el lugar **en el que** trabajas.   Describe los lugares **a los que** vas habitualmente.

41   **Compara.** Traduce estas oraciones al inglés. ¿Qué diferencias hay?

      a. La ropa que compré es importada.   **b.** Ella es la empresaria para quien trabajo.

42 **Más información, por favor**

▶ **Completa** estas oraciones.

Modelo   El litio es un recurso natural que... —→ *se encuentra en Bolivia.*

1. El salar de Uyuni es un lugar que...

2. Los autos eléctricos usan baterías que...

3. Bolivia es un país que...

4. Hay empresarios a quienes...

43 **Más relativos**

▶ **Elige** la opción correcta.

1. Esa es la empresa _____ trabaja mi madre.

   a. que   **b.** en la que   **c.** quien

2. Esos textiles, _____ se fabrican en Perú, se exportan a muchos países.

   a. quienes   **b.** que   **c.** en los que

3. Los empleados con _____ trabajo tienen mucho talento.

   a. quienes   **b.** lo que   **c.** el que

4. ¿Cuál es la multinacional _____ trabajas?

   a. para la que   **b.** para que   **c.** que

44 **Hispanos famosos**

▶ **Haz** con tu compañero(a) una lista de hispanos famosos: artistas, políticos, deportistas...

▶ **Escribe** oraciones sobre esas personas y su trabajo. Usa los pronombres relativos para dar más información sobre ellos(as).

Pablo
Picasso.

Modelo   *Pablo Picasso es un artista español.*
El Guernica, que es una de sus obras más famosas,
está en el Museo Reina Sofía, en Madrid.

45 **¡Adivina!**

▶ **Habla** con tu compañero(a). Elige una de estas categorías y haz una descripción. El / Ella tiene que adivinar a qué o a quién te refieres.

alimentos importados de América Latina
productos exportados por EEUU
recursos naturales
compañías internacionales
empresarios(as) famosos(as)

Modelo
A. *Es una fruta verde que se importa de México.*
B. *¿El melón?*
A. *No. Es un ingrediente que se usa...*

Gramática

El futuro perfecto

- El futuro perfecto equivale a *will have* + *past participle*. Este tiempo se usa para hablar de una acción terminada antes de un momento futuro determinado.

Ahora ●————————————————————————→ Futuro
                    firmar la hipoteca   martes a las 11:00 a. m.

El martes a las 11:00 a. m. ya **habremos firmado** la hipoteca.
(By 11:00 a. m. on Tuesday, we will have signed the mortgage.)

- También se usa para hablar de una acción terminada antes de otra acción futura.

Ahora ●————————————————————————→ Futuro
                    cobrar el cheque   salir del banco

Cuando salgas del banco, ya **habrás cobrado** el cheque.
(By the time you leave the bank, you will have cashed the check.)

Formación del futuro perfecto

- El futuro perfecto se forma así:

> futuro del verbo haber + participio pasado

FUTURO PERFECTO. VERBOS REGULARES

	Comprar	Vender	Consumir
yo	habré **compr**ado	habré **vend**ido	habré **consum**ido
tú	habrás **compr**ado	habrás **vend**ido	habrás **consum**ido
usted, él, ella	habrá **compr**ado	habrá **vend**ido	habrá **consum**ido
nosotros(as)	habremos **compr**ado	habremos **vend**ido	habremos **consum**ido
vosotros(as)	habréis **compr**ado	habréis **vend**ido	habréis **consum**ido
ustedes, ellos(as)	habrán **compr**ado	habrán **vend**ido	habrán **consum**ido

46 **Compara.** ¿Cuándo se usa el futuro perfecto en inglés?

47 **Preparando el desafío**

▶ **Escribe.** Daniel y Michelle se preparan para el desafío. ¿Qué habrán hecho mañana?

ensayar
tomar
leer
hacer

1. Mañana Daniel _____ apuntes sobre el futuro de la industria automovilística.

2. Mañana Michelle _____ artículos de finanzas sobre el litio.

3. Mañana Daniel _____ varias veces para preparar el debate.

4. Mañana Michelle _____ un esquema para preparar el debate.

48 **Predicciones**

▶ **Lee** el artículo y escribe tres predicciones sobre los autos de gas natural en Perú.

FINANZAS

Cada año más de 25.000 autos se convierten al gas natural

En los próximos cinco años, serán más de 230.000 autos los que ahorren en combustible.

Los vehículos que utilizan gas natural como combustible crecerán a un ritmo de 25.000 unidades anuales, con lo cual en los próximos cinco años el parque automotor, que actualmente tiene 130.000 vehículos, contará con más de 100.000 unidades adicionales, informó el gerente general de Cálidda Gas Natural del Perú, Adolfo Heeren. «Cada mes hay de 2.000 a 3.000 conversiones y esto ha hecho que el mercado de taxis en Lima se abastezca con gas natural», manifestó.

Fuente: http://www.expreso.com.pe (selección)

---

49 **El año 2050**

▶ **Habla** con tu compañero(a). ¿Creen que en el año 2050 habrán pasado ya estos hechos? ¿Por qué?

¿Crees que en el 2050 se habrá descubierto una cura para el cáncer?

descubrir una cura para el cáncer
extraer el litio del salar de Uyuni
eliminar la dependencia del petróleo
fabricar autos que vuelen
descubrir nuevas fuentes de energía
alcanzar la paz mundial

Sí, creo que se habrá descubierto una cura para el cáncer y también para otras enfermedades.

CONEXIONES: ECONOMÍA

Las monedas nacionales

Cada país tiene su propia moneda, pero en algunos casos los nombres coinciden. Por ejemplo, el peso es la moneda de México, Argentina, Chile y otros países.

La Organización Internacional de Normalización (ISO), que se encarga de establecer los estándares para el comercio internacional, estableció un código de tres letras para todas las monedas del mundo con el fin de evitar confusiones.

País	Moneda	Código
Argentina	peso argentino	ARS
Chile	peso chileno	CLP
Colombia	peso colombiano	COP
México	peso mexicano	MXN
República Dominicana	peso dominicano	DOP
Uruguay	peso uruguayo	UYU

50 **Investiga.** ¿Qué otros nombres de monedas coinciden en dos o más países?

Antes de leer: estrategias

1. Lee el título del texto. ¿Qué es la globalización? ¿Qué palabras asocias con ese término?

2. Piensa en un efecto positivo y en otro negativo de la globalización. Comparte tus ideas con tus compañeros(as).

La globalización económica

En la actualidad, las relaciones económicas entre los países son muy intensas: los capitales se invierten en casi cualquier lugar, se intercambian bienes[1] y servicios, e, incluso, han aumentado los movimientos laborales.

La *globalización* hace referencia a la escala mundial de todos estos fenómenos. Las relaciones económicas entre distintas partes del mundo han existido siempre, pero la diferencia es que ahora se producen con mucha más intensidad. La globalización se define como la interdependencia cada vez más estrecha e inmediata de las economías y políticas de todos los países.

Características de la economía global

El sistema económico mundial se basa en cuatro ejes[2]:

- **El crecimiento del comercio.** El volumen del comercio internacional de mercancías ha pasado de 300.000 millones de dólares en 1970 a más de 15,7 billones en 2008. En este sentido, la mejora y el abaratamiento de los transportes han sido decisivos. El tráfico marítimo es el principal medio de transporte en el comercio internacional.

- **La mundialización de la producción.** Gran parte de la producción y el comercio mundiales están controlados por las multinacionales, que son empresas registradas en un país, pero con filiales en otras partes del mundo.

  Las 1.000 empresas más grandes del mundo producen cuatro quintas partes de la producción industrial mundial y realizan más del 45% de las exportaciones mundiales.

- **El *boom* de los flujos financieros.** Cada día se mueven en el mundo alrededor de un billón de dólares. La mayoría de las transacciones financieras no son pagos por una mercancía o servicio, sino que responden a operaciones especulativas en las que las grandes instituciones financieras buscan obtener beneficios.

- **La interrelación de todos los puntos del planeta.** Una decisión tomada en cualquier lugar por un gobierno, una gran empresa o una importante institución financiera provoca reacciones en el resto del mundo.

Efectos de la globalización

- Mayor oferta de productos baratos en los países ricos.
- Mayor especialización de los países en unas actividades económicas concretas y más productividad.
- Las multinacionales pueden fabricar con menores costes y ofrecer precios sin competencia.
- Aumento de las rentas[3] de la población de los países pobres que acogen empresas de los países desarrollados.
- Las crisis financieras pasan de unos países a otros.
- El crecimiento del comercio internacional ha beneficiado sobre todo a Europa occidental, América del Norte y Asia. En cambio, un gran número de países pobres, en particular los del África subsahariana, se ha quedado al margen[4] de esta globalización.
- Destrucción de los sistemas económicos tradicionales.
- Desempleo[5] entre los trabajadores en los sectores al margen del mercado.

Fuente: *Enciclopedia del estudiante. Geografía general.* Santillana.

1. productos   2. ideas fundamentales   3. *income*   4. excluido   5. *unemployment*

---

51 **¿Comprendes?**

▶ **Explica** estos epígrafes del texto con tus propias palabras.

1. El crecimiento del comercio.
2. La mundialización de la producción.
3. El *boom* de los flujos financieros.
4. La interrelación de todos los puntos del planeta.

52 **Con tus propias palabras**

▶ **Clasifica** en un gráfico como este los efectos de la globalización que menciona el texto. Después, añade un efecto más en cada columna.

EFECTOS POSITIVOS

EFECTOS NEGATIVOS

▶ **Escribe** un párrafo en el que expreses tu opinión. Después, compártelo con el resto de la clase. ¿Qué opinan tus compañeros(as)? ¿Están de acuerdo contigo?

Comunicación

53 **Banca sostenible**

▶ **Lee** el folleto de este banco y responde a las siguientes preguntas.

Triodos Bank, un banco donde cuenta algo más que el dinero

Triodos Bank es una entidad de crédito independiente que promueve desde 1980 una actividad bancaria transparente y sostenible. Somos pioneros en el desarrollo de un modelo de negocio financiero centrado en mejorar la calidad de vida de las personas y promover el respeto al medio ambiente, además de obtener rentabilidad económica.

Los ahorros de nuestros clientes nos permiten financiar iniciativas y organizaciones valiosas para la sociedad y para el futuro de las personas y el planeta. En la actualidad, contamos con 437.000 clientes en cinco países y hemos concedido más de 24.000 créditos a empresas y proyectos sostenibles. A través de nuestros Fondos de Inversión Socialmente Responsables y Fondos de Comercio Justo y Microcréditos, estamos presentes en más de 30 países de África, Europa del Este, América Latina y Asia.

NUESTRO TRABAJO

En Triodos Bank ponemos en contacto a ahorradores e inversores que quieren contribuir a mejorar la sociedad y el planeta con proyectos y empresas sostenibles cuya actividad se encamina hacia ese fin. Somos el único banco especializado en ofrecer financiación y oportunidades de inversión en actividades y empresas de carácter social, cultural y medioambiental en muchos países europeos. Las inversiones de Triodos Bank van dirigidas a sectores como las energías renovables, la agricultura ecológica, la bioconstrucción, el turismo sostenible, el comercio justo o las iniciativas culturales.

NUESTRA MISIÓN

• Contribuir a una sociedad que fomente la calidad de vida y la dignidad humana.

• Facilitar a personas, empresas y organizaciones un uso responsable del dinero.

• Proporcionar a nuestros clientes productos financieros sostenibles y un servicio de calidad.

Fuente: http://www.triodos.es (texto adaptado)

1. ¿Por qué Triodos Bank se define como un banco transparente y sostenible?

2. ¿En qué tipo de proyectos invierte dinero?

3. ¿Cómo financia los proyectos en los que invierte dinero?

▶ **Escribe.** ¿Conoces algún banco u otro tipo de compañía sostenible? Escribe un párrafo explicando a qué se dedica y cómo funciona.

54 **El futuro de mi compañía**

 ▶ **Escucha** y decide qué debe hacer cada empresario(a) para tener un negocio más exitoso.

1. Fabricar los productos en otro país e importarlos.
2. Pedir un préstamo al banco para financiar la compañía.
3. Verificar el saldo todos los días.
4. Firmar un contrato con otra compañía en el exterior.
5. Reducir los gastos cerrando algunas oficinas.
6. Exportar sus productos.

 ▶ **Habla** con tu compañero(a). Representen una conversación entre un(a) empresario(a) y un(a) experto(a) financiero(a) que le da sugerencias.

Final del desafío

DANIEL: ¿Estás lista para el debate?

MICHELLE: Sí. ¿Todavía tienes la misma opinión?

DANIEL: Pues, básicamente, sí. Pienso que son los bolivianos quienes tienen que beneficiarse de ese recurso natural que puede generar tantos beneficios a su país. Sin embargo, comprendo que al gobierno boliviano le hace falta una gran cantidad de dinero para realizar ese proyecto.

MICHELLE: ¿No leíste la información sobre el acuerdo que Bolivia firmó con China en 2011?

DANIEL: Sí, lo leí. Creo que hay empresas chinas que tienen mucho interés en Bolivia porque fabrican baterías y otros productos que requieren litio.

MICHELLE: Entonces, ¿estás a favor del acuerdo?

DANIEL: No del todo porque si Bolivia exporta el litio, todos los ingresos deberían ser para ellos, no para una compañía de otro país. ¿Tú qué opinas?

MICHELLE: Yo opino lo contrario. Pienso que…

55 **Un debate muy controversial**

▶ **Piensa.** ¿Qué opina Michelle? ¿Qué argumentos puede tener para apoyar su postura? Imagina qué le contestó a Daniel y escríbelo.

 ▶ **Habla** con tu compañero(a). ¿Cuál es su opinión sobre este tema? ¿Qué se debe hacer con las reservas de litio que hay en el salar de Uyuni? Hagan un debate exponiendo sus argumentos.

Una maravilla de la ingeniería

El canal de Panamá es una de las mayores obras de ingeniería del mundo. Hoy en día emplea alrededor de nueve mil personas. Asha y Lucas tienen que averiguar si hay algún trabajo al que puedan presentarse como candidatos. ¿Encontrarán alguno?

Lucas: ¿Un puesto de trabajo en el canal de Panamá? Ojalá lo consigamos, suena muy exótico…

Asha: Es posible. Si emplean a unas nueve mil personas, seguramente habrá algún puesto para nosotros.

Lucas: ¿Sabes qué tipo de trabajos ofrecen?

Asha: No sé, vamos a mirar en la página oficial. Es aquí, donde dice Empleos. Lucas, ¡mira la cantidad de ofertas que hay: ingenieros, mecánicos, químicos, trabajadores sociales… y hasta un fisioterapeuta!

Lucas: ¿Un fisioterapeuta? ¿Los barcos necesitan fisioterapia?

Asha: Muy gracioso… Supongo que con nueve mil empleados y sus familias, será necesario un fisioterapeuta. Aunque muchos de los puestos incluirán un seguro médico.

Lucas: Ya, pero todavía no hemos visto ningún trabajo para nosotros. Si estuviéramos estudiando en la universidad, tendríamos más posibilidades.

Asha: Quizá haya ofertas para estudiantes en prácticas. Pero si no lo conseguimos ahora, podemos intentarlo el año que viene. Yo quiero estudiar Ingeniería, ¿y tú?

Lucas: A mí me gustaría ser intérprete.

---

56 **Detective de palabras**

▶ **Completa** estas oraciones.

1. Lucas y Asha esperan encontrar un ___1___ de trabajo en el canal de Panamá.

2. Hay muchas ___2___ porque el canal emplea a más de 9.000 personas.

3. A Lucas le sorprende que necesiten un ___3___ en el canal.

4. Asha cree que muchos de los puestos incluyen un ___4___ médico.

5. En el futuro, a Asha le interesa estudiar ___5___ ; a Lucas le gustaría hacerse ___6___ .

57 **¿Comprendes?**

▶ **Responde** a estas preguntas.

1. ¿En qué consiste el desafío de Asha y Lucas?
2. ¿Qué empleos menciona Asha?
3. ¿Qué tipo de ofertas espera encontrar Asha?
4. ¿Qué clases debería tomar Lucas para conseguir el trabajo que le gustaría?

58 **¡Ayúdame!**

▶ **Escucha** los diálogos y decide qué oración completa mejor cada uno.

a. ¿Por qué no consideras estudiar para hacerte fisioterapeuta?

b. Estoy preparado para estudiar mucho. Sé que nada se consigue sin trabajo y esfuerzo.

c. Podrías solicitar un programa para estudiantes en prácticas. Así podrías trabajar con profesionales y eso te ayudaría a tomar una decisión.

d. ¿Por qué no te presentas como intérprete para una empresa internacional?

▶ **Habla** con tu compañero(a). Túrnense para preguntar y responder, y presenten la información a la clase.

1. ¿Dónde estará él/ella dentro de diez años?
2. ¿Qué oficio le gustaría ejercer? ¿Por qué?

CULTURA

Maravillas de la ingeniería

El canal de Panamá es una de las grandes obras civiles del mundo. Une el océano Atlántico y el Pacífico a través del istmo de Panamá. Esta maravilla de la ingeniería es una ruta económica importantísima; cada año cruzan el canal más de 12.000 barcos.

El proyecto fue iniciado por Francia, pero finalmente lo realizaron los Estados Unidos. De 1904 a 1919 se emplearon casi 40.000 trabajadores para su construcción. Actualmente trabajan allí más de 9.000 personas.

59 **Investiga y explica.** ¿Conoces otras «maravillas de la ingeniería»? Busca información y haz un póster para presentarlas a la clase.

Vocabulario

Trabajo y profesiones

Prepárate para conseguir un puesto de trabajo

Considera:

- Dónde puedes consultar **ofertas de trabajo** interesantes: en la sección de anuncios clasificados del periódico, en páginas web especializadas, en el tablón de anuncios de la escuela...

- Tus **conocimientos**, **habilidades**, intereses y experiencia previa.

- Las condiciones: el tipo de contrato y los seguros que incluye (**seguro médico**, **dental** o **de vida**), el horario (si es flexible, si ofrecen **horas extraordinarias**...), las vacaciones y **días feriados**, y el sueldo.

Prepárate para la entrevista:

- Fíjate bien en los **requisitos** y el perfil del puesto.

- Rellena la **solicitud de empleo** o redacta tu **currículum vítae (CV)** u **hoja de vida**. Incluye tus datos personales, **formación académica**, experiencia profesional, idiomas y otros datos de interés. Si puedes, añade **referencias** o pídele a alguien que te escriba una **carta de recomendación.**

- Busca información sobre la empresa y prepara algunas preguntas para el entrevistador.

- ¡No llegues tarde a la cita!

¡Atención!

el currículum vítae	*résumé*
el resumen	*summary*

Más vocabulario

El trabajo

el/la becario(a)	*intern*
(des)empleado(a)	*(un)employed*
el desempleo	*unemployment*
la plantilla	*staff*
contratar	*to hire*
despedir	*to fire*

Profesiones

el/la biólogo(a)	*biologist*
el/la fisioterapeuta	*physical therapist*
el/la geólogo(a)	*geologist*
el/la intérprete	*interpreter*
el/la químico(a)	*chemist*

60 ¿Qué quiere decir?

 Une las dos columnas.

A

1. los requisitos
2. la entrevista
3. las referencias
4. las habilidades

B

a. Conversación entre la empresa y el candidato.
b. Informe sobre las cualidades de una persona.
c. Capacidades, aptitudes.
d. Condiciones necesarias para un puesto.

61 La hoja de vida

▶ **Escribe** en una tabla como esta qué información hay que incluir en cada apartado del currículum. Después, anota tus datos.

Parte del CV	Tipo de información	Tus datos
Datos personales	Nombre y apellido(s), lugar de nacimiento, dirección, teléfono...	Osvaldo Sánchez
Formación académica		
Experiencia profesional		
Idiomas		
Otros datos		

62 Un nuevo profesor

▶ **Habla** con tu compañero(a). ¿Qué requisitos creen que debe cumplir un(a) profesor(a) de Ciencias? Hagan una lista.

Modelo   A. *Yo creo que el principal requisito es que sea licenciado en Química.*
        B. *Sí, y también es importante que tenga experiencia.*

63 El trabajo ideal

▶ **Escribe.** ¿Cuál es para ti el trabajo ideal? Incluye esta información:

- El puesto y sus funciones.
- La empresa o el lugar de trabajo.
- Los conocimientos y habilidades necesarios.
- Las condiciones: el horario, el sueldo...

COMPARACIONES

Solicitudes de empleo

En muchos países hispanos es frecuente incluir una fotografía en el currículum. Sin embargo, en los Estados Unidos está prohibido, ya que se considera que puede ser un elemento discriminatorio. Lo mismo sucede con algunos datos personales, como el estado civil o la edad del candidato.

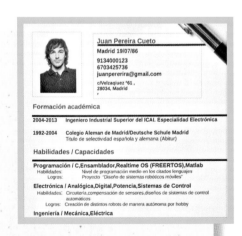

64 **Piensa.** ¿Qué información crees que puede aportar la fotografía en un currículum? ¿Qué ventajas y desventajas crees que tiene incluirla? Justifica tu opinión.

Gramática

Expresar deseos

- Para expresar deseos, puedes usar esta expresión:

| ojalá (que)+ presente de subjuntivo | **Ojalá consigamos** un buen trabajo. |

Repasa la conjugación del presente de subjuntivo en las páginas R20 y R21.

- También puedes expresar un deseo con verbos como querer, esperar, preferir y desear seguidos de una cláusula con un verbo en infinitivo o en subjuntivo:
  - Usa el **infinitivo** cuando el verbo principal y la cláusula dependiente tienen el mismo sujeto.

    Espero recibir un sueldo justo por mi trabajo.

  - Usa el **subjuntivo** cuando el verbo principal y la cláusula dependiente tienen sujetos distintos.

    Mi abuelo **quiere** que **suba** su pensión de jubilación.

Expresar deseos hipotéticos o corteses

- Para expresar un deseo hipotético o un deseo formulado de una manera cortés, puedes usar el condicional seguido de una cláusula en infinitivo o en subjuntivo:
  - Usa el **infinitivo** cuando el condicional y la cláusula dependiente tienen el mismo sujeto.

    Me **gustaría jubilarme** a los 50 años.   **Desearíamos tener** más días feriados.

  - Usa el **imperfecto de subjuntivo** cuando el condicional y la cláusula dependiente tienen distintos sujetos.

    Me **apetecería** que **fuéramos** a Cancún.   Nos **gustaría** que todos **tuvieran** trabajo.

- También puedes usar la forma quisiera (I wish) para expresar deseos hipotéticos o corteses:

| quisiera + infinitivo | **Quisiera** trabajar de arquitecta. |

| quisiera que + imperf. subjuntivo | **Quisiera** que me **llamaran** para una entrevista. |

Repasa la conjugación del imperfecto de subjuntivo en la página R22.

65 **Compara.** ¿De qué formas distintas expresas deseos en inglés?

66 **Los deseos de Asha y Lucas**

▶ **Completa** estas oraciones. Usa el infinitivo o el presente de subjuntivo.

1. Diana y Andy esperan que Asha y Lucas _____ el puesto.
   conseguir

2. Asha y Lucas desearían _____ como candidatos para un puesto.
   presentarse

3. Ellos quieren que el puesto _____ un seguro médico.
   incluir

4. Les gustaría que les _____ un puesto como estudiantes en prácticas.
   ofrecer

67 El que adelante no mira, atrás se queda

▶ **Imagina.** ¿Cuáles pueden ser los deseos de estos(as) chicos(as) sobre su futuro profesional? Escribe oraciones siguiendo el modelo.

Modelo   1. *Elena quiere hacerse bióloga. Espera que sea posible estudiar las aves.*

ELENA   JUAN   ANA   DIEGO

68 Consejos paternos

 ▶ **Escucha** la conversación entre Javi y su padre. Después, completa cada oración con una respuesta lógica.

1. El papá quiere que Javi...   3. Javi prefiere que su papá...
2. El papá espera que Javi...   4. A Javi le gustaría...

 ▶ **Habla** con tu compañero(a). ¿Qué deseos tienen ustedes para su futuro? ¿Qué consejos les han dado sus familiares y sus profesores(as)?

Modelo   A. *A mí me gustaría ser actor.*
         B. *A mí también, pero mis padres quieren que estudie Medicina.*

C COMUNIDADES

CONCILIAR LA VIDA LABORAL Y FAMILIAR

Desde 1980, más de 70 millones de mujeres han ingresado al mercado laboral en Latinoamérica, según datos del Banco Mundial. Sin embargo, muchas mujeres intentan compatibilizar las obligaciones laborales y familiares, y se producen muchas situaciones de desigualdad. En España, por ejemplo, el 97,3 % de las personas que trabajan a tiempo parcial para cuidar a sus hijos son mujeres. Afortunadamente, muchas empresas ofrecen medidas para conciliar la vida laboral y familiar, como la flexibilidad horaria o el teletrabajo.

69 **Piensa.** ¿Qué otras medidas de conciliación crees que podrían ofrecer las empresas? ¿Cómo crees que afectan al ambiente y a la productividad?

Gramática

Expresar condición

Oraciones condicionales con si

- Para expresar lo que puede ocurrir si se cumple alguna condición, usamos generalmente la conjunción si (if).

<u>Si me llaman</u> para una entrevista, <u>iré</u>.   Envía tu CV **si te interesa** el puesto.
     condition   result   result   condition

- En español, como en inglés, hay varios tipos de condicionales:
  - Para hablar de **condiciones reales o probables**, utilizamos esta estructura:

si + presente indicativo + presente indicativo / futuro indicativo / imperativo	**Si trabajo** horas extra, **gano más dinero.** **Si necesito** referencias, te las **pediré.** **Si me llaman** para un trabajo, **avísame.**

  - Para hablar de **condiciones hipotéticas, poco probables o contrarias a los hechos** referidas al presente o al futuro, usa esta estructura:

si + imperfecto subjuntivo + condicional	**Si me ofrecieran** el trabajo, lo **aceptaría.**

Otras expresiones de condición

- Tienen también valor condicional estas expresiones:

con tal de que (*provided that*) en caso de que (*in case*) + subjuntivo	Estoy dispuesto a viajar **con tal de que** me den el trabajo.

- Para expresar una condición que contradice (*contradicts*) lo que se dice en la cláusula principal, usa las siguientes estructuras:

a menos que (*unless*) a no ser que (*unless*) + subjuntivo salvo que (*unless*)	No te entrevistarán **a no ser que** tengas dos cartas de recomendación.

70 **Compara.** Traduce al inglés las siguientes oraciones. ¿Qué tiempos verbales has usado en cada cláusula?

    a. No aceptaré el trabajo a no ser que paguen muy bien.

    b. Ten varias referencias listas en caso de que te las pidan.

71 **Condiciones**

▶ **Escribe** una respuesta para cada pregunta usando una condición.

Modelo   ¿Me ayudas a escribir mi currículum? ⟶ *Si tuviera tiempo, te ayudaría.*

    1. ¿Me escribes una carta de recomendación?   **3.** ¿Cómo puedo decidir qué quiero estudiar?

    2. ¿Sería posible trabajar desde casa?   **4.** ¿Hay algún puesto para estudiantes?

72 **La entrevista**

▶ **Escucha** una entrevista de trabajo y completa estas oraciones.

1. Marisol haría muy bien el trabajo si…
2. Ella preferiría trabajar a tiempo completo, a menos que…
3. Tendría disponibilidad para viajar los fines de semana en caso de que…
4. Podría optar a un sueldo mejor si…

▶ **Escribe.** Imagina que eres el / la jefe(a) de personal. Escríbele un correo a Marisol explicándole cuáles serían las condiciones de su empleo si decidiera aceptar el puesto.

73 **¡A trabajar!**

▶ **Lee** estas ofertas para trabajar en el canal de Panamá y responde a estas preguntas.

1. ¿Qué puesto te interesaría más si te lo ofrecieran?
2. ¿Qué condiciones serían necesarias para que lo aceptaras?

ASISTENTE DE COMPUTACIÓN

REQUISITOS MÍNIMOS: Licenciatura en Sistemas Computacionales, Ciencias Computacionales, Informática u otras carreras equivalentes, o Diploma de Segundo Ciclo y un año de experiencia realizando las funciones de un(a) Asistente de Computación.

CÓMO INSCRIBIRSE: Ingrese al PORTAL DE EMPLEO, escoja el grupo de Informática, Electrónica y Telecomunicaciones, y seleccione Asistente de Computación.

ASISTENTE DE FISIOTERAPIA

REQUISITOS MÍNIMOS: Permiso para ejercer la profesión de Asistente de Fisioterapia emitido por el Consejo Técnico de Salud de Panamá.

CÓMO INSCRIBIRSE: Ingrese al PORTAL DE EMPLEO, escoja el grupo de Salud Ocupacional, Higiene Industrial y Bienestar, y seleccione Asistente de Fisioterapia.

TRADUCTOR(A) E INTÉRPRETE

REQUISITOS MÍNIMOS: Licenciatura en Inglés o la lengua extranjera requerida, o Diploma de Segundo Ciclo y un año de experiencia realizando las funciones de Traductor(a) o Intérprete.

CÓMO INSCRIBIRSE: Ingrese al PORTAL DE EMPLEO, escoja el grupo de Arte, Ciencias Sociales y Humanidades, y seleccione Traductor(a) e Intérprete.

Fuente: https://micanaldepanama.com

▶ **Habla** con tu compañero(a) sobre lo que has escrito en el apartado anterior y hazle más preguntas.

Modelo　A.　*Me interesaría ser asistente de computación. Sin embargo, si tuviera que trabajar horas extraordinarias, no lo aceptaría.*
　　　　　B.　*¿Y qué harías si te ofrecieran un sueldo excelente?*

Antes de leer: estrategias

1. Escribe en español todas las palabras relacionadas con las matemáticas que recuerdes. Comparte tu lista con tus compañeros(as).

2. ¿Qué relación crees que puede haber entre la poesía y las matemáticas? Coméntalo con tus compañeros(as).

Un constructor de ecuaciones

Yo tenía un profesor de matemáticas que nos obligaba a jugar con las ecuaciones. Nos ofrecía los resultados y a partir de estos nosotros teníamos que presentarle las ecuaciones de las cuales aquellos acababan derivándose.

> X igual a 7
> E igual a −3
> Z igual a 6,5

Con tales datos había que conseguir una ecuación. Llamábamos a ese ejercicio «construcción de ecuaciones». Todos lo temíamos porque, francamente, nos ponía a prueba[1] como ningún otro.

El profesor dejó claro que valoraría, más que cualquier otra cosa, la imaginación. Claro que nosotros no podíamos comprender cómo en una disciplina tan poco dada al malabarismo[2] como las matemáticas se nos iba a exigir que derrocháramos[3] imaginación. Y es que por entonces aún no sabíamos que imaginación y malabarismo se contradicen[4].

Cada vez que escribo un poema tengo la sensación de estar construyendo como entonces ecuaciones a partir de unos resultados que me ha ofrecido la realidad.

Los resultados que la realidad nos propone no pueden ser muy variables: amor, desasosiego[5], temor a la muerte, repugnancia por el paso del tiempo… Los de siempre. Meros números a partir de los cuales uno ha de presentar sus ecuaciones vertebradas[6] desde abajo, desde los resultados.

Creo que las matemáticas y la poesía tienen bastante que ver: pretenden expresar lo que existe mediante lo que no existe, o sea, mediante esos elementos que proceden de la imaginación.

Así pues mis poemas lo que persiguen es plantear una serie de ecuaciones cuyos resultados ya me había facilitado la realidad. Porque si el deseo es una pregunta cuya respuesta nadie conoce, la realidad es un montón de respuestas a las que el poeta debe plantearle sus preguntas.

Juan Bonilla en Carlos Lomas, *La vida en las aulas* (selección)

---

1. *put us to the test*
2. *expressiveness*
3. usáramos en gran cantidad
4. son contrarias, opuestas
5. intranquilidad
6. organizadas, estructuradas

¿Comprendes?

▶ **Explica.**

1. ¿Qué oficio tiene el autor del texto?
2. ¿Qué quiere explicar con su texto?
3. ¿Qué relación establece entre las matemáticas y la poesía? ¿En qué parte del texto se establece esa relación?

▶ **Responde** a estas preguntas.

1. Para el autor del texto, ¿resultaba sencillo el ejercicio de construir ecuaciones?
2. ¿Qué era lo que el profesor apreciaba más de ese ejercicio?
3. ¿Qué relación existe entre la imaginación y el malabarismo, según el autor?
4. ¿Qué temas de su poesía se nombran en el texto?

75 **Significa que...**

▶ **Elige** la opción que equivale a la palabras destacadas.

1. Todos lo temíamos porque, francamente, **nos ponía a prueba** como ningún otro.
   a. nos divertía
   b. nos exigía
   c. nos hacía competir

2. El profesor **dejó claro** que valoraría, más que cualquier otra cosa, la imaginación.
   a. explicó
   b. insinuó
   c. pensó

3. Nosotros no podíamos comprender cómo en una disciplina **tan poco dada al** malabarismo como las matemáticas...
   a. tan alejada del
   b. tan cercana al
   c. tan poco regalada

4. Creo que las matemáticas y la poesía **tienen bastante que ver**.
   a. se distinguen
   b. se parecen
   c. son interesantes

76 **Con tus propias palabras**

▶ **Escribe** todas las palabras del texto de la página 166 relacionadas con las matemáticas y redacta un poema de cuatro versos (lines) usando algunas de esas palabras.

Ecuación

Cuánto le falta a 25 para ser 40
Inmersa estoy en sencilla situación
Una ecuación sin darme cuenta
Pronto le hallaré solución

Comunicación

77 **El valor del trabajo**

▶ **Lee** los testimonios de estos jóvenes. ¿Estás de acuerdo con ellos(as)? Escribe tu opinión y justifícala.

Dicen que los jóvenes de hoy en día no valoramos el esfuerzo, que hemos crecido con todo lo necesario y que por eso hemos perdido el espíritu de sacrificio. Pero yo no estoy de acuerdo. Estudio en la universidad por las mañanas y trabajo por las tardes para pagarme los estudios. ¿No es eso un ejemplo de esfuerzo?

Soy informático y me gusta mi trabajo, pero no quiero que sea el centro de mi vida. Me encanta viajar, así que le pedí a mi jefe tener unos días más de vacaciones al año (sin salario, claro). No suelo hacer horas extraordinarias, pero soy flexible: si un día hay que quedarse hasta más tarde, lo hago. Pero soy de los que piensan que hay que trabajar para vivir, no vivir para trabajar.

▶ **Habla** con tu compañero(a) sobre lo que has escrito. ¿Están ustedes de acuerdo? Compartan sus opiniones con la clase.

Modelo

A. *Yo no estoy de acuerdo con el chico. Si no estás dispuesto a sacrificarte, no conseguirás nunca un buen puesto.*

B. *Pues yo sí, porque...*

78 **El empleado ideal**

▶ **Escribe** una carta de recomendación para un(a) amigo(a) o para un personaje ficticio. Incluye algunos datos personales y toda la información de interés para que pueda conseguir el puesto de trabajo que imagines.

Modelo

Estimada Sra. Rivera:

Quisiera recomendarle a mi amiga Elisa Márquez para el puesto de química que ofrece su empresa. Aunque no tiene mucha experiencia, es una persona muy responsable y trabajadora. Si decide contratarla, le aseguro que...

79 **Una oferta del canal de Panamá**

▶ **Lee** este anuncio del canal de Panamá y responde a las preguntas.

Descripción del trabajo: Trabajo a tiempo parcial para estudiante universitario. Desempeñará tareas relacionadas con su carrera universitaria bajo la coordinación directa de un trabajador del canal. Las funciones podrán ser de apoyo administrativo o técnico. Se le ofrecerá al estudiante un contacto con la realidad del ejercicio profesional para apoyar su crecimiento profesional y reafirmar su vocación. Trabajará en proyectos tales como el Proyecto de Construcción del Tercer Juego de Esclusas (*locks*) u otros proyectos en ejecución en el canal.

Requisitos mínimos: Estar matriculado a tiempo completo en una universidad con un mínimo de 15 créditos semestrales o cuatrimestrales. Estar cursando los dos últimos años de su carrera universitaria. Tener un índice académico de 2,20 en una escala de 3,00 o equivalente.

Fuente: https://apps.pancanal.com

1. ¿Sería posible que Asha y Lucas se presentaran como candidatos a este trabajo?
2. ¿Qué ventajas y desventajas crees que tiene este trabajo?
3. ¿Considerarías presentarte a este trabajo? Justifica tu respuesta.
4. Si tuvieras la oportunidad de negociar las condiciones de trabajo, ¿qué pedirías?

Final del desafío

ASHA: Si fuéramos estudiantes universitarios, sería posible trabajar en el canal de Panamá. Pero no cumplimos los requisitos mínimos.

LUCAS: Bueno, no hemos conseguido un puesto de trabajo en el canal de Panamá, pero hemos aprendido muchísimo. Además, si nos interesara podríamos intentarlo el año que viene. Venga, no estés tan desanimada.

80 **¿Desafío perdido?**

▶ **Lee** el diálogo y responde a estas preguntas.

1. ¿Por qué no consiguen Asha y Lucas un puesto en el canal de Panamá?
2. ¿Qué podrían hacer Asha y Lucas para conseguirlo en el futuro?

▶ **Habla** con tus compañeros(as). ¿Qué piensas que significa esta afirmación del filósofo chino Confucio?

Elige un trabajo que te guste y no tendrás que trabajar ni un día de tu vida.

Todo junto

ESCUCHAR Y ESCRIBIR

 81 **Una escuela diferente**

▶ **Escucha** el programa de radio que oyeron Ethan y Eva mientras buscaban escuelas en Chile y elige la opción correcta. Ten en cuenta que puede haber más de una.

1. Felipe Ríos es...

   a. cantante. **b.** profesor. **c.** actor.

2. En la escuela de teatro musical se puede estudiar...

   a. canto. **b.** jazz. **c.** escenografía.

3. Todos los semestres hay clases de...

   a. danza. **b.** piano. **c.** voz.

4. Para ser admitido en la escuela es imprescindible...

   a. una entrevista. **b.** una audición. **c.** una carta de presentación.

▶ **Escribe.** ¿Te gustaría matricularte en algún curso de esa escuela? ¿Por qué? Escribe un párrafo explicando tu respuesta.

HABLAR Y ESCRIBIR

 82 **Un futuro perfecto**

▶ **Habla** con tu compañero(a). Imaginen las cosas que ustedes habrán hecho en las siguientes fechas y compártanlas.

1. 2017 **2.** 2022 **3.** 2050 **4.** 2075

Modelo   *En 2017 yo habré jugado el partido de baloncesto más importante de mi equipo. Habré terminado la escuela y habré conseguido una beca universitaria para estudiar en Argentina.*

▶ **Escribe** un párrafo comparando y contrastando todo lo que tú y tu compañero(a) habrán hecho en 2075 y compártelo con la clase.

Tu desafío

83 **Los desafíos**

¿Recuerdas los desafíos que Andy y Diana les plantearon a los personajes? ¿Cuál te gusta más? Elige una de estas opciones y resuelve tu desafío.

DESAFÍO Ⓐ

Busca información sobre programas de intercambio para estudiantes de secundaria en algún país hispanohablante. Elige el que más te guste y prepara una presentación para la clase. Incluye lo siguiente:

- A qué tipo de estudiantes está dirigido el programa.
- Qué requisitos son necesarios para participar en él.
- Qué información has obtenido a través de los testimonios de estudiantes que han participado en ese programa.

DESAFÍO Ⓑ

Busca en Internet una noticia de finanzas de un periódico en español. Léela y comparte la información con la clase. Debes explicar:

- Cuál es la noticia y a qué país se refiere.
- Quiénes son los protagonistas de la noticia.
- Qué se puede aprender de esa noticia y cómo podría afectar a tu comunidad.

DESAFÍO Ⓒ

Piensa en un trabajo ideal para estudiantes de tu edad y escribe una oferta de empleo. Incluye lo siguiente:

- Puesto de trabajo y funciones.
- Condiciones: tipo de contrato, horario...
- Requisitos necesarios.
- Información de contacto.

La economía de Latinoamérica

La agricultura, la ganadería y la minería han sido las principales actividades económicas de Latinoamérica y hoy continúan teniendo una gran importancia.

A lo largo de su historia, muchos países latinoamericanos se han especializado en algunos productos que han desempeñado un papel clave en su economía y han sido la base de sus exportaciones. Por eso, es frecuente encontrar en Latinoamérica amplias regiones dedicadas a un producto único o a una materia prima determinada: el banano, la soya, la carne, el petróleo…

Los países de clima tropical

Centroamérica, el Caribe y el norte de Suramérica (Ecuador, Colombia y Venezuela) son áreas de clima tropical y ecuatorial, donde la agricultura tiene un peso importante. En los países de esa zona se produce fundamentalmente café, bananos, caña de azúcar y otros productos tropicales, como la piña.

El café es fundamental para la economía de países como Colombia (tercer exportador mundial), Honduras, Guatemala y El Salvador.

Plantación de caña de azúcar.

Bananas y plátanos

El banano es una planta que puede producir dos tipos de frutos: uno pequeño, blando y dulce, que se suele consumir crudo, y otro más grande y menos dulce, que se consume cocinado. El primero se llama, según los países, banana, banano, plátano o guineo; y el segundo se llama plátano verde o plátano macho.

El cultivo de bananos está muy extendido por Centroamérica y el norte de Suramérica. Los principales países exportadores de bananas en el mundo son Ecuador, Costa Rica, Colombia y Guatemala.

En Latinoamérica el plátano cocinado es un ingrediente de muchos platos. Los tostones o chatinos (trozos de plátano verde aplastados y fritos) de Cuba, denominados patacones en Ecuador, acompañan muchas comidas tradicionales.

Las hojas de banano también se aprovechan. Se usan para envolver distintos platos, como los tamales.

Los países de clima templado

Los países del sur de Suramérica (Paraguay, Argentina, Uruguay y Chile) son en su mayor parte países de clima templado, con una importante actividad agrícola. Los productos más importantes de esta zona son los cereales y la soya.

La ganadería tiene también mucho peso en la economía de Paraguay, Argentina y Uruguay. Los tres países están entre los principales exportadores mundiales de carne de vacuno, y la carne es una parte importante de la dieta de sus habitantes.

La soya

La soya es un alimento rico en proteínas, fibra, calcio y fósforo. Y es uno de los alimentos más ricos en isoflavonas, unos compuestos de origen vegetal muy beneficiosos para la salud.

Además, la soya tiene un alto contenido en aceite y por eso se usa hoy para la producción de combustibles de origen vegetal o biocombustibles.

En Argentina, la producción de soya ocupa más del 50% de la superficie cultivable y el país se ha convertido en el principal exportador mundial de este producto.

Explotación petrolífera.

Los países extractores

Latinoamérica es rica en recursos naturales. Y en muchos países, la extracción y exportación de esos recursos se ha convertido en una importante fuente de riqueza.

Chile es el principal productor de cobre del mundo. Ecuador, México, Venezuela y Argentina tienen importantes yacimientos de petróleo. Bolivia exporta gas natural y es uno de los grandes productores mundiales de estaño. México y Perú son los dos principales productores de plata del mundo. Colombia extrae piedras preciosas…

84 **Países productores**

▶ **Investiga.** ¿Has pensado alguna vez de dónde proceden los productos que consumes o utilizas diariamente? Haz un pequeño estudio y responde.

1. ¿Qué clases de frutas sueles encontrar en el supermercado? ¿De qué países proceden?
2. ¿En qué países se fabrica la ropa que usas? Mira las etiquetas de las prendas que utilizas para conocer esa información.

▶ **Intercambia** tu información con tus compañeros(as). ¿Qué países de Latinoamérica exportan alimentos y textiles a los Estados Unidos?

85 **Maquilas en la frontera**

▶ **Investiga** sobre las maquilas y presenta tus conclusiones. Da respuesta a estas cuestiones:

– ¿Qué son las maquilas? ¿En qué zonas se establecen?
– ¿Qué actividades se desarrollan en ellas? ¿Cómo funcionan?
– ¿Qué ventajas y qué inconvenientes económicos y sociales tienen?

Tu currículum ideal

El currículum vítae

El currículum vítae u hoja de vida es un documento en el que se resumen los datos personales, la experiencia profesional y la formación académica de una persona.

El currículum es nuestra tarjeta de presentación a la hora de solicitar un trabajo. Por tanto, debe estar bien diseñado y perfectamente redactado, y debe presentar la información de una manera clara, concisa y ordenada en bloques: los datos personales, la formación, la experiencia profesional, los intereses...

En esta unidad vas a pensar en un trabajo que te gustaría tener en el futuro y vas a escribir el currículum perfecto para ese puesto.

Ten en cuenta que la limpieza, el orden y la claridad del escrito deben transmitir una imagen favorable de ti mismo(a).

Piensa

■ ¿Qué profesión te gustaría tener? Te damos algunas ideas.

– dependiente(a)	– arquitecto(a)	– jardinero(a)	– diseñador(a) de moda
– recepcionista	– ingeniero(a)	– médico(a)	– monitor(a) de tiempo libre

■ ¿Qué **formación académica** requiere esa profesión? Piensa en los estudios universitarios o en los cursos de formación relacionados con el trabajo que has elegido.

Modelo

Formación académica:

Licenciado en Arquitectura

■ ¿Qué **otros datos de interés** crees que podrías poner en tu currículum vítae? Selecciona aquella información que puede ser interesante para el puesto que has elegido. También puedes mencionar alguna característica personal favorable o hablar de aficiones relacionadas con el trabajo solicitado.

Modelo

Otros datos de interés:

Informática: manejo a nivel usuario de programas de tratamiento de textos, bases de datos e Internet.

Carné de conducir y vehículo propio.

Escribe

■ Redacta el borrador de tu currículum. Utiliza las notas que escribiste antes y organiza la información en cuatro apartados:

- Datos personales.
- Formación académica.
- Experiencia profesional.
- Otros datos de interés.

■ No olvides que es fundamental cuidar el orden de la información y la claridad.

Revisa

■ Una vez finalizado tu borrador, revísalo.

- ¿La información es adecuada y está bien organizada?
- ¿El vocabulario es preciso y correcto?
- ¿La ortografía es correcta? ¿Tienes alguna duda ortográfica?

■ Pasa a limpio tu currículum e intercámbialo con tu compañero(a). Lee el suyo y analiza estas cuestiones:

- ¿Se diferencian claramente los distintos apartados? ¿La presentación es clara? ¿Facilita la lectura rápida de los datos?
- ¿La información es completa? ¿Es una información adecuada para el puesto que solicita?
- ¿Hay algún error gramatical o alguna falta de ortografía?

HOJA DE VIDA

Datos personales

Incluye:

- nombre y apellidos
- dirección completa
- teléfono y dirección de correo electrónico

Formación académica

Presenta la información ordenada cronológicamente. Indica la fecha y el lugar donde cursaste tus estudios.

Experiencia profesional

Incluye los trabajos realizados del más reciente al más antiguo. Especifica las fechas de inicio y fin, y el nombre de las empresas en las que desempeñaste cada puesto.

Otros datos de interés

Recoge toda la información interesante que pueda estar relacionada con el puesto.

■ Devuelve el currículum a su autor(a) con tus sugerencias y revisa el tuyo teniendo en cuenta sus comentarios.

■ Pasa a limpio tu currículum con los errores corregidos.

Comparte

■ Presenta tu currículum a la clase. ¿Qué opinan tus compañeros(as)? ¿Eres un(a) buen(a) candidato(a) para ocupar el puesto que elegiste? ¿Reúnes los requisitos y las capacidades necesarias? ¿Por qué?

La escuela

la beca	scholarship
el curso	course, year
el examen…	
de ingreso	entrance exam
final	final exam
parcial	midterm exam
el semestre	semester
aprobar	to pass
esforzarse	to make an effort
matricularse	to register
repasar	to review
reprobar	to fail

Matemáticas

la división	division
la fracción	fraction
la multiplicación	multiplication
la resta	subtraction
la suma	addition
más	plus
menos	minus
por	times
entre	divided by
igual a	equals
por ciento	percent

Lengua

la oración	sentence
el párrafo	paragraph
mayúscula	uppercase
minúscula	lowercase
punto	period
coma	comma
punto y coma	semicolon
dos puntos	colon

¡Atención!

descansar	to rest
restar	to subtract

La economía

el comercio	trade
la compañía	company
la mercancía	goods, merchandise
la multinacional	multinational company
el negocio	business
el presupuesto	budget
el producto	product
el recurso natural	natural resource
exportar	to export
fabricar	to make, to manufacture
importar	to import
llegar a un acuerdo	to come to an agreement

El banco

abrir una cuenta	to open an account
ahorrar dinero	to save money
pedir una hipoteca	to apply for a mortgage
pedir un préstamo	to apply for a loan
los gastos	expenses
los ingresos	income
el saldo	bank balance
la tasa de interés	interest rate

¡Atención!

ahorrar	to save
salvar	to rescue

Trabajo y profesiones

El trabajo

el/la becario(a)	intern
(des)empleado(a)	(un)employed
el desempleo	unemployment
los días feriados	holiday
las horas extraordinarias	overtime
la plantilla	staff
el puesto de trabajo	position
los requisitos	requirements
el seguro de vida	life insurance
el seguro dental/médico	dental/health insurance
la carta de recomendación	letter of recommendation
los conocimientos	knowledge
la entrevista	interview
la formación académica	educational training
las habilidades	abilities
la oferta de trabajo	job offer
las referencias	references
la solicitud de empleo	job application
contratar	to hire
despedir	to fire

Profesiones

el/la biólogo(a)	biologist
el/la fisioterapeuta	physical therapist
el/la geólogo(a)	geologist
el/la intérprete	interpreter
el/la químico(a)	chemist

¡Atención!

el currículum vítae, la hoja de vida	résumé
el resumen	summary

DESAFÍO 1

1 **Estudios.** Elige la opción correcta.

1. Emily decidió _____ en un curso de Informática antes de ir a la universidad.
   a. examinarse   **b.** matricularse   **c.** esforzarse

2. He estudiado mucho, pero me preocupa no _____ el examen.
   a. reprobar   **b.** aprobar   **c.** repasar

3. 145 por 13… ¡Qué difícil! Las _____ no se me dan bien.
   a. divisiones   **b.** restas   **c.** multiplicaciones

4. Para poder matricularme en esa universidad, tengo que aprobar un _____.
   a. examen parcial   **b.** examen final   **c.** examen de ingreso

DESAFÍO 2

2 **Una buena economía.** Completa el texto con las palabras del cuadro.

ahorrar dinero	ingresos	gastos	pedir un préstamo
abrir una cuenta	gasto	presupuesto	tasa de interés

Consejos para una buena economía personal y familiar

La regla de oro para tener una buena economía es que el ___1___ que realizas no supere tus ___2___. Hacer un buen ___3___ puede ayudarte a llegar sin problemas a fin de mes. Además, los expertos recuerdan la importancia de ___4___; empieza por eliminar los ___5___ innecesarios. Si piensas ___6___, fíjate bien en las condiciones: no debes pagar una ___7___ demasiado alta.

Es importante educar financieramente a los niños y a los jóvenes. ___8___ bancaria a tus hijos puede ser una forma de enseñarlos a ahorrar.

DESAFÍO 3

3 **Busco trabajo.** Une las dos columnas y escribe oraciones completas.

Modelo 1. *Encontré una buena oferta de trabajo en un portal de empleo.*

 A   B

1. oferta de trabajo	**a.** Licenciatura en Química
2. solicitud de empleo	**b.** portal de empleo
3. formación académica	**c.** carta de recomendación
4. requisitos	**d.** currículum vítae
5. habilidades	**e.** estudios de Música y un año de experiencia
6. referencias	**f.** resolver problemas y trabajar en equipo

El participio pasado (pág. 138)

EL PARTICIPIO PASADO USADO COMO ADJETIVO

La puerta del salón está abierta.

EL PARTICIPIO PASADO USADO COMO VERBO

Habíamos estudiado antes de hacer el examen.
Las fechas de los exámenes serán publicadas en la página web.

EL PARTICIPIO PASADO USADO COMO NOMBRE

Los empleados trabajan de nueve a seis.

El presente perfecto y el pluscuamperfecto (pág. 140)

EL PRESENTE PERFECTO

presente del verbo haber + participio pasado

Hemos aprobado todos los exámenes.

EL PLUSCUAMPERFECTO

imperfecto del verbo haber + participio pasado

Cuando llegué a casa, tú ya te habías ido.

Los pronombres relativos (pág. 150)

LOS PRONOMBRES RELATIVOS

que: para personas y cosas.

Hay gobiernos que favorecen el comercio.

quien, quienes: para personas.

Ahí están las empresarias de quienes te hablé.

LOS RELATIVOS EL QUE, LA QUE...

Tengo unos amigos mexicanos con los que siempre hablo en español.

El futuro perfecto (pág. 152)

FUTURO PERFECTO. VERBOS REGULARES

COMPRAR	VENDER	CONSUMIR
habré comprado	habré vendido	habré consumido
habrás comprado	habrás vendido	habrás consumido
habrá comprado	habrá vendido	habrá consumido
habremos comprado	habremos vendido	habremos consumid
habréis comprado	habréis vendido	habréis consumido
habrán comprado	habrán vendido	habrán consumido

Expresar deseos (pág. 162)

ojalá (que) + presente de subjuntivo

Ojalá consigamos un buen trabajo.

desear esperar preferir + infinitivo / presente de subjuntivo querer

Espero recibir un sueldo justo.

EXPRESAR DESEOS HIPOTÉTICOS O CORTESES

condicional + infinitivo / imperfecto de subjuntivo

Desearíamos tener más días feriados.
Nos gustaría que todos tuvieran trabajo.

quisiera + infinitivo quisiera que + imperfecto de subjuntivo

Quisiera trabajar de arquitecta.
Quisiera que me dieran ese trabajo.

Expresar condición (pág. 164)

ORACIONES CONDICIONALES CON SI

Condicionales reales	Condicionales potenciales
si + presente indicativo + presente indicativo / futuro indicativo / imperativo	si + imperfecto subjuntivo + condicional
Si trabajo horas extra, gano más dinero.	Si tuviera trabajo, compraría un auto.

OTRAS EXPRESIONES DE CONDICIÓN

con tal de que en caso de que a no ser que + subjuntivo a menos que salvo que

DESAFÍO 1

4 **Tus experiencias.** ¿Qué cosas no habías hecho todavía en ese momento? ¿Qué cosas has hecho ya? Escribe cinco oraciones para cada grupo usando el pluscuamperfecto y el presente perfecto.

No lo había hecho todavía	Lo he hecho ya
Cuando tenía diez años, todavía no había viajado a ningún país hispano.	Ya he estado en México y en la República Dominicana.

DESAFÍO 2

5 **En orden.** Ordena estos elementos y escribe las oraciones.

1. quiero comprar / me / El auto / muy caro. / que / no es
2. gustaría / en / Esta es / la / la multinacional / que / me / trabajar.
3. trabajo / que / la / quinientos empleados. / La compañía / para / tiene
4. su currículum / Quienes / la / podrán hacer / envíen / entrevista.

DESAFÍO 3

6 **Deseos y condiciones.** Une las dos columnas para formar oraciones lógicas. Luego, elige cinco comienzos de la columna A y escribe tus propios finales.

Modelo 1. *Esperamos conseguir una beca para estudiar en los Estados Unidos.*

A

1. Esperamos…
2. Si quisiera trabajar con ellos, …
3. Si terminara mis estudios este año, …
4. Mi padre quiere que…
5. A menos que tengas experiencia, …
6. Si trabajan horas extra, …

B

a. trabajes en su empresa.
b. tener vacaciones en septiembre.
c. no conseguirás el trabajo.
d. les enviaría mi currículum.
e. encontraría trabajo enseguida.
f. ganarán más dinero.

 **CULTURA**

7 **Aprendemos sobre el mundo.** Responde a estas preguntas.

1. ¿Qué es la Ciudad de las Artes y de las Ciencias? ¿Dónde está?
2. ¿En qué países de Latinoamérica tienen el peso como moneda? Nombra tres.
3. ¿Qué dos océanos une el canal de Panamá?

Un premio a

la empresa hispana del año

La *United States Hispanic Chamber of Commerce* (www.ushcc.com) premia todos los años a diez empresas, cinco propiedad de latinos y cinco propiedad de latinas, por su aportación a la comunidad empresarial hispana.

En este proyecto van a proponer ustedes a una empresa como candidata al premio a la mejor empresa hispana del año.

United States Hispanic Chamber of Commerce

PASO 1 Selecciona una empresa

- Reúnete con tres o cuatro compañeros(as) y comenta. ¿Qué aspectos hacen que una empresa sea mejor que otras? ¿A qué tipo de empresa les gustaría premiar?
- Creen entre todos(as) una tabla que les permita evaluar las empresas.

	Excelente	Normal	Mejorable
Productos y servicios que ofrece.			
Ganancias que obtiene.			
Innovación.			
Respeto al medio ambiente.			
Condiciones laborales.			
Beneficios sociales.			

- Hagan un inventario de las empresas latinas que les interesen y reúnan información sobre ellas, especialmente sobre los aspectos de la tabla anterior. Pueden consultar la página de la USHCC (www.ushcc.org).
- Elijan entre todos(as) la empresa en la que quieran centrar el proyecto.

PASO 2 Busca información

- Haz una lista con la información que les interesa obtener sobre la empresa que han elegido y compártela con tus compañeros(as). Aquí tienes algunas ideas:
    - ¿Cuáles son sus productos estrella o qué servicios ofrece?
    - ¿En qué países y ciudades está representada?
    - ¿Quiénes son sus fundadores(as), propietarios(as), directivos(as)…?
    - ¿Cuántos(as) empleados(as) tiene?
    - ¿Cuántas mujeres hay en el equipo directivo?

- Investiguen para obtener información sobre la empresa elegida. Pueden visitar su página web.

- Busquen imágenes que sirvan para ilustrar su presentación.

PASO 3 Prepara tu presentación

- Elijan un formato adecuado para su presentación: un póster, una presentación de PowerPoint, un folleto...

  Tengan en cuenta que la presentación debe ser atractiva porque el objetivo es que sus compañeros(as) le den el premio a su empresa.

- Organicen toda la información recopilada de acuerdo con el formato que eligieron y escriban un borrador de su presentación. No olviden explicar por qué creen que su empresa se merece el premio.

- Revisen el borrador, corríjanlo y escriban los textos definitivos.

PASO 4 Presenta tu empresa

- Presenten su empresa a la clase y contesten a las preguntas que les hagan sus compañeros(as).

PASO 5 Concedan el premio

- Decidan entre todos(as) en qué consiste el premio y voten para elegir la mejor empresa hispana del año.

  Y el premio a la mejor empresa hispana del año es para...

Unidad 3

Autoevaluación

¿Qué has aprendido en esta unidad?

Haz estas actividades para comprobar tu progreso.

Evalúa tus habilidades. Para cada punto, di Muy bien, Bien o Necesito practicar más.

a. ¿Puedes hablar de acciones pasadas?

▶ Describe lo que hiciste el viernes pasado cuando saliste de la escuela. ¿Qué habías hecho en cada clase?

b. ¿Puedes relacionar dos acciones futuras?

▶ Haz una lista de cosas que benefician a una persona o a una empresa desde el punto de vista económico.

▶ Di lo que habrás hecho para ahorrar dinero cuando llegues a la edad de jubilación.

c. ¿Puedes expresar deseos?

▶ Describe cómo quieres que sea tu futuro profesional. ¿Qué tipo de condiciones de trabajo esperas tener?

▶ Explica cómo será tu vida si encuentras un trabajo con esas condiciones. ¿Y qué pasaría si no consiguieras esas condiciones?

Interpersonal Writing: E-mail Reply

Presentación

Una de las pruebas del examen AP* está relacionada con la escritura interpersonal. Tendrás aproximadamente 15 minutos para leer un mensaje electrónico y escribir tu respuesta.

Estrategias

– Lee el mensaje atentamente y toma nota de la información que te piden.

– Para responder, utiliza el tratamiento adecuado (en los mensajes formales, la forma *usted*) y mantén un tono cortés.

– Organiza la información que quieres transmitir respetando las distintas partes que estructuran el mensaje electrónico:

Encabezado. Incluye la dirección electrónica de la persona a la que va dirigido el mensaje y el tema o asunto del mensaje.

Saludo. Emplea un saludo adecuado a la persona a la que te diriges.
Querido(a)/Estimado(a):   *Muy señor(a) mío(a):*

Cuerpo del mensaje. Responde a las preguntas o a los comentarios que te hacen. En el ejercicio que te proponemos, puedes comenzar con un párrafo agradeciendo la concesión de la beca. No olvides incluir los datos personales que consideres necesarios, tus preferencias para las actividades extracurriculares y sugerir en qué servicios de la universidad puedes colaborar.
Le escribo este mensaje porque...
Me alegra saber que...
Aprovecho para...

Despedida y firma. Para despedirte, utiliza el mismo tono que en el resto del escrito (generalmente un tono formal) y firma con tu nombre completo.
Un cordial saludo.
Atentamente.

Instrucciones para el examen

Directions: You will write a reply to an e-mail message. You have 15 minutes to read the message and write your reply.

Your reply should have a greeting and a closing and should respond to all questions and requests for information in the message. In your reply, you should also ask for more details about some aspects of the message. Also, you should use the appropriate register (formal or informal) given the context of the message.

Instrucciones: Vas a escribir una respuesta a un mensaje electrónico. Tendrás 15 minutos para leer el mensaje y escribir tu respuesta.

Tu respuesta debe incluir un saludo y una despedida, y debe responder a todas las preguntas y peticiones del mensaje original. En tu respuesta también debes pedir más detalles sobre algún aspecto del mensaje. Además, debes utilizar el registro apropiado (formal o informal) de acuerdo al contexto del mensaje.

Introducción

Este mensaje electrónico es del profesor Javier Gutiérrez, organizador del programa de becas «Me gusta el español». Has recibido este mensaje porque has sido ganador de una beca para estudiar español en Salamanca (España) durante el verano.

Estimado estudiante:

Me dirijo a usted para comunicarle que ha sido el ganador de la beca *Me gusta el español*. Todos los miembros del jurado coincidieron en que su ensayo en el que analiza las razones para ser bilingüe en la sociedad norteamericana actual fue el mejor de todos los recibidos.

Como sabe, esta beca, concedida por la Asociación *El español: una lengua viva*, le dará la posibilidad de realizar un curso intensivo de lengua y cultura hispana en la universidad de Salamanca durante los meses de julio y agosto del presente año. Tenga en cuenta que debe presentarse en el departamento de admisiones de la universidad de Salamanca la primera semana de julio.

Para formalizar su admisión y tener acceso a todos los beneficios de la beca, necesitamos que nos envíe sus datos personales completos lo antes posible, así como toda la información que considere necesaria. No olvide comunicarnos sus preferencias para poder orientarlo mejor sobre las actividades extracurriculares que puede realizar durante su estancia en nuestro país.

Sepa también que es tradición entre los estudiantes que obtienen esta beca prestar algún tipo de servicio en la universidad. ¿Estaría dispuesto a colaborar con nosotros? ¿Qué le gustaría hacer y por qué?

Lo felicitamos una vez más por haber sido el ganador de la beca y esperamos tener noticias suyas muy pronto. Si necesita cualquier otra información, por favor, no dude en contactar con nosotros.

Reciba un cordial saludo.

Javier Gutiérrez

Organizador del programa *Me gusta el español*

Asociación *El español: una lengua viva*

Nos divertimos

El ocio y los viajes

DESAFÍO 1

▶ **Expresar probabilidad (I)**

Vocabulario
Ocio y espectáculos.
Deportes y tiempo libre

Gramática
Expresar frecuencia
Expresar probabilidad (I)

DESAFÍO 2

Ferrocarril a Nariz del Diablo (Ecuador).

▶ **Expresar probabilidad (II)**

Vocabulario
Los viajes

Gramática
Expresar probabilidad (II).
El futuro y el condicional

El presente perfecto de subjuntivo

Casa de la Trova (Cuba).

DESAFÍO
3

▶ **Expresar causa
y consecuencia**

Vocabulario
El alojamiento.

El tiempo meteorológico

Gramática
Expresar causa

Expresar consecuencia

Letrero de un hostal (México).

¡A divertirse!

Tess habla con los personajes para contarles cuáles son sus desafíos. ¿Quieres saber qué tendrán que hacer esta vez? Lee la conversación y averígualo. Una pista: están relacionados con la cultura y los viajes.

TESS: Hola, amigos. ¿Cómo están? A todos les gusta divertirse, ¿verdad? Pues esta vez lo van a pasar en grande, se lo aseguro. Tomen nota. Lucas, Asha, ¿saben qué es la trova?

LUCAS: Creo que es un tipo de música que se originó en Cuba.

TESS: Efectivamente. Pues su tarea consiste en cantar una trova delante de sus compañeros.

ASHA: ¡Qué divertido! Me gusta cantar.

LUCAS: Pues a mí me da mucha vergüenza...

TESS: ¡Ánimo, Lucas! Si ensayan, seguro que la actuación será un éxito.

EVA: ¿Y cuál es nuestra tarea, Tess?

TESS: Ustedes tienen que hacer una maqueta de la Nariz del Diablo.

ETHAN: ¿La Nariz del Diablo? ¿Eso qué es?

TESS: Es una de las mayores atracciones turísticas de Ecuador. Por allí pasa el ferrocarril más «difícil» del mundo...

EVA: Suena interesante. Tengo muchas ganas de empezar.

TESS: Michelle, Daniel, ¿se consideran unos superviajeros? Espero que sí, porque van a participar en un concurso para superviajeros organizado por una red de albergues juveniles. Y el premio merece la pena.

MICHELLE y DANIEL: ¡Qué bien! ¡Nos encanta viajar!

TESS: Me alegro. Bueno, espero que aprendan mucho y que se diviertan. ¡¡¡Buena suerte!!!

Yo no sé nada de la trova.

Yo tampoco sé mucho... Creo que se hizo muy popular en Cuba en los años 60 del siglo XX. Habrá que investigar.

A mí también. Tenemos que hacer un buen trabajo, Ethan.

Me encanta nuestra tarea. Además, me gustan mucho las manualidades.

¡Y yo! ¿Buscamos las reglas en Internet para planear una buena estrategia?

¡Yo quiero que ganemos el concurso!

1 **¿Comprendes?**

▶ **Escribe.** ¿Qué tarea tiene que hacer cada pareja?

▶ **Responde** a estas preguntas.

1. ¿En qué país se originó la trova? ¿Cuándo logró más fama?
2. ¿Dónde está la Nariz del Diablo?
3. ¿Qué es un albergue juvenil? Si no lo sabes, averígualo.

▶ **Explica.** ¿Qué desafío te parece más difícil? ¿Por qué?

2 **Investiga**

▶ **Busca** tres palabras del texto que sean nuevas para ti y fíjate en el contexto. ¿Qué crees que significan? Escribe una oración con cada una.

Antes de empezar

EXPRESIONES ÚTILES

Para hablar sobre el tiempo libre:

Me gusta mirar fotografías para **pasar el rato**.

Yo suelo **entretenerme** haciendo crucigramas.

¿Jugamos a algo para **matar el tiempo**?

Para decir cómo lo has pasado:

Estuve en un parque de atracciones y **lo pasé en grande**.

Ayer fui a una fiesta, pero **me aburrí como una ostra**.

Para hablar de un espectáculo:

El sábado **fuimos a la última sesión** y el cine **estaba hasta la bandera**.

La película *Lo imposible* **ha sido un éxito** inesperado.

El Circo del Sol **prorroga su espectáculo** hasta el mes de marzo.

---

3 **Diálogos**

▶ **Completa** estos diálogos usando las expresiones útiles.

1. —Me encanta ir a la playa a tomar el sol.

   —Pues a mí no. En la playa me aburro como una ___1___.

2. —¿Qué tal la fiesta?

   —¡Genial! Lo pasamos en ___2___.

3. —Yo suelo hacer crucigramas o juego a los naipes para ___3___ el tiempo. ¿Y tú?

   —Yo prefiero pasar el ___4___ leyendo o escuchando música.

4. —El teatro estaba hasta la ___5___. Habían vendido todas las entradas.

   —O sea, que la función fue todo un ___6___.

   —Sí. Ojalá ___7___ la obra. Si puedo, volveré a verla. Pero tendré que ir a la última ___8___, porque salgo muy tarde del trabajo.

---

4 **Dicho de otra forma**

▶ **Transforma** estas oraciones con una expresión equivalente.

Modelo   Mi hermana hace sudokus para **no aburrirse**.

   → *Mi hermana hace sudokus para pasar el rato.*

1. Cuando estuvimos en la discoteca, **nos divertimos mucho**.
2. La película no me gustó nada. **Me pareció muy aburrida**.
3. La sala de conferencias **estaba llena de gente**.
4. La obra de teatro **ha recibido muy buenas críticas**.
5. El espectáculo de danza **continuará un mes más**.

RECUERDA

Ocio y espectáculos

el cine   el público
el concierto   la taquilla
la exposición
el teatro

la película cómica
la película de acción
la película de terror
la película policíaca
la película romántica

coleccionar monedas/sellos
jugar al ajedrez
montar a caballo
tocar la guitarra

Los viajes

la agencia de viajes
el andén
el boleto sencillo/de ida y vuelta
el equipaje
el mostrador del aeropuerto
los pasajeros
la tarjeta de embarque
el vuelo procedente de.../con destino a

El coche

arrancar   el cinturón de seguridad
estacionar   la ventanilla
manejar   el volante

---

5 ¿Cuánto sabes?

▶ **Habla** con tu compañero(a). Describan dónde están las personas de las fotografías, qué están haciendo y qué va a pasar después.

▶ **Elige** una de las fotos y escribe un diálogo entre los personajes.

---

6 Cuéntame más

▶ **Responde** a estas preguntas.

1. ¿Alguna vez has ido al teatro? ¿Qué viste la última vez que fuiste?
2. ¿Cuál fue la última película que viste en el cine? ¿Qué tipo de película era?
3. ¿Adónde viajaste por última vez? ¿Cómo fuiste? ¿Con quién?

▶ **Lee** las respuestas de tu compañero(a) y escribe varias preguntas para saber más cosas sobre sus experiencias. Después, intercámbienselas y respondan por escrito.

Una trova auténtica

La escuela de Lucas y Asha celebra un festival internacional de música y ellos tienen que interpretar una trova. Tendrán que elegir un tema original de un compositor cubano, aprendérselo y actuar ante sus compañeros. ¿Lo harán bien?

LUCAS: ¿Realmente tenemos que cantar en el escenario delante de todos? ¿No te da vergüenza?

ASHA: Qué va, a mí me encanta actuar. De niña, mis amigas y yo solíamos entretenernos dando conciertos en casa para nuestros padres. Seguro que lo hacemos genial.

LUCAS: Pues a mí me da pánico cantar en público. ¿Y si yo me encargo del escenario? Tiene que parecer una auténtica casa de trova cubana.

ASHA: ¡Qué buena idea! Pero no estarás pensando en dejarme actuar sola, ¿no? ¿Por qué no cantamos juntos al menos el estribillo?

LUCAS: De acuerdo.

ASHA: Y a cambio tienes que ocuparte de elegir un tema sencillo de algún compositor famoso.

LUCAS: Trato hecho. Tú tocas la guitarra, ¿verdad?

ASHA: Sí... ¿Por qué?

LUCAS: Pues porque normalmente la trova se canta acompañada de guitarra.

ASHA: Ah, pues yo toco bastante bien.

LUCAS: Ya estoy más animado. Tal vez al final el público nos aplauda...

ASHA: ¡Pues claro, hombre! Oye, ¿y cómo son las trovas: tristes, alegres...?

LUCAS: Creo que muchas tratan temas sociales, pero es probable que también haya canciones de amor y otros sentimientos.

---

7 **Detective de palabras**

▶ **Completa** estas oraciones.

hacer encargarse aplaudir haber

1. Seguro que Asha y Lucas lo _____ genial.

2. A lo mejor Lucas _____ del escenario.

3. Tal vez al final el público los _____.

4. Es probable que también _____ canciones de amor.

▶ **Compara** los verbos de esas oraciones. ¿En qué modos están conjugados? ¿Por qué?

8 **¿Comprendes?**

▶ **Responde** a estas preguntas.

1. ¿Qué tienen que hacer Asha y Lucas?
2. ¿De qué se va a encargar Lucas? ¿Y Asha?
3. ¿Qué van a hacer los dos juntos?

▶ **Decide.** ¿Qué problema tiene Lucas con el desafío?

a. Que le da vergüenza cantar delante de sus compañeros(as).
b. Que no sabe tocar ningún instrumento.
c. Que piensa que al público no le va a gustar su actuación.

9 **La música cubana**

 ▶ **Escucha** y responde a estas preguntas.

1. ¿Qué tres influencias en la música cubana menciona Lucas?
2. ¿Qué géneros musicales cubanos conocen Asha y Lucas?

 ▶ **Escucha** de nuevo y escribe tres oraciones ciertas o falsas sobre la información que se da en esta conversación. Después, intercámbienlas y resuélvanlas.

Modelo *La flauta es un instrumento principal en la música cubana.*

 ▶ **Dibuja** con dos compañeros(as) una cubierta para un disco de música típica cubana. Después, expliquen a la clase qué elementos han incluido y por qué.

 **CULTURA**

La trova y la nueva trova

La trova es un género musical originado en Francia en la Edad Media y está considerado como una de las raíces de la música cubana. En Cuba la popularizaron los trovadores en el siglo XIX, unos músicos que se ganaban la vida cantando y tocando la guitarra por los bares y las calles de Santiago de Cuba.

Actuación en una casa de trova (Cuba).

La trova se hizo famosa en todo el mundo en los años sesenta del siglo XX, después de la Revolución cubana, cuando nació la nueva trova, un estilo musical renovado en el que los compositores tratan temas sociales y políticos.

10 **Piensa y habla.** ¿Qué te parece que se traten temas sociales o políticos en la música? ¿Conoces algún grupo o algún compositor que lo haga? ¿Te gusta? ¿Por qué?

Vocabulario

Ocio y espectáculos

ASHA: Ayer fui a un concierto de música clásica. La orquesta tocó fenomenal. Y también actuaba un coro con unas voces increíbles. Fue todo un éxito.

LUCAS: ¡Qué casualidad! Yo también fui a un concierto, pero de una banda de *jazz*. Interpretaron algunas piezas musicales muy famosas del compositor Louis Armstrong.

ASHA: ¿La gente se sabía las canciones?

LUCAS: Toda la letra no, pero la gente sí cantaba los estribillos. ¡Incluso yo me animé!

Deportes y tiempo libre

escalar

practicar artes marciales

patinar sobre hielo

navegar

pescar

bucear

Más vocabulario

Juegos de mesa

la partida: conjunto de jugadas que se realizan hasta que alguien gana un juego.

hacer trampas: engañar, no seguir las reglas del juego.

tener mal perder: enfadarse cuando no se gana un juego.

| la casilla | *square* | la ficha | *chip, token* |
| el dado | *die (dice)* | el tablero | *board* |

¡Atención!

| el éxito | *success* | la salida | *exit* |

11 **¿Jugamos una partida?**

▶ **Une** las dos columnas.

(A)
1. jugar
2. avanzar
3. tirar
4. hacer
5. mover

(B)
a. una ficha
b. una partida
c. trampas
d. una casilla
e. los dados

12 Las preferencias de la clase

▶ **Escribe** cinco preguntas para conocer las preferencias de ocio de tus compañeros(as). Puedes basarte en esta información.

Modelo   *¿A ustedes cuál es el tipo de música que más les gusta?*

– Tipo de música preferido: *rock*, pop, clásica, *jazz*...

– Deportes que practican: jugar al baloncesto, practicar artes marciales...

– Juegos y pasatiempos: crucigramas, naipes, ajedrez...

– Actividades al aire libre: pescar, navegar, patinar sobre hielo...

– Otras actividades: conciertos, teatro, cine...

 ▶ **Haz** preguntas a tus compañeros(as) y responde a las suyas. ¿Con quién tienes más afinidades?

13 ¿Cómo se van a entretener?

 ▶ **Escucha** y escribe. ¿Qué actividades se ofrecen en el crucero?

 ▶ **Escucha** de nuevo y escribe una recomendación para estas personas.

Modelo   La señora Rodrigo quiere entretenerse después de la cena.
  → *Le recomiendo que vaya al concierto de jazz de esta noche.*

1. Estela quiere explorar la ciudad, pero por la tarde quiere divertirse con sus amigas.

2. Lolita y Timo no quieren salir hoy del barco.

3. Miguel quiere ver los peces tropicales.

4. Mi hermana y yo queremos hacer alguna actividad física.

 CULTURA

Los juegos tradicionales

En todos los países del mundo hay juegos y juguetes tradicionales, algunos de ellos autóctonos. La zaranda, por ejemplo, es originaria del suroeste de Venezuela y de los llanos de Colombia. Es un juguete que se fabrica a partir del fruto de la calabaza. El juego consiste en hacerla girar. Históricamente se jugaba en Semana Santa, aunque ahora se hace en cualquier época del año. Hoy en día se organizan festivales para contribuir a preservar los valores culturales indígenas, como el Festival del Trompo y la Zaranda.

14 Compara. ¿Qué juegos y juguetes tradicionales de tu cultura o de otras culturas conoces? ¿Todavía se mantienen? ¿Crees que se mantendrán? ¿Por qué?

DESAFÍO 1

Gramática

Expresar frecuencia

Expresiones de frecuencia

- Recuerda: para expresar la frecuencia con la que hacemos algo, utilizamos adverbios y frases adverbiales como estas:

nunca   casi nunca   a veces   con frecuencia   muchas veces   casi siempre   siempre
          rara vez   a menudo

−   +

- Para expresar de una forma más precisa la frecuencia con la que hacemos algo en un período de tiempo determinado, puedes utilizar estas estructuras:

| número + vez/veces + al/a la + tiempo |

Voy al cine **tres veces al mes**.
Voy al cine **una vez a la semana**.

| cada + número + tiempo |

Tengo clases de guitarra **cada dos días**.

| todos(as) + los(as) + tiempo |

Voy de compras **todos los fines de semana**.

- También puedes expresar frecuencia utilizando adverbios como diariamente *(daily)*, semanalmente *(weekly)*, mensualmente *(monthly)* o anualmente *(yearly)*.

    Charlo con mis amigos **diariamente**, pero salgo con ellos **semanalmente**.

Preguntar sobre la frecuencia de una acción

- Para preguntar por la frecuencia con la que alguien hace algo, usa ¿Con qué frecuencia...?, ¿Cuándo...? o ¿Cada cuánto tiempo...?

    ¿Con qué frecuencia vas al cine?   **¿Cada cuánto tiempo** ves a tus abuelos?

Soler + infinitivo

- Para hablar sobre acciones que desarrollamos habitualmente, usa esta estructura:

| soler *(to be in the habit of)* + infinitivo |

—¿Qué **sueles hacer** los fines de semana?
—**Suelo ir** al cine con mis amigos.

Atención: el verbo soler solo se conjuga en dos tiempos verbales: el presente (suelo, sueles...) y el imperfecto (solía, solías...).

15 **Compara.** Traduce estas oraciones al inglés. ¿Qué diferencias hay en el orden de las palabras entre el español y el inglés?

a. Doy **siempre** un paseo después de cenar.   b. No he navegado **nunca**.

16 **¿Con qué frecuencia?**

▶ **Escribe.** ¿Con qué frecuencia haces ahora y hacías de niño(a) las siguientes actividades?

Modelo   pescar —→ *Ahora pesco a veces, pero de niño no lo hacía nunca.*

1. jugar a juegos de mesa   2. enviar mensajes de texto   3. montar en bici

La vida de una cantante

 ▶ **Escucha** la entrevista y elige la opción correcta.

1. Rita presenta un concierto...

   a. semanalmente.　　**b.** diariamente.　　　　**c.** mensualmente.

2. Ella compone música...

   a. cada día.　　　　**b.** todas las semanas.　　**c.** una vez al mes.

3. Rita pasa tiempo con su familia...

   a. una vez al mes.　　**b.** semanalmente.　　　**c.** cada día.

4. Ella tiene tiempo para jugar con sus hijos...

   a. diariamente.　　　**b.** semanalmente.　　　**c.** nunca.

5. Los niños de Rita viajan con ella...

   a. con frecuencia.　　**b.** rara vez.　　　　　**c.** casi siempre.

▶ **Escribe** un resumen de la entrevista. Explica lo que hace y no hace Rita Castillo en su vida cotidiana.

18 **Nuestros hábitos**

 ▶ **Habla** con tu compañero(a) sobre sus hábitos. ¿Piensas que tiene un estilo de vida activo o sedentario? ¿Tiene unos hábitos y unos horarios regulares o varía mucho en su rutina? Hazle preguntas para averiguarlo.

> después de las clases
> después de cenar
> los viernes por la noche
> los fines de semana
> durante el verano

Modelo
A. *¿Qué sueles hacer por la mañana?*
B. *Suelo ducharme, desayunar y esperar el autobús*
　 para venir a la escuela.

 ▶ **Compara** tus hábitos con los de tu compañero(a) y presenta tus conclusiones a la clase.

 **CULTURA**

Deportes extremos (Nicaragua)

Chico practicando *sandboard*.

Escalar volcanes, recorrer la jungla, hacer *rafting* o *kitesurf*, bucear en las islas del Maíz para ver los restos de un galeón hundido o incluso bajar los 726 metros del volcán Cerro Negro en una tabla de *sandboard*; estos deportes, considerados de riesgo por su peligro y dificultad, son deportes extremos y una de las posibilidades de ocio que se pueden encontrar en Nicaragua, gracias a su riqueza geográfica.

19 **Explica.** ¿Te interesan los deportes extremos? ¿Por qué? ¿Cuáles te parecen más interesantes?

Gramática

Expresar probabilidad (I)

Expresiones de probabilidad

- El español tiene diferentes expresiones para hablar sobre la posibilidad o la probabilidad de que una acción ocurra. Algunas de ellas implican un mayor o menor grado de certeza o de duda por parte del hablante.

  – La mayor parte de las expresiones de probabilidad llevan una cláusula dependiente con un verbo en subjuntivo.

  > Es probable que **llegue/llegara** tarde.
  > Puede que hoy **vayamos** a la playa.

  – Las expresiones a lo mejor y seguro que requieren un verbo en indicativo.

  > **A lo mejor** podéis/pudisteis/podréis/podríais hablar con él.
  > **Seguro que** el concierto es/era/fue/será/sería espectacular.

EXPRESIONES DE PROBABILIDAD

Es posible / Es probable Es improbable Lo más probable es Puede (ser)	+ que + subjuntivo
A lo mejor Seguro + que	+ indicativo

- También podemos expresar probabilidad con un adverbio como posiblemente o probablemente. Aunque pueden ir con indicativo, los adverbios de probabilidad suelen ir con subjuntivo en estos casos:

  – Cuando se habla de una acción futura.

  > **Probablemente** vayamos mañana a pescar.

  – Cuando queremos expresar un mayor grado de duda.

  > **Tal vez** Javier esté ahora mismo en la biblioteca.

ADVERBIOS DE PROBABILIDAD

Posiblemente Probablemente Seguramente	+ indicativo
Quizá(s) Tal vez	+ subjuntivo

- Para expresar probabilidad o conjetura usamos también la estructura deber de + *infinitivo*.

deber de + infinitivo	La actriz **debe/debía de** estar muy feliz con su premio.

20 **Piensa.** ¿Cómo se expresa la probabilidad en inglés? ¿Hay distintos grados?

---

21 **La nueva amiga de Lucas**

▶ **Escucha** y decide si estas oraciones son ciertas o falsas. Después, corrige las falsas.

1. Tal vez Wendy vaya a la playa mañana.
2. Es posible que Wendy juegue al fútbol con Lucas este fin de semana.
3. Probablemente Wendy limpie su habitación mañana.
4. Posiblemente los abuelos de Wendy vengan de visita la semana que viene.
5. Es improbable que Lucas vaya a casa de Wendy el fin de semana que viene.

22 Las dudas de Lucas

▶ **Lee** el mensaje que Lucas le envía a Asha y elige la opción correcta. Ten en cuenta que en algún caso puede haber dos respuestas posibles.

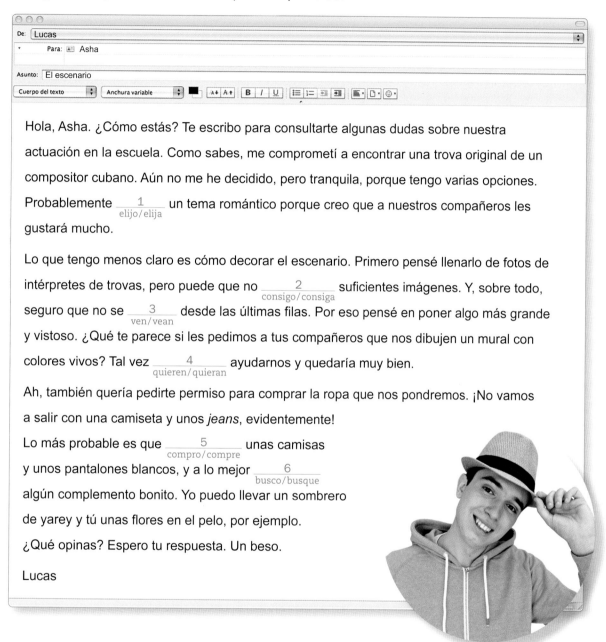

De: Lucas

Para: ▲ᴱ Asha

Asunto: El escenario

Cuerpo del texto ⬦   Anchura variable ⬦ ■ A⁻ A⁺ B *I* U ≔ ≔ ⬛ ⬛ ■▾ ▯▾ ☺▾

Hola, Asha. ¿Cómo estás? Te escribo para consultarte algunas dudas sobre nuestra actuación en la escuela. Como sabes, me comprometí a encontrar una trova original de un compositor cubano. Aún no me he decidido, pero tranquila, porque tengo varias opciones. Probablemente ___1___ un tema romántico porque creo que a nuestros compañeros les

elijo/elija
gustará mucho.

Lo que tengo menos claro es cómo decorar el escenario. Primero pensé llenarlo de fotos de intérpretes de trovas, pero puede que no ___2___ suficientes imágenes. Y, sobre todo,

consigo/consiga
seguro que no se ___3___ desde las últimas filas. Por eso pensé en poner algo más grande

ven/vean
y vistoso. ¿Qué te parece si les pedimos a tus compañeros que nos dibujen un mural con colores vivos? Tal vez ___4___ ayudarnos y quedaría muy bien.

quieren/quieran

Ah, también quería pedirte permiso para comprar la ropa que nos pondremos. ¡No vamos a salir con una camiseta y unos *jeans*, evidentemente!

Lo más probable es que ___5___ unas camisas

compro/compre
y unos pantalones blancos, y a lo mejor ___6___

busco/busque
algún complemento bonito. Yo puedo llevar un sombrero de yarey y tú unas flores en el pelo, por ejemplo.

¿Qué opinas? Espero tu respuesta. Un beso.

Lucas

▶ **Habla** con dos compañeros(as).

1. ¿Qué tipo de ropa creen que van a llevar finalmente Asha y Lucas en su actuación?
2. ¿Qué instrumentos utilizarán para acompañar mejor la trova?
3. ¿Cómo puede decorar Lucas el escenario?

Modelo

A. *Probablemente usen una guitarra porque es el instrumento típico de la trova.*
B. *Estoy de acuerdo. Y tal vez Lucas acompañe a Asha con unas maracas.*
   No es muy difícil.

Antes de leer: estrategias

1. Lee el título del texto. ¿Qué sabes ya sobre la trova? Anótalo.

2. Busca la canción en el texto. ¿Qué tema trata?

3. Localiza el título de la canción y escríbelo.

Una canción preciosa

LUCAS: Asha, he estado investigando sobre la trova cubana. Resulta que hay una trova tradicional, más antigua, y una nueva trova, la de los años sesenta y setenta del siglo XX.

ASHA: ¡Ah! ¿Y cuál has elegido?

LUCAS: He estado escuchando varias canciones y finalmente he encontrado una trova tradicional que me ha gustado mucho. Se titula *Veinte años* y la compuso María Teresa Vera en 1935.

ASHA: ¡En 1935! ¡Qué antigua!

LUCAS: Ya, pero desde entonces la han interpretado muchos artistas. ¿Quieres escucharla?

ASHA: Claro.

> *Qué te importa que te ame,*
> *si tú no me quieres ya.*
> *El amor que ya ha pasado*
> *no se debe recordar.*
> *Fui la ilusión de tu vida*
> *un día lejano ya.*
> *Hoy represento el pasado,*
> *no me puedo conformar[1].*

ASHA: ¡Es preciosa! Me encantan la letra y la música.

LUCAS: ¿Te atreverás a cantarla?

ASHA: Tendré que ensayar mucho, pero lo conseguiré.
   Oye, ¡tú prometiste acompañarme en el estribillo! ¡Que no se te olvide!

LUCAS: Sí, aunque me da mucha vergüenza cantar en público, ya lo sabes.

ASHA: Tranquilo. Seguro que la canción les va a encantar a todos.

---

1. *to resign myself*

23 **¿Comprendes?**

▶ **Responde** a estas preguntas.

1. ¿A qué tipo de trova corresponde la canción elegida por Lucas?

2. ¿Qué relación crees que hay entre el título de la canción y su letra?

3. ¿Qué le pasa al protagonista de la canción?

4. ¿Quién se muestra más seguro del éxito de la tarea, Asha o Lucas? ¿Por qué? ¿En qué palabras del texto se refleja esa actitud?

24 **Palabras relacionadas**

▶ **Completa** una tabla como esta a partir de los verbos que aparecen en el texto que has leído.

ACCIÓN (verbo)	CONCEPTO (nombre)	PERSONA (nombre)
cantar	canción	cantante
investigar		
		compositor
interpretar		

▶ **Escribe** un párrafo que contenga, al menos, cinco de las palabras anteriores.

Modelo

A mí me encanta escuchar música, pero no suelo cantar porque no tengo buena voz. Mis cantantes y grupos preferidos son...

25 **Con tus propias palabras**

▶ **Completa** esta estrofa de la canción inventándote los versos que faltan.

▶ **Comparte** tu versión con tus compañeros(as). ¿Cuál les gusta más?

▶ **Busca** otra canción de la trova cubana tradicional o de la nueva trova. Escúchala y apréndete la letra. Si quieres, puedes cantársela a tus compañeros(as).

VEINTE AÑOS

Qué te importa que te ame,

_____ .

El amor que ya ha pasado

_____ .

Fui la ilusión de tu vida

_____ .

Hoy represento el pasado,

_____ .

Comunicación

26 La Casa de la Trova

▶ **Lee** el texto y escribe un breve resumen del origen de la Casa de la Trova Pepe Sánchez.

Casa de la Trova de Santiago de Cuba: santuario de la música cubana

Casa de la Trova Pepe Sánchez.

Hablar de la música cubana y Santiago de Cuba sin mencionar la Casa de la Trova Pepe Sánchez es imposible. Ese pequeño inmueble de la calle Heredia entre San Félix y San Pedro recoge entre sus paredes más historia de nuestra cultura que muchos otros espacios de mayor rango y renombre.

Su creador fue Virgilio Palais, allá por la década del 50 del siglo XX. Virgilio era torcedor de tabaco e intentaba mejorar su situación económica por distintas vías, pero eran años difíciles. Y para «matar el aburrimiento» se ponía a cantar *a capella*, cosa que al parecer no hacía mal con su voz de tenor. Amigos y trovadores se reunían en el lugar a acompañarlo. La presencia del trovador Ángel Almenares con su guitarra le dio sin duda un realce especial a esos encuentros.

Pronto el local, frecuentado por los choferes del Hotel Casa Granda que se encuentra al frente, comenzó a ser visitado por los amantes de la trova y la buena música, y se fue convirtiendo en un lugar habitual para el pueblo santiaguero.

Fuente: http://cubaensolfa.wordpress.com
(selección)

▶ **Define** estos términos del texto con tus propias palabras.

1. inmueble   2. renombre   3. *a capella*   4. realce   5. frecuentado

▶ **Investiga.** ¿Continúa existiendo la Casa de la Trova Pepe Sánchez? ¿Qué actividades realiza? Comparte tus investigaciones con tu compañero(a).

27 **Un momento de tensión**

▶ **Imagina** por qué Asha y Lucas salieron tarde al escenario. Escribe varias oraciones usando expresiones de probabilidad.

 ▶ **Habla** con dos compañeros(as) y compartan sus oraciones. ¿Qué explicación les parece más razonable?

Modelo

A. *Es posible que Lucas se pusiera nervioso y no quisiera salir al escenario.*

B. *Pues yo pienso que quizás hubo un problema técnico, porque Lucas es muy responsable y nunca haría eso.*

Final del desafío

Asha: ¡Qué bien ha salido nuestra actuación!

Lucas: ¡Sí, nos han aplaudido mucho!

Asha: Oye, siento muchísimo que se me olvidara la guitarra en casa. ¿Crees que al público le molestó que saliéramos un poco tarde a actuar?

Lucas: ¡Qué va! Seguro que ___1___ que yo estaba nervioso y no quería salir al escenario...

Asha: Lo has hecho muy bien. Debes de ___2___ orgulloso, ¿no?

Lucas: Sí, y tú también. ¿Sabes? Nunca pensé que ___3___ posible que yo cantara en público. ¡Todavía no me lo creo!

Asha: Quizás este desafío te ___4___ a participar en más espectáculos.

Lucas: No sé, no sé. Aunque tengo que reconocer que he aprendido mucho y que me ha dado más confianza en mí mismo. Muchas gracias por tu ayuda, Asha.

Asha: No hay de qué. Ahora debemos ___5___ el éxito, ¿no te parece?

28 **Un gran éxito**

▶ **Completa** el diálogo con la forma correcta de estos verbos.

| ser | celebrar | pensar | animar | estar |

 ▶ **Habla** con tu compañero(a) sobre el final del desafío. ¿Debe estar orgulloso Lucas? ¿Alguna vez has vivido como Lucas una situación en la que no tenías confianza en ti mismo(a) pero al final todo salió bien?

Una maqueta misteriosa

Ethan y Eva tienen que hacer una maqueta de un lugar llamado Nariz del Diablo.
¿Por qué tendrá ese nombre? ¿Qué lugar será?

ETHAN: ¡Qué desafío tan misterioso!

EVA: Sí, pero eso de hacer una maqueta parece divertido.

ETHAN: ¿Por qué se llamará Nariz del Diablo?

EVA: No tengo ni idea. ¿Crees que Tess se habrá
equivocado con el nombre?

ETHAN: No, no creo. Ella nos dio una pista: dijo que es una
de las mayores atracciones turísticas de Ecuador y
que allí está el ferrocarril más «difícil» del mundo.
¿Qué querría decir?

EVA: No sé. ¿Será que costó mucho construirlo?

ETHAN: Puede ser.

EVA: Vamos a buscar información en Internet y lo averiguamos. Y, de paso, podemos
imprimir algunas fotos. Las vamos a necesitar.

Ferrocaril a Nariz del Diablo (Ecuador).

ETHAN: Aquí está. Te lo leo: «En una parte de la
montaña conocida como la Nariz del Diablo
el tren tiene que avanzar en zigzag dentro
de la roca». También dice que tardaron unos
treinta años en realizar la obra y que murieron
cientos de obreros… ¡Qué horrible! Ahora
entiendo por qué Tess nos dijo que este era
el ferrocarril más difícil del mundo.

EVA: Sí, tan difícil como nuestro desafío.

ETHAN: No te desanimes, Eva, ya verás como lo
hacemos fenomenal. Vamos a buscar más fotos
y a pensar qué materiales necesitaremos.

---

29   **Detective de palabras**

▶ **Completa** estas oraciones con las formas verbales que se usan en el texto.

| llamarse |
| equivocarse |
| querer |
| ser |

1. ¿Por qué _____ Nariz del Diablo?

2. ¿Crees que Tess _____ con el nombre?

3. ¿Qué _____ decir?

4. ¿ _____ que costó mucho construirlo?

▶ **Piensa.** ¿A qué tiempos verbales corresponden esas formas? ¿Qué expresan esas oraciones?

30 **De excursión**

▶ **Lee** la información y responde a las preguntas.

NARIZ DEL DIABLO

Distancia: 12 km | Tiempo: 2h 30 min

Un recorrido donde el turista podrá deleitarse con los típicos paisajes andinos, la cultura, el folclore y la artesanía. Además disfrutará de una majestuosa obra de ingeniería única en el mundo por su peculiar forma en zigzag.

¡Escoge!

Excursión estándar | ida y vuelta $25
- Viaje en tren.

Excursión plus | ida y vuelta $35
- Viaje en tren (asientos laterales).
- El precio incluye $2 de consumo en el café del tren.
- Guía nativo.
- Entrada del Museo Cóndor Puñuna.

Viaje expreso | ida y vuelta $6.50
- Viaje en autoferro (asientos laterales).
- No incluye guía.

Excursión estándar (Alausí-Sibambe-Alausí)
De martes a domingo y feriados
Hora de salida: 8:00 a. m. / 11:00 a. m. / 3:00 p. m.

Viaje expreso (Alausí-Sibambe-Alausí)
De viernes a domingo y feriados
Hora de salida: 9:00 a. m.

---

1. ¿Cuál es la ruta de esta excursión? ¿Cuánto dura el viaje?
2. ¿Qué tiene de especial el recorrido?
3. ¿Qué crees que es un autoferro?

 ▶ **Habla** con tu compañero(a). Si pudieras hacer este viaje, ¿qué excursión elegirías? ¿Por qué?

 **CULTURA**

El ferrocarril más difícil del mundo

El Ferrocarril Transandino se empezó a construir en 1872 y pronto se le conoció como «el ferrocarril más difícil del mundo» por las características del trazado (*route*). Uno de los puntos más complicados fue la llamada Nariz del Diablo, una pared de roca casi vertical. En la actualidad funciona de nuevo gracias a un proyecto de restauración y es una atracción turística y una ruta importante para la economía de las comunidades cercanas.

31 **Compara.** ¿Conoces alguna obra que fuera difícil de terminar en la historia de tu país? ¿Para qué se utilizaba? ¿Funciona en la actualidad?

Vocabulario

Los viajes

EVA: ¡Hay miles de coches en esta autopista, llevamos más de diez minutos parados en este atasco!

ETHAN: No sé por qué hay tanto tráfico hoy. En esta ciudad la circulación no es mala y, en general, los conductores respetamos las normas de circulación y las señales de tráfico.

EVA: ¿Tú manejas con cuidado?

ETHAN: Pues claro. Siempre pongo el intermitente cuando voy a adelantar o a estacionar, cedo el paso a los peatones en los pasos de cebra...

EVA: Ay, Ethan, creo que es mejor y más rápido viajar en tren o en autobús...

ETHAN: Bueno, depende... ¿Te acuerdas de lo que nos pasó la última vez que fuimos en tren al aeropuerto? Llegamos tarde y tuvimos que poner una reclamación.

EVA: Fue porque el tren tuvo un problema técnico, como nos informó el revisor. Pero ¿te acuerdas del viaje que hicimos en el tren de alta velocidad en España? Fue extraordinario. Y todo lo que comimos en el vagón-restaurante estaba riquísimo.

ETHAN: Tienes razón. El AVE ofrece muchas comodidades y ventajas. ¡Y eso que viajamos en clase turista!

EVA: Ethan, ¿esa lucecita no quiere decir que tu coche está a punto de quedarse sin gasolina?

Más vocabulario

El coche

el maletero: lugar del coche en el que se guarda el equipaje.

la matrícula: placa oficial con letras y números que identifica el coche.

el pinchazo: perforación de la rueda que hace que pierda el aire.

la rueda de repuesto: rueda que se lleva en el maletero del coche para sustituir a otra.

El tren y el avión

el coche-cama	*sleeper car*
el tren de cercanías	*commuter train*
el tren de largo recorrido	*long-distance train*

¡Atención!

el/la conductor(a)	*driver*
el/la revisor(a)	*(train) conductor*

32 **Definiciones**

▶ **Lee** estas oraciones y escribe. ¿A qué palabras o expresiones de la ficha de Vocabulario se refieren?

1. Trenes que transportan pasajeros dentro de la ciudad o entre ciudades cercanas.
2. Vagón del tren dividido en compartimentos con camas.
3. Agente que se ocupa de comprobar que los viajeros llevan sus boletos.

▶ **Escribe** un ejemplo con otras tres palabras o expresiones del diálogo.

Viajes accidentados

▶ **Describe** estas ilustraciones con detalle. ¿Qué les ha pasado a estas personas?

 ▶ **Habla** con tu compañero(a). Elijan una de las viñetas, imaginen cómo continuó la historia y dibujen la viñeta final. Después, escriban la historia completa.

34 **¡Viajeros al tren!**

 ▶ **Escucha** la conversación y elige la opción correcta.

1. Ethan y su papá viajan en un tren…
   a. expreso.   **b.** nocturno.   **c.** directo.

2. Ethan está emocionado porque es la primera vez que viaja en un tren…
   a. de alta velocidad.   **b.** con coche-cama.   **c.** de largo recorrido.

3. Ethan y su papá hablan con el inspector en…
   a. la estación.   **b.** el coche-cama.   **c.** el vagón-restaurante.

4. Ethan busca dos asientos…
   a. libres.   **b.** reservados.   **c.** ocupados.

 ▶ **Habla** con tu compañero(a) sobre un viaje que hayas hecho durante la noche. ¿Cómo y con quién fuiste? ¿Cuál era tu destino? ¿Cómo fue el viaje?

CULTURA

El AVE (España)

En el año 1992 se puso en servicio la primera línea de tren de alta velocidad española (AVE) entre Madrid y Sevilla. Esta línea une las dos ciudades en dos horas y media. En los años siguientes la red de alta velocidad se ha extendido a varias ciudades españolas, revolucionando el concepto de viaje. En la línea Madrid-Barcelona o Madrid-Valencia, los trenes llegan a 300 kilómetros por hora (186 mph). Los viajeros aprecian la rapidez, la comodidad y la garantía de puntualidad.

35 **Piensa.** ¿Cuáles serían las ventajas y dificultades de un tren como este en tu país?

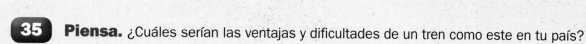

Gramática

Expresar probabilidad (II). El futuro y el condicional

Los tiempos del futuro

- Los tiempos del futuro se usan idiomáticamente para expresar conjetura o probabilidad:
  - El futuro (cantaré) puede expresar probabilidad en el presente. En este sentido equivale a *I suppose*, *I wonder*, *must* y *probably*.

    —¿Por qué están libres esos asientos?
    —No sé. **Estarán** reservados.

  - El futuro perfecto (habré cantado) puede expresar probabilidad en un pasado reciente.

    Mario no ha llegado aún. Se **habrá retrasado** por el tráfico.

Los tiempos del condicional

- El condicional (cantaría) y el condicional perfecto (habría cantado) se pueden usar para expresar probabilidad en el pasado, seguidos generalmente de un verbo en pretérito o en imperfecto.

    Serían las cuatro de la tarde cuando llegó Mario.
    (= Probablemente eran las cuatro de la tarde…)
    Eva **habría llegado** tarde al aeropuerto y por eso perdió el avión.
    (= Probablemente Eva llegó tarde…)

- Observa en los ejemplos anteriores que el condicional (serían) presenta la acción sin terminar, mientras que el condicional perfecto (habría llegado) la presenta como una acción ya terminada.

- Como todos los tiempos compuestos, el condicional perfecto se construye con el verbo auxiliar haber.

VERBOS REGULARES. CONDICIONAL PERFECTO

	Viajar	Comer	Salir
yo	habría viajado	habría comido	habría salido
tú	habrías viajado	habrías comido	habrías salido
usted, él, ella	habría viajado	habría comido	habría salido
nosotros(as)	habríamos viajado	habríamos comido	habríamos salido
vosotros(as)	habríais viajado	habríais comido	habríais salido
ustedes, ellos(as)	habrían viajado	habrían comido	habrían salido

36 **Piensa.** ¿Qué expresiones y tiempos verbales usas en inglés para expresar probabilidad o conjetura sobre el pasado?

37 **¿Futuro o condicional?**

▶ **Elige** la respuesta correcta.

1. ¿A qué hora llegaste a la estación? **Serán/Serían** las ocho.
2. ¿Por qué no ha subido Ethan al avión? **Habrá/Habría** olvidado el pasaporte.
3. ¿Por qué ha puesto Tess una reclamación? **Habrá/Habría** perdido una maleta.
4. ¿Por qué compra ahora Eva los boletos? **Serán/Serían** más baratos.

38 **¿Dónde estará Ethan?**

 ▶ **Escucha** la conversación y decide si estas afirmaciones son ciertas o falsas. Después, corrige las oraciones falsas.

1. La mamá de Eva cree que Ethan se habrá demorado comprando los materiales.
2. Ethan se iría aproximadamente a las seis.
3. Si Ethan no contesta es porque habrá olvidado su celular en casa.
4. La mamá de Eva supone que Ethan se habrá retrasado por el tráfico.

 ▶ **Habla** con tu compañero(a). ¿Por qué crees que se retrasaría Ethan? ¿Qué le pasaría? Imaginen, al menos, tres posibles razones.

Modelo   A. *Habría mucha gente en el almacén y por eso tuvo que esperar.*
         B. *O se le habría olvidado lo que tenía que comprar cuando llegó al almacén.*

39 **Probablemente...**

▶ **Escribe** una conjetura para cada situación.

Modelo   1. *Habría habido un accidente.*

1. Ethan y Eva estuvieron en un atasco en la autopista durante dos horas.
2. Ethan estacionó su coche en un lugar prohibido.
3. Cuando Eva viaja, muchas veces tiene que pagar por exceso de equipaje.
4. El año pasado Ethan siempre iba a la escuela en el tren de cercanías de su ciudad.

 **CONEXIONES: LENGUA**

La famosa actriz podría haberse casado en Hawai

El condicional de rumor

Se conoce como condicional de rumor el uso del condicional (simple o compuesto) en el lenguaje periodístico para expresar que lo que se dice son suposiciones o rumores no confirmados. Equivale al uso de expresiones como *al parecer, se cree que, según se dice, según nos han informado*, etc.

40 **Compara.** ¿En inglés hay algún recurso lingüístico equivalente al condicional de rumor?

Gramática

El presente perfecto de subjuntivo

El presente perfecto de subjuntivo

- Recuerda: usamos el presente perfecto de subjuntivo en el mismo tipo de cláusulas en las que usamos el presente de subjuntivo siempre que hablamos de una acción completada que es anterior a la acción de la cláusula principal.

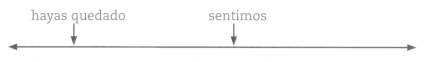

hayas quedado   sentimos

Sentimos que te **hayas quedado** sin gasolina en la autopista.

Repasa la formación del presente perfecto de subjuntivo en la página R21.

- Al igual que ocurre con el presente, el presente perfecto de subjuntivo puede referirse a acciones actuales o futuras.

VALOR TEMPORAL DEL PRESENTE Y EL PRESENTE PERFECTO DE SUBJUNTIVO

INDICATIVO		SUBJUNTIVO	
presente	Creo que Juan viene en tren.	presente	No creo que Juan venga en tren.
futuro	Creo que Juan vendrá en tren.		
presente perfecto	Creo que Eva ya ha comprado los boletos.	presente perfecto	No creo que Eva haya comprado todavía los boletos.
futuro perfecto	Creo que mañana Eva ya habrá comprado los boletos.		

Correlación de los tiempos verbales

- Recuerda: si la cláusula dependiente lleva un verbo en subjuntivo, el tiempo de ese verbo depende del verbo empleado en la cláusula principal.

CORRELACIÓN ENTRE EL INDICATIVO (TIEMPOS SIMPLES) Y EL SUBJUNTIVO

CLÁUSULA PRINCIPAL (modo indicativo)	CLÁUSULA DEPENDIENTE (modo subjuntivo)	
presente o futuro	presente (*acción sin completar*) presente perfecto (*acción completada*)	Me **molesta** que no **respetes**/**hayas respetado** las señales.
pretérito o imperfecto	imperfecto	Me **molestó** que no **respetaras** las señales.
condicional	imperfecto	Me **molestaría** que no **respetaras** las señales.

41 **Compara.** Traduce al inglés los ejemplos de la tabla. ¿Qué tiempos verbales has empleado?

42 **¡Al volante!**

▶ **Escucha** y elige la opción correcta.

1. Eva echará gasolina cuando _____ del atasco.
2. Ethan siente que a Eva le _____ una multa.
3. Eva lamenta que a Ethan se le _____ una rueda.
4. Ethan arrancará cuando Eva se _____ el cinturón.

a. haya salido	**b.** saldrá
a. pongan	**b.** hayan puesto
a. pinche	**b.** haya pinchado
a. haya puesto	**b.** pondrá

43 **Termínalas**

▶ **Completa** las oraciones teniendo en cuenta la secuencia de tiempos verbales.

1. Ethan siempre teme que los conductores...
2. Eva esperaba que el atasco en la autopista...
3. A los asistentes de vuelo no les gusta que los viajeros...
4. Los viajeros lamentaron que el avión...
5. Los pasajeros quieren que los trenes de largo recorrido...
6. A los turistas les enojaría que el próximo verano...

44 **Antes y ahora**

▶ **Escribe** oraciones para expresar las opiniones de Ethan siguiendo el modelo. Usa algunos de los verbos del cuadro.

Modelo 1. *Antes a Ethan no le preocupaba que la gente no respetara las normas de circulación.*
Sin embargo, ahora le molesta que los conductores no respeten a los peatones.

preocupar
molestar
sorprender
enojar
gustar
sentir
temer
querer
desear
esperar

45 **En mis viajes**

▶ **Habla** con tu compañero(a) sobre viajes. Usen estas preguntas.

A) En tu último viaje:
  1. ¿Qué esperabas que pasara?
  2. ¿Qué temías?
  3. ¿Qué suceso no te gustó?

B) En general, cuando viajas:
  1. ¿Qué esperas?
  2. ¿Qué te da miedo?
  3. ¿Qué te molesta?

LECTURA: TEXTO INFORMATIVO

Antes de leer: estrategias

1. El texto que vas a leer está relacionado con el tráfico en una gran ciudad. ¿Reconoces las palabras destacadas? Si no, busca su significado.

2. ¿Cómo se siente la gente cuando está en un atasco? ¿Cómo reacciona?

Como la vida misma

Las nueve menos cuarto de la mañana. **Semáforo** en rojo, un rojo inconfundible. Las nueve menos trece, hoy no llego. **Atasco**. Doscientos mil coches apretujados[1] junto al tuyo. Escudriñas[2] al vecino. Está intolerablemente cerca.

Verde. Avanza, imbécil. ¿Qué hacen? No **arrancan**. No se mueven, los cretinos. Están de paseo, con la inmensa urgencia que tú tienes. Doscientos mil coches que han salido a pasear a la misma hora con el único fin de fastidiarte[3]. ¡Rojjjjjjjjjjo! ¡Rojo de nuevo!

No es posible. Las nueve menos diez. Hoy desde luego que no llegooooo. Alguien **pita** por detrás. Te sobresaltas, casi arrancas. De pronto adviertes que el semáforo sigue aún en rojo. ¿Qué quieres, que salga con el paso cerrado, imbécil? (en voz alta y quebrada[4] por la rabia). Pip, piiiiiip. Te vuelves en el **asiento**. Gesticulas desaforadamente[5]. Los de atrás contestan con más gestos. Doscientos mil conductores solitarios encerrados en doscientos mil vehículos, todos ellos insultando gestualmente a los vecinos. En estas, la luz se pone verde y los de atrás del todo, a partir del coche doscientos mil uno, organizan un estrépito[6] verdaderamente portentoso. Ante tal algarabía reaccionas, recuperas el **volante**, al fin arrancas. Las nueve menos cinco.

La calle adquiere ahora una fluidez momentánea, puedes meter segunda, puedes meter tercera, te embriaga[7] el vértigo de la velocidad. Estás ya en la proximidad de tu destino, no hay posibilidades de **aparcar**.

De pronto descubres un par de metros libres, un milagroso pedacito de ciudad sin coche: pegas un **frenazo**, el corazón te late[8] apresuradamente.

Los conductores de detrás comienzan a **tocar la bocina**. Intentas **maniobrar**, pero los vehículos que te siguen te lo impiden. De pronto, uno de los coches de la fila se detiene, espera a que tú aparques. Intentas **retroceder** al hueco, pero la cosa está difícil. El vecino **da marcha atrás** para facilitarte las cosas, aunque apenas pueda moverse.

Tu agradecimiento es tal que te desborda[9], te llena de calor. Al fin aparcas y la fila continúa. Sales del coche, cierras la **portezuela**. Apresuras el paso para alcanzar al generoso conductor, detenido por el atasco a pocos metros. Llegas a su altura. Te inclinas sobre su **ventanilla**; muchas gracias, le dices en tono exaltado[10], aún tembloroso tras la batalla. El otro se sobresalta, te mira. Muchas gracias, insistes; soy el del coche azul, el que aparcaba. El otro palidece[11], al fin contesta con un hilo de voz: «Pero ¿qué quería usted, que me montara encima de los coches? No podía dar más marcha atrás». Tú por unos segundos no comprendes; al fin, enrojeces: «Pero si le estoy dando las gracias de verdad, oiga, le estoy dando las gracias». El hombre se pasa la mano por la cara, abrumado, y balbucea[12]: «Es que… este tráfico, estos nervios…». Reemprendes tu camino, sorprendido. Y mientras resoplas, te dices con filosófica tristeza, con genuino asombro: hay que ver lo agresiva que está la gente, no lo entiendo.

ROSA MONTERO. *Como la vida misma* (selección).
© Rosa Montero

---

1. muy juntos	3. molestarte	5. con exceso	7. te apasiona	9. *overflows*	11. *turns pale*
2. Examinas	4. *broken*	6. mucho ruido	8. *beats*	10. exasperado	12. *stammers*

46 ¿Comprendes?

▶ **Responde** a estas preguntas. ¿Qué palabras del texto justifican tus respuestas? Escríbelas.

1. ¿Quién es el protagonista del texto: un conductor o una conductora?
2. ¿Qué le sucede?
3. ¿Está tranquilo(a) el/la protagonista del texto?
4. ¿Crees que es una persona bien educada? ¿Se comporta adecuadamente?
5. ¿Por qué resulta irónico el final del texto?

▶ **Une** cada definición con la palabra correspondiente.

(A)	(B)
1. Hacer gestos.	a. sobresaltar
2. Preocupado, agobiado.	b. gesticular
3. Darse prisa, acelerar.	c. apresurar el paso
4. Caos, alboroto.	d. algarabía
5. Asustar o alterar a alguien de repente.	e. abrumado

47 Significa que...

▶ **Elige** la opción que mejor puede sustituir a las palabras destacadas.

1. Está **intolerablemente** cerca.
   a. muy   b. demasiado   c. un poco

2. Están de paseo, con la inmensa **urgencia** que tú tienes.
   a. inquietud   b. tranquilidad   c. prisa

3. De pronto **adviertes** que el semáforo sigue aún en rojo.
   a. te das cuenta de   b. avisas   c. alertas

4. Los coches organizan un estrépito verdaderamente **portentoso**.
   a. maravilloso   b. extraordinario   c. fenomenal

▶ **Lee** de nuevo el texto de Rosa Montero. ¿Puedes identificar en ese texto la estructura típica de los textos narrativos: Situación inicial–Acontecimiento inicial–Acciones–Situación final? Justifica tu respuesta con fragmentos extraídos del texto.

Situación inicial	Acontecimiento inicial	Acciones	Situación final
el punto de partida del relato	el hecho o problema que desencadena el conflicto que dará lugar a la acción	las actuaciones que los personajes realizan para resolver el conflicto planteado	la solución al conflicto planteado

48 Con tus propias palabras

▶ **Escribe** una descripción del protagonista del texto tal y como tú te lo imaginas. Piensa en detalles sobre su aspecto, su carácter, su trabajo, su familia, etc. ¿Conoces a alguien que se parezca a ese personaje?

Comunicación

49 **Viajar en el futuro**

▶ **Lee** el texto y responde a las preguntas.

¿Cómo serán los viajes del futuro?

¿Cuáles serán los destinos de moda dentro de diez años? ¿Qué tipo de información turística requerirá la gente? ¿Qué pasará con los viajes de negocios? ¿Qué rol tendrán las agencias de viajes tradicionales? Estas son algunas de las previsiones para dentro de diez años.

Internet

En 2008, el 41% de los europeos reservó sus viajes de placer a través de Internet. Un informe de la consultora FastFuture sugiere que en pocos años se espera que esa cifra crezca y que estos viajeros reserven la mayor parte de sus viajes a través de Internet.

Agentes de viaje

Probablemente reinventarán su rol como asesores personalizados y como fuente fiable de información para competir y diferenciarse de la caótica avalancha de información que puede representar Internet. Los agentes deberán posicionarse a partir de su oferta de profesionalidad, confianza, consejos personalizados y la experiencia imprescindible para manejar itinerarios de viaje complejos.

Clases virtuales

Las clases de asientos tal como las conocemos hoy posiblemente se fragmentarán para dar lugar a clases virtuales o clases personalizadas. No solo habrá asientos diferenciados físicamente (como en el caso actual de las butacas de Economy o Business), sino que comenzarán a dividirse o categorizarse a partir de las necesidades y preferencias de los viajeros: comidas, acceso a servicios como wifi, juegos o entretenimiento, requerimiento de zonas de descanso o sin perturbaciones, etc.

Fuente: http://www.clarin.com (texto adaptado)

1. Según el artículo, ¿en qué cambiarán los viajes en los próximos años?
2. ¿Qué deberán hacer los agentes de viaje para poder competir con Internet?
3. ¿Cómo se diferenciarán en el futuro los asientos en un avión?

 ▶ **Habla** con tu compañero(a) acerca de las ideas del artículo. ¿Están de acuerdo? ¿Qué otras previsiones pueden hacer?

 ▶ **Habla** con dos compañeros(as) sobre sus predicciones para 2025. ¿Habrán cambiado mucho los viajes? ¿Existirán las agencias de viaje tradicionales? ¿Cómo habrán evolucionado los medios de transporte?

50 El tren de alta velocidad

▶ **Escribe.** Imagina que en tu región van a construir una red de trenes de alta velocidad para unir las ciudades principales. Escribe una columna de opinión para el periódico local en la que expliques:

– Por qué es necesaria o innecesaria esa red de trenes.

– Cuáles son las ventajas e inconvenientes del proyecto.

– Qué tendría que pasar para que el proyecto fuera un éxito.

– Qué te emociona y qué temes del proyecto.

▶ **Presenta** tu columna a un grupo de compañeros(as). ¿Están ustedes de acuerdo?

Final del desafío

LA NARIZ DEL DIABLO

51 ¿Prueba conseguida?

▶ **Escribe** la conversación que tuvieron Ethan y Eva mientras terminaban su maqueta. Usa el futuro o el condicional de probabilidad y el presente perfecto del subjuntivo.

Modelo   EVA: *¿Cuánta gente participaría en la construcción de este ferrocarril?*

▶ **Habla** con tu compañero(a). Compara la fotografía de la página 202 y la maqueta que han hecho Ethan y Eva. ¿Crees que han logrado el desafío? ¿Por qué?

Un concurso para viajeros

Una red de albergues juveniles en España y México está promocionando un concurso llamado *¿Eres un «superviajero»?* El premio consiste en pasar tres noches en cualquier albergue de la red. ¿Conseguirán ganarlo Daniel y Michelle?

DANIEL: ¿En qué se diferencia un albergue juvenil de un hotel o de una pensión?

MICHELLE: En los albergues juveniles se suelen alojar estudiantes y gente joven. Las habitaciones tienen varias camas y puedes compartir habitación con otros viajeros; por eso son más baratos que los hoteles. Y algunos ofrecen actividades para jóvenes.

DANIEL: ¡Qué divertido! ¡Tenemos que ganar el concurso! Yo he viajado mucho, ¿y tú?

MICHELLE: Sí, yo también. Como a mi familia y a mí nos encanta la naturaleza, casi siempre vamos de cámping. ¡Hemos paseado nuestra tienda de campaña y nuestros sacos de dormir por todo el hemisferio! Y el año pasado recorrimos varios países europeos en tren.

DANIEL: ¡Qué suerte! Pues nosotros normalmente nos alojamos en hoteles ubicados en el centro de la ciudad porque nos resulta más cómodo. Pero un año, para variar, hicimos un viaje en caravana y disfruté un montón.

MICHELLE: Entre los dos hemos viajado tanto que podemos considerarnos unos «superviajeros». Y, puesto que tenemos un montón de experiencia, ¿qué te parece si hacemos un video para el concurso en el que mostremos los distintos tipos de viaje que hemos hecho?

---

52 **Detective de palabras**

▶ **Completa** estas oraciones.

1. Si ganan el concurso, Daniel y Michelle pasarán tres noches en un ___1___.

2. Como les encanta la naturaleza, Michelle y su familia van de ___2___: tienen una ___3___ y varios ___4___.

3. La familia de Daniel suele alojarse en ___5___ ubicados en el centro de la ciudad.

4. Una vez Daniel hizo un viaje en ___6___ con su familia.

▶ **Habla** con tus compañeros(as). ¿Qué opinas del plan de Daniel y Michelle para ganar el concurso? ¿Qué incluirías tú en el video? Justifica tu respuesta.

53 **¿Comprendes?**

▶ **Responde** a estas preguntas.

1. ¿Por qué hay jóvenes que prefieren alojarse en albergues?
2. ¿Qué diferencias entre los albergues y los hoteles se mencionan en el diálogo?
3. ¿Qué servicios de los hoteles crees que no suelen ofrecer los albergues?
4. ¿Alguna vez te has alojado en un albergue? ¿Te gustaría hacerlo? ¿Por qué?

54 **El turismo activo**

▶ **Lee.** ¿Qué es un(a) *turista activo(a)*? Escribe una definición con tus propias palabras.

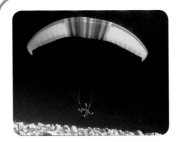

El turismo activo

En la actualidad, hay una demanda creciente de un turismo lleno de emociones fuertes que permita realizar hazañas deportivas, tener experiencias únicas o hacer algo que servirá para el crecimiento personal.

Utilizar las vacaciones para dar rienda suelta al afán de aventura y de superación personal, vivir intensas emociones o hacer cosas que nunca hacemos en un ambiente distinto del habitual son las motivaciones de aquellos que quieren romper con su rutina diaria. El turismo activo es una forma de vacaciones que favorece las actividades físicas o deportivas que se practican sirviéndose de los recursos que ofrece la naturaleza y que llevan implícito el factor riesgo, cierto grado de esfuerzo físico y, en algunos casos, cierta destreza para su práctica.

Fuente: http://www.uhu.es (texto adaptado)

 ▶ **Compara** tu definición con la de tu compañero(a). Según sus definiciones, ¿son ustedes turistas activos(as)? ¿Por qué?

 COMPARACIONES

La Red Española de Albergues Juveniles (REAJ)

Los albergues juveniles en España reciben cada año a más de un millón de viajeros amantes del turismo activo, cultural y deportivo, que buscan conocer a otros jóvenes del mundo. La Red Española de Albergues Juveniles forma parte de Hostelling International, una red mundial que permite a los jóvenes elegir entre más de 4.000 albergues situados en países de todo el mundo.

Logo internacional de albergues juveniles.

55 **Investiga y explica.** ¿Hay una red de albergues juveniles en tu país? ¿En qué se parecen o se diferencian de los albergues que hay en España?

Vocabulario

El alojamiento

INICIO HOTELES DESTINOS FOTOS COMENTARIOS

ALBERGUE SAN PABLO

83 % ambiente **92 %** limpieza **86 %** ubicación

Ignacio Perfecto para hospedarse tanto en verano como en invierno. Se puede practicar montañismo, hacer rutas en bici, alquilar canoas, esquiar... En temporada alta conviene reservar con antelación, aunque tengas que pagar por adelantado.

Julio Una atmósfera agradable y un personal muy amigable. Incluso nos prestaron una nevera portátil para ir de excursión.

Marcos Excelentes zonas de uso común: biblioteca, sala de juegos y TV... Mi única queja es que debería haber wifi gratuito y disponible en todas las habitaciones.

Begoña No ofrece las grandes comodidades de un hotel (si quieres servicio de habitaciones o que el botones te suba el equipaje, este no es tu sitio), pero es un lugar perfecto para los mochileros que recorren el mundo con poco dinero y a quienes no les importa compartir habitación o baño con otros huéspedes.

ver más...

Descripción

Alojamiento limpio y cómodo, ubicado al pie de las montañas y con vistas panorámicas.

Tarifa: 30 €/persona y día en habitación doble.

Media pensión (desayuno y almuerzo o cena) o pensión completa.

Más vocabulario

El cámping

la tienda de campaña   la caravana

el saco de dormir   la colchoneta

Más vocabulario

El tiempo meteorológico

la brisa	*breeze*
el chubasco	*downpour*
la niebla	*fog*
la ola de frío	*cold wave*
caluroso(a)	*hot*
glacial	*bitterly cold*
caer un chaparrón	*to pour down*

---

56 Hablando de alojamiento

▶ **Escribe** oraciones completas con estas palabras y expresiones.

Modelo   1. *Nos hospedamos en ese hotel porque el personal era muy agradable.*

1. hospedarse
2. nevera portátil
3. huésped
4. tienda de campaña
5. media pensión
6. caravana

57 **Compañeros de viaje**

▶ **Escucha** la conversación y decide si estas afirmaciones son ciertas o falsas. Después, corrige las falsas.

1. Diego y Carla quieren alojarse en un albergue juvenil.
2. Un hotel lujoso les costará menos que un albergue.
3. Diego está muy bien preparado para hacer cámping.
4. A Diego no le encanta la idea de compartir su desayuno con otros viajeros.
5. Carla está segura de que hará un tiempo agradable.

▶ **Habla** con tu compañero(a). ¿Preferirías viajar con Diego o con Carla? Explica por qué.

▶ **Representen** un diálogo en el que Diego y Carla solucionan su conflicto sobre adónde ir y dónde alojarse.

 58 **Hablamos de viajes**

▶ **Escribe** un resumen sobre un viaje que has hecho. Usa estas preguntas como guía:

– ¿Dónde, cuándo y con quién fuiste?
– ¿Qué actividades realizaste? ¿Qué fue lo que más te gustó?
– ¿Qué tiempo hacía?
– ¿Dónde te alojaste? ¿Qué características tenía el alojamiento? ¿Echaste algo en falta?

▶ **Lee** el texto de tu compañero(a) y ponle un título. Después, escribe algunas preguntas para saber más cosas de su viaje y contesta a las suyas.

 **CULTURA**

La Organización Mundial del Turismo (OMT)

La OMT es el organismo de las Naciones Unidas encargado de la promoción de un turismo responsable, sostenible y accesible para todos. Tiene su sede en Madrid.

Como principal organización internacional en el ámbito turístico, la OMT aboga por un turismo que contribuya al crecimiento económico, a un desarrollo incluyente y a la sostenibilidad ambiental, y ofrece liderazgo y apoyo al sector para expandir por el mundo sus conocimientos y políticas turísticas.

Fuente: ©UNWTO, 9284403513

59 **Investiga.** Visita la página oficial de la OMT (www.unwto.org). Averigua qué actividades realiza esta organización. Comparte la información con tus compañeros(as).

Gramática

Expresar causa

Expresiones de causa

- Recuerda: para expresar la causa o la razón de una situación se usan estas estructuras:

| porque + indicativo | Nos quedamos en un albergue **porque** los hoteles **estaban** llenos. |

| por + infinitivo | **Por** no **reservar** un hotel, tuvimos que quedarnos en un albergue. |

Atención: porque + *indicativo* va siempre detrás de la cláusula principal; en cambio, por + *infinitivo* puede ir delante o detrás de la cláusula principal.

- También se usan estas otras estructuras en contextos formales y en el lenguaje escrito:

| ya que
puesto que + indicativo
dado que | **Puesto que** nos **gusta** nadar, fuimos a un hotel con piscina.
Pedro tuvo problemas, **ya que** no **había reservado** habitación. |

| debido a que + indicativo | No pasé frío **debido a que tenía** saco de dormir. |

| como + indicativo | **Como teníamos** una reserva, nos pudimos quedar en el parador. |

Como + *indicativo* va siempre **delante de la cláusula principal. Las demás estructuras pueden ir delante o detrás.**

Preguntar sobre la causa

- Recuerda: usa ¿Por qué...? + *indicativo* para preguntar por la causa o la razón de algo.

    ¿Por qué no **te quedaste** en la cabaña que habías reservado?

- En contextos más formales puedes usar estas estructuras:

| ¿Cuál es la razón/el motivo de...? + **nombre** | | ¿A qué se debe(n)...? + **nombre** |

¿**Cuál es el motivo de** su cancelación?   ¿**A qué se debe** el retraso?

60 **Piensa.** Traduce estas oraciones de todas las maneras posibles.

a. *Since we love to cook, we rented an apartment and cooked our own food.*
b. *We didn't make a reservation because it was low season.*

61 **Preguntar sobre la causa**

▶ **Escribe** una pregunta para cada una de estas respuestas.

1. Porque los albergues eran más baratos que los hoteles.
2. Porque al viajar se aprende sobre las tradiciones y costumbres de otras culturas.
3. Porque Michelle y Daniel tienen mucha experiencia en viajes.
4. Por alojarse en un hotel de lujo.

62 **¿Por qué razón?**

▶ **Lee** la crítica de este hotel y completa las oraciones.

Hotel Puntarenas

Este encantador hotel está ubicado en Costa Rica, en la costa central del Pacífico, en uno de los últimos «zoológicos naturales» del mundo. Es una zona maravillosa, con playas paradisíacas de arena blanca y aguas de color turquesa. Y si lo que prefieres es el ecoturismo, puedes hacer rutas en el Parque Nacional Manuel Antonio, situado a pocos minutos del hotel.

El hotel cuenta con todos los servicios necesarios: las habitaciones tienen aire acondicionado, baño privado, televisor, acceso a Internet y caja de seguridad. Los huéspedes pueden también disfrutar de una gran piscina con *jacuzzi* y un patio con barbacoa.

Además de las habitaciones con terraza que dan al mar, recomiendo especialmente las que tienen vistas al parque nacional porque el paisaje es precioso y son muy tranquilas.

1. Como el hotel está bien situado...
2. Se recomienda visitar las playas de la zona, ya que...
3. En el hotel se puede comer al aire libre, puesto que...
4. Se le considera un buen hotel debido a que...
5. Se recomiendan las habitaciones con vistas al parque nacional por...

63 **Las razones perfectas**

▶ **Escucha** y escribe un resumen para cada mini-diálogo, utilizando las expresiones de causa de la ficha de Gramática.

Modelo   1. *Vamos a recorrer la ruta inca, ya que nos gusta mucho la Historia.*

CULTURA

El Titicaca: el lago místico de los incas

El Titicaca, ubicado entre Perú y Bolivia, es el lago navegable más alto del mundo y el segundo más grande de Suramérica. El impacto del turismo en la zona es cada vez mayor, ya que en sus más de cuarenta islas se pueden hacer multitud

Hotel a orillas del lago Titicaca.

de actividades: navegar, practicar senderismo, observar la fauna y la flora, conocer las costumbres locales, etc. En algunas islas los habitantes ofrecen alojamiento a los visitantes.

64 **Explica.** ¿Cuál puede ser el impacto de tantos turistas en esta zona? ¿Cuáles son las ventajas y desventajas de alojarte en casas privadas cuando viajas?

Gramática

Expresar consecuencia

Expresiones de consecuencia

- Recuerda: para expresar las consecuencias o la conclusión de lo que se dice en la cláusula principal, usa estas estructuras:

| así (es) que + indicativo | La Florida tiene un clima cálido, **así (es) que nieva** poco. |

| por eso + indicativo | Tuvimos una ola de frío; **por eso cerraron** las escuelas. |

- Las siguientes estructuras se usan también comúnmente para expresar consecuencia:

| en consecuencia
por (lo) tanto + indicativo
por consiguiente | Ha llovido y, **por consiguiente**, tenemos que cancelar la excursión. |

Expresiones intensivas

- Para enfatizar la intensidad de un evento y sus consecuencias, usa estas estructuras:

| tan + adjetivo/adverbio
+ que + indicativo | El viento es **tan fuerte que** dobla los árboles.
La nieve se derritió **tan rápido que** no la vimos. |

| tanto(a)(os)(as) + nombre + que + indicativo | Hay **tanta niebla que** no se ve nada. |

| verbo + tanto + que + indicativo | Ayer **llovió tanto que** se inundaron las calles. |

- Atención: en español nunca se omite la palabra que en las estructuras intensivas.

  Hacía tanto calor **que** tuvimos que cancelar la caminata.
  It was so hot (that) we had to cancel the hike.

65 **Piensa.** ¿Se puede alterar el orden de la cláusula que expresa consecuencia? ¿Por qué?

66 **Causas y consecuencias**

▶ **Decide** qué parte de estas oraciones expresa consecuencia. Después, transfórmalas escribiendo una consecuencia distinta.

Modelo   Los empleados estaban tan ocupados <u>que no tenían tiempo para ir de vacaciones</u>.
   → *Los empleados estaban tan ocupados que no nos atendieron tan bien como siempre.*

1. Nevaba tanto que no pudimos salir del hotel a esquiar.
2. Ana busca unas vacaciones de aventura; por eso viajará a las islas Galápagos.
3. Hace demasiado frío; por consiguiente, se ha cancelado la excursión.
4. Queremos ir de cámping, así es que necesitamos unos sacos de dormir.

Hay que saber más

▶ **Completa** estas oraciones utilizando distintas expresiones de consecuencia.

Modelo   1. *Nos gustaría alojarnos en un castillo, así que vamos a preguntar en una buena agencia de viajes.*

1. Nos gustaría alojarnos en un castillo…
2. Los mochileros prefieren viajar económicamente…
3. Por la tarde cayó un chaparrón…
4. Mi madre no querrá compartir habitación…
5. Me encantaría viajar sola…
6. El hotel ofrece media pensión…

68

Consecuencias

▶ **Habla** con tu compañero(a) sobre las consecuencias de cada una de estas situaciones.

Modelo   1. *El autobús se rompió, por eso los chicos decidieron irse a pie.*

69

Tan-tan

▶ **Habla** con tu compañero(a) sobre el significado de estos chistes.

> **1.** Era un hombre tan calvo, tan calvo, que se le veían las ideas.

> **2.** Ella es tan dulce, tan dulce, que la echan en el café.

> **3.** Era un hombre tan alto, tan alto, que se tropezó en un pueblo y se cayó en otro.

▶ **Escribe** con tu compañero(a) tres chistes más utilizando esta fórmula gramatical. Después, léanlos en alto para la clase.

Antes de leer: estrategias

1. Lee el título. ¿A qué crees que se refiere el pronombre *la* en *Vivir para contarla*?

2. Haz una lista con todas las palabras que recuerdes relacionadas con los trenes. Después, compárala con la de tu compañero(a).

Vivir para contarla

Mi madre y yo llegamos a la estación pasadas las ocho, pero el tren estaba demorado[1]. Sin embargo, fuimos los únicos pasajeros. Ella se dio cuenta desde que entró en el vagón vacío, y exclamó con un humor festivo:

—¡Qué lujo! ¡Todo el tren para nosotros solos!

Siempre he pensado que fue un júbilo fingido[2] para disimular[3] su desencanto, pues los estragos[4] del tiempo se veían a simple vista en el estado de los vagones. Eran los antiguos de segunda clase, pero sin asientos de mimbre[5] ni cristales de subir y bajar en las ventanas, sino con bancas de madera curtidas por los fondillos[6] lisos y calientes de los pobres. En comparación con lo que fue en otro tiempo, no solo aquel vagón sino todo el tren era un fantasma de sí mismo. Antes tenía tres clases. La tercera, donde viajaban los más pobres, eran los mismos huacales[7] de tablas donde transportaban el banano o las reses de sacrificio, adaptados para pasajeros con bancas longitudinales de madera cruda. La segunda clase, con asientos de mimbre y marcos de bronce. La primera clase, donde viajaban las gentes del gobierno y altos empleados de la compañía bananera, con alfombras en el pasillo y poltronas[8] forradas de terciopelo rojo que podían cambiar de posición. Cuando viajaba el superintendente de la compañía, o su familia, o sus invitados de nota, enganchaban[9] en la cola del tren un vagón de lujo con ventanas de vidrios solares y cornisas doradas, y una terraza descubierta con mesitas para viajar tomando el té. No conocí ningún mortal que hubiera visto por dentro esa carroza[10] de fantasía. Mi abuelo había sido alcalde dos veces y además tenía una noción alegre del dinero, pero solo viajaba en segunda si iba con alguna mujer de la familia. Y cuando le preguntaban por qué viajaba en tercera, contestaba: «Porque no hay cuarta». Sin embargo, en otros tiempos, lo más recordable del tren había sido la puntualidad. Los relojes de los pueblos se ponían en la hora exacta por su silbato[11].

Aquel día, por un motivo o por otro, partió con una hora y media de retraso. Cuando se puso en marcha, muy despacio y con un chirrido[12] lúgubre[13] mi madre se persignó[14], pero enseguida volvió a la realidad.

GABRIEL GARCÍA MÁRQUEZ. *Vivir para contarla* (fragmento). © Gabriel García Márquez, 2002.

1. retrasado	4. daño, ruina	7. *crates*	10. *carriage*	13. triste
2. no real	5. *wicker*	8. sillas amplias	11. *whistle*	14. *made the sign*
3. ocultar	6. *bottoms*	9. *hooked up*	12. *squeak*	*of the cross*

¿Comprendes?

▶ **Decide** si estas afirmaciones son ciertas o falsas. Después, corrige las falsas.

1. La madre se alegra mucho de que no haya más pasajeros en el tren.
2. Ahora en el tren hay tres clases de vagones.
3. Antes en los vagones de tercera clase viajaban juntos pasajeros y mercancías.
4. El director de la compañía bananera solía viajar en primera clase.
5. El abuelo del protagonista viajaba siempre en primera clase.
6. Antes el tren salía siempre con retraso.

▶ **Escribe** las diferencias entre el antiguo tren y el tren en el que se montan el protagonista y su madre.

El tren antiguo	El tren del relato
Los vagones de segunda tenían asientos de mimbre y cristales en las ventanas.	

71 **Significa que...**

▶ **Explica** el significado de estas oraciones con tus propias palabras.

1. Mi madre y yo llegamos a la estación pasadas las ocho, pero el tren estaba demorado.
2. Siempre he pensado que fue un júbilo fingido para disimular su desencanto.
3. Cuando viajaba el superintendente de la compañía, o su familia, o sus invitados de nota, enganchaban en la cola del tren un vagón de lujo.
4. No conocí ningún mortal que hubiera visto por dentro esa carroza de fantasía.
5. Cuando se puso en marcha, muy despacio y con un chirrido lúgubre, mi madre se persignó.

72 **Con tus propias palabras**

▶ **Investiga** sobre la vida del escritor, sobre su familia y sobre la región colombiana en la que vivió su niñez. Elige una anécdota de su vida que te haya gustado especialmente y escribe una página de su biografía.

▶ **Busca** fotografías para ilustrar tu texto y presenta tu trabajo a tus compañeros(as).

"ME SIENTO LATINOAMERICANO DE CUALQUIER PAIS, PERO SIN RENUNCIAR NUNCA A LA NOSTALGIA DE MI TIERRA: , A LA CUAL REGRESE UN DIA Y DESCUBRI QUE ENTRE LA REF Y LA NOSTALGIA ESTABA LA MATERIA PRIMA DE MI OBRA"

GABRIEL

COLEGIO DEPARTAMENTAL DE BACHILLERATO A Forjando el futuro de Maco

Comunicación

73 Consulta el clima

▶ **Lee** este borrador de un texto sobre los viajes y escríbelo de nuevo usando expresiones de causa y consecuencia. No olvides ponerle un título.

Es importante consultar las predicciones meteorológicas antes de planear un viaje a las montañas. A más altura, las temperaturas son generalmente más bajas. Hay que averiguar la altura del destino para anticipar las condiciones climáticas. Pero las predicciones nunca son del todo fiables. Es bueno llevar en tu maleta ropa de abrigo, algún impermeable y protección contra los rayos UV. Así, si falla la predicción, estarás preparado.

El viento crea condiciones muy especiales en las montañas. La altura de las montañas altera las corrientes de aire. Las corrientes de aire crean microclimas. En las áreas montañosas la temperatura suele ser siempre más baja.

También hay probabilidad de nieve y de frío. Las olas de frío y las nevadas son un factor que se debe tener en cuenta. Si hay mucha cantidad de nieve, los caminos se pueden congelar o bloquear y es posible que tengas que permanecer allí más tiempo del que esperabas.

74 Los beneficios de viajar

▶ **Habla** con tu compañero(a) sobre estas citas. Usa expresiones de causa y consecuencia.

Modelo

A. *Puesto que viajar es hoy mucho más fácil, es bueno hacerlo para aprender cómo vive otra gente.*
B. *Tienes razón. Por eso es importante explorar a fondo los lugares en vez de quedarse en los sitios turísticos o en los hoteles.*

> **1**
> Viajamos para cambiar no de lugar, sino de ideas.
> Hipólito Taine, escritor francés

> **2**
> Viajar es imprescindible y la sed de viaje, un síntoma neto de inteligencia.
> Enrique Jardiel Poncela, escritor español

▶ **Escribe** una entrada para un blog turístico titulado: *Sin viajar, el mundo es limitado y pequeño*. Habla sobre las causas y las consecuencias de viajar.

▶ **Escucha** y elige la opción correcta.

1. Según Daniel, un «superviajero» es una persona que:
   a. elige los mejores viajes.
   b. ha viajado mucho.
   c. suele ir de cámping.

2. Michelle opina que un «superviajero» se aloja:
   a. en los mejores hoteles.
   b. en lugares con buenas vistas.
   c. en cualquier lugar, según sus preferencias.

3. Una característica importante del «superviajero», según Michelle, es:
   a. la sociabilidad.
   b. la capacidad de improvisar.
   c. el gusto por el riesgo.

Final del desafío

MICHELLE: Por la variedad de experiencias que hemos vivido, nos va a salir un video fabuloso. ¡Si ganamos el concurso tendremos la oportunidad de pasar tres noches en cualquier albergue que escojamos! ¡Qué emocionante!

DANIEL: Sí, pero lo difícil será decidir adónde vamos.

MICHELLE: ¿Por qué no viajamos a un sitio que ni tú ni yo hayamos visitado antes?

DANIEL: Me parece bien. ¿Has oído la frase del filósofo francés Jean Jacques Rosseau que dice «Hay mucha diferencia entre viajar para ver países y para ver pueblos»? Tú y yo deberíamos inclinarnos por lo segundo, ¿no?

76 **Los «superviajeros»**

▶ **Escribe** el guion del video de Michelle y Daniel. Ten en cuenta que en él deben explicar por qué se consideran unos «superviajeros».

▶ **Habla** con tus compañeros(as). ¿Qué significa la afirmación de Rousseau que cita Daniel? Justifica tu respuesta.

Para terminar

Todo junto

77 **Un artista muy versátil**

Disco de Tito Rodríguez.

▶ **Escucha** el programa de radio que Asha y Lucas oyeron cuando investigaban sobre la música del Caribe y decide si estas oraciones son ciertas o falsas.

1. El invitado del programa es Tito Rodríguez.
2. Tito Rodríguez nació en 1923.
3. La madre de Tito Rodríguez era dominicana.
4. Tito Rodríguez solo sabía cantar boleros.
5. La canción que ponen en el programa es un mambo.

 ▶ **Escucha** el programa de nuevo y responde a las preguntas.

1. ¿Por qué Tito Rodríguez es un artista muy caribeño?
2. ¿Por qué Tito Rodríguez es un músico muy versátil?

▶ **Escribe** un párrafo dando respuesta a estas preguntas. Contesta usando tu propia experiencia.

1. ¿Qué tipo de música sueles escuchar?
2. ¿Cuál es tu artista favorito? ¿Por qué?
3. De todas sus canciones, ¿cuál prefieres? ¿Por qué?
4. ¿Hay alguna canción que te identifique a ti? ¿Cuál es? ¿Por qué?

HABLAR Y ESCRIBIR

78 **Para terminar el año**

▶ **Habla** con tu compañero(a). Piensen en la personalidad, los gustos y aficiones de sus compañeros(as) de clase e imaginen un viaje que uno(a) de ellos(as) habrá hecho cuando acabe el curso.

Modelo

A. *Es posible que a final de curso Shawn haya ido de viaje a Puerto Rico porque tiene familia allí y le encanta disfrutar del sol y la playa.*

B. *Sí, y es probable que Steve lo haya acompañado, porque es su mejor amigo.*

▶ **Escribe.** ¿Qué cosas habrás hecho cuando termine el curso? ¿A qué lugares habrás viajado?

Tu desafío

79 **Los desafíos**

¿Recuerdas los desafíos que Tess les planteó a los personajes? ¿Cuál te gusta más? Elige una de estas opciones y resuelve tu desafío.

DESAFÍO (A)

Elige entre el mambo, el bolero, la salsa, el chachachá o cualquier otra música del Caribe. Busca información para preparar una presentación. Incluye lo siguiente:

- Orígenes y descripción de esta música.
- Algunos cantantes o intérpretes famosos.
- Una canción representativa.

DESAFÍO (B)

Busca información sobre algún parque de atracciones famoso de América Latina. Toma notas para preparar un folleto. Incluye lo siguiente:

- Ubicación y descripción del parque.
- Algunas de sus atracciones más famosas.
- Información sobre los días y las horas en las que se puede visitar.

DESAFÍO (C)

Elige un país donde se hable español y prepara un plan de viaje y alojamiento para presentar a la clase. Incluye lo siguiente:

- Un itinerario con los lugares más interesantes.
- Información sobre los hoteles donde te vas a alojar.
- Las causas por las que elegiste estos lugares y hoteles.

El turismo en Latinoamérica

Latinoamérica tiene numerosos atractivos turísticos, y el turismo representa una importante fuente de divisas para muchos países latinoamericanos. México, Argentina, República Dominicana y Puerto Rico son, junto con Brasil, los países de América Latina que reciben más turistas internacionales. El mayor número de visitantes de estos países procede de los Estados Unidos y de Canadá.

Riviera Maya

La Riviera Maya (México) está situada en la parte oriental de la península de Yucatán, cerca de la ciudad de Cancún. Alberga algunas de las playas más hermosas y extensas de México, y cuenta con el segundo arrecife de coral más largo del mundo. Entre sus atractivos destacan las localidades de Puerto Morelos y Playa del Carmen, las islas de Cozumel e Isla Mujeres, y las ciudades mayas de Tulum y Cobá.

Ruinas mayas de Tulum.

El turismo en México

México recibe cada año más de 23 millones de turistas internacionales y es, con diferencia, el país más visitado de Latinoamérica. Entre los destinos preferidos están la Ciudad de México, Baja California, Cancún y la Riviera Maya.

Kayak en el lago Patagonia (Bariloche).

Bariloche y la Patagonia argentina

La ciudad de San Carlos de Bariloche, situada al pie de los Andes en la Patagonia argentina, es un importante destino turístico internacional. Los argentinos consideran la ciudad como la capital nacional del turismo de aventura. Allí se puede practicar *trekking*, esquí, kayak, *canopy*, parapente, *mountain bike*, paseos en veleros y otras muchas actividades.

El turismo en la Argentina

Argentina recibe más de 5 millones de visitantes internacionales al año. Los destinos más visitados son Buenos Aires, Córdoba, las cataratas del Iguazú y la Patagonia.

Santo Domingo

La capital de la República Dominicana es uno de los destinos más atractivos del Caribe. Fundada por Cristóbal Colón y su hermano Bartolomé en 1498, Santo Domingo es la ciudad más antigua de las Américas.

La zona colonial de Santo Domingo fue declarada Patrimonio de la Humanidad por la UNESCO en 1990. Entre sus tesoros destacan el alcázar de Colón, la catedral, la fortaleza Ozama, el Museo de las Casas Reales, el Jardín Botánico, el Malecón y el Palacio de Bellas Artes.

Catedral de Santo Domingo.

Alcázar de Colón.

El turismo en la República Dominicana

La República Dominicana recibe más de 4 millones de visitantes al año. Entre sus principales zonas turísticas están Punta Cana, Puerto Plata, Santo Domingo y La Romana.

80 De viaje por Hispanoamérica

▶ **Elige** uno de los tres destinos presentados y amplía la información que has leído:

– Lugares destacados.
– Actividades de interés.
– Información sobre el clima, el paisaje, etc.

▶ **Prepara** una presentación sobre el lugar que has elegido y busca imágenes que sirvan para ilustrarla.

 ▶ **Haz** tu presentación en clase y contesta a las preguntas de tus compañeros(as).

Un blog de viajes

El texto narrativo

Una narración es el relato de unos hechos reales o imaginarios que les suceden a unos personajes.

Una buena narración debe mantener el interés del lector. Por eso es preciso seleccionar los hechos que se narran, caracterizar adecuadamente a los personajes que intervienen, ambientar los hechos en el tiempo y el espacio de manera que resulten verosímiles, y presentarlos siguiendo un desarrollo temporal.

Las narraciones pueden hacerse en presente, cuando se narran hechos actuales, o en pasado. En las narraciones en pasado se combinan los verbos en pretérito, para contar los hechos, y los verbos en imperfecto, para describir a las personas y los ambientes.

Un blog o bitácora es un sitio web donde se recopilan cronológicamente textos de uno o varios autores sobre una temática en particular o sobre episodios personales del día a día.

Existen blogs de muchos tipos: de moda, de viajes, culturales, gastronómicos, etc. Todos ellos se caracterizan por dar una visión personal y subjetiva del tema que tratan y permitir que los lectores puedan incluir sus comentarios. Con frecuencia, están escritos en forma narrativa, aunque también hay blogs con un tono más descriptivo o argumentativo.

El blog debe actualizarse regularmente con nuevas entradas para lograr mantener el interés y la fidelidad de los lectores.

En esta unidad vas a escribir una entrada para un blog de viajes.

Piensa

■ Piensa en los viajes que has realizado a lo largo de tu vida. ¿Cuál te gustaría compartir en un blog: el mejor, el peor, el más peligroso, el más divertido, el último que hiciste…?

■ Haz memoria y escribe los detalles del viaje que vas a contar.

- ¿Cuándo fue?
- ¿Con quién viajaste?
- ¿Desde dónde partiste? ¿Adónde fuiste?
- ¿Qué medios de transporte utilizaste?
- ¿Dónde te alojaste?
- ¿Qué tiempo hacía?
- ¿Qué lugares visitaste?
- ¿Qué te llamó más la atención?
- ¿Te pasó algo extraordinario?

■ ¿Qué recomendaciones le harías a un viajero que quisiera realizar ese mismo viaje? Escríbelas.

Modelo

Viaja en tren. Así podrás disfrutar del paisaje durante el viaje.

■ Busca alguna fotografía que pueda ilustrar el relato de tu viaje.

Escribe

- A partir de las ideas que anotaste, escribe el borrador de tu entrada de blog. Incluye los detalles del viaje y tus recomendaciones.

- Elige un título que capte la atención del lector.

Revisa

- Intercambia tu trabajo con tu compañero(a) y analiza estas cuestiones. Anota tus comentarios.

Contenido

¿Te ha gustado el relato del viaje? Después de leer el primer párrafo, ¿te apetecía seguir leyendo el texto? ¿Crees que falta algún detalle en concreto?

Redacción

¿El texto está escrito de manera clara, comprensible y atractiva? ¿Hay alguna parte que no entiendas?

Vocabulario, gramática y ortografía

¿Está bien escrito? ¿Tiene algún error gramatical o alguna falta de ortografía? ¿Se repiten mucho algunas palabras?

- Devuelve el texto a su autor(a) con tus sugerencias y revisa el tuyo teniendo en cuenta sus comentarios.

- Pasa a limpio tu texto e incluye la fotografía que seleccionaste para ilustrar tu relato.

Si diez años después (te vuelvo a encontrar, Punta del Este)

Hace 10 años (en realidad 11, pero 10 suena mejor) pisé Punta del Este un verano. Me habían invitado a pasar una quincena ahí, con amigas, y dije que sí, pensando que eso equivaldría a «viajar». En ese viaje descubrí las medialunas calentitas (todavía me acuerdo de lo blanditas que eran), el puente de la Barra de Maldonado (ese que cuando lo atravesás* te da cosa en la panza) y las canciones de Joaquín Sabina.

Fuente: http://viajandoporahi.com (selección)

*atraviesas (en Argentina, Uruguay y Paraguay)

Comparte

- Lee tu artículo a la clase. Tus compañeros(as) pueden hacerte preguntas al final de tu relato.

- Intenta publicar tu entrada en algún blog de viajes o creen su propio blog de viajes entre todos(as).

Ocio y espectáculos

el/la compositor(a)	composer
el coro	chorus
el estribillo	refrain
la letra	lyrics
la música clásica	classical music
la orquesta	orchestra
la pieza musical	piece (of music)
actuar, interpretar	to perform

Deportes y tiempo libre

bucear	to scuba dive
escalar	to climb
patinar sobre hielo	to ice skate
pescar	to fish
practicar artes marciales	to practice martial arts
navegar	to sail

Juegos de mesa

la casilla	square
el dado	die (dice)
la ficha	chip, token
la partida	game, round
el tablero	board
hacer trampas	to cheat
tener mal perder	to be a sore loser

¡Atención!

el éxito	success	la salida	exit

Los viajes

las normas de circulación	traffic laws
el paso de cebra	crosswalk
el/la peatón(a)	pedestrian
la señal de tráfico	traffic sign/signal
el tráfico	traffic
adelantar	to pass
ceder el paso	to yield
poner el intermitente	to use a turn signal
quedarse sin gasolina	to run out of gasoline

El coche

el maletero	trunk
la matrícula	license plate
el pinchazo	flat tire
la rueda de repuesto	spare tire

El tren y el avión

el coche-cama	sleeper car
el tren de cercanías	commuter train
el tren de largo recorrido	long-distance train
el vagón-restaurante	dining car
poner una reclamación	to make a complaint

¡Atención!

el/la conductor(a)	driver
el/la revisor(a)	(train) conductor

El alojamiento

el botones	bellman, bellhop
las comodidades	comforts
el/la huésped	guest
el/la mochilero(a)	backpacker
la media pensión	half board
la pensión completa	full board
el personal	personnel, staff
el servicio de habitaciones	room service
las zonas de uso común	common areas
agradable	pleasant
disponible	available
gratuito(a)	free
ubicado(a)	located
hospedarse	to stay, to lodge
pagar por adelantado	to pay in advance
reservar con antelación	to reserve in advance

El cámping

la caravana	camper
la colchoneta	air mattress
la nevera portátil	cooler
el saco de dormir	sleeping bag
la tienda de campaña	tent

El tiempo meteorológico

la brisa	breeze
el chubasco	downpour
la niebla	fog
la ola de frío	cold wave
caluroso(a)	hot
glacial	bitterly cold
caer un chaparrón	to pour down

DESAFÍO 1

1 **El intruso.** Decide qué palabra no corresponde a cada grupo. Justifica tu respuesta.

1

orquesta   estribillo
partida   compositora

2

coro   ficha
tablero   dado

3

casilla   pieza musical
estribillo   letra

DESAFÍO 2

2 **De viaje.** Elige la opción correcta.

1. El conductor no vio _____ y tuvo un accidente.
   a. las normas de circulación   **b.** la señal de tráfico   **c.** el pinchazo

2. Llevábamos tantas maletas que no nos cabían en el _____.
   a. coche-cama   **b.** equipaje   **c.** maletero

3. Si quieres adelantar a otro coche, tienes que _____.
   a. poner el intermitente   **b.** ceder el paso   **c.** echar gasolina

4. En un paso de cebra, los conductores deben _____.
   a. adelantar   **b.** ceder el paso   **c.** poner el intermitente

DESAFÍO 3

3 **Para todos los gustos.** Completa el foro con las palabras del cuadro. Después, escribe una experiencia personal de este tipo y compártela con tus compañeros(as).

agradable   botones   cámpings   comodidades   con antelación
caravana   disponible   ubicados   media pensión   tienda de campaña

Lisa 35 años Publicado: 07/04/2013 6:30 p. m.	¡Hola, amigos! Mi familia y yo siempre vamos de vacaciones a la playa. Nos gusta alojarnos en hoteles que estén ___1___ cerca del mar. No elegimos hoteles lujosos porque no necesitamos que el ___2___ nos suba el equipaje a la habitación, pero sí buscamos hoteles con las ___3___ básicas y preferimos régimen de ___4___ porque durante el día nunca estamos en el hotel. Siempre que es posible, elegimos hoteles pequeños; la atmósfera es más ___5___.
Juan 26 años Publicado: 07/04/2013 7:00 p. m.	Nosotros tenemos una ___6___; es una forma económica de viajar y nos permite estar en contacto con la naturaleza y conocer muchas ciudades. ¡Y es más cómoda que una ___7___! Para alojarnos buscamos ___8___ con buenas instalaciones y mucho espacio ___9___ para hacer deporte. Es muy importante hacer la reserva ___10___, especialmente si viajas en temporada alta.

Expresar frecuencia (pág. 194)

| número + vez / veces + al / a la + tiempo |

Voy al cine tres veces al mes.

| cada + número + tiempo |

Tengo clases de guitarra cada dos días.

| todos(as) + los(as) + tiempo |

Voy de compras todos los fines de semana.

| soler *(to be in the habit of)* + infinitivo |

¿Qué sueles hacer los fines de semana?

Expresar probabilidad (I) (pág. 196)

Es posible / Es probable + que
Es improbable + que
Lo más probable es + que   + subjuntivo
Puede (ser) + que

Posiblemente / Probablemente
Seguramente   + indicativo
Quizá(s)   subjuntivo
Tal vez

A lo mejor
Seguro + que   + indicativo

| deber de + infinitivo | La actriz debe / debía de estar muy feliz con su premio.

Expresar probabilidad (II). El futuro y el condicional (pág. 206)

- El futuro y el futuro perfecto.

  Estos asientos estarán reservados.
  Mario no ha llegado. Se habrá retrasado por el tráfico.

- El condicional y el condicional perfecto.

  Serían las cuatro de la tarde cuando llegó Mario.
  Eva habría llegado tarde y por eso perdió el avión.

CONDICIONAL PERFECTO. VERBOS REGULARES

VIAJAR	COMER	SALIR
habría viajado	habría comido	habría salido
habrías viajado	habrías comido	habrías salido
habría viajado	habría comido	habría salido
habríamos viajado	habríamos comido	habríamos salido
habríais viajado	habríais comido	habríais salido
habrían viajado	habrían comido	habrían salido

El presente perfecto de subjuntivo (pág. 208)

Sentimos que te hayas quedado sin gasolina.

CORRELACIÓN DE LOS TIEMPOS VERBALES

Cláusula principal (indicativo)	Cláusula dependiente (subjuntivo)
presente o futuro	presente presente perfecto
pretérito o imperfecto	imperfecto
condicional	imperfecto

Expresar consecuencia (pág. 220)

EXPRESIONES DE CONSECUENCIA

| así (es) que
por eso
en consecuencia   + indicativo
por (lo) tanto
por consiguiente |

Nevó mucho; por eso cerraron la escuela.

EXPRESIONES INTENSIVAS

| tan + adjetivo / adverbio + que + indicativo |

El viento es tan fuerte que dobla los árboles.

| tanto(a)(os)(as) + nombre + que + indicativo |

Hay tanta niebla que no se ve la carretera.

| verbo + tanto + que + indicativo |

Ayer llovió tanto que se inundaron las calles.

Expresar causa (pág. 218)

| porque + indicativo | Fuimos a un albergue porque los hoteles estaban llenos.

| por + infinitivo | Por no reservar en un hotel, tuvimos que ir a un albergue.

| ya que
puesto que + indicativo
dado que | Pedro tuvo problemas, ya que no había reservado habitación.

| debido a que + indicativo | No pasé frío debido a que tenía saco de dormir.

| como + indicativo | Como teníamos una reserva, nos pudimos quedar en el parador.

DESAFÍO 1

4 **Probabilidades.** Escribe explicaciones para estas situaciones.
Usa estructuras de probabilidad: *posiblemente*, *puede que*...

1. El concierto de *jazz* de anoche no se pudo celebrar.
2. Mi vecino siempre toca la misma pieza musical al piano.
3. María siempre me gana cuando jugamos a los dados.
4. El hombre más rico del mundo se compró un barco y desapareció.

DESAFÍO 2

5 **Relación de tiempos.** Completa las oraciones teniendo en cuenta la secuencia de tiempos verbales.

1. Sentí mucho que Mario no —————— hacer el viaje en tren con nosotros.
   <small>poder</small>
2. Me preocuparía mucho que ustedes no —————— las normas de circulación.
   <small>respetar</small>
3. Temo que esta tarde —————— mucho tráfico y los chicos no —————— a tiempo al aeropuerto.
   <small>haber</small> <small>llegar</small>
4. Por favor, Manuela, envíanos un mensaje de texto cuando ya —————— en Nueva York.
   <small>aterrizar</small>
5. Me sorprendería que mis padres —————— en tren.
   <small>venir</small>

DESAFÍO 3

6 **Causas y consecuencias.** Une las dos columnas para formar oraciones lógicas y complétalas con las palabras del cuadro.

como	por	por eso	por consiguiente	ya que

A

1. _____ hace mucho calor...
2. Mi ciudad está muy al norte; ...
3. No pudimos alojarnos en el parador...
4. Se acerca una ola de frío polar y, ...
5. No hicimos la excursión a la montaña...

B

a. _____ comenzó a nevar.
b. _____ bajarán las temperaturas.
c. _____ no reservar con antelación.
d. elegiremos un hotel con piscina.
e. _____ hace tanto frío.

CULTURA

7 **Viajamos y nos divertimos.** Responde a estas preguntas.

1. ¿Qué es la trova? ¿Dónde y cuándo se hizo famosa?
2. ¿Qué es el AVE? ¿Qué ventajas ofrece?
3. ¿Dónde está el lago Titicaca? ¿Qué atractivos turísticos tiene?

Un anuncio para

promocionar un país

La mayoría de los países hacen anuncios para promocionar su imagen y sus atractivos turísticos. En estos anuncios se suelen mostrar imágenes de espacios urbanos, de paisajes naturales, de las costumbres y tradiciones de sus habitantes, de la gastronomía, etc.

En grupos van a hacer un anuncio para promocionar el país hispano que más les guste y animar a sus compañeros(as) a que visiten ese país. Pueden elegir el formato que deseen: un video, un póster, un *banner* de una página web, etc.

PASO 1 Elige un país

• Reúnete con tres o cuatro compañeros(as) para seleccionar el país que les interese y escribe las razones de la elección. Les damos algunas ideas.

Argentina

Perú

España

PASO 2 Reúne información sobre el país

• Busquen información en Internet, revistas de viajes o enciclopedias. Pueden fijarse en estos aspectos:

– Las ciudades y los lugares más interesantes.

– Los museos y los monumentos más importantes.

– Los bailes típicos.

– Los trajes tradicionales.

– Los deportes que se pueden practicar.

– La gastronomía.

– Las fiestas y los eventos más destacados.

– La artesanía.

PASO 3 Determina la idea central del anuncio

- Analicen las siguientes cuestiones y decidan qué idea quieren transmitir:
  - ¿Qué imagen tienen los estadounidenses del país? ¿Es una imagen adecuada?
  - ¿Qué rasgos o qué características del país resultan más atractivos para los visitantes?
  - ¿En qué aspectos van a centrar ustedes la comunicación? ¿Qué imagen quieren transmitir del país?

- Busquen las imágenes que necesiten según el formato de su anuncio. Piensen que las imágenes tienen que hacer que su anuncio resulte atractivo.

PASO 4 Haz el anuncio

- Redacten los textos del anuncio y seleccionen las imágenes que van a utilizar para acompañarlos. Pueden buscar en Internet videos promocionales de varios países para tomar ideas.

- Si van a usar música de fondo, miren las imágenes que han seleccionado y piensen qué música es la que mejor las acompaña.

- Redacten un eslogan que refleje bien la idea central de su anuncio.

Lo que necesitas, seguro que lo encuentras en Perú.

- Revisen su anuncio y ensayen la presentación. Corrijan los aspectos que menos les gusten.

PASO 5 Presenta el anuncio

- Presenten su anuncio a la clase. ¿Cuál les ha gustado más? ¿Por qué?

Unidad 4

Autoevaluación

¿Qué has aprendido en esta unidad?

Haz estas actividades para comprobar tu progreso.

Evalúa tus habilidades. Para cada punto, di Muy bien, Bien o Necesito practicar más.

a. ¿Puedes hablar de hechos posibles o probables?

▶ Describe lo que crees que tu mejor amigo(a) está haciendo probablemente en este momento.

b. ¿Puedes expresar probabilidad sobre el pasado?

▶ Explica cómo crees que eran los viajes cuando tus abuelos(as) eran jóvenes. ¿Adónde irían, cómo viajarían y cómo serían las condiciones de aquellos viajes?

c. ¿Puedes expresar las causas y consecuencias de una acción?

▶ Describe unas vacaciones que no salieron bien. Explica qué ocurrió y da detalles sobre las causas y consecuencias de los hechos.

Interpersonal Speaking: Conversation

Presentación

Una de las pruebas del examen AP* consiste en participar en una conversación a partir de un esquema. El objetivo de la prueba es evaluar tu expresión oral. Durante la prueba tendrás que responder a cinco intervenciones de un interlocutor.

Estrategias

- Lee la introducción y el esquema de la conversación.

- Toma nota del vocabulario que conoces y que puede serte útil para el tema propuesto. Anota algunas expresiones de cortesía para saludar, despedirte, excusarte, etc. que sean adecuadas a la situación.

- Escucha atentamente la grabación y no te preocupes si no entiendes algún detalle.

- Fíjate bien en los verbos empleados en el esquema de la conversación para describir lo que tienes que comunicar. Trata de que tu respuesta esté de acuerdo con lo que te piden. Por ejemplo:

    Responde

    Da

    Acepta

    Explica

    Contesta

    Despídete

- Sigue el esquema de la conversación y responde con oraciones completas. Si no conoces una palabra específica en español, puedes utilizar otras palabras conocidas para explicar la misma idea. El uso de sinónimos o de circunloquios (*circumlocution*) te puede ayudar cuando no recuerdas una palabra precisa.

- Utiliza conectores para enlazar tus ideas: *primero*, *después*, *debido a*, *por eso*, *en consecuencia*...

- Sé creativo(a) y usa tu imaginación. Recuerda que tus respuestas no tienen que ser reales, pero sí deben seguir el esquema de la conversación.

- Habla con claridad y cuida tu pronunciación.

Instrucciones para el examen

Directions: You will participate in a conversation. You will have one minute to read a preview of the conversation. You will then take part in the conversation following the outline. Each time it is your turn to speak, you will have 20 seconds to record your response.

Instrucciones: Vas a participar en una conversación. Tendrás un minuto para leer el esquema de la conversación. Cada vez que tengas que intervenir, tendrás 20 segundos para grabar tu respuesta.

Actividad 1

Imagina que tienes una conversación telefónica con Felipe, un compañero de tu clase de Arte. Él quiere hablar contigo porque está organizando una exposición de arte local en la escuela.

Las líneas en gris indican lo que escucharás en la grabación. Las líneas en blanco son las acciones que tú debes realizar.

Felipe: Te saluda y te hace una pregunta.
Tú: Responde al saludo y a su pregunta.
Felipe: Te explica en qué consiste el proyecto y te hace otra pregunta.
Tú: Responde afirmativamente y dale la información que pide.
Felipe: Te habla de un segundo proyecto y te hace una invitación.
Tú: No aceptes la invitación y explícale por qué.
Felipe: Reacciona a tu negativa y te pide una idea.
Tú: Respóndele aportando una idea.
Felipe: Te hace una pregunta.
Tú: Contesta la pregunta y despídete.
Felipe: Se despide.

Actividad 2

Imagina que recibes una llamada de teléfono de tu amiga Alejandra. Ella quiere hablar contigo para pedirte tu opinión.

Las líneas en gris indican lo que escucharás en la grabación. Las líneas en blanco son las acciones que tú debes realizar.

Tú: Contesta al teléfono.
Alejandra: Te saluda y se identifica.
Tú: Salúdala y pregúntale cómo está.
Alejandra: Te explica la situación y te pide tu opinión.
Tú: Dile lo que piensas y explícale por qué.
Alejandra: Te pide más argumentos para tomar una decisión.
Tú: Dale más argumentos.
Alejandra: Te da las gracias y se despide.
Tú: Despídete.

UNIDAD 5

Participamos

Historia y sociedad

DESAFÍO
1

Festival Internacional de la Canción de Viña del Mar (Chile).

▶ **Hablar de hechos históricos**

Vocabulario
Historia

Gramática
Los numerales ordinales

Expresar certeza y duda

DESAFÍO
2

Monumento a los Libertadores. Guayaquil (Ecuador).

▶ **Expresar finalidad y dificultad**

Vocabulario
Política y gobierno

Gramática
Expresar finalidad

Expresar dificultad

DESAFÍO 3

▶ **Hablar de problemas sociales**

Vocabulario
Problemas sociales y medioambientales

Gramática
Expresar condición.
El pluscuamperfecto de subjuntivo

Expresar tiempo

Ritual indígena en Quito (Ecuador).

Las tareas

Nuestro pasado, nuestro presente

Tim y Andy les han preparado a los participantes unos «desafíos históricos».
¿Qué tendrán que hacer? Lee el chat para averiguarlo.

Mostrar mensajes de: Hoy | Esta semana | Últimos 30 días | Todos

Tim dice:　　6:37

Hola a todos. ¿Cómo están? Andy y yo les hemos preparado unos desafíos bien interesantes. A todos les interesa la Historia, ¿no es cierto?

Michelle dice:　　6:37

Sí. Por suerte, este año tengo clase de Historia de las Américas, así que estoy aprendiendo mucho.

Andy dice:　　6:38

Pues me alegro, porque Daniel y tú van a crear una novela gráfica sobre un hecho histórico: el famoso «abrazo de Guayaquil».

Lucas dice:　　6:51

¡Qué suerte! A mí me encantan los cómics y las novelas gráficas. ¿Nosotros también vamos a dibujar?

Tim dice:　　6:53

No, pero también van a crear algo. Mejor dicho, van a escribir algo. Ustedes son muy creativos, ¿verdad? Pues tienen que escribir una canción protesta. Pueden inspirarse en el grupo chileno Inti-Illimani. Y cuando la hayan terminado podrán compartirla con nosotros.

Ethan dice:　　7:01

¡Eso, eso! ¿Y cuál será nuestro desafío?

Tim dice:　　7:02

Lo primero que tienen que hacer es ponerse en contacto con Luisa Itzel, una representante de un consejo indígena. Ella está de visita en California y los va a ayudar.

Eva dice:　　7:03

¿Y qué vamos a hacer?

Tim dice:　　7:04

Van a escribir una escena para una obra de teatro sobre los movimientos indigenistas en las Américas.

Ethan dice:　　7:05

Perfecto. Yo me ocupo de escribirle hoy mismo. Por cierto, ¿tienes su dirección de correo electrónico, Tim?

¿Tú sabes qué es eso del «abrazo de Guayaquil»?

Sí. O, más bien, creo que sí. No estoy segura del todo.

Ya tengo los datos de contacto de la señora Itzel. Le voy a escribir un correo ahora mismo.

¡Perfecto!

Menos mal que a los dos nos interesa la música. ¿Tú sabes algo sobre la canción protesta?

No demasiado, pero suena interesante.

1 **¿Comprendes?**

▶ **Responde** a estas preguntas.

1. ¿Quiénes se interesan por la Historia?
2. ¿Por qué le gusta a Lucas el desafío de Michelle y Daniel?
3. ¿Qué van a tener que hacer Lucas y Asha?
4. ¿De dónde es el grupo Inti-Illimani?
5. ¿Con quién tienen que comunicarse Ethan y Eva? ¿Para qué?

▶ **Escribe.** Si pudieras elegir, ¿qué desafío preferirías? ¿Por qué?

2 **Investiga**

▶ **Busca** información para responder a estas preguntas relacionadas con los desafíos.

1. ¿Cuándo sucedió el «abrazo de Guayaquil»? ¿Quiénes participaron en él?
2. ¿En qué año se formó el grupo Inti-Illimani? ¿Cuántos miembros tenía el grupo original?
3. ¿Qué activista indígena guatemalteca ganó el Premio Nobel de la Paz? ¿En qué año fue?

▶ **Compara** tus respuestas con las de tu compañero(a).

Antes de empezar

EXPRESIONES ÚTILES

Para introducir un tema:

> Hay que escribir a Luisa. **Por cierto**, ¿tú tienes su dirección de correo electrónico?
>
> Me voy a la biblioteca. **A propósito**, ¿consultaste el libro del que te hablé?

Para introducir un hecho positivo o negativo:

> **Por suerte**, son muchos los países con un régimen democrático.
>
> **Menos mal** que les gusta la Historia, porque su desafío se basa en un hecho histórico.
>
> **Por desgracia**, todavía existen las desigualdades sociales.

Para aclarar o precisar lo que hemos dicho:

> En la reunión habrá dos representantes y tres diputados. **O sea**, cinco legisladores.
>
> Ustedes también van a crear algo. **Mejor dicho**, van a escribir algo.
>
> Van a reformar la constitución. O, **más bien**, lo van a intentar.

3 El examen de Historia

▶ **Escribe** de nuevo el diálogo sustituyendo las palabras destacadas por estas expresiones.

por desgracia	menos mal	o sea	a propósito	por suerte

—Me gusta mucho la clase de Historia, pero **lamentablemente** tenemos muchos exámenes. **Por cierto**, ¿tienes los apuntes del martes pasado?

—Pues no, pero **afortunadamente** se los pedí a Luisa y me los va a pasar después.

—**Qué bien,** porque vamos a necesitarlos para preparar el próximo examen.

—¿Y cuándo es el próximo examen?

—A ver… El viernes. **Es decir**… ¡mañana!

4 Tu propio diálogo

▶ **Escribe** un diálogo con tu compañero(a) en el que incluyan al menos tres de las expresiones útiles. Memorícenlo y represéntenlo para la clase.

Modelo

A. *Las próximas vacaciones unos amigos y yo nos vamos a ir de viaje a Cancún.*
   Por cierto, ¿tú no tenías una guía de viajes de México?

B. *Sí. ¿Quieres que te la preste?*

A. *Sí, por favor.*

B. *Por suerte la tiene mi madre en su habitación porque ya sabes que soy bastante desordenada…*

RECUERDA

Historia

la batalla	conquistar
la conquista	desaparecer
la guerra	descubrir
el imperio	excavar
la invasión	gobernar
el/la explorador(a)	invadir
el/la conquistador(a)	reconstruir

Sociedad

la convivencia	la diversidad
los deberes	la igualdad
los derechos	la integración

Política

comunista	la justicia
conservador(a)	la libertad
demócrata	la paz
liberal	el respeto
republicano(a)	la solidaridad
socialista	la tolerancia

el alcalde/la alcaldesa
el/la gobernador(a)
el rey/la reina
el/la senador(a)

---

5 ¿Cuánto sabes?

▶ **Habla** con tu compañero(a). Elijan a uno de los siguientes personajes e inventen una historia en la que el personaje es protagonista. Usen palabras del cuadro Recuerda.

①  ②  ③

▶ **Escribe** la historia que tu compañero(a) y tú han inventado y compártela con la clase.

6 Un poco de Historia

▶ **Escribe** estos datos históricos.

1. El nombre de un explorador famoso.

2. El conquistador de México.

3. El defensor de los derechos humanos que fue asesinado en Memphis en los años 60.

4. El conflicto bélico en el que participaron los Estados Unidos en los años 60.

5. El presidente que abolió la esclavitud en los Estados Unidos.

6. La civilización que construyó la antigua ciudad de Machu Picchu.

▶ **Elige** uno de esos temas y escribe un texto breve con los datos que recuerdes.

El abrazo más famoso de la Historia

Michelle y Daniel tienen que crear una novela gráfica sobre el encuentro entre dos importantes líderes latinoamericanos: el llamado «abrazo de Guayaquil». Lee el diálogo y averigua qué saben del tema.

Grabado que representa el encuentro entre Simón Bolívar y José de San Martín.

DANIEL: Me gusta mucho que tengamos que hacer una novela gráfica, pero ¿qué es eso del «abrazo de Guayaquil»? Es obvio que tiene que ver con Ecuador, pero no sé lo que es.

MICHELLE: ¿No recuerdas que nos lo explicaron en clase de Historia?

DANIEL: No, no me acuerdo.

MICHELLE: Sí, hombre. Es un hecho histórico famosísimo. También se llama «la entrevista de Guayaquil». Simón Bolívar y José de San Martín eran los generales de los dos ejércitos que lucharon para lograr la independencia de Suramérica de la monarquía española. Y después de muchas batallas los dos se encontraron en Guayaquil.

DANIEL: Ah, sí, ahora me acuerdo.

MICHELLE: Al final consiguieron liberar el continente, aunque no debió de ser fácil.

DANIEL: ¿Y qué pasó en aquella reunión? Porque ese es el punto central de nuestra novela.

MICHELLE: La verdad es que no se sabe exactamente porque fue una reunión secreta.

DANIEL: Entonces, ¿cómo vamos a hacer una novela gráfica sobre su encuentro? ¿Nos la podemos inventar?

MICHELLE: Dudo que podamos hacerlo. No sería muy riguroso, ¿no crees?

DANIEL: Pues está claro que tenemos un problema...

7 **Detective de palabras**

▶ **Completa** estas oraciones.

1. Daniel y Michelle van a investigar un hecho ___1___ que tiene que ver con la ___2___ de Suramérica de la monarquía española.

2. Bolívar y San Martín eran los ___3___ de dos ___4___ .

3. Estos dos líderes lucharon en muchas ___5___ .

4. Bolívar y San Martín consiguieron ___6___ el continente.

General José de San Martín.

8 ¿Comprendes?

▶ **Responde** a estas preguntas.

1. ¿Qué sabe Michelle del «abrazo de Guayaquil»? ¿Y Daniel?
2. ¿Por qué piensa Daniel que tendrán un problema para realizar este desafío?
3. ¿Por qué Michelle no quiere inventarse lo que pasó en aquel encuentro?
4. ¿Qué dudas tienen Daniel y Michelle? ¿Cómo las solucionarías?

9 El desafío

▶ **Escucha** y decide si estas oraciones son ciertas o falsas. Después, corrige las falsas.

1. Bolívar quería unir todo el continente.
2. San Martín luchó por la monarquía española antes de rebelarse contra ella.
3. Bolívar liberó el sur del continente, mientras que San Martín luchó en el norte.
4. Después del encuentro con Bolívar, San Martín volvió a Argentina.

10 Te toca a ti

▶ **Habla** con tu compañero(a). Expliquen qué momento histórico ilustra cada imagen y qué están haciendo sus protagonistas.

1620 Plymouth (Massachusetts)

4 de julio de 1776

20 de julio de 1969

CONEXIONES: HISTORIA

El «abrazo de Guayaquil»

La entrevista o el abrazo de Guayaquil es el nombre con el que se conoce el encuentro entre los dos grandes libertadores de las Américas: Simón Bolívar y José de San Martín. Ambos se reunieron el 26 de julio de 1822 en Guayaquil (Ecuador) con el fin de aliarse para organizar los nuevos territorios liberados. Sin embargo, a partir de la entrevista San Martín puso su ejército a las órdenes de Bolívar y renunció a sus cargos.

11 **Investiga y explica.** ¿Conoces otras alianzas o reuniones históricas famosas? Busca información y preséntasela a la clase.

Vocabulario

Historia

1492. La conquista de las Américas

En 1492, el navegante Cristóbal Colón llegó a las Antillas gracias al apoyo económico de los monarcas españoles, los Reyes Católicos. Él pretendía llegar a Asia navegando hacia el oeste y, sin saberlo, alcanzó un nuevo continente: el «Nuevo Mundo». En los siguientes años se realizaron otras expediciones y el dominio español fue extendiéndose por las Américas. Hernán Cortés conquistó el imperio azteca y Francisco Pizarro logró la conquista del imperio inca. Para gobernar y representar a la realeza en los nuevos territorios (o virreinatos), se creó la figura del virrey.

Cristóbal Colón.

Principios del siglo XIX. La independencia de las colonias

Siguiendo el ejemplo de los Estados Unidos, entre 1810 y 1824 las colonias españolas lucharon para lograr la independencia. Una de las causas que dio lugar a este proceso fue el descontento de los colonos que habían nacido en América (los llamados criollos) y los miembros de la clase media, debido a que el poder de los virreinatos seguía en manos de la nobleza de origen europeo.

El general Simón Bolívar, «el Libertador», y su ejército pelearon por la libertad en el norte de Suramérica. Además de liberar las colonias de la monarquía española, su sueño era unir los virreinatos en una sola república. Bolívar luchó también para abolir la esclavitud, declarando que, igual que las naciones, los hombres debían ser libres e independientes. En el sur, la campaña la inició José de San Martín, conocido en Argentina como el «padre de la patria». Estos procesos de independencia culminaron en diversas alianzas entre países y tratados de paz que dieron lugar a las nuevas repúblicas.

Simón Bolívar.

¡Atención!
apoyar   *to support*
soportar   *to put up with*

Más vocabulario

Historia

– En América del Norte, los colonos declararon la guerra a Inglaterra en 1775. En 1783 se firmó la paz y los ingleses reconocieron la independencia de las colonias.

– Una derrota se produce cuando alguien pierde en un enfrentamiento. Lo contrario es la victoria.

– En 1789 tuvo lugar la Revolución francesa.

---

12 ## El diccionario eres tú

▶ **Escribe.** ¿Qué palabra corresponde a cada definición?

1. Grupo de militares que lucha en una guerra.

2. Persona que gobernaba los territorios en nombre del rey.

3. Pacto o acuerdo que firman dos países después de una guerra.

4. Conseguir la libertad o la independencia.

5. Privación de libertad de un individuo por estar bajo el dominio de otro.

13 **Bolívar: un héroe suramericano**

▶ **Lee** el texto y responde a las preguntas.

Tres héroes, por José Martí

E ra su país, su país oprimido, que le pesaba en el corazón y no le dejaba vivir en paz. La América entera estaba como despertando. Un hombre solo no vale nunca más que un pueblo entero, pero hay hombres que no se cansan cuando su pueblo se cansa, y que se deciden a la guerra antes que los pueblos, porque no tienen que consultar a nadie más que a sí mismos. Ese fue el mérito de Bolívar, que no se cansó de pelear por la libertad de Venezuela, cuando parecía que Venezuela se cansaba.

«Un hombre solo no vale nunca más que un pueblo entero, pero hay hombres que no se cansan cuando su pueblo se cansa.»

Volvió un día a pelear, con trescientos héroes, con los trescientos libertadores. Liberó a Venezuela, a la Nueva Granada, al Ecuador, al Perú. Fundó una nación nueva, la nación de Bolivia. Ganó batallas sublimes con soldados descalzos, no defendió con tanto fuego el derecho de los hombres a gobernarse por sí mismos como el derecho de América a ser libre.

1. ¿Por qué se inquietaba Bolívar, según el texto?

2. ¿Qué significan las palabras del texto: «La América entera estaba como despertando»?

3. ¿A qué países liberó Bolívar?

4. ¿Qué cualidades crees que tenía Bolívar? ¿Qué palabras del texto te hacen pensar así?

14 **Otras figuras históricas**

▶ **Habla** con tu compañero(a). ¿Quiénes fueron estos personajes históricos? ¿Qué hicieron? Si no están seguros(as), investiguen para poder contestar.

Modelo   *Hernán Cortés fundó Santa María de la Victoria, la primera población española en el virreinato de Nueva España.*

Hernán Cortés.

Atahualpa.

Moctezuma.

George Washington.

Abraham Lincoln.

Gramática

Los numerales ordinales

- Los numerales ordinales indican orden o posición.
- En español solo se usan los primeros ordinales. A partir del diez se suelen usar los números cardinales.

  La oficina no está en el **octavo piso**, está en el **piso trece**.

ORDINALES MÁS USADOS

1.º / 1.ª / 1.er	primero(a), primer	8.º / 8.ª	octavo(a)
2.º / 2.ª	segundo(a)	9.º / 9.ª	noveno(a)
3.º / 3.ª / 3.er	tercero(a), tercer	10.º / 10.ª	décimo(a)
4.º / 4.ª	cuarto(a)	11.º / 11.ª	undécimo(a) o décimo primer(o)(a)
5.º / 5.ª	quinto(a)	12.º / 12.ª	duodécimo(a) o décimo segundo(a)
6.º / 6.ª	sexto(a)	13.º / 13.ª	décimo tercer(o)(a)
7.º / 7.ª	séptimo(a)	14.º / 14.ª	décimo cuarto(a)

- Atención: primero y tercero pierden la -o final ante un nombre masculino singular.

  Francis Drake fue el **primer pirata** que atacó la ciudad de Santo Domingo.

Uso de los numerales ordinales

- Los ordinales concuerdan con el nombre en género y en número.

  Se cree que los **primeros habitantes** de las Américas venían de Asia.

- A diferencia del inglés, los ordinales no se usan para las fechas, aunque en algunos países hispanos se usa el ordinal para el día 1 de cada mes.

  Yo nací el **cinco de mayo**.   El **primero de mayo** se celebra el Día del Trabajo.

- La numeración romana que va detrás de la palabra siglo y del nombre de los reyes y de los papas se lee como numeral ordinal hasta el diez (X); a partir del once (XI), se lee como un número cardinal: siglo IV (cuarto), siglo XX (veinte); Isabel II (segunda), Juan XXIII (veintitrés).
  Atención: los nombres de los reyes y de los papas no llevan artículo.

15 **Compara.** ¿Es diferente el uso de los ordinales en inglés?

16 **Numerales**

▶ **Completa** estas oraciones con el ordinal o el cardinal correcto.

1. Se declaró la independencia el (4) _____ de julio de 1776.
2. Los dos generales se reunieron por (3) _____ vez antes de firmar el acuerdo.
3. El examen de Historia es en el aula (12) _____.
4. La nueva biblioteca de la escuela está en la (5) _____ planta.

Escenas históricas

 ▶ **Escucha** y anota datos concretos sobre estas escenas: el hecho histórico, la fecha y qué ocurrió en cada caso. Después, escribe un pie de foto para cada ilustración.

18 **La historia de tu vida**

▶ **Haz** una línea del tiempo con los cinco momentos más importantes de tu vida. Busca fotografías o haz dibujos para ilustrarlos y escribe textos breves para describirlos. Incluye oraciones con numerales ordinales o cardinales.

Modelo

2009   2010   2011   2012   2013

En el año 2009 hice mi primer viaje al extranjero. Era la primera vez que viajaba con mis compañeros de clase y fue muy emocionante. Pasamos dos semanas en México y...

 ▶ **Intercambia** lo que has escrito con tu compañero(a) y hazle preguntas para saber más cosas sobre su historia.

> **Para el 2050, el número de personas que superen los 60 años será de casi dos billones**

CONEXIONES: MATEMÁTICAS

El significado de billón

En inglés, *billion* equivale a mil millones (1.000.000.000). En cambio, en el español general, billón equivale a un millón de millones (1.000.000.000.000). Eso provoca algunos errores de traducción frecuentes en la prensa.

En los Estados Unidos, la Academia Norteamericana de la Lengua Española (ANLE) admite el uso de billón como mil millones.

19 **Piensa.** Fíjate en el titular de prensa «Para el 2050...». ¿Crees que es un titular correcto o tiene algún error de traducción? ¿Cómo lo sabes?

Gramática

Expresar certeza y duda

El indicativo con expresiones afirmativas de certeza

- Recuerda: en oraciones afirmativas, los verbos o expresiones que indican certeza requieren generalmente un verbo en indicativo en la cláusula dependiente.

    Estamos convencidos de que los dos países pronto **firmarán** la paz.

EXPRESIONES AFIRMATIVAS DE CERTEZA (INDICATIVO)

> Es verdad/Es cierto/Es evidente/Es obvio + que
> Estar convencido(a)/Estar seguro(a) + de que
> Está claro/Está demostrado + que
> Saber + que

El subjuntivo con expresiones afirmativas de duda

- Recuerda: en oraciones afirmativas, los verbos o expresiones que indican duda requieren un verbo en subjuntivo en la cláusula dependiente.

    Es difícil creer que en el siglo XXI aún **haya** guerras en el mundo.

EXPRESIONES AFIRMATIVAS DE DUDA (SUBJUNTIVO)

> Es dudoso/Es improbable + que
> Es posible/Es probable + que
> Es difícil creer/Parece mentira + que
> Dudar + (de) que

- El tiempo del verbo de la cláusula principal condiciona el tiempo del verbo de la cláusula dependiente.

CLÁUSULA PRINCIPAL (INDICATIVO)	CLÁUSULA DEPENDIENTE (SUBJUNTIVO)
presente	→ presente, presente perfecto, imperfecto, pluscuamperfecto
pasado o condicional	→ imperfecto
futuro	→ presente

    Es probable que **firmen/hayan firmado/firmaran/hubieran firmado** la paz.
    Era posible que **llegaran** a acuerdos.
    Será probable que **firmen** la paz.

El subjuntivo en oraciones negativas de certeza y duda

- Las siguientes expresiones negativas de certeza y duda requieren un verbo en subjuntivo:

EXPRESIONES NEGATIVAS DE CERTEZA Y DUDA (SUBJUNTIVO)

> No es verdad/No es cierto + que
> No es evidente/No es obvio + que
> No es posible/No es probable + que
> No está claro/No está demostrado + que
> No estar convencido(a)/No estar seguro(a) + de que

No está demostrado que los vikingos **fundaran** colonias en Norteamérica.

20 **Compara.** Traduce estas oraciones. ¿Qué tiempos y modos verbales has usado?

   a. *They were sure that they were going to win the war.*
   b. *They were not sure that they were going to win the war.*

21 Oraciones completas

▶ **Completa** estas oraciones. Pon los verbos en el tiempo y modo correctos. Ten en cuenta que a veces puede haber más de una respuesta posible.

1. Sé que a San Martín lo _____ en Argentina el «padre de la patria».
   _{llamar}

2. Está claro que Bolívar y San Martín _____ dos grandes líderes.
   _{ser}

3. No está demostrado que Bolívar le _____ a San Martín que renunciara a sus cargos.
   _{pedir}

4. No está claro que los dos líderes _____ la misma opinión.
   _{tener}

5. Dudo que Bolívar y San Martín _____ de acuerdo en todo.
   _{estar}

22 ¿Cómo van con su trabajo?

▶ **Escucha** y une las dos columnas. Después, pon los verbos en el tiempo y modo correctos.

Ⓐ

1. Daniel está convencido de que la novela gráfica...

2. Es evidente que lo primero...

3. Michelle está segura de que el título...

4. Michelle duda que...

5. Para Daniel, no es probable que a los lectores...

6. Para Michelle, es obvio que...

Ⓑ

a. _____ muy claro.
   _{estar}

b. _____ un género de prestigio.
   _{ser}

c. _____ incluir una biografía.
   _{deber}

d. _____ elegir un tema y un título.
   _{ser}

e. _____ centrarse en los hechos importantes.
   _{deber}

f. les _____ los detalles biográficos.
   _{interesar}

23 La historia viva

▶ **Elige** dos personajes históricos de cualquier época e inventa una carta de uno al otro.

Modelo

Carta de Simón Bolívar a George Washington.

Estimado Sr. Washington:

Es cierto que Ud. me ha inspirado a seguir luchando porque la independencia es más importante que nada. Es probable que Ud. ya sepa lo que pasa al sur de su país. Estaba claro que teníamos que hacer la revolución. No era posible que siguiéramos viviendo ni un día más bajo el dominio de la monarquía española....

▶ **Intercambia** tu carta con la de tu compañero(a) y respóndele con otra, poniéndote en el lugar del destinatario que él/ella ha imaginado.

Antes de leer: estrategias

1. Lee el título del diálogo. Anota todo lo que ya sabes sobre estos dos personajes históricos.

2. Fíjate en la imagen de la actividad 24. ¿Qué momento histórico ilustra?

3. Busca los nombres propios que hay en el texto (personas, ciudades, etc.). ¿Los conoces todos?

Bolívar y San Martín

MICHELLE: Ya nos hemos documentado bastante. ¿Empezamos?

DANIEL: Sí. El encuentro duró dos días: del 26 al 27 de julio de 1822. He pensado que la novela puede comenzar con la llegada de San Martín a Guayaquil.

MICHELLE: Muy bien. Llegó en barco, ¿verdad?

DANIEL: Sí, había zarpado desde el puerto del Callao, en Perú, a bordo de la goleta *Macedonia*. Tenemos que buscar algún cuadro en el que aparezca un barco de aquella época para poder dibujarlo.

MICHELLE: Y la siguiente escena puede ser el camino de San Martín hasta el lugar del encuentro. Aquí dice que lo acompañó un batallón de infantería para hacerle los honores.

DANIEL: Pues tenemos que buscar información sobre los uniformes del ejército.

MICHELLE: Y la siguiente escena ya puede ser el encuentro. Al parecer, Bolívar esperaba a San Martín al final de la escalera de la casa en la que se iban a reunir.

DANIEL: En la reunión no hubo testigos así que he pensado que, para ilustrarla, podemos dibujar una puerta cerrada.

MICHELLE: Perfecto. Y como sabemos que el encuentro desilusionó mucho a San Martín, en la siguiente escena podemos dibujarlo saliendo apesadumbrado de la reunión.

DANIEL: ¿De qué hablarían? Supongo que sería una reunión cordial, dado que ellos eran aliados en la causa para lograr la independencia.

MICHELLE: Es posible, pero quizás tenían ideas muy diferentes sobre cómo lograr su meta.

DANIEL: Tal vez sí. Se sabe que esa misma tarde y al día siguiente volvieron a reunirse. Y la noche del 27, antes de la partida de San Martín, se celebró un banquete en su honor.

MICHELLE: Esa escena tenemos que dibujarla. ¡Voy a buscar imágenes para saber cómo eran los vestidos de las damas!

DANIEL: Y la última escena puede ser la despedida aquella noche. Bolívar acompañó a San Martín hasta el muelle.

MICHELLE: Nunca más volverían a verse. Debió de ser una despedida triste.

24 **¿Comprendes?**

▶ **Responde** a estas preguntas.

1. ¿Cuál es la primera escena que van a dibujar Michelle y Daniel?

2. Según han leído Michelle y Daniel, ¿cómo fue recibido San Martín en Guayaquil?

3. ¿Por qué van a ilustrar la escena del encuentro dibujando una puerta cerrada?

4. ¿Qué escena le hace más ilusión dibujar a Michelle? ¿Por qué?

▶ **Fíjate** en esta imagen. ¿Qué momento del encuentro crees que representa? Habla con tus compañeros(as).

25 **Palabras y expresiones**

▶ **Busca** en el texto de la página 254 las palabras que corresponden a estas definiciones.

1. Buscar información sobre un tema.

2. Salir un barco.

3. Unidad del ejército que utiliza el mismo tipo de armas.

4. Quitar o perder la alegría.

5. Triste, apenado.

6. Comida a la que asisten muchas personas para celebrar algo.

Monumento a Simón Bolívar y José de San Martín. Guayaquil (Ecuador).

26 **Con tus propias palabras**

▶ **Habla** con tus compañeros(as). ¿Cuál es tu opinión sobre lo sucedido en la entrevista de Guayaquil y sobre el papel de las dos grandes figuras de la independencia de Hispanoamérica?

Modelo

A. *Es probable que los dos generales tuvieran algunas diferencias de opinión.*

B. *Puede ser, pero hay que tener en cuenta que...*

Comunicación

27 **En cada grado**

 ▶ **Escribe.** ¿Cuál era tu clase favorita en cada año escolar? ¿Por qué?

 ▶ **Contrasta** tus gustos con los de tu compañero(a).

Modelo

> En primer grado, mi clase favorita era Matemáticas porque me resultaba fácil. Sin embargo, a partir de cuarto...

28 **Cuatro héroes norteamericanos**

▶ **Escucha** las biografías de estos personajes y toma notas sobre los hechos históricos en los que participaron y las características heroicas de cada uno.

Susan B. Anthony.

César Chávez.

Martin Luther King, Jr.

Rosa Parks.

 ▶ **Habla** con tu compañero(a). ¿A cuál de esos personajes admiras más? ¿Por qué? Comparen y contrasten los logros de esa persona con los de Bolívar.

29 **Citas**

 ▶ **Lee** estas citas y comenta con tu compañero(a) tu opinión sobre ellas. Usen expresiones de certeza y duda.

1

> El sistema de gobierno más perfecto es aquel que produce mayor suma de felicidad posible, mayor suma de seguridad social y mayor suma de estabilidad política.
>
> Simón Bolívar

3

> Sueño que mis cuatro hijos vivirán un día en un país en el cual no serán juzgados por el color de su piel, sino por los rasgos de su personalidad.
>
> Dr. Martin Luther King, Jr.

2

> Ahora que, como resultado de la lucha por la igualdad de oportunidades y debido al uso de maquinaria, se ha operado una gran revolución en el mundo de la economía, de manera que donde pueda acudir un hombre a ganarse un dólar honradamente también puede ir una mujer, no hay forma de rebatir la conclusión de que esta tiene que estar investida de igual poder para poderse proteger. Y ese poder es el voto, el símbolo de la libertad y de la igualdad, sin el cual ningún ciudadano puede estar seguro de conservar lo que posee y, por lo tanto, mucho menos de adquirir lo que no tiene.
>
> Susan B. Anthony

30 **Imagínate**

▶ **Habla** con tu compañero(a). Imaginen una conversación entre Bolívar y San Martín antes de comenzar a luchar por la independencia de Suramérica y escríbanla.

Modelo   A. *San Martín, amigo mío, dudo que vayamos a ganar muchas batallas durante los primeros años de esta guerra.*

B. *Sin embargo, es cierto que vale la pena intentarlo. Confío en que con el tiempo lograremos la independencia. Y estoy convencido de que juntos...*

▶ **Memoricen** el diálogo y represéntenlo para la clase.

Final del desafío

EL ABRAZO MÁS FAMOSO DEL SIGLO XIX

Novela gráfica escrita por Daniel García y Michelle Liu

31 **La novela gráfica**

▶ **Lee** las primeras viñetas de la novela gráfica de Michelle y Daniel. ¿Cómo crees que puede continuar? Dibuja dos viñetas más con tu compañero(a) y escriban el texto que las acompaña.

Canciones con conciencia

Asha y Lucas tienen que escribir una canción protesta sobre alguna situación problemática de su comunidad. Deberán inspirarse en el estilo del grupo chileno Inti-Illimani. ¿Cómo será su música?

ASHA: Lucas, ¿tú sabes exactamente qué es una canción protesta?

LUCAS: Creo que es un tipo de música que se compone con el propósito de denunciar problemas sociales o políticos. Por eso tenemos que elegir un problema en nuestra comunidad.

ASHA: Sí, tiene sentido. Entonces, el grupo Inti-Illimani canta sobre los problemas en Chile, ¿no?

LUCAS: Supongo que sí. Piensa que en Chile hubo durante mucho tiempo un régimen militar liderado por el general Pinochet que, aunque tuvo partidarios, también provocó una gran oposición.

Actuación de Inti-Illimani.

ASHA: Creo que debemos empezar por escuchar alguna canción.

LUCAS: Buena idea. Mira, en su página web hay un video. Voy a ponerlo para que nos inspire.

ASHA: Me gusta su estilo. ¿Qué opinas?

LUCAS: Sí, a mí también. A ver qué más encontramos... Dice que este grupo pertenece al movimiento llamado Nueva Canción Chilena, que nació en la década de los sesenta del siglo XX.

ASHA: ¿Dice cuándo empezaron a tocar?

LUCAS: Sí, en 1967. Parece que estuvieron varios años en el exilio y que volvieron a Chile después de la dictadura.

ASHA: ¿Qué tal si leemos algunas de sus letras, a ver de qué temas hablan?

LUCAS: Bien pensado. Seguro que tratan sobre la libertad, la democracia, los derechos civiles...

32 **Detective de palabras**

▶ **Completa** estas oraciones con las formas verbales que se usan en el texto.

1. La canción protesta se compone con el propósito de _____ problemas sociales o políticos.

2. Voy a poner el video para que nos _____.

▶ **Compara** los verbos de las dos oraciones. ¿En qué forma están? ¿Por qué?

33 **¿Comprendes?**

▶ **Responde** a estas preguntas.

1. ¿Qué es una canción protesta?
2. ¿Sobre qué tema tienen que escribir Asha y Lucas?
3. ¿Cómo van a inspirarse? ¿Cómo te inspirarías tú para resolver este desafío?
4. ¿Qué recuerda Lucas sobre la historia de Chile?
5. ¿Cuáles son los temas de las canciones de Inti-Illimani, según Lucas?
6. ¿Conoces algún movimiento en los Estados Unidos parecido a la canción protesta?

34 **El gobierno militar de Chile**

▶ **Escucha** y completa esta línea del tiempo.

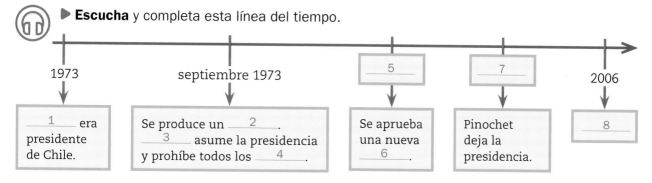

| 1973 | septiembre 1973 | _____ 5 | _____ 7 | 2006 |

| ___1___ era presidente de Chile. | Se produce un ___2___. ___3___ asume la presidencia y prohíbe todos los ___4___. | Se aprueba una nueva ___6___. | Pinochet deja la presidencia. | ___8___ |

▶ **Escucha** de nuevo y escribe tres oraciones ciertas y tres falsas sobre la información de la grabación.

Modelo   *En 1974 Pinochet se convirtió en el jefe de Estado de Chile.*

▶ **Lee** tus oraciones a tu compañero(a). Él/Ella tiene que decidir si son ciertas o falsas.

CULTURA

Inti-Illimani

La historia de la banda chilena Inti-Illimani comenzó en la Universidad Técnica del Estado en 1967, cuando un grupo de estudiantes universitarios se empezó a reunir para tocar música y así expresar sus ideas. El grupo estaba en Europa cuando Pinochet subió al poder y permaneció en el exilio hasta 1988.

Muchas de sus canciones hablan sobre la injusticia del régimen militar y las violaciones de los derechos humanos fundamentales.

35 **Piensa y habla.** ¿Conoces otros grupos musicales o artistas que denuncien problemas políticos o sociales? ¿Qué temas tratan en sus canciones?

Vocabulario

Política y gobierno

La mayor parte de los países latinoamericanos viven hoy en democracia. Sin embargo, en el pasado muchos de ellos sufrieron golpes de Estado encabezados por una junta militar que dieron lugar a regímenes autoritarios en los que un dictador administraba todo el poder. Por lo general, en estos regímenes no se garantizaban los derechos civiles y se perseguía, detenía y encarcelaba a quienes no eran partidarios del régimen o eran sospechosos de tener una ideología distinta. Incluso algunos fueron ejecutados. Por eso muchas personas tuvieron que exiliarse o solicitar asilo político en otro país.

Debate en el Senado de Chile.

A diferencia de las dictaduras, en las que el poder se concentra en un solo individuo, los sistemas democráticos se basan en la división de poderes:

– El poder legislativo corresponde al Parlamento.
– El poder ejecutivo corresponde al Gobierno.
– El poder judicial corresponde a los Tribunales de Justicia.

Además, en los países democráticos se celebran periódicamente elecciones (primarias o generales) para que los ciudadanos elijan a sus representantes a nivel municipal, estatal o federal.
El derecho al voto de toda la población adulta se denomina sufragio universal. Durante la campaña electoral, los candidatos presentan su programa para lograr el apoyo de los votantes.

Más vocabulario

Acciones

abstenerse: renunciar a algo; por ejemplo, a votar en unas elecciones.

autorizar: permitir.

comprometerse: estar obligado a algo; por ejemplo, a cumplir un programa electoral.

oponerse: estar en contra.

¡Atención!
suceder   to happen
triunfar   to succeed

36 Términos políticos

▶ **Escribe** definiciones que ayuden a recordar el significado de estas palabras.

1. candidato(a)
2. elección primaria
3. votante
4. ideología

5. sufragio universal
6. gobierno municipal
7. democracia
8. asilo político

▶ **Habla** con dos compañeros(as). ¿Qué otros términos políticos conocen? Defínanlos y compártanlos con la clase.

37 El sistema político argentino

▶ **Escucha** y responde a estas preguntas.

1. ¿Cada cuántos años se elige al presidente de Argentina?
2. ¿Qué otro cargo tiene el vicepresidente de Argentina?
3. ¿Cuántos senadores hay en el Congreso Nacional? ¿Y diputados?
4. ¿Qué criterio determina el número de diputados de una región?
5. ¿Cuántos senadores elige cada región?
6. ¿Quién designa a los miembros de la Corte Suprema?

▶ **Escucha** de nuevo y toma notas. Compara el sistema político de Argentina con el sistema de tu país y completa un diagrama de Venn con tus conclusiones.

38 ¿Sabes?

▶ **Habla** con tu compañero(a) sobre la política del lugar donde viven. Usen estas preguntas como guía.

1. ¿Quiénes son los senadores? ¿De qué partido político son?
2. ¿Cuánto tiempo pueden mantener su cargo los senadores y los diputados? ¿Crees que ese tiempo es adecuado?
3. ¿Qué se está debatiendo ahora en el gobierno municipal? ¿Y en el gobierno federal?
4. ¿Qué proyecto de ley te gustaría que se presentara en el congreso? ¿Por qué?
5. Si te presentaras como candidato(a) a las elecciones municipales, ¿en qué temas basarías tu campaña electoral?

CULTURA

Antonio Villaraigosa

Antonio Villaraigosa fue el primer alcalde hispano que tuvo Los Ángeles desde 1872. Ha sido calificado por la revista *Time* como uno de los veinticinco latinos más influyentes. Su interés por la política se remonta a sus años de estudiante en la UCLA. Fue elegido a la Asamblea Estatal de California en 1994 y, cuando terminó su cargo, empezó a trabajar en su comunidad. Fue elegido alcalde en 2005 y durante su mandato promovió la mejora del transporte en la ciudad, la seguridad y la producción de energía sostenible.

 39 **Piensa.** ¿Conoces a otros políticos hispanos en el gobierno local o nacional? ¿En qué proyectos o reformas están involucrados?

Gramática

Expresar finalidad

- Para expresar el propósito de una acción, usa **para (que)** y **a (que)**. Recuerda que a (que) se usa con verbos que indican movimiento, como ir, venir, subir, bajar, entrar o salir.

    Se presentó un proyecto de ley **para** mejorar la educación.
    Los ciudadanos **salieron a** protestar por el nuevo proyecto de ley.

- También puedes usar algunas expresiones más formales como a fin de (que) o con el propósito de (que), que equivalen a *so that*, *so as to* y *in order to*.

    Los ministros se reunieron **a fin de** elegir a un nuevo representante.

El infinitivo y el subjuntivo con expresiones de finalidad

- Cuando la cláusula principal y la dependiente tienen el mismo sujeto, usa estas estructuras:

para a a fin de con el propósito de	+ infinitivo

El dictador prohibió las reuniones en lugares públicos **para evitar** las manifestaciones.

Se realizó un referéndum **a fin de conocer** la opinión de los ciudadanos.

- Cuando la cláusula principal y la dependiente tienen distintos sujetos, usa estas otras estructuras:

para que a que a fin de que con el propósito de que	+ subjuntivo

El presidente defendió su propuesta **para que** los diputados la **aprobaran**.

El gobierno presentará los presupuestos **con el propósito de que** el Congreso los **autorice**.

Preguntar sobre la finalidad de una acción

- Para preguntar sobre el propósito o la finalidad de una acción, usa estas estructuras:

¿Para qué...? ¿A qué...? ¿Con qué fin...? ¿Con qué propósito...?	+ indicativo

—¿**Con qué fin salió** el ejército a la calle?
—El ejército salió a la calle **para controlar** la revolución.

40 **Compara.** Traduce al inglés los ejemplos de la ficha. ¿Qué expresiones de finalidad has usado en cada caso? ¿Por qué?

41 **Titulares**

▶ **Escribe** dos titulares ficticios de noticias de actualidad. Usa estas estructuras:

para + infinitivo *para que + subjuntivo*

Modelo *El presidente convoca a los periodistas para presentar la nueva ley.*

42 **La finalidad**

▶ **Completa** estas oraciones con la forma correcta de los verbos del cuadro.

> oponerse   aprobar   elegir   trabajar   apoyar   expresar

1. Se convocaron elecciones primarias para _____ a los candidatos a las elecciones generales.
2. Casi todos los diputados votaron en contra a fin de _____ a la reforma de la Constitución.
3. Es necesario animar a los políticos a que _____ para mejorar las leyes.
4. La mayoría de los diputados va a votar a favor para que se _____ los presupuestos.
5. Muchos voluntarios participan en la campaña con el propósito de _____ al candidato.
6. Haremos un debate a fin de que todos _____ su opinión.

43 **¿Para qué?**

▶ **Habla** con tu compañero(a). ¿Qué propósito crees que tienen estas normas y derechos?

Modelo   Hay elecciones primarias. ⟶ *Hay elecciones primarias para elegir a los representantes de los partidos políticos.*

1. Hay límites en la duración del cargo de presidente.
2. El presidente puede vetar un proyecto de ley.
3. La Constitución garantiza la libertad de expresión.
4. En democracia el poder se reparte en tres ramas: la legislativa, la judicial y la ejecutiva.

44 **Mi punto de vista**

▶ **Escribe** una reflexión sobre estas preguntas.

1. ¿Qué puedes hacer si no estás conforme con algún problema social?
2. ¿Cuál es el propósito de la canción protesta?
3. ¿Qué opinas sobre el hecho de que haya músicos que expresan sus ideas políticas a través de sus canciones?
4. ¿Con qué otros medios de expresión puedes comunicar tu punto de vista sociopolítico?

▶ **Habla** con tu compañero(a). Comenten sus reflexiones del apartado anterior y hagan un póster con ideas para expresar opiniones políticas de una forma constructiva. Después, compártanlo con la clase.

Modelo

> Para expresar tu opinión sobre un tema determinado, puedes escribir una carta al director en algún diario.

La cantante mexicana Lila Downs en un concierto.

Gramática

Expresar dificultad

- Para dar información sobre un evento que se cumple a pesar de que exista una objeción, un obstáculo o una dificultad, puedes usar las siguientes estructuras:

> aunque
> a pesar de (que)
> aun cuando
> pese a (que)
> aun + gerundio

  – Aunque y a pesar de (que). Son las más habituales.

    Acabaremos con la crisis **aunque** sea difícil.

  – Aun cuando y pese a (que). Son más formales. Equivalen a *although*, *even though*, *even if* y *despite*.

    Aun cuando esté ocupada, iré a votar.

  – Aun + *gerundio*. Es también más formal. Expresa la idea de *although, even though* y *in spite of*, pero no tiene equivalencia exacta en inglés.

    Aun conociendo a los candidatos, no sé a quién votar.

  Observa en los ejemplos anteriores que la cláusula que expresa la dificultad puede ir antes o después de la cláusula principal.

Intensificar la dificultad

- Si quieres intensificar la dificultad, puedes utilizar estas estructuras:

> por más + (nombre / adjetivo / adverbio) + que
> por mucho(a)(os)(as) + (nombre) + que
> por muy + adjetivo / adverbio + que

  Por más problemas **que** tenga, él es optimista.

  Por mucho esfuerzo **que** haga, no encuentra trabajo.

  Por muy difícil **que** sea, ganaremos las elecciones.

El indicativo y el subjuntivo con expresiones de dificultad

- Las expresiones de dificultad llevan el verbo en **indicativo** cuando la cláusula tiene el sentido de *even though*. El indicativo expresa que el hablante siente la dificultad como un hecho real y relevante.

  Aunque **estaba** ocupada, fue a votar. *(Even though she was busy, she went to vote.)*

- Las expresiones de dificultad llevan el verbo en **subjuntivo** cuando la cláusula tiene el sentido de *even if*. El subjuntivo expresa que el hablante siente la dificultad:

  – Como un hecho hipotético en el futuro o en el pasado:

    Aunque **llueva** (futuro), iré al cine.   Aunque **lloviera** (pasado), iba al cine.

  – Como un hecho irreal en el pasado:

    Aunque **hubiera llovido** (pasado), habría ido al cine.

  – Como una objeción irrelevante:

    Aunque **esté lloviendo** (presente o futuro), voy a ir al cine.

- Por mucho y por muy llevan el verbo en subjuntivo.

45 **Piensa.** Traduce al español de todas las maneras posibles esta oración: *Even though the candidate won the debates, he lost the elections.*

46 **¿Qué expresión?**

▶ **Transforma** cada par de oraciones en una sola oración. Usa expresiones de dificultad.

Modelo   Hay leyes para prevenir la violencia./Todavía hay crímenes.
→ *Aunque haya leyes para prevenir la violencia, todavía hay crímenes.*

1. El ministro ganó las elecciones primarias./No estaba seguro de conseguirlo.

2. El presidente vetó la ley./El público apoyaba la ley.

3. Él quería ser diputado./No ganó las elecciones.

4. Los candidatos gastan millones de dólares en sus campañas./Muchos no ganan.

47 **Conversaciones sobre política**

▶ **Escucha** y completa las oraciones.

1. Su candidato preferido no ganó las elecciones por muy…

2. Cree que es buena idea limitar la duración de los cargos políticos a pesar de que…

3. Seguirá habiendo injusticias en la sociedad por más…

4. El presidente vetó el proyecto de ley pese a que…

48 **Citas famosas**

▶ **Habla** con tu compañero(a). ¿Qué significan las palabras de estos célebres personajes?

① Por mucho que un hombre valga, nunca tendrá valor más alto que el de ser hombre.
Antonio Machado, escritor español

② Debemos amar a nuestro país aunque nos trate injustamente.
Voltaire, filósofo francés

③ La honradez es siempre digna de elogio, aun cuando no reporte utilidad, ni recompensa, ni provecho.
Cicerón, político, filósofo y escritor romano

▶ **Invéntate** una cita acerca de la política, la historia o la vida en general usando expresiones de dificultad. Compártela con la clase y comenten su significado.

49 **Tu campaña para presidente**

▶ **Escribe** un discurso de campaña para presidente del país.
Explica lo que harás en tu campaña a pesar de estas dificultades.

1. El líder de la oposición es más conocido que tú.

2. No hay muchos fondos para tu campaña.

3. Tienes experiencia trabajando en varias ONG, pero no en política.

4. Hay conflictos con otros países.

▶ **Presenta** tu discurso a la clase.

Antes de leer: estrategias

1. Lee el título del texto y mira la fotografía. ¿Qué sabes de este personaje histórico? ¿En qué época nació? ¿Cuál era su nacionalidad? ¿Por qué fue conocida? ¿Sabes cómo la llamaban? Comparte la información con tus compañeros(as).

María Eva Duarte de Perón

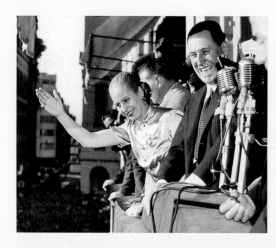

Eva y Juan Domingo Perón saludan desde la Casa Rosada.

María Eva Duarte nació el 7 de mayo de 1919 en Los Toldos (provincia de Buenos Aires, en Argentina). Su niñez fue humilde. En 1935 viajó a Buenos Aires para convertirse en actriz de radioteatro y cine. En 1944 un acontecimiento fortuito[1] hizo que conociera al entonces coronel Perón. Un fuerte terremoto destruyó la ciudad de San Juan y Perón se puso a la cabeza de la ayuda enviada por el gobierno, mientras que Eva Duarte participó en uno de los festivales artísticos destinados a recaudar fondos. Un año más tarde eran marido y mujer.

Poco a poco la figura de Eva Duarte se transformó en un complemento del liderazgo de su esposo. En 1947 hizo un viaje a Europa y a partir de su regreso empezó a ser conocida como Evita. Ese mismo año encabezó la aprobación de la ley que otorgó el voto a las mujeres y comenzó la organización de la rama femenina del Partido Peronista.

Evita tenía a su cargo[2] la ayuda social directa a través de la Fundación de Ayuda Social María Eva Duarte de Perón —luego llamada, simplemente, Fundación Eva Perón— creada por ella en 1948. La Fundación se transformó en un vínculo[3] entre los sectores sociales más débiles y poco organizados. Evita solía atender cada uno de los reclamos[4] en forma personal, por lo cual eran habituales las largas colas ante el edificio de la Fundación.

Además de la ayuda social directa, la Fundación administró policlínicos, escuelas, hogares de tránsito y de ancianos, la Ciudad Infantil y la Ciudad Estudiantil, colonias de vacaciones y otros ámbitos de esparcimiento[5].

En 1951, cuando debía definirse el nombre del vicepresidente que acompañaría a Perón en las elecciones del 11 de noviembre, la Confederación General del Trabajo de la República Argentina (CGT) proclamó a Evita como candidata. Pero los altos jefes militares, que sentían un abierto recelo[6] hacia su figura, lograron vetar con éxito su candidatura. Evita debía comunicar la novedad ante una multitud que se había reunido frente al edificio de la CGT, en la intersección de las avenidas 9 de Julio y Belgrano, en Buenos Aires. Pero la presión popular fue tan grande que no se atrevió. Una semana más tarde, Eva comunicó su «renunciamiento»[7] por radio.

Eva Perón murió el 26 de julio de 1952 a causa de un cáncer. Fue proclamada Jefa Espiritual de la Nación. Su cuerpo fue embalsamado[8] y mantenido en exposición en la CGT. Bajo una lluvia persistente, una multitud de millones de personas esperó horas y horas para saludarla por última vez. Mientras tanto, el gobierno empezó las obras del Monumento al Descamisado, que se había proyectado con base a una idea de Evita y que, según un nuevo plan, sería su tumba[9] definitiva. Cuando la Revolución Libertadora derrocó[10] a Perón el 23 de septiembre de 1955, el cadáver fue secuestrado y hecho desaparecer durante 16 años.

Fuente: http://www.kalipedia.com
(texto adaptado)

1. casual, accidental
2. se ocupaba, era responsable de
3. enlace, conexión
4. quejas
5. entretenimiento
6. desconfianza
7. abandono, dimisión
8. *embalmed*
9. *tomb*
10. obligó a dejar el poder

50 ¿Comprendes?

▶ **Analiza** el texto que has leído. ¿Qué visión ofrece de la vida de Evita? ¿En qué partes del texto se aprecia esa visión? Escribe un párrafo justificando tu respuesta.

▶ **Une** las dos columnas y escribe oraciones lógicas.

 A

1. **A partir de** su regreso de Europa…
2. Evita atendía personalmente las peticiones en su Fundación, …
3. **Además de** la ayuda social directa, …
4. Eva Perón iba a ser proclamada candidata a la vicepresidencia, …
5. Eva Perón murió…
6. **Cuando** Perón fue derrocado, …

 B

a. **a causa de** un cáncer.
b. el cadáver de Eva Perón fue secuestrado.
c. **pero** los altos jefes militares lo impidieron.
d. empezó a ser conocida como Evita.
e. **por lo cual** eran habituales las largas colas en la puerta del edificio.
f. la Fundación administraba policlínicos, escuelas…

51 Con tus propias palabras

▶ **Busca** en Internet más información y videos sobre Eva Perón. ¿Cómo crees que era? ¿Qué rasgos de su personalidad destacarías? Coméntalo con tus compañeros(as).

▶ **Investiga** con tu compañero(a) sobre el gobierno de Juan Domingo Perón y recojan los acontecimientos más importantes en una línea del tiempo.

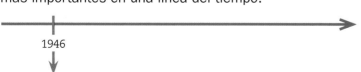

1946
Fue elegido presidente.

Comunicación

52 Un *graffitero* chileno

▶ **Lee** el artículo y responde a las preguntas. Señala, en cada caso, qué palabras del texto justifican tus respuestas.

El *graffiti* ganó un reconocimiento social

El *graffiti* es más que una experiencia visual; es también una experiencia temporal y espacial. Su manifestación no encuentra límites y permite al creador interpretar libremente los contextos en los que acciona.

Para el *graffitero* chileno Ricardo Díaz Santander, esa libertad se manifiesta en la singularidad y la versatilidad que propone el *graffiti*: «Cada obra es distinta, siempre varía dependiendo de la situación personal que uno atraviesa y la del entorno que te rodea.» El joven de 25 años visualiza una reivindicación del *graffiti* como forma de expresión no muchos años atrás resistido y combatido por los oscuros gobiernos militares. «Hoy en día esta disciplina ganó un reconocimiento social muy grande. Cada vez son más frecuentes los espacios cedidos por las personas y las autoridades para que puedan ser intervenidos por artistas urbanos».

En una sociedad donde la información está supeditada a los discursos interesados de los medios, la intervención de los muros se vuelve tan necesaria como revolucionaria. Las consignas varían,

pero todas denuncian algo. «Cuando estás pintando en la calle te encontrás[1] con muchas realidades que no se ven en la televisión, en Internet o en la radio. Tienes que estar ahí para ver la vida real tal cual es, y ahí es cuando te dices que puedes hacer cambios positivos para una sociedad mejor usando colores y formas en las paredes. Pensando positivamente siempre puedes llegar a conseguir cambios.»

[1] te encuentras (en Argentina, Uruguay y Paraguay)

Fuente: www.arteacieloabierto.com (selección)

1. ¿Para qué crean su arte los *graffiteros*, según el texto?

2. ¿A qué sale a la calle Ricardo Díaz Santander?

3. ¿Con qué fin ceden espacios públicos muchas personas y autoridades?

4. ¿Con qué propósito usa el *graffiti* Ricardo Díaz Santander?

▶ **Piensa.** ¿Qué opinas del *graffiti* como forma de expresión? ¿Crees que tiene valor artístico? Coméntalo con tus compañeros(as) de clase, argumentando tus opiniones.

▶ **Habla** con tus compañeros(as). Comparen y contrasten el *graffiti* y la canción protesta como formas artísticas en cuanto a sus contenidos y sus propósitos.

Propaganda política

 ▶ **Lee** el cartel y habla con tu compañero(a). ¿Qué mensaje transmite? ¿Creen que lo hace de forma adecuada? ¿Les gusta? Argumenten sus opiniones.

 ▶ **Dibuja** con tu compañero(a) un cartel similar para promover un proyecto de ley de su gobierno municipal, estatal o federal. Después, preséntenlo a la clase.

Final del desafío

ASHA: Creo que tenemos un montón de temas para escribir nuestra canción. Podemos cantar sobre la poca accesibilidad y adaptación de los lugares públicos para los discapacitados o hablar sobre la desigualdad de los sueldos entre hombres y mujeres.

LUCAS: También podemos escribir sobre la falta de recursos para la gente que vive en la pobreza.

ASHA: Sí, eso también es un gran problema de nuestra sociedad. Aunque hay algunos servicios para la gente sin hogar, podemos hacer mucho más por ellos.

LUCAS: Quizá sea muy complicado, pero ¿qué te parece si escribimos una canción que trate varios temas?

ASHA: Por muy complicado que sea, me gusta la idea. Vamos a intentarlo.

LUCAS: Aunque sea una canción protesta, podemos darle un tono positivo. Me gustaría empezar transmitiendo un mensaje sobre los derechos civiles y la libertad.

ASHA: Perfecto, aunque debemos ser algo críticos, ¿eh?

54 **Un plan ambicioso**

 ▶ **Escribe** un correo electrónico a Asha y a Lucas sobre el plan de su desafío. Hazles comentarios sobre su plan y ofréceles sugerencias.

Modelo

Hola, amigos:

Aunque tienen ideas muy buenas, para tener éxito en este desafío, les recomiendo que…

Una obra de teatro con mensaje

Ethan y Eva tienen que escribir una escena de una obra de teatro explicando el inicio del movimiento indigenista en las Américas. Los ayudará Luisa Itzel, una representante del CICA (Consejo Indígena de Centro América).

ETHAN: Buenas tardes, señora Itzel. Gracias por atendernos.

LUISA: Es un placer, chicos. Ha sido una suerte que contactaran conmigo justo cuando iba a viajar a su país. Si no hubiera estado aquí, no habría podido ayudarlos mucho.

EVA: Sí, hemos tenido mucha suerte. Díganos, ¿qué es el movimiento indigenista? ¿Tiene algo que ver con los derechos humanos?

LUISA: Sí. Desde la colonización ha habido muchas dificultades para la población indígena de Latinoamérica. Hemos sufrido el desempleo, la injusticia social, la discriminación e incluso la pobreza. Y hoy seguimos perdiendo nuestras lenguas, nuestras tierras y nuestras costumbres debido en gran parte a la globalización. El CICA busca lograr el reconocimiento y respeto a las formas de organización indígenas y la recuperación de nuestros valores culturales.

ETHAN: Pero yo siempre pensé que la globalización era una tendencia positiva.

LUISA: Es buena para algunas cosas. Por ejemplo, ahora las poblaciones indígenas pueden comunicarse entre sí más fácilmente. Pero cuéntenme ustedes, ¿cómo van a plantear la escena de la obra de teatro?

ETHAN: Pues no sabemos qué hacer. Si hubiéramos investigado un poco más antes de venir a verla, tendríamos alguna idea. Pero no nos ha dado tiempo.

LUISA: No se preocupen. ¿Qué les parece si la plantean a través de los ojos de un personaje? Por ejemplo, un niño o un joven indígena.

EVA: ¡Qué buena idea!

ETHAN: También podríamos hacerlo con un miembro del CICA. Así hablaría sobre los orígenes del movimiento indigenista, que es lo que nos interesa.

LUISA: Yo puedo contarles un montón de cosas. ¿Qué quieren saber?

55 **Detective de palabras**

▶ **Escribe.** ¿Qué cuatro problemas afectan a la población indígena, según el diálogo? Escribe una definición de cada problema.

▶ **Habla** con tu compañero(a). ¿Por qué creen que existen esos problemas?

56 **¿Comprendes?**

▶ **Responde** a estas preguntas.

1. ¿Por qué dice Luisa que Ethan y Eva han tenido suerte?
2. ¿Qué consecuencias negativas de la globalización sufre la población indígena, según el texto?
3. ¿Qué es el CICA y qué función tiene?
4. ¿Qué opina Luisa sobre la globalización? ¿Qué parte del texto lo demuestra?
5. ¿Qué crees que quiere decir «valores culturales» en este contexto? Pon algunos ejemplos.

57 **Una representante del CICA**

▶ **Escucha** la conversación y elige la opción correcta.

1. Luisa pertenece al CICA desde _____.
   a. 2005   **b.** 1985   **c.** 1995
2. El objetivo que más le gusta a Luisa está relacionado con _____.
   a. la economía   **b.** los idiomas   **c.** la música
3. El CICA organiza _____.
   a. festivales   **b.** talleres   **c.** viajes
4. _____ no pertenece al CICA.
   a. Chile   **b.** Costa Rica   **c.** Panamá

▶ **Escribe** dos preguntas más para Luisa Itzel sobre el CICA y sus objetivos.

COMUNIDADES

Rigoberta Menchú.

MOVIMIENTOS INDIGENISTAS

Desde el comienzo de la colonización de las Américas, los pueblos indígenas han sufrido discriminación y opresión. Esto ha dado lugar a la aparición de los movimientos indigenistas, que luchan para defender los derechos de los pueblos indígenas, otorgarles mayor participación política y terminar con la discriminación social y racial. También promueven los valores tradicionales de estas sociedades, caracterizadas por la solidaridad, la espiritualidad y el antimaterialismo.

Hoy en día muchos gobiernos latinoamericanos tienen en cuenta las reivindicaciones indigenistas en su labor de justicia política y social.

58 **Explica.** ¿Hay en los Estados Unidos algún movimiento indigenista semejante al de Latinoamérica? ¿Te parece necesario? Justifica tu respuesta.

Problemas sociales y medioambientales

29 de abril de 2014

LOS PROBLEMAS MUNDIALES

por Ana Sáez

Es fácil pensar que los problemas que nos preocupan son los mismos que preocupan a todo el mundo. Hasta cierto punto, es verdad; todos nos alarmamos ante las guerras, el **hambre**, la **pobreza**, la **desigualdad**, la **discriminación**, el **analfabetismo**, los problemas medioambientales... Hoy en día, en parte debido a la globalización, muchos de estos problemas tienen una envergadura mundial. Sin embargo, no afectan por igual a todos los países.

Un estudio reciente demuestra que los ciudadanos de los países en desarrollo se preocupan menos por los temas económicos, como la **crisis** actual, que por problemas sociales, como la **corrupción** o la **delincuencia**.

En Colombia, por ejemplo, el desempleo es una de las mayores preocupaciones, muy por encima de los **conflictos armados** o el **terrorismo**.

No debemos perder de vista que algunos problemas mundiales dan lugar a otros muchos y afectan al desarrollo de los países, por lo que deberían ser una prioridad para las autoridades. Es el caso, por ejemplo, del **tráfico** y el **abuso de drogas**, que están relacionados con el **crimen organizado** y la **violencia**.

29 de abril de 2014

NUESTRO MUNDO

por Gerardo Leal

Uno de los mayores problemas que tiene hoy la sociedad mundial es el impacto medioambiental creado por el alto nivel de **residuos tóxicos y radiactivos** producidos por la industrialización. Para preservar el medio ambiente deben potenciarse alternativas que favorezcan el **ahorro energético** y el **desarrollo sostenible**, como aprovechar el sol y el viento para producir **energía solar y eólica**, favorecer la **agricultura ecológica**, etc.

---

59 **Tus preocupaciones**

▶ **Piensa**. ¿Cuáles son los cinco problemas de la ficha de Vocabulario que más te preocupan? Haz una lista.

▶ **Habla** con dos compañeros(as). ¿Qué problemas les preocupan más a ellos(as)? Justifiquen sus respuestas.

Más vocabulario

Problemas sociales

las armas de fuego: pistolas, escopetas, fusiles, etc.

el delito: acción que va contra la ley.

el robo: quitarle la propiedad a alguien sin su permiso.

¡Atención!

perjudicar	*to damage, to harm*
el prejuicio	*prejudice*

60 Noticias nacionales

 ▶ **Escucha** y escribe un titular para cada noticia.

▶ **Habla** con tu compañero(a). Escriban una noticia de actualidad de su país o estado. Incluyan un titular y una ilustración.

PLAN NACIONAL SOBRE DROGAS

¡!
ABRE
LOS OJOS

las drogas
pasan factura

www.sindrogas.es   902 16 15 15

Modelo

A. *Podemos escribir una noticia sobre el abuso de las drogas porque afecta a muchos jóvenes. Y el consumo empieza antes que hace unos años.*

B. *De acuerdo. El titular podría ser «Baja la edad de inicio en el consumo de drogas».*

61 Problemas y soluciones

▶ **Completa** una tabla como esta con algunos problemas sociales y medioambientales.

Problemas	Causa(s)	Consecuencia(s)
1. el analfabetismo		
2. el hambre		
3. la delincuencia		
4. ...		

 ▶ **Habla** con tu compañero(a). Compartan sus ideas y hagan una única tabla. Añadan otra columna con soluciones para cada problema a nivel local, nacional o internacional.

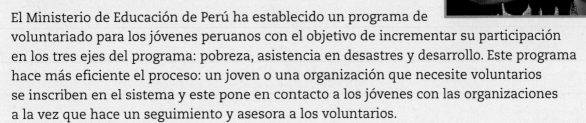

COMUNIDADES

VOLUNTARIADO JUVENIL EN PERÚ

El Ministerio de Educación de Perú ha establecido un programa de voluntariado para los jóvenes peruanos con el objetivo de incrementar su participación en los tres ejes del programa: pobreza, asistencia en desastres y desarrollo. Este programa hace más eficiente el proceso: un joven o una organización que necesite voluntarios se inscriben en el sistema y este pone en contacto a los jóvenes con las organizaciones a la vez que hace un seguimiento y asesora a los voluntarios.

62 **Investiga.** ¿Hay algún programa así en tu país? ¿Cuáles son los beneficios de ese tipo de organización de voluntariado? ¿Hay alguna desventaja? Justifica tus respuestas.

Gramática

Expresar condición

Oraciones condicionales irreales. El pluscuamperfecto de subjuntivo

- Para hablar de condiciones que no se cumplieron en el pasado (condicionales irreales), utilizamos el pluscuamperfecto *(past perfect)* de subjuntivo.

> Si **hubiéramos ahorrado** energía, ahora tendríamos más recursos.
> *If we had saved energy, we would have more resources now.*

- El pluscuamperfecto de subjuntivo se forma con el imperfecto de subjuntivo del verbo auxiliar haber.

PLUSCUAMPERFECTO DE SUBJUNTIVO. VERBOS REGULARES

	Ayudar	Comer	Vivir
yo	hubiera **ayud**ado	hubiera **com**ido	hubiera **viv**ido
tú	hubieras **ayud**ado	hubieras **com**ido	hubieras **viv**ido
usted, él, ella	hubiera **ayud**ado	hubiera **com**ido	hubiera **viv**ido
nosotros(as)	hubiéramos **ayud**ado	hubiéramos **com**ido	hubiéramos **viv**ido
vosotros(as)	hubierais **ayud**ado	hubierais **com**ido	hubierais **viv**ido
ustedes, ellos(as)	hubieran **ayud**ado	hubieran **com**ido	hubieran **viv**ido

Los tiempos verbales en las condicionales irreales

- Para expresar qué ocurriría en el presente si se hubiera cumplido una condición, usa esta estructura:

Si + pluscuamperfecto subjuntivo + condicional
si clause (condition)   main clause (result)

Si **hubiéramos acabado** con la pobreza, ahora no **existiría** la injusticia social.

- Para expresar qué habría ocurrido en el pasado si se hubiera cumplido una condición, usa esta otra estructura:

Si + pluscuamperfecto subjuntivo + condicional perfecto
si clause (condition)   main clause (result)

Si la policía no **hubiera detenido** a los terroristas, **habrían cometido** un atentado.

63 **Explica.** Lee estas oraciones. ¿Qué diferencia hay entre ellas?

a. Si la economía hubiera crecido, no aumentaría el desempleo.

b. Si la economía hubiera crecido, no habría aumentado el desempleo.

64 **Si hubiéramos...**

▶ **Completa** estas oraciones de forma lógica.

1. Si hubiéramos usado más energía solar y eólica...

2. Si hubiéramos potenciado el desarrollo sostenible...

65 **Consecuencias**

▶ **Escucha** y elige la opción correcta.

1. a. Si Eva no hubiera perdido el autobús, habría visto el programa sobre las armas de fuego.
   b. Si Eva no hubiera perdido el autobús, vería el programa sobre las armas de fuego.

2. a. Si a Ethan no le hubieran robado la cartera, no habría denunciado el robo a la policía.
   b. Si a Ethan no le hubieran robado la cartera, no denunciaría el robo a la policía.

3. a. Si hubieran sabido los efectos, la gente no habría consumido alimentos transgénicos.
   b. Si hubieran sabido los efectos, la gente no consumiría alimentos transgénicos.

4. a. Si no hubiera habido tanta contaminación en México, Ethan se habría mudado allí.
   b. Si no hubiera habido tanta contaminación en México, Ethan se mudaría allí.

5. a. Si no les hubiera preocupado el futuro, no habrían usado energía solar en casa.
   b. Si no les hubiera preocupado el futuro, no usarían energía solar en casa.

66 **¿Qué habría pasado?**

▶ **Escribe** oraciones condicionales irreales siguiendo el modelo.

Modelo El uso de fuentes de energía alternativas ayuda a preservar el medio ambiente.
   ⟶ *Si hubiéramos usado más fuentes de energía alternativas, ahora no habría tanta contaminación.*

1. Aumentaron los robos en tiendas.

2. Este año no se han creado suficientes puestos de trabajo para los jóvenes.

3. Hay nuevas enfermedades que se relacionan con el consumo de alimentos transgénicos.

4. Las guerras entre los carteles de la droga causaron cientos de muertes este año.

5. La utilización sostenible de los recursos naturales tiene muchas ventajas.

6. Los movimientos indigenistas incrementan su actividad en Latinoamérica.

67 **Si yo hubiera...**

▶ **Escribe** seis oraciones explicando condiciones que no se cumplieron en el pasado y que han afectado a tu vida presente.

Modelo *Si hubiera hecho más ejercicio, ahora estaría más atlética. Y si hubiera estudiado un poco más el año pasado, habría sacado mejores notas.*

▶ **Habla** con tu compañero(a) y comparen sus oraciones. ¿Son semejantes o muy diferentes?

Gramática

Expresar tiempo

- Recuerda: para expresar el tiempo de una acción o una secuencia de eventos se utiliza generalmente cuando, antes de (que), después de (que) o mientras.

> **Cuando** reciclamos, preservamos el medio ambiente.

- Estas otras expresiones temporales son también frecuentes:
  – En cuanto *(as soon as)*: Llámame **en cuanto** llegues.
  – Hasta que *(until)*: No salgas **hasta que** te llame.
  – Siempre que *(whenever)*: **Siempre que** viaja, me llama.
  – Al + *infinitivo*: Llámame por teléfono **al** llegar.

- La cláusula temporal puede ir delante o detrás de la cláusula principal.

EXPRESIONES DE TIEMPO

cuando
antes/después de (que)
siempre que
mientras
al + infinitivo
en cuanto
hasta que

Indicativo y subjuntivo con expresiones de tiempo

- Las expresiones de tiempo, excepto antes de que, pueden introducir un verbo en indicativo o en subjuntivo. En general:
  – Usa el **indicativo** cuando la cláusula principal se refiere a eventos pasados, presentes o habituales.
  – Usa el **subjuntivo** cuando la cláusula principal se refiere a eventos futuros.

  Atención: estas expresiones de tiempo nunca van seguidas de un verbo en futuro.

INDICATIVO Y SUBJUNTIVO CON EXPRESIONES DE TIEMPO

	INDICATIVO (idea de pasado o de presente)	SUBJUNTIVO (idea de futuro)
cuando	Cuando **usamos** el transporte público, ahorramos energía.	Cuando **usemos** el transporte público, ahorraremos energía.
después de que	Después de que **cambiaste** las bombillas, bajó la factura eléctrica.	Después de que **cambies** las bombillas, bajará la factura eléctrica.
siempre que	Siempre que **uso** envases, los reciclo.	Siempre que **use** envases, los reciclaré.
en cuanto	Me apunté a la ONG en cuanto **pude**.	Apúntate a la ONG en cuanto **puedas**.
hasta que	Esa empresa no controló sus residuos tóxicos hasta que la **multaron**.	Esa empresa no controlará sus residuos tóxicos hasta que la **multen**.

- Recuerda: antes de que y después de que se usan cuando la cláusula principal y la dependiente tienen distintos sujetos. En cambio, cuando las dos cláusulas tienen el mismo sujeto, usamos antes de y después de + *infinitivo*.

> Lee la etiqueta **antes de que te vendan** un producto químico.
> Lee la etiqueta **antes de comprar** un producto químico.

68 **Explica.** ¿Por qué crees que antes de que lleva siempre subjuntivo?

69 **Por lógica**

▶ **Une** las dos columnas y escribe oraciones lógicas.

 A

1. El gobierno se preocupó por la violencia...
2. Ahorraremos energía...
3. Se redujo la contaminación...
4. El hambre y la pobreza no se acabarán...
5. La crisis acabará...

 B

a. siempre que usemos el transporte público.
b. hasta que todos seamos más solidarios.
c. en cuanto baje el desempleo.
d. cuando aumentaron los robos.
e. después de que se limitó el tráfico.

70 **¿Indicativo o subjuntivo?**

▶ **Completa** estas oraciones usando expresiones de tiempo.

1. Se seguirá destruyendo el medio ambiente...
2. El crimen y la violencia aumentan...
3. En las ciudades disminuirá el índice de delincuencia...
4. La injusticia social se evita...
5. Los pueblos indígenas exigirán la igualdad...

Danza indígena (San Salvador).

71 **El desafío de Ethan y Eva**

▶ **Escucha** y decide si estas oraciones son ciertas o falsas. Después, corrige las falsas.

1. Eva salió de la biblioteca después de tomar notas sobre el indigenismo.
2. Ethan se reunió con Luisa cuando terminaron sus clases.
3. Ethan estuvo con Luisa hasta que llegó Eva.
4. Ricardo no aceptará trabajar en la obra hasta que tenga más información.
5. Ethan y Eva van a trabajar hasta que tengan un primer borrador del guion.

 COMPARACIONES

La contaminación en la Ciudad de México

La Ciudad de México es una de las mayores metrópolis del planeta. A causa del enorme tráfico y por estar situada en un valle rodeado de montañas, la contaminación ambiental alcanza niveles alarmantes.
Para remediarlo, el gobierno ha puesto en marcha el plan *Hoy no circula*, que consiste en limitar la circulación de vehículos en determinados días y horas según su matrícula.

72 **Piensa.** ¿Qué medidas se han tomado en tu ciudad para reducir la contaminación?

Antes de leer: estrategias

1. Lee el título del texto. ¿Qué es un exiliado?

2. ¿Cómo crees que se siente un exiliado? Habla con tus compañeros(as) sobre sus sentimientos.

3. ¿Crees que es posible que un exiliado se sienta bien en la sociedad que lo recibe? Justifica tu respuesta.

El exiliado

Su acento lo delata[1]: arrastra un poco las eses y pronuncia de igual manera las b y las v. Entonces se produce cierto silencio a su alrededor.

A partir de ese instante (y también otros) él se siente en la necesidad de compensar a los demás. Oh, es cierto que él es un extranjero y debe hacerse perdonar. Agradece la buena voluntad ajena, esa que consiste en no preguntarle jamás de dónde viene, ni qué hacía antes, si ha solucionado o no los problemas de los papeles, cómo era el lugar donde vivía, si perdió algo en el camino, si se siente solo. Todos están dispuestos a disimular esa pequeña anomalía, a tomarlo en cuenta, pese a todo, a no hacerle preguntas y especialmente a no demostrar ninguna clase de curiosidad por su vida. Para corresponder a tanta amabilidad, él se obstina[2] en ignorar su pasado (hace como si no lo tuviera), reprime[3] cualquier malestar[4] y demuestra gran conocimiento de las plazas de la ciudad, los monumentos, el nombre y la ubicación de las calles, los servicios públicos y la escasa flora del lugar. Puede indicar con precisión la ruta de los autobuses y de los metros y la composición de la Alcaldía, pero, precisamente, el hecho de conocer todos estos datos crea cierta desconfianza a su alrededor y confirma que, en efecto, se trata de un extranjero que vive entre nosotros. Cuando alguien habla de un defecto nacional, él lo convierte de inmediato en una virtud. Por ejemplo, cuando su interlocutor[5], sin mirarlo especialmente fijo, menciona la mezquindad[6] de los habitantes de la ciudad, él afirma que se trata del sano sentido del ahorro que ha permitido prosperar a las familias; si se habla de la rudeza y falta de urbanidad[7] de los transeúntes[8], él asegura que es espontaneidad y falta de inhibiciones; si alguien comenta que en esa ciudad hay poca imaginación y sus habitantes son aburridos, él sugiere que, en realidad, se trata del sentido común de la raza, poco dada[9] —gracias a Dios— al delirio y a la aventura.

Si el interlocutor persiste en enumerar los vicios y defectos del país, él da por[10] terminada la conversación con un enfático «¡Ustedes no saben lo que tienen!», y el ciudadano se interrumpe, mira alrededor, algo confuso, convencido de que el exiliado ama más el lugar que él. Pero de inmediato se recupera: no está dispuesto a que nadie hable de su patria superlativamente, si no nació allí. Es entonces cuando el Exiliado comprende que ha cometido una falta irreparable y que, por más esfuerzo que haga, siempre será un extranjero.

CRISTINA PERI ROSSI. *Cuentos.* (http://goo.gl/GD0y30) (selección)

---

1. lo descubre
2. insiste
3. contiene, domina
4. sensación incómoda

5. persona con la que se habla
6. mala intención, maldad
7. comportamiento adecuado a las normas

8. personas que pasan por un lugar
9. inclinada, orientada
10. considera

---

73 **¿Comprendes?**

▶ **Responde** a estas preguntas y cita las palabras del texto en las que basas tus respuestas.

1. ¿Por qué se dan cuenta los demás de que el exiliado es un extranjero?
2. ¿Cómo se comportan los demás con él? ¿Y él con los demás?
3. ¿En qué consiste la «falta irreparable» que comete el exiliado?

▶ **Responde** a estas preguntas justificando tus respuestas. Después, coméntalas con tus compañeros(as) para averiguar si opinan lo mismo que tú.

1. ¿Crees que el exiliado es sincero cuando se refiere a la «buena voluntad» y la «amabilidad» de los demás? ¿Crees que realmente agradece su actitud?
2. ¿Qué crees que piensa realmente el exiliado de los habitantes de la ciudad?

74 **Palabras y expresiones**

▶ **Clasifica** las palabras del cuadro en una tabla como esta. Después, compara tu tabla con la de tus compañeros(as). ¿Coinciden en sus opiniones?

tener buena voluntad	ser desconfiado(a)	ser rudo(a)
no tener urbanidad	ser mezquino(a)	ser espontáneo(a)
no tener inhibiciones	tener poca imaginación	tener sentido común

Positivos	Negativos

75 **Con tus propias palabras**

¿Estás de acuerdo con estas palabras del texto? Coméntalo con tus compañeros(as) y justifica tu respuesta.

Es cierto que él es un extranjero y **debe hacerse perdonar**.

Comunicación

76 ### Problemas en las ciudades

▶ **Lee** el artículo y responde a las preguntas.

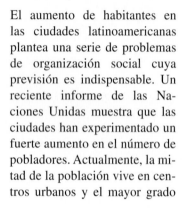

Editorial

El crecimiento de las ciudades

El aumento de habitantes en las ciudades latinoamericanas plantea una serie de problemas de organización social cuya previsión es indispensable. Un reciente informe de las Naciones Unidas muestra que las ciudades han experimentado un fuerte aumento en el número de pobladores. Actualmente, la mitad de la población vive en centros urbanos y el mayor grado de urbanismo se encuentra en Latinoamérica.

Las condiciones de la urbanización han contribuido a incrementar y consolidar grandes núcleos de pobreza, debido a que no se tomaron las previsiones para generar condiciones aceptables de vida. Además de las dificultades que sufren particularmente los habitantes pobres por las carencias de servicios indispensables y de viviendas adecuadas, los conglomerados se han convertido en lugares de asentamiento de redes de delito y en una fuente de problemas de seguridad que afectan en primer lugar a los pobladores locales. Los gobiernos deben tener en cuenta esta tendencia para, cuando menos, evitar el agravamiento de los problemas que genera.

Fuente: http://edant.clarin.com
(selección)

1. ¿Qué es lo que está causando problemas de organización social en las ciudades, según el texto?

2. ¿Cuáles son los problemas que se derivan del aumento de población en los centros urbanos?

3. ¿Qué significa la palabra *carencia*? ¿A qué tipo de servicios indispensables se refiere el texto?

4. ¿Cuál es el propósito de este artículo? ¿A quién está dirigido?

▶ **Habla** con dos compañeros(as). Preparen una lista de las medidas que podrían haber tomado los gobiernos para evitar los problemas de urbanización que describe el artículo.

Modelo   *Si se hubieran construido viviendas adecuadas en cuanto comenzó el crecimiento de las ciudades, los habitantes más pobres habrían…*

77 ### Ciencia ficción

▶ **Imagina.** ¿Qué problemas sociales y medioambientales habrá en el año 2100? ¿Cuáles se habrán solucionado? Escribe un párrafo siguiendo el modelo.

Modelo   *Estamos en el año 2100. Si no hubiéramos comenzado a reciclar hace muchos años, ahora no habría árboles. Además…*

▶ **Habla** con dos compañeros(as) y comparen sus predicciones. ¿Son optimistas o pesimistas?

78 Tus decisiones

▶ **Haz** una presentación oral. ¿Qué acciones realizas para lograr estos objetivos? Utiliza expresiones de tiempo.

Modelo   apoyar el comercio local

     → *Compro productos locales siempre que puedo para ayudar a los agricultores de mi comunidad.*

1. Evitar el consumo de alimentos transgénicos.
2. Cuidar el medio ambiente.
3. Rechazar la injusticia social.
4. Apoyar el comercio justo.

Final del desafío

Cuando tengas tiempo, podemos leer el guion en voz alta y ensayar la escena.

Perfecto. Me gusta mucho cómo han explicado el inicio del movimiento indigenista y el enfoque que le han dado a la escena: respeto a las culturas indígenas, igualdad de derechos...

Y díganme: ¿Qué soluciones se les ocurren para mejorar la situación de los pueblos indígenas?

79 La escena

▶ **Escribe.** ¿Qué problemas del cuadro crees que han tratado Ethan y Eva en el guion de la escena que han escrito? ¿Por qué?

discriminación	robo	desigualdad	delincuencia	terrorismo

▶ **Habla** con tu compañero(a). ¿Cómo responderían ustedes a la pregunta de Ricardo?

Todo junto

LEER, ESCUCHAR Y ESCRIBIR

80 **Una artista comprometida**

▶ **Lee** la información sobre la cantante Violeta Parra y completa las oraciones con la información que extraigas del texto.

Violeta Parra: una artista comprometida

Violeta Parra fue una cantante y compositora chilena que tuvo una gran influencia en la música, no solo chilena, sino de todo el mundo. Ella nació en una pequeña ciudad del sur de Chile en 1917 y murió en 1967. Durante toda su vida estuvo involucrada en movimientos progresistas y fue políticamente muy activa. Desde el punto de vista musical se la considera la inspiradora de la Nueva Canción Chilena, un estilo que incorporaba el folclore tradicional, la poesía y la protesta social. Una de las canciones más famosas de Violeta Parra fue *Gracias a la vida*, popularizada por la argentina Mercedes Sosa en toda Hispanoamérica, y por Joan Báez en los Estados Unidos.

1. Es cierto que...   **2.** Es probable que...   **3.** Es evidente que...   **4.** No hay duda de que...

▶ **Escucha** una noticia relacionada con el texto que has leído y elige la opción correcta.

1. El concierto es...
  a. por la mañana.   **b.** a mediodía.   **c.** por la noche.

2. En el concierto hay ocho artistas invitados y...
  a. 70 músicos.   **b.** 30 músicos.   **c.** 80 músicos.

3. El invitado internacional es...
  a. chileno.   **b.** argentino.   **c.** venezolano.

4. Pedro Aznar conoció la música de Violeta Parra...
  a. de niño.   **b.** a los 15 años.   **c.** cuando empezó a cantar.

5. Según Pedro Aznar, Violeta Parra dio gran popularidad a la música...
  a. sinfónica.   **b.** folclórica.   **c.** tradicional.

▶ **Investiga** sobre una de las canciones de Violeta Parra y escribe un párrafo. Explica:

1. ¿Cuál es el tema de la canción?

2. ¿A quién crees que está dirigida la canción? ¿Por qué?

3. ¿Te parece que tiene un contenido social? ¿Por qué?

Tu desafío

81 **Los desafíos**

¿Recuerdas los desafíos que Tim y Andy prepararon para los personajes? ¿Cuál te gusta más? Elige una de estas opciones y resuelve tu desafío.

DESAFÍO Ⓐ

Imagínate un encuentro entre dos líderes hispanos(as) de la actualidad y escribe un diálogo entre ellos(as). Incluye lo siguiente:

- Las razones por las que es bueno reunirse.
- Un problema social o político que tienen que resolver.
- Los argumentos de cada uno.
- Ideas para resolver el problema.

El cantante Juanes en concierto.

DESAFÍO Ⓑ

Haz una investigación sobre un grupo o cantante hispano que cante canciones de contenido social. Prepara una presentación que incluya:

- Una breve biografía sobre el/la artista.
- Una explicación sobre los temas de sus canciones.
- Un fragmento de la letra de una de sus canciones que muestre ese contenido social.

DESAFÍO Ⓒ

Haz una investigación en la página oficial del Consejo Indígena de Centro América (www.cicaregional.org). Prepara un informe que incluya:

- Información histórica sobre el CICA y su finalidad.
- Una explicación sobre los proyectos que tienen.
- Uno de los temas en los que están trabajando que te gusta especialmente.

La inmigración hispana en los Estados Unidos

Los Estados Unidos son el principal país de destino para los emigrantes de todo el mundo. Según datos de la Oficina del Censo, el año 2010 había en los Estados Unidos 40 millones de personas que habían nacido en otros países. El 53% de ellas procedían de Latinoamérica, especialmente de México, el Caribe (Cuba y República Dominicana) y Centroamérica (El Salvador, Guatemala y Honduras).

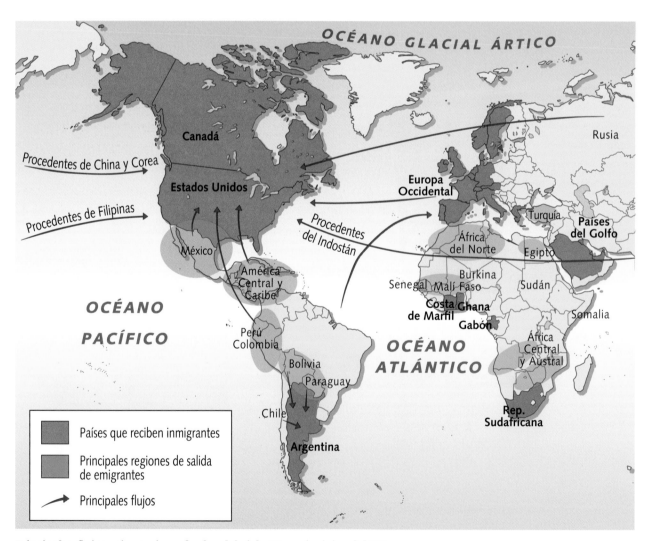

Principales flujos migratorios a finales del siglo XX y principios del XXI.

Los mexicanos

Según datos del censo, en 2010 había en los Estados Unidos cerca de 12 millones de inmigrantes mexicanos. Las comunidades mexicanas más numerosas están en California, Texas, Arizona, Illinois y Colorado, donde también se concentra la mayor parte de la población americana de origen mexicano.

Se dice que Los Ángeles es la segunda ciudad del mundo con más personas de origen mexicano (inmigrantes y mexicanoamericanos), después de la Ciudad de México.

Los cubanos

Desde la segunda mitad del siglo XX muchos cubanos han abandonado su isla por motivos políticos y económicos, y se han instalado en los Estados Unidos, sobre todo en el Gran Miami. Allí se ha asentado una próspera comunidad que ha contribuido al crecimiento económico de la zona.

Los dominicanos

En los Estados Unidos viven cerca de un millón y medio de personas de origen dominicano. De ellas, cerca de 900.000 no tenían al nacer la nacionalidad americana.

Las comunidades de dominicanos más numerosas están actualmente en la ciudad de Nueva York y en los estados de New Jersey y la Florida.

El Desfile Dominicano que se celebra durante el mes de agosto en la Sexta Avenida de Manhattan suele reunir a más de un millón de espectadores.

El Mes de la Herencia Hispana

Desde 1968 se celebra en muchas ciudades de los Estados Unidos el Mes de la Herencia Hispana. Entre el 15 de septiembre y el 15 de octubre se organizan desfiles, exposiciones y muchos otros actos culturales y festivos para reconocer la contribución de la comunidad hispana a la sociedad estadounidense.

82 Hispanos famosos

▶ **Habla** con tus compañeros(as). ¿Qué personaje de origen hispano admiras más? ¿Por qué?

Un ensayo

Textos expositivos

La palabra *exponer* remite, entre otras cosas, a la idea de explicar algo o hablar de algo para informar a los demás.

Los **textos expositivos** transmiten una información objetiva organizada según un determinado criterio.

En general, en los textos expositivos se utilizan los verbos en tercera persona, puesto que en ellos se habla de hechos y fenómenos objetivos, no de opiniones.

Piensa

■ Elige el tema histórico, social o político sobre el que te gustaría escribir.

■ Busca información sobre el tema que has elegido. Puedes utilizar enciclopedias, revistas especializadas, Internet… Anota las fuentes que utilices para incluirlas en la bibliografía de tu trabajo.

■ Organiza tus ideas y elabora un guion para ordenar los contenidos que vas a tratar. Ese guion te servirá para la redacción posterior de tu ensayo. Sigue este esquema:

– Una **introducción** para presentar el tema que vas a tratar y una explicación breve de la organización del ensayo.

Modelo   *En este trabajo propongo un análisis sobre las causas que motivaron los procesos de independencia en Latinoamérica a principios del s.XIX. En el primer capítulo analizo…*

– Un **desarrollo** para explicar los hechos relacionados con el tema que elegiste: causas, consecuencias, etc.

Modelo   *Los procesos de independencia se debieron a…*

– Una **conclusión** para resumir las ideas expuestas.

Modelo   *Entre 1810 y 1825, la mayor parte de los territorios del continente americano lograron la independencia.*

En esta unidad vas a escribir un ensayo sobre un tema histórico, social o político del mundo hispano que te interese.

Como sabes, un ensayo es un tipo de texto expositivo bastante extenso en el que se muestran los conocimientos que se poseen acerca de un tema concreto. Por tanto, un trabajo de este tipo debe estar bien documentado, redactado y presentado.

GUION PARA UN ENSAYO

El proceso de independencia de América Latina

1. Introducción
2. Desarrollo
   2.1. Antecedentes
      - Causas internas
      - Causas externas
   2.2. Desarrollo del proceso independentista
   2.3. Grandes figuras de la independencia
      - Simón Bolívar
      - José de San Martín
   2.4. Consecuencias de la independencia
3. Conclusión

Escribe

■ Tomando como punto de partida el guion y las ideas que anotaste, escribe el borrador de tu ensayo.

Recuerda que en este tipo de textos es muy importante la claridad, el orden y la objetividad.

■ Selecciona imágenes que puedas incluir en tu ensayo.

■ Incorpora al principio del ensayo un índice con los títulos de los apartados y los subapartados en los que has organizado el texto.

■ Recopila la bibliografía que consultaste y ponla al final del ensayo.

Revisa

■ Una vez finalizado tu borrador, comprueba si incluiste toda la información que querías y si está bien organizada.

■ Intercambia tu ensayo con tu compañero(a). Lee el suyo y completa una tabla como esta con tus comentarios.

Expresiones útiles

Causa:

A causa de…	*Because of …*
Debido a…	*Due to …*
Gracias a…	*Thanks to …*
Por culpa de…	*Because of …*

Consecuencia:

De manera que…	*So that …*
Por tanto…	*So …*
De ahí que…	*That's why …*
Entonces…	*So …*

Conclusión:

En resumen…	*In summary …*
Finalmente…	*Finally …*
En conclusión…	*In conclusion …*

Criterio	Guía de preguntas	Comentarios
Contenido	– ¿El trabajo te parece interesante? – ¿Te aporta alguna información que desconocías? – ¿Crees que falta alguna información en concreto?	
Redacción	– ¿La redacción es clara y comprensible? – ¿Hay alguna parte del texto que no entiendas?	
Vocabulario	– ¿Se repiten mucho algunas palabras? – ¿El vocabulario es preciso y adecuado al registro?	
Gramática	– ¿El texto tiene algún error gramatical?	
Ortografía	–¿Tiene alguna falta de ortografía?	

■ Devuelve el ensayo a su autor(a) con tus sugerencias y revisa el tuyo teniendo en cuenta sus comentarios. Pásalo a limpio.

Comparte

■ Prepara una presentación de tu ensayo para tus compañeros(as). Ellos(as) deberán tomar notas para hacerte preguntas al final. ¡Suerte!

Historia

la alianza	alliance	el tratado de paz	peace treaty	**Acciones**	
la clase media	middle class	la victoria	victory	abolir	to abolish
la derrota	defeat	el virreinato	viceroyalty	declarar la guerra	to declare war
el ejército	army			firmar la paz	to sign a peace treaty
la esclavitud	slavery	el/la colono(a)	colonist	liberar	to free
la independencia	independence	el/la criollo(a)	creole	luchar, pelear	to fight
la nobleza	nobility	el/la general	general	unir	to unite
la realeza	royalty	el/la monarca	monarch		
la revolución	revolution	el/la navegante	sailor	**¡Atención!**	
el territorio	territory	el virrey	viceroy	apoyar	to support
				soportar	to put up with

Política y gobierno

el asilo político	political asylum
la campaña electoral	electoral campaign
la democracia	democracy
los derechos civiles	civil rights
las elecciones	elections
la ideología	ideology
la junta militar	junta
el poder ejecutivo	executive power
el poder judicial	judicial power
el poder legislativo	legislative power
el sufragio universal	universal suffrage
el/la candidato(a)	candidate
el/la votante	voter
estatal	state
federal	federal
municipal	city, local
partidario(a)	supporter

Acciones

abstenerse	to abstain
autorizar	to authorize
comprometerse	to commit
detener	to detain
ejecutar	to execute
encarcelar	to jail
exiliar(se)	to exile (oneself)
oponerse	to oppose
perseguir	to pursue, to persecute

¡Atención!

suceder	to happen
triunfar	to succeed

Problemas sociales

el abuso de drogas	drug abuse
el analfabetismo	illiteracy
el arma de fuego	firearm
el conflicto armado	armed conflict
la corrupción	corruption
el crimen organizado	organized crime
la crisis	crisis
la delincuencia	crime
el delito	crime
la desigualdad	inequality
la discriminación	discrimination
el hambre	hunger
la pobreza	poverty
el robo	robbery
el terrorismo	terrorism
el tráfico de drogas	drug trafficking
la violencia	violence

El medio ambiente

la agricultura ecológica	ecological agriculture
el ahorro energético	energy savings
el desarrollo sostenible	sustainable development
la energía eólica	wind energy
la energía solar	solar energy
los residuos radiactivos	radioactive waste
los residuos tóxicos	toxic waste

¡Atención!

perjudicar	to damage, to harm
el prejuicio	prejudice

DESAFÍO 1

1 **Alianzas de palabras.** Une las palabras de las columnas y escribe oraciones.

A	B	C
1. firmar	la guerra	a los colonos
2. abolir	la colonia	con el virrey
3. declarar	la paz	en los estados del sur
4. unir	la esclavitud	en una sola provincia
5. liberar	los nuevos territorios	del poder de la monarquía

DESAFÍO 2

2 **Política en la Historia.** Completa el texto con las palabras del cuadro.

> democracia   derechos civiles   elecciones   exiliarse
>
> junta militar   oponerse   candidato   régimen

De la última dictadura a la democracia en Argentina

El 24 de marzo de 1976, una ___1___ dirigida por el general Jorge Videla se hizo con el poder en Argentina mediante un golpe de Estado. Desde entonces y hasta 1983, el país estuvo gobernado por una dictadura militar que suprimió los ___2___ y se caracterizó por la violación sistemática de los derechos humanos. Todos los sospechosos de ___3___ al ___4___ militar «desaparecieron», al tiempo que otras muchas personas tuvieron que ___5___.

El 30 de octubre de 1983 Argentina celebró ___6___ presidenciales. Las ganó el ___7___ de la Unión Cívica Radical (UCR), Raúl Alfonsín, y bajo su mandato la nación volvió a la ___8___.

Toma de posesión de Raúl Alfonsín.

DESAFÍO 3

3 **Problemas.** Escribe. ¿A qué problemas sociales se refieren estos titulares?

1
Una banda internacional obtiene en un golpe simultáneo 35 millones en cajeros de 27 países

2
La mitad de la población del mundo no tiene acceso al consumo de agua

3
Unos 61 millones de niños en todo el mundo no van a la escuela

4
Doble ataque con coches bomba causa 9 muertos y 70 heridos

Los numerales ordinales (pág. 250)

primero(a), primer	octavo(a)
segundo(a)	noveno(a)
tercero(a), tercer	décimo(a)
cuarto(a)	undécimo(a) / décimo primer(o)(a)
quinto(a)	duodécimo(a) / décimo segundo(a)
sexto(a)	décimo tercer(o)(a)
séptimo(a)	décimo cuarto(a)

Expresar certeza y duda (pág. 252)

EXPRESIONES AFIRMATIVAS DE CERTEZA (INDICATIVO)

Es verdad / Es cierto / Es evidente / Es obvio + que
Estar convencido(a) / Estar seguro(a) + de que
Está claro / Está demostrado + que
Saber + que

Sé que los dos países pronto firmarán la paz.

EXPRESIONES AFIRMATIVAS DE DUDA (SUBJUNTIVO)

Es dudoso / Es improbable + que
Es posible / Es probable + que
Es difícil creer / Parece mentira + que
Dudar + (de) que

Es difícil creer que aún haya guerras en el mundo.

EXPRESIONES NEGATIVAS DE CERTEZA Y DUDA (SUBJUNTIVO)

No es verdad / No es cierto + que
No es evidente / No es obvio + que
No es posible / No es probable + que
No está claro / No está demostrado + que
No estar convencido(a) / No estar seguro(a) + de que

No está demostrado que los vikingos fundaran colonias en Norteamérica.

Expresar finalidad (pág. 262)

para a fin de	a con el propósito de	+ infinitivo
para que a fin de que	a que con el propósito de que	+ subjuntivo

Se hizo un referéndum a fin de elegir a un candidato.

Votamos para que gobiernen los mejores.

PREGUNTAR SOBRE LA FINALIDAD DE UNA ACCIÓN

¿Para qué...? ¿A qué...?	¿Con qué fin...? ¿Con qué propósito...?	+ indicativo

¿Con qué fin salió el ejército a la calle?

Expresar dificultad (pág. 264)

aunque a pesar de (que) aun cuando pese a (que) aun + gerundio	Aunque sea difícil, acabaremos con la crisis.

INTENSIFICAR LA DIFICULTAD

por más + (nombre/adj./adv.) + que
por mucho(a)(os)(as) + (nombre) + que
por muy + adjetivo/adverbio + que

Por más problemas que tenga, él es optimista.

Expresar tiempo (pág. 276)

cuando después de que siempre que	en cuanto hasta que	+	indicativo subjuntivo
antes de que + subjuntivo			
al + infinitivo			

Expresar condición (pág. 274)

PLUSCUAMPERFECTO DE SUBJUNTIVO. VERBOS REGULARES

AYUDAR	COMER	VIVIR
hubiera ayudado	hubiera comido	hubiera vivido
hubieras ayudado	hubieras comido	hubieras vivido
hubiera ayudado	hubiera comido	hubiera vivido
hubiéramos ayudado	hubiéramos comido	hubiéramos vivido
hubierais ayudado	hubierais comido	hubierais vivido
hubieran ayudado	hubieran comido	hubieran vivido

LOS TIEMPOS EN LAS CONDICIONALES IRREALES

si + pluscuamperfecto subj. + condicional

Si hubiéramos acabado con la pobreza, ahora no existiría la injusticia social.

si + pluscuamperfecto subj. + condicional perfecto

Si la policía no hubiera detenido a los terroristas, habrían cometido un atentado.

DESAFÍO 1

4 **Certeza y dudas.** Completa estas oraciones para expresar certeza o duda.

1. Es cierto que...
2. Estoy convencido(a) de que...
3. Es poco probable que...

4. No es verdad que...
5. Parece mentira que...
6. No es posible que...

DESAFÍO 2

5 **A pesar de...** Completa estas oraciones con la forma correcta de los verbos del cuadro.

> estar   ser   comprometerse   prometer   ser

1. Por muy popular que _____ el candidato, no conseguirá ganar las elecciones.
2. No dejaría de votar en unas elecciones aunque _____ muy decepcionada con los políticos.
3. Por más que el presidente _____ acabar con la crisis, no lo logró.
4. Aun cuando su ideología _____ diferente a la mía, nunca hemos discutido.
5. A pesar de que el candidato _____ a cumplir su programa electoral, no lo hizo.

DESAFÍO 3

6 **Una historia diferente.** Escribe un párrafo contando lo que podría haberle pasado a Marisol si hubiera actuado de otra forma o si no hubiera perdido el autobús.

> ## ¡Vaya día!
>
> Marisol salió tarde de casa y perdió el autobús. ¡Qué mala suerte! Por fin había conseguido una prueba para una película y no podía llegar tarde. Intentó tomar un taxi, pero se celebraba un festival de cine en la ciudad y no encontró ni uno libre. De pronto empezó a llover y Marisol no llevaba paraguas, así que se mojó. ¡Qué desastre! Corrió para refugiarse en algún lugar y se le cayó el celular. Entró en un café y quiso llamar por teléfono para cambiar la prueba, pero ¡había perdido el celular! Para colmo, el director de la película entró en ese café, pero Marisol estaba tan preocupada que no lo vio y se fue. ¡Vaya día!

CULTURA

7 **Historia pasada y presente.** Responde a estas preguntas.

1. ¿Quiénes fueron los protagonistas del «abrazo de Guayaquil»?
2. ¿Quién es Antonio Villaraigosa?
3. ¿Cuándo y por qué surgieron los movimientos indigenistas en Latinoamérica?

Un manifiesto para solucionar

un problema de tu comunidad

En este proyecto van a crear una asociación ciudadana para luchar por un problema que les preocupa. Deberán escribir un manifiesto reivindicando soluciones para ese problema.

PASO 1 Elige el problema

- Entre todos(as), piensen qué problemas sociales, políticos o medioambientales afectan a su comunidad y anótenlos en la pizarra.

> Contaminación de un lago o de un río.
> Abandono y deterioro de un parque municipal.
> Mal uso y desperdicio del agua en riegos de jardines y parques.
> Ruido excesivo en algún barrio.
> Falta de servicios públicos.
> Falta de seguridad en algunas zonas.

- En pequeños grupos, elijan el problema que más les preocupa de los que han anotado en el paso anterior.

PASO 2 Define la asociación

- Decidan el nombre de su asociación. Aquí tienen algunos ejemplos para tomar ideas.

Jóvenes contra la intolerancia

Aire limpio para todos

El parque es nuestro

- Escriban un texto breve en el que expliquen quiénes son y cuáles son sus objetivos.

El parque es nuestro

Quiénes somos

Somos un grupo de estudiantes de la escuela Kennedy preocupados por los problemas medioambientales de nuestra comunidad. Por ello, hemos creado una asociación con un objetivo claro: salvar el parque de los Castillos.

No se trata de una asociación cerrada; está abierta para todos aquellos ciudadanos que quieran participar y contribuir a la mejora de...

PASO 3 Busca información

- Busquen información relacionada con el problema elegido. Pueden consultar en Internet, contactar con alguna asociación o preguntar a las personas afectadas por ese problema. Procuren responder a preguntas como estas:

  - ¿Cuáles son las causas que provocan ese problema? ¿Y las consecuencias?

  - ¿Se están tomando medidas para luchar contra ese problema? ¿Cuáles? ¿Creen que son suficientes?

- Organicen sus notas y escriban un breve texto en el que expongan cuál es el problema y cómo es la situación actual.

PASO 4 Propón las soluciones

- Analicen el problema y discutan las posibles soluciones. Hagan una lista con las medidas que crean necesarias para solucionar el problema.

- Organicen la lista y redacten cada uno de los puntos con claridad.

> **Qué queremos**
>
> • Que la administración se haga cargo de la limpieza y del cuidado de los jardines.
>
> • Que se pongan más papeleras en las zonas donde se puede hacer picnic.
>
> • Que se arreglen los columpios que están deteriorados.

PASO 5 Decide las acciones para dar a conocer la asociación

- Piensen en las acciones divulgativas y reivindicativas que van a llevar a cabo para que los ciudadanos conozcan su asociación y se involucren, y añádanlas al manifiesto. Por ejemplo:

  - Organizar una recogida de firmas.

  - Hacer una carrera por el parque.

  - Repartir pines con un eslogan.

PASO 6 Presenta el manifiesto

- Lean su manifiesto a sus compañeros(as) y coméntenles qué acciones van a realizar.

Unidad 5

Autoevaluación

¿Qué has aprendido en esta unidad?

Haz estas actividades para comprobar tu progreso.

Evalúa tus habilidades. Para cada punto, di Muy bien, Bien o Necesito practicar más.

a. ¿Puedes hablar de hechos históricos?

▶ Describe algunos hechos históricos que ocurrieron en los últimos siglos: qué sucedió, dónde, cuándo, por qué, etc. Utiliza expresiones de certeza si estás totalmente seguro(a) y de duda si no sabes algún dato con exactitud.

b. ¿Puedes expresar finalidad y dificultad?

▶ Explica para qué sirven algunas instituciones gubernamentales, como el Departamento de Educación o el de Estado. ¿Con qué dificultades se encuentran y qué esperan lograr a pesar de esos obstáculos? Utiliza expresiones como *aunque*, *a pesar de que*, *por mucho que*, etc.

c. ¿Puedes hablar de problemas sociales?

▶ Elige un hecho histórico y explica cómo sería nuestra sociedad si ese hecho no hubiera ocurrido.

▶ Explica cuándo y cómo crees que se resolverán algunos problemas sociales o medioambientales. Usa expresiones de tiempo, como *hasta que*, *mientras*, etc.

Hacia el AP* Exam

Presentational Writing: Persuasive Essay

Presentación

En el examen AP* vas a escribir un ensayo persuasivo en el que debes presentar y defender tu punto de vista. Tendrás aproximadamente 55 minutos para leer y escuchar las diferentes fuentes y escribir tu ensayo.

Estrategias

– Lee los textos y escucha la fuente auditiva. Toma nota de las ideas principales en las que se basa cada autor para apoyar su punto de vista.

– Decide la opinión que vas a defender en tu ensayo.

– Organiza la información de forma coherente y usa un lenguaje claro y persuasivo.

– Utiliza ejemplos y citas textuales de las diferentes fuentes para justificar y apoyar tu punto de vista.

– Para expresar tu opinión, puedes utilizar las siguientes expresiones:
  Considero que…
  Desde mi punto de vista…
  A mi modo de ver…
  En mi opinión…
  No me parece que…

– Revisa con cuidado tu trabajo. Es importante que no haya errores gramaticales u ortográficos.

Instrucciones para el examen

Directions: You are going to write a persuasive essay based on three sources, which present different viewpoints on the topic and include both print texts and an audio selection. First, you will have six minutes to read the essay topic and the print texts. You will then hear the audio twice. You may take notes while you listen. You will then have 40 minutes to write your essay. In your persuasive essay, you should present the various viewpoints on the topic as described in the sources, and also indicate and defend your own viewpoint. Use information from all sources to support your argument. As you refer to the sources, identify them appropriately.

Instrucciones: Vas a escribir un ensayo persuasivo basado en tres fuentes, que representan distintas perspectivas sobre el tema e incluyen textos impresos y una grabación. Primero, tendrás seis minutos para leer la introducción y las fuentes impresas. Después, escucharás la grabación dos veces. Puedes tomar apuntes mientras escuchas. Luego vas a tener 40 minutos para escribir tu ensayo. En tu ensayo persuasivo, debes presentar las distintas perspectivas sobre el tema que se incluyen en las fuentes, y también indicar y defender tu propio punto de vista. Usa información de las tres fuentes para apoyar tu postura. Al referirte a las fuentes, identifícalas apropiadamente.

> **Tema del ensayo:** ¿Se debe extraer litio del salar de Uyuni?

Fuente número 1

Introducción

Este fragmento trata sobre el impacto que puede tener en el medio ambiente la extracción de litio en el salar de Uyuni. Forma parte de un estudio realizado en mayo de 2010 por Rebecca Hollender y Jim Shultz para el Centro para la Democracia en Cochabamba (Bolivia).

Bolivia y su litio

¿Puede el «oro del siglo XXI» ayudar a una nación a salir de la pobreza?

I. El litio: el superhéroe de los metales

Cada vez que contestamos un teléfono celular o encendemos un iPod, vemos nuestros relojes o conectamos una computadora portátil, estamos contando con baterías que contienen litio. El litio también se utiliza en la producción de vidrio y cerámica, en medicación para el tratamiento del desorden bipolar, en el aire acondicionado, los lubricantes, las armas nucleares y otros productos. El más ligero de los metales de la tierra, el litio, es extraído de muchas fuentes, pero las más favorables económicamente son los salares subterráneos como los que se encuentran en abundancia en el vasto salar de Uyuni, en Bolivia.

II. La carrera por el litio boliviano

Incluso basándonos en las previsiones más conservadoras, las reservas de litio de Bolivia son las más grandes del mundo. El salar de Uyuni, una extensa planicie de 10.000 kilómetros cuadrados cubierta de minerales incrustados en sal, y localizada en el sudoeste del departamento de Potosí, es el punto cero para los sueños de litio bolivianos.

Impactos medioambientales

Perdida en la gran carrera del litio boliviano se encuentra una preocupación medioambiental muy seria y real. En nombre de proveer coches más limpios para los países ricos del norte, el hermoso y raro salar podría terminar en tierra de desechos. La adecuación de la estrategia ambiental de Bolivia para el desarrollo de litio en el sudoeste de Potosí es puesta en duda por algunas organizaciones medioambientales reconocidas en Bolivia.

Uno de los principales problemas que la producción de litio podría causar es una gran crisis de agua. La región ya sufre de una seria escasez del líquido que afecta a los productores de quinua, a la crianza de llamas, a la vital industria del turismo y a las fuentes de agua potable. Aunque los funcionarios bolivianos aseguran que las necesidades de agua para el proyecto de litio serán mínimas, sus estimaciones se basan en información muy limitada e incompleta.

La contaminación del aire, agua y suelos es también otra preocupación trascendental. Se necesitarán grandes cantidades de químicos tóxicos para procesar las estimadas 30.000 a 40.000 toneladas de litio anuales que el proyecto pretende extraer. El escape de dichos químicos por medio de la lixiviación, derramamiento o emisiones atmosféricas pone en peligro a las comunidades y al ecosistema como un todo. Informes sobre el salar de Atacama en Chile describen un paisaje marcado por montañas de sal descartada y enormes canales llenos de agua azul contaminada con químicos.

La amenaza a las comunidades

¿Cómo se siente la gente y las comunidades que viven en el sudoeste de Potosí ante el hecho de que esta zona se convierta en la base de lo que pronto será uno de los proyectos industriales más grandes que el país jamás haya construido? De hecho, muchos grupos en la región han apoyado hace ya tiempo la explotación del litio, considerándola una oportunidad única para mejorar sus ingresos e impulsar su desarrollo. No obstante, existe también gran preocupación por lo que podría venir.

Fuente: www.democracyctr.org (texto adaptado)

Fuente número 2

Introducción

Este gráfico sobre los usos del litio fue publicado en 2010 por www.rankia.com.

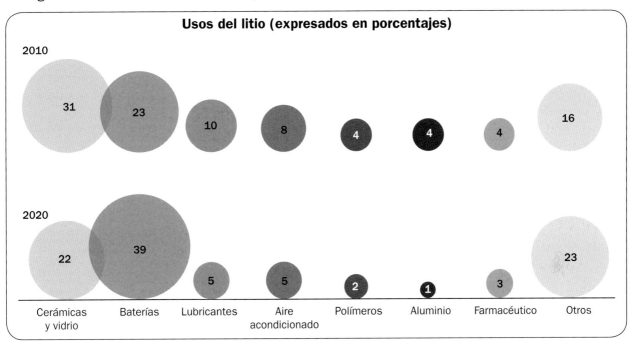

Usos del litio (expresados en porcentajes)

2010: Cerámicas y vidrio 31, Baterías 23, Lubricantes 10, Aire acondicionado 8, Polímeros 4, Aluminio 4, Farmacéutico 4, Otros 16

2020: Cerámicas y vidrio 22, Baterías 39, Lubricantes 5, Aire acondicionado 5, Polímeros 2, Aluminio 1, Farmacéutico 3, Otros 23

Fuente número 3

Introducción

Esta grabación trata de la oportunidad que representa el mercado del litio para Bolivia. El reportaje original («El tesoro oculto de Bolivia») fue publicado por BBC Mundo el 15 de octubre de 2009 (www.bbc.co.uk).

El tesoro oculto de Bolivia

El salar de Uyuni, en el altiplano boliviano, contiene una de las principales reservas de litio a nivel mundial.

Creamos

Arte y literatura

▶ **Describir
y comparar
objetos**

Vocabulario
Arte y pintura

Gramática
Las comparaciones

El artículo neutro *lo*

Rafael Moneo. Catedral de Los Ángeles
(Estados Unidos).

▶ **Opinar y hacer
valoraciones**

Vocabulario
Arquitectura y escultura

Gramática
Expresar opinión

Hacer valoraciones

Diego Rivera.
*Sueño de una
tarde de domingo
en la Alameda
Central* (1957).

▶ Dar consejos y hacer recomendaciones

Vocabulario
Literatura

Gramática
Los diminutivos

Dar consejos y hacer recomendaciones

Exposición sobre el escritor argentino Jorge Luis Borges.

Patrimonio cultural

Diana ha preparado unos desafíos muy artísticos para los participantes y ha creado un sitio web para comunicárselos. ¿Quiénes van a hacer la obra maestra de este último desafío?

El último desafío

INFORMACIÓN	DESAFÍOS	PREGUNTAS

Hola, chicos:

Bienvenidos a su último desafío. ¿Sabían que el pintor español Pablo Picasso dijo: «El arte es una mentira que nos acerca a la verdad»? Pues bien, vamos a ver algunas de estas «mentiras» de la arquitectura, la escultura, la pintura y la literatura para saber lo que se puede aprender de ellas.

DESAFÍO 1

Ethan y Eva, preparen sus pinceles y paletas: van a ayudar a un grupo de estudiantes universitarios a pintar un mural al estilo de los grandes muralistas mexicanos. Ellos tienen todos los materiales necesarios, pero ustedes los van a ayudar a diseñar el mural. Para saber más sobre el muralismo como movimiento artístico, miren el enlace que les he enviado por correo electrónico.

DESAFÍO 2

Sé que Michelle y Daniel van a visitar a Ethan y a Eva en California, pero no se preocupen: allí encontrarán su desafío. Van a ir a la catedral de Los Ángeles para hacer un *tour* digital. Les he enviado información por correo electrónico. Echen una ojeada a las fotografías, verán que es una construcción muy interesante.

DESAFÍO 3

Lucas y Asha tienen un desafío doblemente artístico: van a mezclar la literatura con el arte visual. Tendrán que escoger un relato del escritor argentino Jorge Luis Borges e ilustrarlo para incluirlo en una antología. Les recomiendo que empiecen a trabajar enseguida porque hay mucho que leer. Pueden comenzar su investigación con los enlaces que les he enviado. Y recuerden: como dijo Borges, «El tiempo es el mejor antologista, o el único, tal vez».

¿Muralistas mexicanos? Yo no conozco a ninguno. ¿Cómo vamos a lograr el desafío?

Investigaremos a fondo sobre ese estilo artístico.

Supongo que hemos leído algo de Borges en la escuela, ¿no?

No lo sé. Voy a echar un vistazo al índice de nuestro libro de texto. Espérame aquí, vuelvo en un pispás.

Desde luego, esta catedral es una obra maestra de la arquitectura.

Sí, tengo muchas ganas de visitarla.

1 **¿Comprendes?**

▶ **Responde** a estas preguntas.

1. ¿En qué consiste el desafío de Ethan y Eva?
2. ¿Qué van a hacer Michelle y Daniel en Los Ángeles?
3. ¿Por qué el desafío de Lucas y Asha es doblemente artístico?
4. ¿Con qué categoría de arte se relaciona el desafío de cada pareja?
5. En tu opinión, ¿por qué dice Picasso que «el arte es una mentira que nos acerca a la verdad»? ¿Qué significan sus palabras?

2 **Piensa**

▶ **Habla** con tu compañero(a). Hagan una lista de artistas y escritores(as) que conozcan. ¿Cuántos son de origen hispano? Comenten lo que saben sobre cada uno(a).

Modelo

A. Yo conozco a un arquitecto español muy famoso que se llama Gaudí. Sus obras más conocidas están en Barcelona y creo que son de finales del siglo XIX, pero no estoy muy segura.
B. Ah, sí, es el autor del templo de la Sagrada Familia.

EXPRESIONES ÚTILES

Para referirse a una obra de gran valor artístico:

La *Gioconda* es la **obra maestra** de Leonardo da Vinci.
Cervantes escribió su **obra cumbre**, *El Quijote*, en 1605.

Para decir que algo sucede en un instante:

Espérame aquí, vuelvo **en un pispás**.
Escribí este poema **en un santiamén**. Debo revisarlo.
Préstame ese pincel, te lo devuelvo **en un periquete**.

Para decir que algo se lee o se mira sin profundizar:

No recuerdo bien ese libro, solo lo miré **por encima**.
¿Puedes **echar un vistazo** a mi boceto?
Quiero **echar una ojeada** a los planos del edificio.

Para expresar que algo se hace en profundidad:

Puedo escribir sobre esa época histórica porque la he estudiado **a fondo**.

3 **Con otras palabras**

▶ **Reescribe** este párrafo sustituyendo las expresiones destacadas por las expresiones útiles más apropiadas.

> *Los tres músicos* es un cuadro que Picasso pintó en 1921. Si lo miras **superficialmente**, es difícil distinguir a los personajes, pero cuando lo estudias **con atención** puedes ver a los tres músicos con sus instrumentos y un perro a la izquierda. Es una **obra muy importante** del movimiento cubista.

Pablo Picasso. *Los tres músicos.*

4 **¿Qué dirías?**

▶ **Elige** una de las siguientes situaciones y escribe un diálogo con tu compañero(a). Incluyan al menos cuatro de las expresiones útiles.

1. Estás escribiendo un ensayo y quieres que tu compañero(a) lo lea y te dé su opinión.

2. Tu compañero(a) y tú están haciendo un trabajo sobre un(a) pintor(a) importante y tienen que elegir su obra más representativa para estudiarla en profundidad.

▶ **Representa** el diálogo con tu compañero(a).

RECUERDA

Arte

el color	el museo
el cómic	la obra de arte
el cuadro	
la escultura	el/la artista
la exposición	el/la pintor(a)
la fotografía	

Arquitectura

el/la arquitecto(a)	el exterior
la construcción	el interior
el edificio	el techo

Formas

cuadrado(a)	rectangular
ovalado(a)	redondo(a)

Colores

amarillo limón	gris claro
anaranjado brillante	rojizo
azul oscuro	verdoso

Materiales

el acero	el metal
el bronce	el papel
la cerámica	el plástico
la madera	el vidrio

Literatura

el cuento	el poema
la leyenda	
la novela	el/la escritor(a)
la obra de teatro	el/la protagonista

---

5 **Un cuestionario de arte**

▶ **Responde** a estas preguntas. Después, comprueba las respuestas con tus compañeros(as).

1. ¿Quién escribió *El Quijote*?
2. ¿Qué famoso muralista mexicano se casó con Frida Kahlo?
3. ¿Qué artista colombiano ha expuesto sus esculturas en las calles más famosas de todo el mundo?
4. ¿Quién es el autor de *El Guernica*?
5. ¿Qué puedes ver en el Museo del Prado de Madrid?

6 **¿Cuánto sabes?**

▶ **Habla** con tu compañero(a). Describan estas obras y comenten lo que sepan de sus autores.

Salvador Dalí. *La persistencia de la memoria.*

Enrique Carbajal. *El caballito.*

Antonio Gaudí. *La Sagrada Familia.*

Describir y comparar objetos

Paredes artísticas

Un grupo de estudiantes va a diseñar un mural al estilo de los muralistas mexicanos. Ethan y Eva tienen que ayudarlos a diseñarlo. ¿Cómo lo harán?

ETHAN: Hola, chicos. ¿Conocen a algún muralista mexicano?

TOMÁS: Sí, yo he oído hablar de Diego Rivera. Era pintor, pero también creó murales muy famosos.

EVA: En efecto. Diego Rivera es uno de los muralistas mexicanos más conocidos, pero no es el único...

MARGARITA: Es verdad. David Alfaro Siqueiros y José Clemente Orozco también son representantes importantísimos de este movimiento artístico. Saben que los murales son obras de grandes dimensiones, ¿no?

EVA: Sí, lo sabemos.

TOMÁS: Por eso necesitamos una pared enorme para pintar. Y, por supuesto, pinceles y pintura de varios colores.

ETHAN: También debemos conseguir una hoja de papel muy grande para dibujar el boceto antes de comenzar a pintar sobre la pared.

EVA: Aún no hemos hablado del tema del mural. No olvidemos que el propósito de los muralistas mexicanos era educar a la población sobre la historia del país y sobre temas sociales y políticos, utilizando las paredes de edificios públicos como si fueran lienzos. ¿Qué tema político o social les gustaría comunicar con su mural?

TOMÁS: Pues... tenemos que pensarlo. ¿Nos ayudarán a decidirlo?

ETHAN: Claro.

José Clemente Orozco.
Lucha por la independencia de México.

7 **Detective de palabras**

▶ **Busca** en el diálogo las palabras que corresponden a estas definiciones.

1. Pintura hecha sobre una pared.
2. Objeto que se utiliza para pintar.
3. Dibujo que se hace antes de comenzar una obra.
4. Tela sobre la que se pinta.

8 El muralismo mexicano

 ▶ **Escucha** a la guía de un museo y decide si estas afirmaciones son ciertas o falsas. Después, corrige las falsas.

1. El muralismo mexicano es un movimiento artístico de principios del siglo XIX.
2. José Clemente Orozco es el muralista mexicano más conocido.
3. Los murales representan a la clase alta y a la aristocracia.
4. Se pueden encontrar murales en los espacios públicos.
5. El presidente mexicano Álvaro Obregón apoyaba el muralismo.
6. Los murales representan escenas históricas de Europa.

9 Un mural de Rivera

▶ **Habla** con tu compañero(a) sobre lo que observan en esta pintura mural.

▶ **Escribe** un párrafo sobre esta obra. Descríbela y explica qué mensaje crees que quería comunicar su autor.

Diego Rivera. *Historia de México: de la conquista al futuro* (1929-1935).

CULTURA

El muralismo mexicano

Fachada de la Universidad Nacional Autónoma de México.

Uno de los movimientos artísticos más representativos de México es el muralismo, que nació a principios del siglo XX, después de la Revolución mexicana. Los artistas, apoyados por el gobierno, trataban temas sociopolíticos en sus obras con el fin de educar a la población y mostrarle el valor de su cultura y de sus orígenes. Por eso muchos murales están en las fachadas de edificios públicos del país, a la vista de todo el mundo, como muestra la fotografía.

10 **Investiga.** Investiga sobre la historia de México a principios del siglo XX. ¿Por qué crees que el gobierno apoyaba a los muralistas?

Vocabulario

Arte y pintura

El pintor mexicano José Clemente Orozco realizó este mural en 1967. Es una obra de gran tamaño; mide 5,90 × 4,50 metros. La escena muestra la alegría del pueblo ante la llegada del presidente Juárez, a quien vemos en el centro. Frente a él, en primer plano, un grupo de niñas le ofrecen flores. Al fondo vemos a las tropas de Porfirio Díaz.

El estilo de Orozco se caracteriza por el uso de líneas simples y pinceladas precisas, pero sobre todo destaca el contraste de colores vivos y apagados.

José Clemente Orozco. *Entrada triunfal de Benito Juárez al Palacio Nacional acompañado de su gabinete* (1967).

Los muralistas Diego Rivera y Orozco influyeron en gran medida en Fernando Botero, que también trata temas sociales y políticos en sus obras.

Botero se caracteriza por un innovador tratamiento de la figura humana, que presenta un volumen exagerado. En este cuadro juega con la proporción y con la perspectiva. Sus pinceladas muestran muchos detalles en las formas.

Fernando Botero. *Los músicos* (1980). Óleo sobre lienzo.

Más vocabulario

Pintura

la acuarela: pintura sobre papel o cartón con colores diluidos en agua.

el boceto: dibujo que se realiza antes de la obra.

el paisaje: pintura que representa el terreno.

el pincel: instrumento alargado con pelos en uno de sus extremos que se usa para pintar.

el retrato: pintura de una persona.

Estilos artísticos

arte figurativo: estilo artístico que representa la realidad de forma concreta y reconocible, al contrario que el arte abstracto.

cubismo: estilo artístico basado en el uso de formas geométricas.

surrealismo: estilo artístico que representa lo imaginario y lo irracional.

¡Atención!

darse cuenta   *to realize*   realizar   *to achieve*

---

11 **El intruso**

▶ **Busca** el intruso en cada serie y justifica tu respuesta.

1. volumen - perspectiva - proporción - lienzo
2. retrato - pincel - mural - paisaje
3. vivo - oscuro - apagado - preciso

12 Arte incompleto

▶ **Completa** estas afirmaciones con tus propias explicaciones.

1. Un autorretrato es…

2. Los murales son obras que…

3. En las obras con colores vivos…

4. Los artistas innovadores…

5. El primer plano es…

6. La perspectiva es…

13 Una obra maestra

▶ **Escucha** y decide. ¿Cuál de estas obras de Diego Rivera describe Eva? Anota las palabras y oraciones que justifican tu respuesta.

① Civilización tarasca.

② La vendedora de alcatraces.

③ Baile en Tehuantepec.

14 Tu estilo preferido

▶ **Habla** con tu compañero(a). ¿Cuál es el tipo de pintura que más te gusta? ¿Por qué?

 CULTURA

Fernando Botero

Nacido en Medellín (Colombia) en 1932, Fernando Botero es uno de los artistas contemporáneos más notables. En algunas de sus obras retrata la vida cotidiana, con escenas familiares y de ocio; en otras, plasma acontecimientos históricos, sociales o políticos. Su estilo, que algunos llaman «Boterismo», se caracteriza por el uso exagerado del volumen y la desproporción, que utiliza de forma irónica o crítica.

Fernando Botero. Familia.

15 Explica. ¿Qué opinas del estilo de Botero? ¿Te gusta? ¿Te parece innovador? Argumenta tus opiniones.

Gramática

Las comparaciones

Las comparaciones

- Recuerda: podemos comparar la cantidad, las características o las cualidades de dos o más seres, entidades u objetos utilizando estas estructuras: igual que y tan/tanto como para expresar igualdad, y más que o menos que para expresar desigualdad.

COMPARACIONES DE IGUALDAD

verbo + igual que
igual de + **adjetivo**/**adverbio** + que
verbo + tanto como
tanto(a)(os)(as) + **nombre** + como
tan + **adjetivo**/**adverbio** + como

Ese artista pinta **igual que** Salvador Dalí.
Ese músico es **igual de** bueno **que** el otro.
Los pintores trabajan **tanto como** los escultores.
Los retratos tienen **tantos** colores **como** los paisajes.
Rembrandt es **tan** famoso **como** Rubens.

COMPARACIONES DE DESIGUALDAD

más/menos + **adjetivo**/**adverbio**/**nombre** + que
verbo + más/menos que

La acuarela se seca **más** rápido **que** el óleo.
Yo dibujo **menos que** tú.

- Los adjetivos bueno(a), malo(a), grande y pequeño(a), y los adverbios bien y mal tienen formas comparativas específicas: mejor, peor, mayor y menor.

  Diego Rivera era **mayor** que su esposa Frida Kahlo.

  Sin embargo, cuando hablamos de tamaño, es frecuente usar más grande y más pequeño(a). Y también usamos más pequeño(a) cuando hablamos de la edad.

  Los murales son **más grandes** que los iconos.   ¿Tu hermano es **más pequeño** que tú?

FORMAS COMPARATIVAS

bueno(a)/bien	$\rightarrow$ mejor
malo(a)/mal	$\rightarrow$ peor
grande	$\rightarrow$ mayor
pequeño(a)	$\rightarrow$ menor

Las comparaciones con *de* + artículo

- En las comparaciones de desigualdad usamos a veces de + *artículo* + que en lugar de que en el segundo término de la comparación. Esta estructura se usa frecuentemente con verbos como decir, creer, pensar, parecer, necesitar o esperar cuando comparamos algo con una referencia: lo que dijiste, lo que pensaba, lo que parecía, etc.

COMPARACIONES CON DE + ARTÍCULO

más/menos + **adjetivo** + de lo que
más/menos + **nombre** + del (de la, de los, de las) que
verbo + más/menos de lo que

Es una obra **más compleja de lo que** crees.
Vendió **menos cuadros de los que** esperaba.
Pinto **menos de lo que** debería.

16 **Piensa.** ¿Cómo dirías en inglés Este pintor es más creativo que ese?
¿Y El pintor creó un cuadro más bonito de lo que esperaba?

17 Comparaciones

▶ **Elige** la opción correcta y escribe oraciones completas.

1. Las pinceladas de Van Gogh son menos precisas **(que/de lo que/como)** las de Botero.
2. Este cuadro es mucho más grande **(que/de lo que/de los que)** pensaba.
3. Pienso que Picasso era igual de talentoso **(que/de lo que/como)** Velázquez.

18 ¿Más o menos?

▶ **Escucha** los diálogos y completa estas afirmaciones.

1. En el Museo del Prado hay más obras _____ pensaba Ethan.
2. Botero es mayor _____ creía Eva.
3. Eva y Ethan tienen más pintura _____ necesitan.
4. Eva tiene tantas ganas de viajar a la Ciudad de México _____ Ethan.

19 Compara las obras

▶ **Escribe** con tu compañero(a) ocho oraciones comparando estos cuadros.

Francisco de Goya. *La duquesa de Abrantes* (1816).

Pablo Picasso. *Retrato de Marie-Thérèse* (1937).

COMUNIDADES

Mosaico de Joan Miró (Barcelona).

EL ARTE EN LA CALLE

La gran riqueza artística y cultural del mundo hispano se puede apreciar en sus calles, donde hay verdaderas obras de arte. Por ejemplo, el mural que retrata la historia azteca en la pared exterior de la biblioteca de la Universidad Nacional Autónoma de México, el mosaico de Joan Miró en Las Ramblas de Barcelona o el Parque de las Esculturas de Medellín, con obras de Fernando Botero.

20 **Compara.** ¿Hay arte en los espacios públicos de tu comunidad? ¿Qué ventajas y desventajas tiene exponer el arte en la calle en vez de hacerlo en museos?

Gramática

El artículo neutro *lo*

- Usamos con frecuencia el artículo neutro lo delante de un adjetivo o de una cláusula. Este artículo no se usa nunca con nombres y no tiene un equivalente exacto en inglés.

  lo importante *(the important thing/part)*   **lo** que me dijiste *(what you told me)*

  Atención: no debes confundir el artículo neutro lo, que es invariable, con el pronombre de objeto directo lo, que varía en género y número.

  <u>Lo</u> bueno es que <u>lo/la</u> vi cuando entraba al museo y <u>lo/la</u> pude saludar.
    article   pronoun   pronoun

Usos del artículo neutro lo

- El artículo neutro lo se usa principalmente en estos casos:

  – Delante de un adjetivo masculino singular:

lo + adjetivo

  Todos admiramos **lo bello.** (= las cosas bellas).
  We all admire what is beautiful.

lo más/menos + adjetivo + de/que

  La técnica es **lo más difícil de** la pintura.
  Technique is the most difficult thing about painting.

lo + adjetivo + ser + que

  Lo bueno es que hemos visto muchos cuadros.
  The good thing is that we have seen many paintings.

  – En construcciones posesivas:

lo + pronombre posesivo

  Lo mío es tuyo.
  What is mine is yours.

lo de + pronombre personal/nombre

  Lo de ella es tuyo.   **Lo de María** es tuyo.
  What is hers is yours.   *What is María's is yours.*

  – Delante de un numeral ordinal para expresar orden o secuencia:

lo + ordinal

  Lo primero es observar los colores.
  The first thing is to look at the colors.

  – Delante del pronombre relativo que para introducir una cláusula:

lo que + cláusula

  Tengo **lo que** necesito.
  I have what I need.

El artículo lo enfático

- El artículo lo se usa también delante de un adjetivo o un adverbio en construcciones enfáticas. En este caso, el adjetivo puede variar en género y en número:

lo + adjetivo + que

  Sé **lo difíciles que** son algunos cuadros.
  I know how difficult it is to understand some paintings.

lo + adverbio + que

  ¿Sabes **lo bien que** pinta este artista?
  Do you know how well this artist paints?

21   **Piensa.** Traduce estas oraciones al español. ¿Qué estructuras con lo usaste?

    a. *We always do what is right.*   **b.** *I understand how important art is.*

22 De nuevo

▶ **Ordena** estos elementos y escribe las oraciones.

Modelo   no comenzaron/malo/que/el mural./es/Lo
→ *Lo malo es que no comenzaron el mural.*

1. un/primero/Lo/boceto./hacer/es
2. los temas/importante/Lo/es que/analices/mural./del
3. en espacios públicos./interesante/Lo/tantos murales/es/haya/que

23 Una visita al Museo del Prado

Fachada del Museo del Prado (Madrid).

▶ **Escucha** la conversación y completa estas oraciones.

1. _____ es que visite el museo por la tarde.
2. _____ es que haya fila para entrar.
3. _____ es que el horario de visitas es muy amplio.
4. _____ es que hay cuadros de muchos pintores.
5. _____ es que vea las salas de los pintores españoles.
6. _____ es que tengan audioguías.

24 Preparándose para pintar

▶ **Lee** las respuestas de Eva. ¿Qué palabras imaginas que pudo decirle Ethan? Escríbelas.

Modelo   ETHAN: *Pasé mucho tiempo buscando un libro sobre Siqueiros, pero por fin lo encontré.*
EVA: **Lo** importante es que lo encontraste.

1. **Lo** difícil será hacer una pintura de un tamaño tan grande.
2. **Lo** que más tiempo nos llevará será elegir el tema del mural.
3. **Lo** más interesante de este desafío será trabajar en equipo.
4. Sí, ya **lo** tenemos todo: el papel, los lápices, la pintura…
5. **Lo** primero que hay que hacer es dibujar un boceto.

▶ **Analiza** cada respuesta de Eva y decide. ¿*Lo* es artículo neutro o pronombre de objeto directo?

25 Palabras de Orozco

▶ **Lee** estas palabras del muralista mexicano José Clemente Orozco. ¿Estás de acuerdo con ellas? Habla con tus compañeros(as) y justifica tu respuesta.

> No importan las equivocaciones. Lo que vale es el valor de pensar en voz alta, es decir las cosas tal como se sienten en el momento en que se dicen. Ser lo suficientemente temerario para proclamar lo que uno cree que es la verdad sin importarle las consecuencias.

Antes de leer: estrategias

1. Lee el título del diálogo y fíjate en las imágenes de la página 313. ¿Cuál crees que será el tema del mural que van a pintar los personajes?

2. Fíjate en el párrafo que va en cursiva. ¿Qué tipo de texto es: narrativo, descriptivo, expositivo, argumentativo…?

3. Echa un vistazo rápido al diálogo. ¿Qué palabras se repiten más?

Un gran mural

EVA: He pensado que, ya que estudiamos español, podemos dedicar el mural a mostrar la herencia hispana en los Estados Unidos. ¿Qué les parece, amigos?

TOMÁS: ¡Qué buena idea!

MARGARITA: Así el mural estará listo para celebrar el próximo Mes de la Herencia Hispana.

EVA: Si les parece bien, podemos inspirarnos en estas palabras que encontré en la página web del gobierno:

Hoy más que nunca los estadounidenses de origen hispano desempeñan un papel integral en el desarrollo y crecimiento del país. Cada vez más hispanos alcanzan posiciones de liderazgo en el Gobierno, el sistema judicial, la aeronáutica, los negocios, las fuerzas armadas, los deportes, las ciencias de la salud y del medio ambiente, las artes y muchas otras ocupaciones clave en el crecimiento económico y desarrollo social del país. La influencia de la cultura hispana se refleja en múltiples aspectos de la vida cotidiana de los estadounidenses, contribuyendo a su progreso y diversificación.

ETHAN: ¡Sí! Podemos pintar retratos de personajes hispanos muy conocidos: políticos, artistas, periodistas…

EVA: Y mezclarlos con retratos de personas de origen hispano que conozcamos: amigos, familiares, profesores…

ETHAN: Lo más importante es que el mural refleje las aportaciones de la comunidad hispana a la sociedad.

EVA: Estoy de acuerdo, pero no olviden que debemos imitar el estilo y los colores que utilizaban Diego Rivera o José Clemente Orozco.

ETHAN: Muy bien. Ahora entre todos debemos decidir a qué personas vamos a retratar.

EVA: ¡Eso será lo más complicado!

26 **¿Comprendes?**

▶ **Responde** a estas preguntas.

1. ¿Qué tema han elegido Ethan y Eva para su mural?
2. ¿Por qué le parece a Eva un tema apropiado?
3. ¿Qué áreas de trabajo se mencionan en la cita que lee Eva? Pon ejemplos de profesiones que relacionas con cada una de esas áreas.
4. ¿Qué es lo más importante para Ethan?
5. ¿Qué es lo más difícil para Eva?
6. ¿En qué pintores se van a inspirar?

César Chávez.

27 **Palabras y expresiones**

▶ **Escribe** de nuevo este texto sustituyendo las palabras destacadas por otras que signifiquen lo mismo. Piensa en vocabulario que conoces o usa un diccionario.

Modelo
Hoy más que nunca los estadounidenses de origen hispano realizan un papel...

Sonia Sotomayor.

> *Hoy más que nunca los estadounidenses de origen hispano **desempeñan** un papel integral en el desarrollo y crecimiento del país. Cada vez más hispanos **alcanzan** posiciones de liderazgo en el Gobierno, el sistema judicial, la aeronáutica, los negocios, las fuerzas armadas, los deportes, las ciencias de la salud y del medio ambiente, las artes y muchas otras **ocupaciones** clave en el crecimiento económico y desarrollo social del país. La influencia de la cultura hispana **se refleja** en múltiples aspectos de la vida cotidiana de los estadounidenses, **contribuyendo** a su progreso y diversificación.*
>
> Fuente: http://www.usa.gov

John Danny Olivas.

28 **Con tus propias palabras**

▶ **Piensa** en tres personajes hispanos que incluirías en el mural. Justifica tu elección.

 ▶ **Habla** con tus compañeros(as). Entre todos(as), hagan una lista con los diez personajes hispanos que incluirían en el mural.

Modelo   *A mí me gustaría incluir a Sonia Sotomayor porque fue la primera jueza hispana en la Corte Suprema.*

Comunicación

29 **Muralismo mexicano en Chile**

▶ **Completa** este artículo con las palabras del cuadro. Ten en cuenta que no todas son válidas.

sala	expuestas	inaugurada	pintura	exposición
obras	muralistas	museo	descolgadas	retratos

EL UNIVERSAL   Domingo, 18 de noviembre de 2012

Obras de Rivera, Orozco y Siqueiros, a Chile

El ___1___ Nacional de Bellas Artes de Chile montará el próximo año una muestra de los ___2___ mexicanos Diego Rivera (1886-1957), David Alfaro Siqueiros (1896-1974) y José Clemente Orozco (1883-1949), informó hoy la edición digital del diario *La Tercera*.

El periódico chileno señaló que la ___3___, que debía haber sido ___4___ en septiembre de 1973, se montará en la ___5___ Matta del museo y estará abierta entre septiembre y diciembre de 2013.

El 13 de septiembre de 1973 debía abrirse en el Museo de Bellas Artes una muestra de 167 ___6___ de Rivera, Orozco y Siqueiros, pero el golpe militar del 11 de septiembre de ese año contra el presidente chileno Salvador Allende cambió los planes. Las obras fueron ___7___ tras el golpe y llevadas de regreso a un avión mexicano, el mismo que había sido ofrecido por el gobierno de México para sacar de Chile, rumbo al exilio, al poeta Pablo Neruda.

Esta vez solo serán ___8___ 80 obras de Rivera, Orozco y Siqueiros que pertenecen al Museo Carrillo Gil de la Ciudad de México, las que se unirán a cartas, catálogos y grabaciones de audio hechas por Fernando Gamboa, curador de la fallida muestra de 1973.

Fuente: http://www.eluniversal.com.mx
(selección)

▶ **Responde** a estas preguntas.

1. ¿Por qué es especial esta muestra de murales mexicanos en Santiago? ¿Qué palabras del texto te lo indican?
2. ¿Por qué no se celebró la exposición en 1973?
3. ¿Qué hicieron con las obras?
4. ¿Cuántas obras habrá en la exposición de 2013?
5. ¿Qué otros recursos habrá en la exposición, además de los murales?

▶ **Escribe** oraciones comparando la exposición planeada en 1973 y la muestra de 2013.

Modelo   *Las obras de la muestra son tan famosas como las de la exposición original.*

Diego Rivera. *Sueño de una tarde de domingo en la Alameda Central* (1947).

30 **Una exposición especial**

 ▶ **Escucha** la explicación del mural de Diego Rivera y toma notas de la información más importante. Después, escribe un resumen.

Final del desafío

ETHAN: ¿Estamos listos para empezar?

TOMÁS: Sí, tengo el boceto para ayudarnos. ¿Saben? Elegir el tema fue al final menos difícil ___1___ había pensado.

EVA: Sí, lo difícil viene ahora. Me gustaría pintar tan bien ___2___ los muralistas mexicanos, pero son mejores artistas ___3___ nosotros.

MARGARITA: Lo importante es lo que vamos a comunicar. Ya dijimos que lo que el mural expresa es más importante ___4___ la calidad de las pinceladas. Como los muralistas, vamos a representar el pasado, el presente y nuestras esperanzas para el futuro de la comunidad.

EVA: Ya, pero creo que pintar una obra de este tamaño será más complicado ___5___ ustedes piensan.

ETHAN: El boceto tiene tres partes, así que podemos dividirlo. Ustedes pueden hacer dos, y Eva y yo una. Como tenemos menos experiencia...

MARGARITA: Lo cierto es que ustedes han hecho tanto trabajo ___6___ nosotros, así que me parece bien.

31 **¡Listos para pintar!**

▶ **Completa** el diálogo con las palabras para comparar que faltan.

▶ **Dibuja** el boceto de un mural que represente a tu comunidad. Como los personajes, divídelo en tres secciones: el pasado, el presente y el futuro.

Una catedral vanguardista

Michelle y Daniel visitan a Ethan y a Eva para ver la catedral de Los Ángeles. Para lograr el desafío, tendrán que preparar un *tour* digital sobre la catedral y presentarlo en su escuela.

MICHELLE: ¿Qué les parece la catedral?

DANIEL: Lo primero que me llama la atención es que no se parece a ninguna de las que he visto. Pienso que esta catedral es diferente, aunque muy bonita en su estilo. Ahora no recuerdo quién la diseñó.

EVA: Rafael Moneo, un arquitecto español. Me parece que tiene otras construcciones en los Estados Unidos. Yo lo considero muy creativo: el color del exterior reproduce el color de las antiguas misiones de California.

DANIEL: Sí, pero no creo que la forma de la catedral sea similar a la de las misiones.

MICHELLE: Tenemos que hacer fotos y grabar imágenes para hacer un *tour* muy atractivo. Podemos comenzar por el exterior: la fachada, los materiales...

DANIEL: Yo no creo que debamos empezar con la catedral. Es mejor que primero hablemos un poco del arquitecto, su vida y su trabajo. Pero a mí no me gusta hablar frente a la cámara. ¿Michelle...?

MICHELLE: Vale, lo haré yo. ¡Un día me convertiré en una estrella de cine de Los Ángeles!

32 **Detective de palabras**

▶ **Completa** estas oraciones extraídas del diálogo anterior.

1. Pienso que esta catedral _____ diferente.

2. Me parece que Moneo _____ otras construcciones en los Estados Unidos.

3. No creo que la forma de la catedral _____ similar a la de las misiones.

4. No creo que _____ empezar con la catedral.

▶ **Decide.** ¿Qué oraciones llevan el verbo en indicativo? ¿Y en subjuntivo? Explica por qué crees que es así.

33 **¿Comprendes?**

▶ **Responde** a estas preguntas.

1. ¿En qué consiste el desafío de Michelle y Daniel?
2. ¿Cómo es la catedral de Los Ángeles? ¿Qué palabras del diálogo justifican tu respuesta?
3. ¿Con qué contenido van a empezar el *tour* digital?
4. ¿Qué no le gusta hacer a Daniel? Compara su actitud con la de Michelle.
5. ¿Por qué crees que Moneo se inspiró en las antiguas misiones al diseñar esta catedral?

34 **La catedral de Los Ángeles**

▶ **Escucha** la conversación entre Michelle y Daniel mientras visitan la catedral. Después, escribe un resumen usando estas palabras.

| exterior | terremoto | luz | diseñar | reflejar | diversidad | construir |

▶ **Habla** con tu compañero(a). Comparen la antigua catedral de Los Ángeles y la nueva diseñada por Moneo. ¿Cuál les gusta más? ¿Por qué? Compartan sus opiniones con la clase.

CULTURA

Museo del Prado (Madrid).

Rafael Moneo

Rafael Moneo nació en España en 1937. Siempre ha combinado sus dos pasiones: la arquitectura y la enseñanza. Desde 1985 hasta 1990, fue decano de la facultad de Arquitectura de Harvard. La mayor parte de sus obras se encuentran en España, Suecia y los Estados Unidos. En 1996 recibió el Premio Pritzker, considerado el Premio Nobel de la arquitectura porque se entrega a arquitectos que hayan realizado construcciones funcionales de buena calidad, con un alto nivel de creatividad y que contribuyan al enriquecimiento de la humanidad.

35 **Piensa y explica.** Para ti, ¿cómo puede enriquecer un edificio a la humanidad?

Arquitectura y escultura

La arquitectura es el arte de diseñar edificios y construcciones de todo tipo: edificios religiosos como catedrales, mezquitas, templos o sinagogas, con impresionantes arcos y columnas o altísimas torres, y también lujosos palacios y viviendas.

A lo largo de la historia las distintas civilizaciones nos han ido dejando verdaderas obras de arte, no solo pertenecientes al período clásico de los griegos y los romanos (como el famoso acueducto de Segovia, del siglo I), sino también a la arquitectura moderna y contemporánea. De hecho, muchos rascacielos (como el famosísimo Empire State) y puentes (como el Golden Gate) se consideran maravillas arquitectónicas.

Actualmente no solo se emplean materiales tradicionales como la piedra, el granito, el cemento o el concreto, sino otros más modernos como el cristal o el aluminio y otros metales.

Hotel Santos Porta Fira (Barcelona).

Conjunto escultórico de la Sagrada Familia (Barcelona).

En muchas ocasiones, la escultura está íntimamente unida a la arquitectura, como es el caso de la fachada de la Sagrada Familia de Gaudí. Las figuras fueron esculpidas por varios artistas dirigidos por el propio Gaudí.

Más vocabulario

Materiales

el hierro	*iron*
el ladrillo	*brick*
el mármol	*marble*

¡Atención!

actualmente	*currently*
de hecho	*actually*

36 Categorías

▶ **Escribe** una lista de términos para cada categoría. Incluye palabras de la ficha de Vocabulario y otras que conozcas.

1. Materiales. ⟶ *acero, bronce, hierro...*
2. Tipos de edificios y construcciones. ⟶ *iglesia...*
3. Partes de edificios. ⟶ *fachada...*
4. Acciones asociadas con arquitectos y escultores. ⟶ *diseñar...*

37 **¿Cómo es?**

▶ **Escribe** una descripción de cada uno de estos edificios. ¿Cuál te gusta más? ¿Por qué?

Torre de las Comunicaciones.
Montevideo (Uruguay).

Misión de Santa Bárbara.
California (Estados Unidos).

Casa Rosada.
Buenos Aires (Argentina).

▶ **Habla** con tu compañero(a). Comparen estos edificios con los de su comunidad. Después, presenten sus conclusiones a la clase.

38 **Exploremos la escultura**

▶ **Escucha** y responde a estas preguntas.

1. ¿Qué representaban las esculturas que vio Michelle en México? ¿De qué material son?
2. ¿Qué famosas esculturas describe Ethan? ¿De qué material están hechas?
3. ¿Cómo se llama la escultura que describe Eva? ¿De qué material es?
4. ¿Qué tienen en común las tres esculturas que describen los personajes?

▶ **Habla** con tu compañero(a) sobre la escultura más impresionante que conoces. Después, escribe un párrafo comparándola con la que ha descrito tu compañero(a).

CULTURA

La Ciudad Universitaria de Caracas

Conocida como la «Ciudad museo», la Ciudad Universitaria de Caracas, del famoso arquitecto venezolano Carlos Raúl Villanueva, se considera una obra maestra de la arquitectura moderna y fue declarada Patrimonio de la Humanidad por la UNESCO en el año 2000. En este espacio el arquitecto logró combinar de forma magistral las edificaciones y la naturaleza, es decir, el arte como parte del espacio. Además del conjunto de edificios, la Ciudad Universitaria de Caracas cuenta con más de cien obras de artistas de todo el mundo, como Alexander Calder y Jean Arp.

39 **Piensa.** ¿Te gusta la arquitectura moderna o prefieres los edificios antiguos? ¿Por qué?

Gramática

Expresar opinión

- Para expresar una opinión personal, puedes usar los siguientes verbos y expresiones:

VERBOS DE OPINIÓN

considerar	opinar
creer	parecer
imaginar	pensar
juzgar	suponer

Creo que este cuadro es de estilo cubista.
Me pareció que la fachada era lo más valioso de la catedral.
Considero que esta es la iglesia más bonita.

EXPRESIONES DE OPINIÓN

En mi opinión	Desde mi punto de vista
Para mí	A mi juicio

A mi juicio, el ladrillo es mejor material que el cemento.

El indicativo y el subjuntivo con los verbos de opinión

- El verbo de la cláusula dependiente de un verbo de opinión puede ir:

  – En **indicativo**, si la cláusula principal es afirmativa.

    Me parece que la catedral **es** del siglo XVII.

  – En **subjuntivo**, si la cláusula principal es negativa y el verbo de opinión está en primera persona (singular o plural).

    Yo no creo que esa escultura **sea** románica.

CONSTRUCCIONES AFIRMATIVAS (INDICATIVO)

considerar que	opinar que
creer que	parecer que
imaginar que	pensar que
juzgar que	suponer que

CONSTRUCCIONES NEGATIVAS (SUBJUNTIVO)

no considerar que	no parecer que
no creer que	no pensar que

Pedirle a alguien su opinión

- Para pedir a alguien su opinión sobre algo, usa las siguientes construcciones:

PREGUNTAR SOBRE OPINIONES

¿Qué crees que...?
¿Qué piensas/opinas de (que)...?
¿Qué te parece...?

—¿**Qué te parece** la arquitectura moderna?
—¡Me encanta!

—¿**Qué opinas de** aplicar estuco a las fachadas?
—En mi opinión, es algo demasiado costoso.

40 **Compara.** ¿Qué estructuras se emplean en inglés para pedirle a alguien su opinión?

41 **Opiniones opuestas**

▶ **Transforma** estas opiniones afirmativas en negativas.

1. Pienso que ese puente se construyó en el siglo XIII.
2. Considero que el acueducto de Segovia es el mejor ejemplo de la arquitectura romana.
3. Creo que la escultora ha creado una obra muy innovadora.

42 **Peine del viento**

▶ **Lee** la descripción de esta famosa obra escultórica. Después, completa las oraciones como si tú fueras el escultor, Eduardo Chillida.

El *Peine del viento* XV es, probablemente, la obra más conocida del escultor español Eduardo Chillida. Es un conjunto de esculturas situado en un extremo de la bahía de La Concha, en San Sebastián (España). Lo forman tres esculturas de acero, de 10 toneladas de peso cada una, incrustadas en unas rocas azotadas por las olas que dan al mar Cantábrico.

1. Considero que esta obra...
2. Supongo que la construcción...
3. No creo que el mar...

4. Me parece que el lugar donde está esta obra...
5. No pienso que los materiales...
6. Opino que el gran valor de esta obra...

43 **Opiniones diversas**

▶ **Lee** las opiniones de estos estudiantes sobre arquitectura y escultura, y coméntenlas en pequeños grupos. ¿Están de acuerdo con ellas? ¿Por qué?

1. «Desde mi punto de vista, el arte moderno no tiene ningún valor.» Natalia, 16 años.

2. «A mí no me parece que la arquitectura sea un arte, como lo son la pintura o la escultura.» Jaime, 17 años.

3. «Opino que las esculturas de Chillida son hermosísimas. Me encantaría que mi ciudad tuviera una.» Alicia, 16 años.

CULTURA

Eduardo Chillida

Eduardo Chillida nació en 1924 en San Sebastián (España). Abandonó los estudios de Arquitectura para dedicarse al dibujo y a la escultura, sus grandes pasiones. Empezó esculpiendo en hierro y madera, pero pronto empezó a experimentar con materiales como el acero. La naturaleza era para él fuente de inspiración; de ahí que muchas de sus grandes obras estén situadas en espacios naturales abiertos.

Eduardo Chillida. *Elogio del horizonte.* Gijón (España).

44 **Piensa y explica.** Fíjate en las dos fotografías de esta página. ¿Por qué piensas que Chillida les puso esos títulos a sus obras? ¿Qué nombres les habrías dado tú?

Gramática

Hacer valoraciones

Expresiones para hacer valoraciones

- Recuerda: para hacer valoraciones puedes utilizar las siguientes construcciones:

EXPRESIONES PARA HACER VALORACIONES

Es aconsejable/conveniente… Es importante… Es necesario/preciso… Es bueno/malo… Es mejor/peor… Es sorprendente/fantástico/peligroso… Es un error/un problema/una tontería…	+ infinitivo + que + subjuntivo

Es importante aprender a reconocer los distintos estilos artísticos.

Es una pena que no se conserven las antiguas murallas.

- Para hacer una valoración personal puedes usar también la expresión me parece seguida de una palabra que exprese valoración: un adverbio (bien, mal), un adjetivo (extraño, imprescindible, perfecto) o un nombre (una pena, una maravilla, un error).

Me parece bien que haya visitas guiadas gratuitas a los museos.

El infinitivo y el subjuntivo con expresiones de valoración

- Usa el **infinitivo** en afirmaciones o negaciones generales en las que no hay un sujeto.

Sería necesario restaurar el edificio.

- Usa el **subjuntivo** cuando la cláusula dependiente se refiere a un sujeto en particular.

Fue una lástima que no **consiguiéramos** entradas para la exposición.

45 **Compara.** ¿Cómo expresas las valoraciones impersonales en inglés? ¿Y las personales?

46 **¿Qué piensas tú?**

▶ **Escribe** estas oraciones con la forma verbal correcta.

1. Es preciso que la arquitecta _____ la luz y el espacio.
   considerar

2. Sería aconsejable que la construcción _____ el estilo del entorno.
   reflejar

3. Es una tontería _____ que la arquitectura no es un arte.
   pensar

4. Me pareció fatal que no _____ esta obra en la exposición.
   incluir

5. Sería una lástima no _____ visitar el museo.
   poder

▶ **Escribe** seis oraciones valorando el edificio de tu escuela u otro edificio de tu comunidad. Usa distintas estructuras de la ficha de Gramática.

47 **¿Qué opinas de la catedral?**

▶ **Lee** las características de la catedral de Los Ángeles y escribe una valoración sobre la información que se da en cada punto.

Modelo

Moneo incorporó muchísima luz natural en el diseño de la catedral de los Ángeles.

⟶ *Es bueno que Moneo incorporara mucha luz porque así se ahorra electricidad.*

1. Está situada en el centro de la ciudad. El proyecto incluye una gran plaza, jardines, una cafetería y una tienda de regalos.

2. La catedral tiene capacidad para más de 3.000 personas. Cuenta con un estacionamiento subterráneo con 600 plazas.

3. El proyecto incluye varias salas de reuniones con conexión a Internet.

4. El edificio fue proyectado para resistir terremotos de hasta 8,4 grados en la escala de Richter.

5. Aunque es de estilo moderno, posee elementos tradicionales, como la torre con el campanario o la planta de la catedral, en forma de cruz.

48 **La arquitectura urbana**

▶ **Habla** con tu compañero(a) sobre estos otros edificios de Moneo. Usen expresiones para hacer valoraciones.

Modelo   *En mi opinión, es una lástima que el Palacio de Congresos sea tan grande porque no se ve la montaña que hay detrás.*

Palacio de Congresos y Auditorio de Kursaal en San Sebastián (España).

Edificio Bankinter en Madrid (España).

Ayuntamiento de Logroño (España).

LECTURA: TEXTO INFORMATIVO

Antes de leer: estrategias

1. Observa el título, el texto y su disposición. ¿Qué tipo de texto es?

2. ¿Qué sabes del protagonista del texto? ¿Y de su estilo artístico?

Rafael Moneo.

Rafael Moneo

«Confundir arquitectura con obra de arte da lugar a muchos excesos»

«Max Aub dijo que uno es de donde ha hecho el bachillerato». Rafael Moneo (Tudela, 1937) recuerda esta frase para hablar de su infancia y su pueblo, de las calles, plazas y viviendas navarras, de la importancia que tiene la geografía para un arquitecto: «Nacer en un pueblo, crecer en un lugar con contornos bien definidos, geográficos y sociales, sin duda ayuda a entender lo importantes que son los límites, las condiciones de partida, tanto para la vida como para un proyecto. Conocer las ciudades es siempre necesario para iniciar una obra de arquitectura».

PREGUNTA. Ha dicho en alguna ocasión que «lo hermoso de la arquitectura es cuando no tiene tanta necesidad de hacerse presente». ¿Qué valor tiene para usted lo que pasa desapercibido, la sencillez[1]?

RESPUESTA. La arquitectura anónima convive con la obra singular. En ambas puede encontrarse todo aquello que se pide a una obra de arquitectura. Una gran obra de arquitectura acaba estando tan incorporada al medio que no reclama atención. Se la entiende como parte de él.

P. Los espacios interiores que diseña son bastante particulares y complejos. ¿Diría que ese es su mayor rasgo distintivo?

R. Lo que se llamó en el siglo XX «arquitectura moderna» pretendía[2] no hacer distinción entre interior y exterior. La obra de arquitectura disfrutaba de[3] una autonomía tal que llevaba a ignorar el medio en el que se incluía. Siempre he creído que esto no era así.

Museo de Arte Moderno. Estocolmo (Suecia).

Que la obra de arquitectura debía contar con el medio –ciudad o paisaje– y que su inclusión en él propiciaba[4] la distinción entre interior y exterior de la que antes hablaba. Un proyecto puede así resolverse desde la condición urbana y ser en su interior otra cosa. La luz, naturalmente, desempeña[5] un papel mediador entre interior y exterior.

P. ¿Qué se espera de la arquitectura hoy en día?

R. Algunos reclamarían[6] la novedad y con ella la condición espectacular que seduce. Otros, la contribución de la arquitectura a una construcción racional en el planeta, lo que implicaría, a mi modo de ver, establecer la continuidad con lo construido. Particularmente, me considero más próximo a estos que a los primeros.

P. ¿Cómo está viviendo la arquitectura este momento de globalización? ¿Aporta mayor internacionalización para la arquitectura española?

R. La globalización ha llegado en un momento en que la arquitectura española gozaba[7] de una cierta visibilidad.

No es raro encontrar arquitectos españoles trabajando en una escuela, dando conferencias, formando parte de jurados, construyendo, etc., fuera de España.

P. Para alguien tan apegado a su tierra natal, ¿qué sentido tiene la idea de «no lugar»?

R. Hace siglos, miles de años, que la arquitectura no ha estado estrictamente localizada. Basta pensar en la arquitectura romana, en el Gótico, en la difusión de la arquitectura en el Renacimiento, para entender que la arquitectura ha sido un conocimiento compartido, extenso. En un momento como el actual, naturalmente, la discusión de los problemas que tiene la arquitectura es global. Todos participamos en él. Pero ello no es óbice[8] para que ese modo común de entender las cosas encuentre acomodo, se ajuste a un lugar. Hasta el extremo de que quepa[9] decir que el lugar es el origen de la arquitectura. Los «no lugares» actuales, solo hasta cierto punto, lo son.

P. Ha confesado que no solo tiene pasión por la arquitectura, sino también por la pintura. ¿Sigue encontrando tiempo para pintar? ¿Qué es lo último que ha dibujado?

R. Dibujo todos los días, todavía me gusta ayudarme del dibujo para entrever[10] lo que una arquitectura puede ser. Y ello me lleva a dibujar continuamente. Desgraciadamente pinto poco. Pero la pintura sigue atrayéndome, así como muchas otras cosas: la lectura, viajar por España, beber un buen vino.

Fuente: http://www.elcultural.es
(selección)

| 1. discreción | 3. tenía | 5. realiza, cumple | 7. tenía | 9. sea posible |
| 2. quería, deseaba | 4. favorecía | 6. pedirían, exigirían | 8. impedimento | 10. imaginar |

49 ¿Comprendes?

▶ **Responde** a estas preguntas. Señala, en cada caso, qué palabras del texto justifican tus respuestas.

1. ¿Qué relación debe haber entre las obras de arte y el lugar donde se ubican, según Moneo?
2. ¿Qué diferencia las construcciones de Moneo de las obras de la llamada «arquitectura moderna»?
3. ¿Cómo ha afectado la globalización a la arquitectura española?
4. ¿Por qué dibuja Moneo cada día? ¿Qué relación encuentra entre el dibujo y la arquitectura?

50 Palabras y expresiones

▶ **Explica** con tus palabras el significado de estas expresiones que aparecen en el texto.

1. pasar desapercibido   2. reclamar atención   3. estar próximo   4. estar apegado

51 Con tus propias palabras

▶ **Escribe** tres preguntas que harías a Moneo si pudieras entrevistarlo. Compártelas con dos compañeros(as) y elijan las cinco preguntas más relevantes.

▶ **Investiga** sobre otras construcciones de Moneo. Elige una que te llame la atención, busca información e imágenes, y preséntala en clase.

Comunicación

52 **El encuentro entre dos artes**

▶ **Lee** este artículo sobre una exposición de arte y responde a estas preguntas.

1. ¿En qué consiste el proyecto de los estudiantes de Arquitectura? ¿Qué opinas sobre él?
2. ¿Qué significa que el proyecto «se ha basado en el estudio de una serie de vestidos del diseñador desde un punto de vista constructivo y conceptual»?
3. ¿Qué significa en este contexto «mantener una relación muy estrecha»?

EL PAÍS   12 de abril de 2013

Lámparas inspiradas en Balenciaga

Los estudiantes del Grado en Fundamentos de Arquitectura han sido los creadores de este proyecto

La sala Axular de Bizkaia Aretoa ha inaugurado este viernes la exposición *Balenciaga Argitzen*, en la que se podrá ver el proyecto compuesto por ocho lámparas creadas por diez estudiantes de la Escuela Técnica Superior de Arquitectura de la Universidad del País Vasco. Las lámparas se han creado inspirándose en diferentes vestidos de Cristóbal Balenciaga. Además de las lámparas realizadas por los alumnos, los visitantes de la exposición podrán conocer cuál ha sido el proceso que se ha seguido mediante pane-

les explicativos y varios videos. La elaboración de estas lámparas se ha basado en el estudio de una serie de vestidos del diseñador desde un punto de vista constructivo y conceptual.

Como ha explicado Amaia Casado, profesora y responsable del proyecto, «a lo largo del curso hemos mantenido una relación muy estrecha con el Museo Balenciaga y hemos tenido la oportunidad de conocer muy de cerca los diseños del modisto».

La exposición permanecerá en la sala Axular hasta el próximo 26 de abril y la entrada será gratuita. Es una iniciativa que se repetirá en cursos venideros, aunque para el próximo curso se ha previsto diseñar y crear sillas inspiradas en los trabajos del modisto.

Fuente: http://ccaa.elpais.com (texto adaptado)

▶ **Escucha** las opiniones de dos asistentes a la exposición de lámparas y completa estas oraciones.

1. A Flor le parece raro...
2. Diego opina que...
3. A Flor no le sorprende...
4. Diego cree que es bueno...

▶ **Escribe** un ensayo presentando el proyecto de estos estudiantes de Arquitectura y tu opinión sobre él.

Te toca a ti

▶ **Dibuja** un boceto de una escultura o un edificio para tu ciudad. Después, escribe una descripción detallada (tamaño, forma, materiales, ubicación...) y justifica por qué consideras que es apropiado para tu ciudad.

 ▶ **Habla** con tu compañero(a). Explícale tu proyecto y comparen sus diseños. Después, háganse recomendaciones para mejorar sus respectivos proyectos.

▶ **Presenta** tu diseño a la clase y explica tu proyecto detalladamente. ¿Quién tiene la escultura más creativa? ¿Y el edificio más innovador?

Parque de las Esculturas en Santiago (Chile).

Final del desafío

MICHELLE: Aprendimos mucho sobre este edificio, ¿no?

DANIEL: Sí. Y sabemos muchas más cosas sobre arquitectura.

MICHELLE: Yo creo que es conveniente que en el *tour* digital incluyamos algunos datos sobre el tamaño de la catedral. Me parece fundamental. ¿A ti qué es lo que más te ha sorprendido?

DANIEL: Para mí es impresionante que el arquitecto haya conseguido reflejar la historia de la región y las misiones en un edificio tan moderno.

MICHELLE: Sí, debemos mencionar eso. Y también que para Moneo era importante que las obras fueran comprendidas por los ciudadanos.

DANIEL: ¿No te parece increíble que la arquitectura sea capaz de comunicar tanto?

54 **El *tour* digital**

▶ **Lee** el diálogo y responde a estas preguntas.

1. ¿Cuál es para Michelle el rasgo más importante de la catedral de Moneo?
2. ¿Qué le ha llamado más la atención a Daniel?
3. ¿Qué has aprendido tú sobre Moneo y sus construcciones? ¿Qué opinas de su estilo?
4. ¿Cómo crees que va a responder Michelle a la última pregunta de Daniel?

 ▶ **Escribe** con tu compañero(a) el esquema del *tour* digital de la catedral de Los Ángeles. Incluyan las ideas más importantes en cada parte: introducción, desarrollo y conclusión.

Un cuento de Borges

Asha y Lucas tienen que ilustrar un cuento del escritor argentino Jorge Luis Borges para incluirlo en una antología que prepara la universidad de su ciudad. ¡Pero no han leído nada de este autor! ¿Lograrán su desafío?

ASHA: ¡Lucas, no sabemos nada de Borges! Yo solo sé que fue un autor argentino de mucho prestigio y que es muy famoso por sus cuentos. Pero he quedado con nuestra profesora de Literatura para que nos ayude.

* * *

ASHA: Señora Amato, ¿podría ayudarnos a elegir un relato de Borges? Es que tenemos que leer uno e ilustrarlo.

SRA. AMATO: Claro, pero les aconsejo que lean varios cuentos antes de elegir uno. ¿Sabían que en su prosa trata el mundo de los sueños y que emplea muchos símbolos, como los laberintos y los espejos?

LUCAS: Parece un poco surrealista.

SRA. AMATO: Bueno, sí, pero en realidad no fue un escritor surrealista. Tomen este libro que explica muy bien su estilo literario y, si tienen alguna duda, vengan a verme.

* * *

LUCAS: Te propongo que empecemos a leer para conocer el ambiente y los personajes de los cuentos de este escritor.

ASHA: De acuerdo, vamos a la biblioteca. Por cierto, ¿sabes que Borges también fue bibliotecario?

LUCAS: No. ¡Qué curioso!

55 **Detective de palabras**

▶ **Completa** estas oraciones.

1. Borges fue un _____ argentino muy importante.

2. Asha y Lucas tienen que ilustrar un _____ de Borges.

3. En la _____ de Borges se repiten símbolos como los laberintos o los espejos.

▶ **Escribe.** ¿Qué más palabras relacionadas con la Literatura conoces?

Modelo   *poeta, verso...*

▶ **Lee** el texto y responde a las preguntas.

Jorge Luis Borges. Biografía

(Buenos Aires, 1899 - Ginebra, 1986)

Poeta, ensayista y escritor argentino. Estudia en Suiza e Inglaterra. Vive en España desde 1919 hasta su regreso a Argentina en 1921. Colabora en revistas literarias francesas y españolas, donde publica ensayos y manifiestos. En 1923 publica su primer libro de poemas, *Fervor de Buenos Aires*, y en 1935 *Historia universal de la infamia*, compuesto por una serie de relatos breves.

Durante los años treinta su fama crece en Argentina y publica diversas obras en colaboración con Bioy Casares, de entre las que cabe subrayar *Antología de la literatura fantástica*. Durante estos años su actividad literaria se amplía con la crítica literaria y la traducción de autores como Virginia Woolf, Henri Michaux o William Faulkner.

Es bibliotecario en Buenos Aires de 1937 a 1945, conferenciante y profesor de Literatura inglesa en la Universidad de Buenos Aires, presidente de la Sociedad Argentina de Escritores, miembro de la Academia Argentina de las Letras y director de la Biblioteca Nacional de Argentina desde 1955 hasta 1974. Desde 1964 publica indistintamente (*equally*) en verso y en prosa.

Borges utiliza un singular estilo literario, basado en la interpretación de conceptos como los de tiempo, espacio, destino o realidad. La importancia de su obra se ve reconocida con el Premio Miguel de Cervantes en 1979.

Fuente: © Departamento de Bibliotecas y Documentación. Instituto Cervantes (selección)

1. Según el texto, ¿en qué países vivió Borges?
2. ¿A qué género literario corresponde *Fervor de Buenos Aires*?
3. Además de escribir, ¿qué otros trabajos realizó Borges?
4. ¿Cómo describirías la vida de Borges? ¿Qué partes del texto te hacen pensar así?

CONEXIONES: LITERATURA

Premios literarios

Dentro del mundo hispánico hay premios literarios que reconocen a escritores que escriben en español. Entre los más importantes están el premio Cervantes, que se concede a un autor por toda su obra, y los premios Alfaguara y Nadal, que se conceden a una novela no publicada. Además, varios escritores hispanos como Gabriel García Márquez, Octavio Paz o Mario Vargas Llosa han recibido el premio literario más importante del mundo: el Premio Nobel de Literatura.

José Manuel Caballero Bonald. Premio Cervantes (2013).

 57 **Investiga.** Averigua quiénes han sido los últimos ganadores de los cuatro premios citados. Elige a uno de los escritores y escribe una breve reseña biográfica.

Vocabulario

Literatura

Lucas: Ayer me reuní con mi club de lectura. ¿A que no sabes qué leímos?

Asha: No me digas que leyeron algo de Borges…

Lucas: ¡Sí! Qué casualidad, ¿eh? Es un autor fascinante, te va a encantar. Al principio parece difícil porque usa un lenguaje figurado, metáforas y símbolos.

Asha: ¡Lucas, eres todo un experto!

Lucas: No, qué va. Pero ya verás como los cuentos son interesantísimos. Leímos uno que se titula El Sur.

Asha: ¿Y cuál es el argumento?

Lucas: El protagonista es un bibliotecario de Buenos Aires. Un día, al volver a casa, se da un fuerte golpe en la cabeza. Como está muy grave, lo ingresan en un sanatorio para operarlo. El desarrollo del cuento parece un poco confuso porque, de pronto, el narrador describe el viaje del protagonista a la casa que tiene al sur del país. Pero, en realidad, no sabemos si está viajando de verdad o está soñando mientras se recupera en el hospital.

Asha: ¿Y cuál es el desenlace?

Lucas: No pienso contártelo. Tendrás que leer el relato tú misma para saber cómo acaba.

Más vocabulario

Literatura

el ambiente: circunstancias que rodean la acción, como el lugar, la época, etc.

la poesía: poema; composición literaria de varios versos generalmente agrupados en estrofas.

la prosa: forma habitual de la escritura que no se ajusta a las normas del verso.

Géneros literarios

el ensayo	*essay*
la fábula	*fable*
la novela negra	novela policíaca
la novela rosa	novela romántica

¡Atención!

el carácter	*personality*
el personaje	*character*

58 ¿De qué hablan?

▶ **Escucha** y relaciona cada diálogo con la palabra adecuada.

a. ambiente   **b.** desenlace   **c.** autor   **d.** argumento   **e.** símbolos

Definiciones

▶ **Escribe** una definición para cada uno de estos términos usando tus propias palabras.

1. el/la protagonista
2. el desarrollo
3. el desenlace
4. el argumento
5. la metáfora
6. el lenguaje figurado

60 **Tus gustos literarios**

▶ **Completa** una ficha como esta sobre tu novela favorita.

Mi novela favorita

Título: _____

Autor(a): _____

Género: _____

Nombre del / de la protagonista: _____

Otros personajes importantes: _____

Tema de la novela: _____

Argumento: _____

 ▶ **Habla** con tu compañero(a). Hazle un resumen del argumento de tu novela favorita sin decirle el título. Él / Ella tiene que adivinarlo.

A mí me encanta la novela negra. Mi obra favorita trata de una mujer que...

CONEXIONES: LITERATURA

Isabel Allende

La escritora chilena Isabel Allende es una de las autoras más leídas en lengua española. En 1973, tras el golpe de Estado militar en su país, se exilió a Venezuela y después fijó su residencia en California.

La obra de Allende destaca por su lirismo y descripción precisa de los sentimientos. Su obra más conocida es *La casa de los espíritus*. Ha sido traducida a más de 25 idiomas y llevada al cine.

61 **Piensa.** ¿Qué efecto tiene la descripción detallada de sentimientos en una obra literaria? ¿Qué obras conoces con esta característica?

Gramática

Los diminutivos

- Los diminutivos son sufijos que se añaden al final de los nombres y de algunos adjetivos y adverbios para expresar tamaño pequeño u otros valores (afecto, ironía...).

    perro ⟶ perrito   gordo ⟶ gordito   pronto ⟶ prontito

- En español hay varios sufijos diminutivos. El más común es -ito/-ita.

    Ayer leí un **poemita** de cuatro versos.
    Los **abuelitos** nos visitan todos los veranos.

SUFIJOS DIMINUTIVOS

-ito/-ita	-ico/ica
-illo/-illa	-ín/-ina

- Los diminutivos pueden variar de un país a otro, pero en general se forman así:

DIMINUTIVOS REGULARES

Palabras de varias sílabas terminadas en vocal no acentuada.	Suprimen la vocal y añaden -ito/-ita.	gato ⟶ gatito elefante ⟶ elefantito
Palabras de varias sílabas terminadas en consonante distinta de-n o -r.	Añaden -ito/-ita.	animal ⟶ animalito nariz ⟶ naricita

DIMINUTIVOS IRREGULARES

Palabras de una sílaba.	Añaden -ecito/-ecita.	flor ⟶ florecita pez ⟶ pececito Pero pie ⟶ piececito
Palabras de dos sílabas terminadas en vocal acentuada.	Añaden -cito/-cita.	café ⟶ cafecito Pero papá ⟶ papaíto o papito y mamá ⟶ mamaíta o mamita
Palabras de dos sílabas terminadas en -e, -n o -r.	Añaden -cito/-cita.	coche ⟶ cochecito canción ⟶ cancioncita mujer ⟶ mujercita

- Atención: al formar el diminutivo se pueden producir algunos cambios ortográficos:

    z > c: taza ⟶ tacita   c > qu: flaco ⟶ flaquito   g > gu: amigo ⟶ amiguito

62 **Compara.** ¿Cómo se expresa en inglés el diminutivo?

63 **¡A practicar!**

▶ **Escribe** el diminutivo de estas palabras con el sufijo -ito/-ita. Recuerda hacer los cambios ortográficos necesarios.

1. libro ⟶ librito
2. amigo
3. novela
4. nariz
5. tren
6. banco
7. calor
8. grande

64 **¿Qué expresan?**

▶ **Decide.** ¿Qué matices añaden los sufijos diminutivos en estas oraciones? ¿Se refieren al tamaño o la duración de algo, o aportan algún otro valor? Justifica tus respuestas.

1. Vamos a hacer un viajecito de tres días por la costa.
2. Tengo que leerme esta novelita de 500 páginas. ¡No terminaré nunca!
3. La profesora nos ha pedido que escribamos un poemita de ocho versos.
4. Mercedes, ¿quieres que te lea un cuentito antes de irte a dormir?
5. Me encanta el cochecito de Marga. Es perfecto para circular por la ciudad.
6. Me he comprado un vestidito precioso para la fiesta.
7. Mónica debería perder peso, está un poco gordita.
8. Dale un besito a papá.

 ▶ **Escribe** tres ejemplos más usando diminutivos. Léeselos a tu compañero(a) para que decida qué matices aportan en cada oración.

65 **Con detalle**

▶ **Escribe** un pie de foto para cada imagen usando diminutivos.

Modelo   1. *A Asha le encanta salir a pasear con su perrito.*

①

②

③

④

⑤

 ▶ **Habla** con tu compañero(a). Comparen lo que han escrito y decidan si los diminutivos que han elegido describen bien las imágenes.

Gramática

Dar consejos y hacer recomendaciones

- Para dar consejos y hacer recomendaciones, puedes usar las siguientes estructuras:

CONSEJOS Y RECOMENDACIONES NEUTROS

aconsejar animar a proponer recomendar sugerir	+ infinitivo + que + subjuntivo

El profesor nos **aconsejó escribir** una fábula.
El profesor nos **aconsejó** que **escribiéramos** una fábula.

CONSEJOS Y RECOMENDACIONES CON MATIZ DE OBLIGACIÓN

deber (presente o condicional) haber que (presente o condicional) + infinitivo tener que (presente o condicional)

Debes/Deberías ir al teatro.
Hay/Habría que leer más.
Tienes/Tendrías que promocionar más tu obra.

- Para dar un consejo o hacer una recomendación poniéndote en el lugar de otra persona, puedes usar estas estructuras:

Yo en tu lugar Yo que tú	+ condicional

Yo en tu lugar centraría mi ensayo en los protagonistas del cuento.

El imperativo para dar consejos y hacer recomendaciones

- Según el contexto y el tono, el imperativo se puede usar como una sugerencia, un consejo o una recomendación, y no como una orden.

    No leas tan rápido. No te va a entender nadie.

Repasa la formación del imperativo afirmativo y negativo en las páginas R22 y R23.

66 **Compara.** ¿Cómo comunicas distintos grados de imposición *(demand)* o énfasis cuando das consejos y haces recomendaciones en inglés?

67 **Recomendaciones**

▶ **Transforma** las siguientes órdenes en recomendaciones usando las estructuras de la ficha de Gramática.

1. Toma, lee *Cien años de soledad*. Te va a encantar.
2. David, estudia más para sacar buenas notas.
3. Póngase las gafas de sol en cuanto salga a la calle.
4. Busca información sobre Borges en Internet.
5. Visita el puente del Alamillo cuando estés en Sevilla.
6. Comunícate con el escritor para hacerle la entrevista.

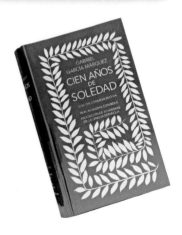

68 Buenos consejos

▶ **Escucha** a cuatro personas y escribe qué problema tiene cada una.

▶ **Escucha** de nuevo. ¿Qué recomendación le hacen a cada persona? Completa estas oraciones.

1. El amigo de Juan le recomienda...
2. A Marisa su amiga le sugiere...
3. La madre de Carlos le propone...
4. Mario le aconseja a Teresa...

▶ **Escribe.** ¿Qué le aconsejarías tú a cada una de esas personas para solucionar sus problemas?

Modelo   *Juan debería hablar seriamente con sus padres y explicarles cómo se siente.*

69 Soy escritor y...

▶ **Habla** con tu compañero(a). Hagan recomendaciones para escritores(as) en estas situaciones.

Modelo   «Quiero vender muchos libros.»

A. *Si un escritor quiere vender muchos libros, yo le aconsejo escribir libros cómicos.*
B. *No estoy de acuerdo. Yo le recomendaría escribir libros de misterio porque...*

1. «Quiero ganar un premio literario.»
2. «Me gustaría formar un club de escritores.»
3. «Tengo un bloqueo mental desde hace semanas que me impide escribir.»
4. «No soy capaz de decidir el desenlace de mi novela.»

CONEXIONES: LITERATURA

Gabriel García Márquez

El escritor y premio nobel colombiano Gabriel García Márquez es uno de los padres del llamado «boom» de la narrativa hispanoamericana que se produjo en los años 60 del pasado siglo y uno de los mejores exponentes del realismo mágico, que mezcla lo fantástico con la realidad cotidiana. Su obra *Cien años de soledad* (1967) es para muchos la novela más importante de las letras hispánicas en el siglo XX. En ella cuenta la historia de un pueblo imaginario llamado Macondo a lo largo de varias generaciones de la familia Buendía.

70 **Investiga.** Busca información sobre el realismo mágico y escribe un párrafo explicando las características de esta corriente literaria.

Antes de leer: estrategias

1. Lee el título del texto y mira la fotografía. ¿De qué tema crees que trata este cuento de Borges?

2. Localiza los nombres geográficos del texto. ¿A qué país corresponden?

El Sur

EL hombre que desembarcó en Buenos Aires en 1871 se llamaba Johannes Dahlmann y era pastor de la Iglesia evangélica; en 1939, uno de sus nietos, Juan Dahlmann, era secretario de una biblioteca municipal en la calle Córdoba y se sentía hondamente argentino. Su abuelo materno había sido aquel Francisco Flores, del 2 de infantería de línea, que murió en la frontera de Buenos Aires, lanceado[1] por indios de Catriel. A costa de[2] algunas privaciones, Dahlmann había logrado salvar el casco[3] de una estancia en el Sur, que fue de los Flores: una de las costumbres de su memoria era la imagen de los eucaliptos balsámicos y de la larga casa rosada que alguna vez fue carmesí. Las tareas y acaso la indolencia lo retenían en la ciudad. Verano tras verano se contentaba con la idea abstracta de posesión

y con la certidumbre[4] de que su casa estaba esperándolo, en un sitio preciso de la llanura[5]. En los últimos días de febrero de 1939, algo le aconteció.

Nadie ignora que el Sur empieza del otro lado de Rivadavia. Dahlmann solía repetir que ello no es una convención y que quien atraviesa esa calle entra en un mundo más antiguo y más firme. Desde el coche buscaba entre la nueva edificación, la ventana de rejas[6], el llamador[7], el arco de la puerta, el zaguán[8], el íntimo patio.

En el *hall* de la estación advirtió que faltaban treinta minutos. Recordó bruscamente que en un café de la calle Brasil (a pocos metros de la casa de Yrigoyen) había un enorme gato que se dejaba acariciar por la gente, como una divinidad desdeñosa[9]. Entró. Ahí estaba el gato, dormido. Pidió una taza de café, la endulzó lentamente, la probó y pensó, mientras alisaba[10] el negro pelaje[11], que aquel contacto era ilusorio y que estaban como separados por un cristal, porque el hombre vive en el tiempo, en la sucesión, y el mágico animal, en la actualidad, en la eternidad del instante.

A lo largo del penúltimo andén el tren esperaba. Dahlmann recorrió los vagones y dio con uno casi vacío. Acomodó en la red la valija[12]; cuando los coches arrancaron, la abrió y sacó, tras alguna vacilación, el primer tomo[13] de *Las Mil y Una Noches*.

A los lados del tren, la ciudad se desgarraba[14] en suburbios; esta visión y luego la de jardines y quintas demoraron el principio de la lectura. La verdad es que Dahlmann leyó poco; la felicidad lo distraía de Shahrazad y de sus milagros superfluos; Dahlmann cerraba el libro y se dejaba simplemente vivir.

El almuerzo (con el caldo servido en boles de metal reluciente, como en los ya remotos veraneos de la niñez) fue otro goce[15] tranquilo y agradecido.

Alguna vez durmió y en sus sueños estaba el ímpetu[16] del tren. Ya el blanco sol intolerable de las doce del día era el sol amarillo que precede al anochecer y no tardaría en ser rojo. Afuera la móvil sombra del vagón se alargaba hacia el horizonte. No turbaban[17] la tierra elemental ni poblaciones ni otros signos humanos. Todo era vasto, pero al mismo tiempo era íntimo y, de alguna manera, secreto. En el campo desaforado[18], a veces no había otra cosa que un toro. La soledad era perfecta y tal vez hostil, y Dahlmann pudo sospechar que viajaba al pasado y no solo al Sur.

JORGE LUIS BORGES. «El Sur», *Artificios* (selección)

---

1. *speared*
2. *at the expense of*
3. casa principal
4. seguridad
5. *plain*

6. barras de hierro
7. *doorknocker*
8. *hall*
9. *scornful*
10. *smoothed*

11. pelo de un animal
12. equipaje
13. *volume*
14. *tore up*
15. placer

16. intensidad, fuerza
17. cambiaban su estado natural
18. muy extenso

71 ¿Comprendes?

▶ **Decide.** ¿Por qué este cuento se titula *El Sur*?

a. Porque transcurre en Buenos Aires.
b. Porque el protagonista viaja al sur del país.
c. Porque el autor nació en Buenos Aires.
d. Porque el protagonista quiere comprar una casa en el sur del país.

▶ **Responde** a estas preguntas.

1. ¿Cómo dirías que es el carácter del protagonista? ¿Por qué?
2. ¿En qué parte del texto se muestra el juego entre la posibilidad de que el protagonista esté viajando o todo sea un sueño?
3. ¿Qué crees que significa la frase «A los lados del tren, la ciudad se desgarraba en suburbios» en este contexto?
4. ¿Cómo imaginas el final del cuento: triste, feliz, misterioso...? ¿Por qué?

72 Palabras y expresiones

▶ **Une** las dos columnas. ¿A qué significado corresponden estas palabras del texto?

A	B
1. reluciente	a. roja
2. carmesí	b. tocar suavemente
3. acontecer	c. darse cuenta
4. advertir	d. brillante
5. bruscamente	e. encontrar
6. acariciar	f. de pronto, de repente
7. demorar	g. suceder, ocurrir
8. dar con algo	h. retrasar

Comunicación

73 **Un examen de Literatura**

▶ **Escucha** a Asha y a Lucas mientras repasan para su examen y completa una tabla como esta.

Autor	Título	Género	Protagonista(s)	Tema
	La casa de los espíritus	novela		
Gabriel García Márquez	Un día de estos			venganza contra la corrupción política
	El laberinto de la soledad			

 ▶ **Habla** con tu compañero(a). Agreguen tres filas más a la tabla con otros autores y otras obras en español que conozcan.

74 **Problemas que te afectan**

▶ **Lee** estos titulares y, con tu compañero(a), escribe recomendaciones que podrían ayudar a mejorar o solucionar esos problemas.

Modelo   1. *El gobierno debería hacer una campaña publicitaria para fomentar la lectura.*

① **Los jóvenes ven la televisión más de 6 horas al día y leen un promedio de 1 hora a la semana**

② **Aumenta el número de estudiantes que no termina la enseñanza secundaria**

③ **Próximo cierre de la biblioteca local por falta de fondos**

④ **Un informe revela que los jóvenes deben mejorar sus habilidades de lectura y escritura**

75 **Diez razones**

▶ **Escribe.** Con dos compañeros(as), haz una lista de diez razones por las que los jóvenes deben leer.

Modelo   *Yo creo que leer es bueno para desarrollar la imaginación.*

 ▶ **Presenten** su lista a la clase y, entre todos(as), hagan un póster con las diez razones que más les gusten para ponerlo en el salón de clases.

76 Érase una vez...

▶ **Elige** uno de los siguientes cuentos infantiles
y escribe una nueva versión cambiando algún
aspecto: el protagonista, el conflicto o el desenlace.

- Cenicienta
- Caperucita roja
- Los tres cerditos
- La bella durmiente
- Ricitos de oro
- El hombre de jengibre

 ▶ **Presenta** tu versión del cuento a la clase. Analiza cómo
ha afectado el cambio al argumento del cuento.

Final del desafío

Asha: Me encanta nuestro dibujo del protagonista
de *El Sur*, Lucas.

Lucas: Sí, yo también estoy contento con el
resultado. Pero deberíamos acercarnos más
al texto.

Asha: ¿Qué quieres decir?

Lucas: Pues que podemos incluir detalles sobre
el ambiente. Por ejemplo, como sabemos que
el personaje viaja al sur del país, podíamos
dibujar el paisaje de esa zona como fondo
de esta ilustración.

Asha: Me parece genial. Vamos a buscar algunas
fotos en Internet.

77 Un cuento ilustrado

▶ **Lee** el diálogo y responde a estas preguntas.

1. ¿Cómo cree Lucas que pueden mejorar los dibujos
que han hecho para ilustrar el cuento de Borges?
2. ¿Qué cosas crees que hay que tener en cuenta
para ilustrar un relato?

▶ **Escribe.** ¿Qué recomendaciones les harías a Asha
y a Lucas? ¿Cómo pueden mejorar sus ilustraciones?

Modelo *Les sugiero que les den un aire misterioso,
porque creo que encaja con el cuento que han elegido.*

Todo junto

ESCUCHAR, ESCRIBIR Y HABLAR

78 **El arte al alcance de los niños**

▶ **Escucha** un programa cultural y decide si estas afirmaciones son ciertas o falsas. Después, corrige las falsas.

1. El Museo Reina Sofía ofrece visitas guiadas para los niños en Navidad.

2. Unos artistas de circo explican las obras a los niños cantando.

3. Los niños pueden pisar *(step on)* una de las obras.

4. Los niños van a poder interactuar con varias obras.

5. Las obras elegidas son fáciles de entender para todo el mundo.

▶ **Escucha** el programa de nuevo y escribe un breve resumen de la entrevista para el periódico local.

▶ **Habla** con tu compañero(a) sobre tu experiencia con el arte. Túrnense para hacerse estas preguntas.

1. ¿Qué museos y monumentos visitaste durante tu infancia? ¿Con quién fuiste?

2. ¿Qué prefieres: la pintura, la escultura o la arquitectura? ¿Por qué?

3. ¿Qué pintor(a) o escultor(a) te gusta más? ¿Por qué?

4. ¿Tienes alguna reproducción de un(a) artista famoso(a) en tu cuarto? ¿Cómo es?

5. ¿Piensas que el arte es importante? ¿Por qué?

ESCRIBIR, LEER Y HABLAR

79 **La arquitectura y yo**

▶ **Escribe** un correo electrónico a tu compañero(a) recomendándole que visite un edificio famoso que te gusta. Explícale:

– Qué es lo que más te gusta de ese edificio.

– Por qué crees que le va a gustar a él/ella.

– Qué te parece más interesante de su construcción y su diseño.

– Qué le recomiendas que haga cuando lo visite.

▶ **Lee** el correo de tu compañero(a) y comparen los edificios que han elegido teniendo en cuenta estos aspectos: antigüedad, diseño y materiales.

Tu desafío

80 **Los desafíos**

¿Recuerdas los desafíos que Diana les planteó a los personajes? ¿Cuál te gusta más?
Elige una de estas opciones y resuelve tu desafío.

DESAFÍO Ⓐ

Busca información sobre *Las Meninas*, el famoso
cuadro de Diego Velázquez. Luego, compáralo con
Las Meninas de Picasso y haz una presentación.
Incluye estos datos:

- Breve biografía de los pintores.
- Época(s) en que fueron pintados los cuadros.
- Estilo de los cuadros.
- Tu opinión sobre los dos cuadros.

Pablo Picasso.
Las Meninas (1957).

DESAFÍO Ⓑ

Elige un edificio o una escultura de un(a) artista
hispano(a) y graba una presentación para la
clase. Incluye:

- Algunos datos biográficos.
- Estilo y materiales empleados en la obra.
- Tu opinión sobre la obra.

Rogelio Salmona. *Torres del Parque.*
Bogotá (Colombia).

DESAFÍO Ⓒ

Busca información sobre un(a) escritor(a) hispano(a),
como Gabriel García Márquez, Octavio Paz, Mario Vargas
Llosa, Camilo José Cela o Gabriela Mistral. Prepara una
presentación que incluya:

- Una breve biografía.
- El argumento de una de sus obras más importantes.
- Género y estilo de esa obra.
- Una recomendación para que tus compañeros(as)
  de clase lean esa obra.

Gabriela Mistral.

El «boom» de la literatura latinoamericana

A comienzos de los años sesenta del siglo XX publicaron sus primeras obras con un gran éxito un conjunto de jóvenes escritores latinoamericanos que escribían en español y planteaban una ruptura con las formas tradicionales del relato. Entre esos jóvenes estaban autores tan importantes como Gabriel García Márquez (Colombia), Mario Vargas Llosa (Perú), Carlos Fuentes (México), Julio Cortázar (Argentina), José Lezama Lima (Cuba) o José Donoso (Chile). Este es el fenómeno al que se conoce como el «boom» de la novela latinoamericana.

Gabriel García Márquez

El colombiano Gabriel García Márquez (1928-2014) es uno de los grandes narradores hispanoamericanos. *La hojarasca*, *El coronel no tiene quien le escriba*, *Crónica de una muerte anunciada* y *El amor en los tiempos del cólera* son algunas de sus novelas. Pero su obra fundamental es *Cien años de soledad*.

En 1982 Gabriel García Márquez recibió el Premio Nobel de Literatura.

Cien años de soledad (1967) fue la obra que consagró a Gabriel García Márquez como uno de los mejores escritores del siglo XX. Se considera la novela emblemática del realismo mágico, basado en la mezcla de realismo, leyenda y sueño. Cuenta la historia de un pueblo, Macondo, desde su fundación hasta su desaparición a través de la historia de la familia Buendía.

«Muchos años después, frente al pelotón de fusilamiento, el coronel Aureliano Buendía había de recordar aquella tarde remota en que su padre lo llevó a conocer el hielo.»

¿Sabías que...?

Cien años de soledad ha sido traducida a 35 idiomas y se han vendido más de 20 millones de ejemplares desde su publicación.

Realismo mágico

En el realismo mágico lo real, lo cotidiano, lo mítico y lo imaginario se encuentran enlazados de forma estrecha y verosímil, intentando reflejar la identidad de América.

Mario Vargas Llosa

El escritor peruano Mario Vargas Llosa (1936) encabezó el «boom» con su primera obra, *La ciudad y los perros*, en la que se hace una crítica a la sociedad peruana. Otras novelas interesantes son *La casa verde*, *Pantaleón y las visitadoras*, la autobiográfica *La tía Julia y el escribidor* y *La guerra del fin del mundo*. Entre sus últimas publicaciones destacan *La Fiesta del Chivo*, *El paraíso en la otra esquina*, *El sueño del celta* y *El héroe discreto*.

Mario Vargas Llosa ganó el Premio Nobel de Literatura en 2010.

> Mario Vargas Llosa, como otros escritores del «boom», se interesó por las dictaduras americanas en obras como **Conversación en La Catedral** (1970) o **La Fiesta del Chivo** (2006).
>
> *«Urania. No le habían hecho un favor sus padres; su nombre daba la idea de un planeta, de un mineral, de todo, salvo de la mujer espigada y de rasgos finos, tez bruñida y grandes ojos oscuros, algo tristes, que le devolvía el espejo. ¡Urania! Vaya ocurrencia. Felizmente ya nadie la llamaba así, sino Uri, Miss Cabral, Mrs. Cabral o Doctor Cabral.»*

Carlos Fuentes

La obra del mexicano Carlos Fuentes (1928-2012) se caracteriza por el análisis de la problemática social y política de su país. *La muerte de Artemio Cruz* supuso su consagración. Otros títulos destacables son *La región más transparente*, *Cambio de piel*, *La cabeza de la hidra* y *Una familia lejana*.

> **La muerte de Artemio Cruz** (1962) supuso la consagración de Carlos Fuentes. A través de los recuerdos de un dirigente político corrupto que agoniza, se reconstruye la historia mexicana desde la Revolución. La novela se estructura mediante tres narradores distintos y presenta abundantes saltos espacio-temporales.
>
> *«Yo siento esa mano que me acaricia y quisiera desprenderme de su tacto, pero carezco de fuerzas. Qué inútil caricia. Catalina. Qué inútil. ¿Qué vas a decirme? ¿Crees que has encontrado al fin las palabras que nunca te atreviste a pronunciar? ¿Hoy? Qué inútil. Que no se mueva tu lengua. No le permitas el ocio de una explicación. Sé fiel a lo que siempre aparentaste; sé fiel hasta el fin. Mira: aprende de tu hija. Teresa. Nuestra hija. Qué difícil. Qué inútil pronombre. Nuestra. Ella no finge. Ella no tiene nada que decir.»*

81 **Cuéntame un cuento**

▶ **Lee** un cuento de uno de estos autores y preséntalo en clase. Incluye estos aspectos:

- Resumen del cuento.

- Comentarios sobre el estilo del autor.

- Tu opinión personal sobre el relato.

> Gabriel García Márquez

> Julio Cortázar

> Augusto Monterroso

Una reseña

Texto expositivo-argumentativo

Los textos expositivo-argumentativos tienen como objetivo convencer de algo a alguien mediante una serie de argumentos. En ellos se expone una información, pero también se adopta una posición personal respecto al tema. Son textos que abundan en la comunicación escrita; los artículos de opinión, las críticas de espectáculos, las cartas de los lectores, etc. pertenecen al género expositivo-argumentativo.

Los textos de este tipo aúnan la objetividad de la exposición y la subjetividad de la argumentación. A menudo su carácter expositivo no es más que otro recurso de la argumentación.

Una reseña es un tipo de texto que tiene por objeto dar a conocer una obra literaria o una película informando sobre su contenido y añadiendo una valoración crítica de la misma. Su finalidad es que alguien que no conoce la obra pueda hacerse una idea lo suficientemente clara y completa sobre ella.

Internet ofrece actualmente muchos blogs literarios en los que los lectores comparten con otras personas sus lecturas y reseñan sus obras favoritas.

En esta unidad vas a escribir una reseña sobre una novela que hayas leído.

Piensa

- Elige la novela sobre la que vas a escribir la reseña: tu preferida, la última que leíste...

- Anota tus ideas para desarrollar las diferentes partes de la reseña, siguiendo este esquema:

Presentación	Busca los datos bibliográficos para presentar la novela: autor, título, género literario, editorial, año y lugar de publicación, y número de páginas.
Resumen del contenido	Toma notas para hacer un resumen del libro. Fíjate en estos aspectos: – ¿Cuándo y dónde ocurre la historia? – ¿Cuáles son los personajes principales? – ¿Qué problemas tienen esos personajes? ¿Cómo se resuelven?
Comentario crítico	Para elaborar tu opinión personal sobre el texto, puedes responder a estas preguntas: – ¿Crees que el título de la novela anima a la lectura? – ¿Qué opinas del estilo y el lenguaje empleados? – ¿Los personajes están bien descritos? – ¿Cómo es el final: lógico, sorprendente, decepcionante...?
Conclusión	Recoge las ideas fundamentales de tu reseña. Debe quedar claro que la valoración de la novela corresponde a tu opinión personal y que el lector deberá formar la suya propia.

Escribe

■ Redacta una primera versión de la reseña. Utiliza las notas que escribiste y sigue estas recomendaciones:

– El resumen de la novela debe ser breve, pero tiene que contener los elementos esenciales para que el lector se haga una idea clara del argumento. Obviamente, no puedes desvelar el final.

– El comentario crítico debe recoger tu opinión sobre la historia y los personajes, y también puedes valorar el estilo literario, comparar la obra con otras que hayas leído, etc.

Revisa

■ Intercambia tu reseña con tu compañero(a) y revisa la suya. Fíjate en estos aspectos:

– ¿Te has hecho una idea clara de la novela?

– ¿Queda clara la opinión de tu compañero(a) sobre la novela?

– ¿El texto está redactado de manera clara y comprensible?

– ¿Se repiten mucho algunas palabras?

– ¿Tiene algún error gramatical, por ejemplo, en el uso del indicativo y del subjuntivo? ¿Tiene alguna falta de ortografía?

■ Devuelve la reseña a su autor(a) con tus sugerencias y revisa la tuya teniendo en cuenta sus comentarios. Modifica lo que creas necesario y pásala a limpio. Si quieres, puedes incluir la imagen de la cubierta del libro.

Comparte

■ Lee tu reseña a la clase. ¿Alguno de tus compañeros(as) ha leído esa novela? ¿Comparte tu opinión sobre ella?

■ Después de escuchar todas las reseñas, comenta con tus compañeros(as) qué novela(s) te gustaría leer y por qué. Pueden publicarlas en un blog.

Vocabulario útil

la alusión	*allusion*
la imagen	*image*
la ironía	*irony*
el paralelismo	*parallelism*
la parodia	*parody*
el punto de vista	*point of view*
el ritmo	*rhythm*
ágil	*agile*
entretenido(a)	*enjoyable*
lento(a)	*slow*
magnífico(a)	*magnificent*
monótono(a)	*boring*
recomendable	*advisable*
sorprendente	*amazing*

Libro de mal amor
Fernando Iwasaki
Novela
Editorial Alfaguara
Madrid, 2007
N.º de páginas: 180

Libro de mal amor es la historia de los fracasos amorosos de un joven que, para alcanzar a la mujer de sus sueños, se hace deportista, patinador, político, vegetariano, judío y experto en *ballet*. El joven es un antihéroe que se vuelve camaleónico en su intento desesperado de conquistar a las mujeres.

Es un libro muy entretenido que, con mucho humor, narra diez fracasos amorosos a cual más divertido. Con un estilo sencillo y muchos juegos de palabras, este libro es muy accesible para los adolescentes a los que va dirigido. En mi opinión es una lectura muy recomendable.

Arte y pintura

la acuarela	watercolor
el boceto	sketch
el fondo	background
la forma	shape
el lienzo	canvas
el mural	mural
el óleo	oil
el paisaje	landscape
la perspectiva	perspective
el pincel	brush
la pincelada	brushstroke
el primer plano	foreground
la proporción	proportion
el retrato	portrait
el tamaño	size
el volumen	volume
apagado(a)	subdued
exagerado(a)	exaggerated
innovador(a)	innovative
preciso(a)	precise
vivo(a)	vivid
destacar	to stand out
influir	to influence

Estilos artísticos

el arte abstracto	abstract art
el arte figurativo	representational art
el cubismo	cubism
el surrealismo	surrealism

¡Atención!

darse cuenta	to realize
realizar	to achieve

Arquitectura y escultura

el acueducto	aqueduct
el arco	arch
la catedral	cathedral
la columna	column
la construcción	construction
la fachada	facade
la mezquita	mosque
el palacio	palace
el puente	bridge
el rascacielos	skyscraper
la sinagoga	synagogue
el templo	temple
la torre	tower
la vivienda	home
lujoso(a)	luxurious
esculpir	to sculpt

Materiales

el aluminio	aluminum
el cemento	cement
el cristal	glass
el concreto	concrete
el granito	granite
el hierro	iron
el ladrillo	brick
el mármol	marble
la piedra	stone

¡Atención!

actualmente	currently
de hecho	actually

Literatura

el ambiente	atmosphere	la prosa	prose
el argumento	plot	el relato	story, tale
el desarrollo	development	el símbolo	symbol
el desenlace	dénoument, ending	el verso	verse, line
la estrofa	verse, stanza		
la lectura	reading	el/la autor(a)	author
el lenguaje figurado	figurative language	el/la narrador(a)	narrator
la metáfora	metaphor		
la poesía	poetry		

Géneros literarios

el ensayo	essay
la fábula	fable
la novela negra	crime novel
la novela rosa	romance novel

¡Atención!

el carácter	personality
el personaje	character

DESAFÍO 1

 Mucho arte. Decide. ¿A qué palabras relacionadas con el arte corresponden estas definiciones?

1. Tela preparada para pintar sobre ella.
2. Esquema o dibujo que se realiza antes de la obra.
3. Trazo dado con el pincel sobre una superficie.
4. Pintura de una persona.
5. Pintura que se obtiene disolviendo colores en aceite.

DESAFÍO 2

 Grupos. Clasifica las palabras del cuadro en una tabla como esta. Luego, escribe cinco oraciones con ellas.

| mezquita | columna | concreto | arco | fachada |
| ladrillo | piedra | puente | rascacielos | torre |

Edificios o tipos de construcción	Partes de una construcción	Materiales de construcción

DESAFÍO 3

3 **Obras maestras.** Completa estas notas sobre obras maestras de la literatura hispanoamericana con las palabras del cuadro. Ten en cuenta que no todas son válidas.

| estrofa | desenlace | autor | novela |
| lectura | ambiente | narradora | autora |

Rayuela (1963)

Inspirado en el juego infantil que consiste en saltar sobre una figura dibujada en el suelo, el argentino Julio Cortázar escribió una ___1___ que propone una ___2___ diferente a la tradicional; en lugar de leer los capítulos en orden, se puede seguir el orden que da el ___3___.

La casa de los espíritus (1982)

Se trata, sin duda, del libro más famoso de Isabel Allende. En él, la ___4___ principal nos cuenta la historia de una gran familia, los Trueba, a través de la lectura de los cuadernos de su abuela Clara, la verdadera protagonista de la novela, las cartas de su madre, los testimonios de su abuelo y sus propios recuerdos. La ___5___ decidió cómo escribir el ___6___ del relato después de un sueño donde se vio a sí misma sentada con un libro frente a su abuelo.

Las comparaciones (pág. 308)

COMPARACIONES DE IGUALDAD

verbo + igual que
igual de + adjetivo / adverbio + que
verbo + tanto como
tanto(a)(os)(as) + nombre + como
tan + adjetivo / adverbio + como

COMPARACIONES DE DESIGUALDAD

más / menos + adjetivo / adverbio / nombre + que
verbo + más / menos que

COMPARACIONES CON DE + ARTÍCULO

más / menos + adjetivo + de lo que
más / menos + nombre + del (de la, de los, de las) que
verbo + más / menos de lo que

El artículo neutro lo (pág. 310)

USOS DEL ARTÍCULO NEUTRO LO

- Delante de un adjetivo masculino singular.

lo + adjetivo
lo más / menos + adjetivo + de / que
lo + adjetivo + ser + que

- En construcciones posesivas.

lo + pronombre posesivo
lo de + pronombre personal / nombre

- Delante de un numeral ordinal.

lo + ordinal

- Delante del pronombre relativo que.

lo que + cláusula

EL ARTÍCULO LO ENFÁTICO

lo + adjetivo / adverbio + que

Expresar opinión (pág. 320)

INDICATIVO Y SUBJUNTIVO CON VERBOS DE OPINIÓN

Construcciones afirmativas con indicativo	considerar que	opinar que
	creer que	parecer que
	imaginar que	pensar que
	juzgar que	suponer que
Construcciones negativas con subjuntivo	no considerar que	no parecer que
	no creer que	no pensar que

Hacer valoraciones (pág. 322)

EXPRESIONES PARA HACER VALORACIONES

Es aconsejable / conveniente…	
Es importante…	+ infinitivo
Es necesario / preciso…	
Es bueno / malo…	
Es mejor / peor…	
Es sorprendente / fantástico…	+ que + subjuntivo
Es un error / un problema…	

Los diminutivos (pág. 332)

DIMINUTIVOS REGULARES

Palabras de varias sílabas terminadas en vocal no acentuada.	Suprimen la vocal final y añaden -ito(a): gatito
Palabras de varias sílabas terminadas en consonante distinta de -n, -r.	Añaden -ito(a): animalito

DIMINUTIVOS IRREGULARES

Palabras de una sílaba.	Añaden -ecito(a): florecita
Palabras de dos sílabas terminadas en vocal acentuada.	Añaden -cito(a): cafecito
Palabras de dos sílabas terminadas en -e, -n, -r.	Añaden -cito(a): cochecito

Dar consejos y hacer recomendaciones (pág. 334)

CONSEJOS Y RECOMENDACIONES NEUTROS

aconsejar	
animar a	+ infinitivo
proponer	
recomendar	+ que + subjuntivo
sugerir	

CONSEJOS Y RECOMENDACIONES CON MATIZ DE OBLIGACIÓN

deber (presente o condicional)	
haber que (presente o condicional)	+ infinitivo
tener que (presente o condicional)	
Yo en tu lugar	+ condicional
Yo que tú	

DESAFÍO 1

4 **Comparaciones artísticas.** Completa estas oraciones.

1. Los cuadros de Picasso son tan...
2. Van Gogh es mucho más...
3. Este pintor es igual de...
4. Voy a menos exposiciones de arte de lo...
5. Para mí, este retrato es mejor...
6. Los pintores trabajan tanto...

DESAFÍO 2

5 **En mi opinión...** Escribe tu opinión sobre cada uno de estos temas o artistas. Usa distintas estructuras y expresiones.

| la pintura abstracta | Eduardo Chillida | los museos | Fernando Botero |

| la arquitectura | la escultura al aire libre | los *graffiti* | Rafael Moneo |

DESAFÍO 3

6 **Buenas recomendaciones.** Completa estas oraciones con la forma correcta de los verbos del cuadro.

hacer
ir
leer
perderse
ver

1. La profesora nos recomendó que _____ el libro antes de ver la película.
2. Yo en tu lugar no _____ la exposición de Dalí del Museo Reina Sofía.
3. Tendrías que _____ estas esculturas de Antonio López. ¡Te encantarían!
4. Mis amigos me animaron a que _____ con ellos al museo.
5. Ana, te propongo que _____ los dos juntos el trabajo sobre la novela hispanoamericana.

 **CULTURA**

7 **Arte y cultura.** Responde a estas preguntas.

1. ¿Cómo es el estilo de Fernando Botero?
2. ¿Qué se conoce con el nombre de «Ciudad museo»? ¿Quién la diseñó?
3. Nombra algún escritor hispano que haya recibido el Premio Nobel de Literatura.

Una exposición de

las obras de arte favoritas

En este proyecto van a organizar una exposición con las obras de arte favoritas de la clase.

PASO 1 Elige tu obra de arte favorita

- Piensa en la obra de arte de un pintor, escultor o arquitecto hispano que te guste mucho. Aquí tienes algunas sugerencias.

Salvador Dalí. *Enigma sin fin.*

Fernando Botero. *El gato.*

Remedios Varo. *Ciencia inútil o el Alquimista.*

Ricardo Legorreta. Catedral Nueva de Managua.

Rodrigo Arenas. *Monumento a la raza.*

Antonio Gaudí. *La Pedrera.*

PASO 2 Busca información

- ¿Qué sabes sobre la obra que has elegido? Busca información y completa una ficha como esta.

Mi obra favorita

Autor(a): Pablo Ruiz Picasso

Título de la obra: Guernica

Fecha: 1937

Técnica: Óleo sobre lienzo

Medidas: 349,3 x 776,6 cm

Ubicación: Museo Reina Sofía (Madrid)

PASO 3 Amplía la información

- Busca información sobre el/la autor(a) de la obra y escribe una breve biografía. Busca también una foto suya y varias imágenes de la obra que has elegido.

- Investiga más sobre la obra elegida:
  - ¿Qué representa? ¿A qué estilo artístico pertenece?
  - Si es una pintura, ¿cómo se ha usado el color? ¿Y la luz?
  - Si es una escultura o una construcción, ¿qué materiales se han empleado?
  - ¿Qué relación tiene con su contexto geográfico, artístico, económico, político, social o religioso?

PASO 4 Describe la obra

- Escribe una descripción detallada de la obra y explica lo que representa. Añade una breve valoración personal.

PASO 5 Organiza la información

- Reúne toda la información y prepara un póster.

Pablo Ruiz Picasso. *Guernica* (1937). Óleo sobre lienzo (349,3 x 776,6 cm.). Museo Reina Sofía (Madrid).

La obra: El cuadro representa la crueldad de la guerra. A la izquierda hay un toro, símbolo de la brutalidad. Debajo, una mujer llora con su hijo muerto en brazos. En el suelo hay un hombre muerto con una espada rota y una flor en la mano como un símbolo de esperanza.

El autor: Pablo Ruiz Picasso. Málaga (España) 1881 – Mougins (Francia) 1973.
Pintor, dibujante y escultor. Inició su aprendizaje en el mundo de la pintura a través de su padre, profesor de Bellas Artes. Es uno de los grandes maestros del siglo XX y uno de los creadores del movimiento cubista.

PASO 6 Monta la exposición

- Reúnan todos los pósteres elaborados por la clase y monten la exposición. Expliquen las obras a los visitantes y contesten sus preguntas.

Unidad 6

Autoevaluación

¿Qué has aprendido en esta unidad?

Haz estas actividades para comprobar tu progreso.

Evalúa tus habilidades. Para cada punto, di Muy bien, Bien o Necesito practicar más.

a. ¿Puedes describir y comparar obras de arte?

▶ Describe tu cuadro favorito y compáralo con otro que conoces.

b. ¿Puedes opinar y hacer valoraciones sobre esculturas y construcciones?

▶ Escribe tu opinión sobre el edificio de tu escuela. ¿Qué te parece más interesante o sorprendente desde el punto de vista arquitectónico?

c. ¿Puedes dar consejos y recomendaciones sobre obras literarias?

▶ ¿Cuáles son tus tres libros favoritos? Explica por qué te gustan y haz un resumen del argumento de uno de ellos.

▶ Recomiéndale un libro a un(a) amigo(a) para que lo empiece a leer este fin de semana. Explica por qué crees que le gustaría.

Hacia el AP* Exam

Presentational Speaking: Cultural Comparison

Presentación

Para terminar el examen AP* vas a hacer una presentación de dos minutos sobre un tema cultural. En tu presentación, debes comparar aspectos culturales de tu comunidad con lugares del mundo hispano que conozcas. El objetivo de esta presentación es evaluar los conocimientos que has adquirido sobre la cultura del mundo hispano y tus habilidades para exponer un tema en español.

Estrategias

– Lee la pregunta que te plantean para la presentación y decide qué elementos vas a comparar. Puedes organizar tu presentación mediante un gráfico o una serie de preguntas. Por ejemplo:

- ¿Qué fiestas representan la herencia cultural de tu comunidad?

- ¿Qué fiestas representan la herencia cultural de la comunidad hispana que has elegido?

- ¿En qué se parecen estas fiestas? ¿En qué aspectos se diferencian?

- ¿Por qué son importantes estas fiestas?

– Cita ejemplos de materiales culturales que has leído, visto y escuchado. También puedes apoyarte en tus experiencias personales.

– Intenta que tu presentación sea original y trata de despertar el interés de la audiencia.

– Emplea un registro adecuado a la situación: usa la forma *usted(es)*, un vocabulario preciso y estructuras complejas y bien construidas.

– Aplica las estrategias de expresión oral que practicaste en la unidad 4 (ver página 238).

Instrucciones para el examen

Directions: You will make an oral presentation on a particular topic of cultural interest. You will have four minutes to read the presentation topic and prepare your presentation. You will then have two minutes to record your presentation.

In your presentation, you should compare your community with an area of the Spanish-speaking world with which you are familiar. You should show your understanding of cultural elements of the Spanish-speaking world. You should organize your presentation clearly and logically.

Instrucciones: Vas a hacer una presentación oral sobre un tema cultural. Tendrás cuatro minutos para leer la introducción y preparar tu presentación. Luego tendrás dos minutos para grabar tu presentación.

En tu presentación, debes comparar tu comunidad con un área del mundo hispanohablante que conozcas. Debes demostrar tu comprensión de elementos culturales del mundo hispanohablante. Organiza tu presentación de una forma clara y lógica.

Actividad 1

Imagina que tienes que hacer una presentación oral en tu clase de Español sobre este tema:

Tema de la presentación:

¿Qué fiestas representan la herencia cultural de tu comunidad?

Compara las fiestas que representan la herencia cultural de tu comunidad con las de una comunidad del mundo hispano que conozcas. Puedes referirte, en tu presentación, a lo que has experimentado, aprendido y observado.

Actividad 2

Imagina que tienes que hacer una presentación oral en tu clase de Español sobre este tema:

Tema de la presentación:

¿Cómo afecta el uso de las nuevas tecnologías a la vida de las personas en tu comunidad?

Compara tus observaciones acerca de las comunidades en las que has vivido con tus observaciones de alguna región del mundo hispano que te sea familiar. En tu presentación puedes referirte a lo que has estudiado, vivido, observado, etc.

Actividad 3

Imagina que tienes que hacer una presentación oral en tu clase de Español sobre este tema:

Tema de la presentación:

¿Qué papel desempeña el arte en tu comunidad?

Compara la presencia que tiene y la importancia que se le da al arte (arquitectura, pintura, teatro, etc.) en tu comunidad y en alguna región del mundo hispano que conozcas. Puedes basarte en lo que has visto y leído o en tus propias experiencias.

RESUMEN DE GRAMÁTICA

Nouns

Nouns are words for people, animals, places, and things. Spanish nouns have gender (masculine or feminine) and number (singular or plural).

Gender of nouns. Most nouns that end in -o are masculine, and most nouns that end in -a are feminine. Nouns that end in -e or in a consonant can be either masculine or feminine.

Masculine form	Feminine form	Examples
Ends in -o.	Changes -o to -a.	el niño → la niña
Ends in a consonant.	Adds -a.	el profesor → la profesora

Exceptions:

- Masculine nouns that end in -a: día, mapa, planeta.
- Feminine nouns that end in -o: foto, moto.
- Masculine nouns of Greek origin that end in -ma: clima, drama.
- Masculine and feminine nouns with the same ending:

-ista: artista, periodista	-e: agente, cantante	-o: modelo, piloto

Number of nouns. Nouns can be singular (one person or thing) or plural (more than one person or thing).

Singular form	Plural form	Examples
Ends in a vowel.	Adds -s.	el edificio → los edificios
Ends in a consonant.	Adds -es.	el ascensor → los ascensores

Articles

Articles agree in gender and number with the noun they accompany.

Definite articles are used with people, objects, or entities that are unique, that are specified, that are known, or that have been previously identified.

Indefinite articles are used with people, objects, or entities that are unknown, that are unspecified, or that have not been previously identified.

DEFINITE ARTICLES

	Masculine	Feminine
Singular	el	la
Plural	los	las

INDEFINITE ARTICLES

	Masculine	Feminine
Singular	un	una
Plural	unos	unas

Remember: a + el → al; de + el → del.

Presence and absence of the article

Unlike in English, in Spanish, articles are used in these situations:

- With abstract nouns and with nouns used in a general sense: El amor es el sentimiento más fuerte.
- With body parts and clothing: Lleva un suéter en la mano.
- With titles (except don and doña): El doctor García es mexicano.
- With days, dates, and times: Los viernes salgo pronto del trabajo. But Hoy es lunes, 12 de octubre.
- With the names of streets, parks, etc.: Vivo en la calle Mayor.
- With percentages and numbers: El 80 por ciento aprobó el examen.

In Spanish, it is common to use the noun without an article in these cases:

- To refer to unspecified people or objects: Compra helado.
- With the verb ser, to talk about professions, jobs, and occupations: Mi padre es médico.
- With verbs like tener, llevar, or ponerse, to refer to attire or to typical properties of an object: ¿Tienes coche? Lleva falda. Tiene ascensor.
- With verbs like comprar, necesitar, querer, dar, traer, hacer, etc., to talk about singular uncountable nouns or plural countable nouns: Quiero sopa. Necesito camisas.

The neuter article lo

The neuter article *lo* is never used with nouns, and does not have an exact equivalent in English. It is used primarily in these cases:

- Before a singular masculine adjective.

lo + adjective lo más / menos + adjective + de / que lo + adjective + ser + que	Todos admiramos lo bello.

- In possessive constructions.

lo + possessive pronoun lo de + personal pronoun / noun	Lo mío es tuyo.

- Before an ordinal number to express sequence.

lo + ordinal	Lo primero es observar los colores.

- Before the relative pronoun que to introduce a clause.

lo que + clause	Tengo lo que necesito.

- In emphatic constructions.

lo + adjective / adverb + que	Sé lo difícil que es pintar.

Adjectives

Adjectives describe nouns. In Spanish they usually follow the noun: el músico **calvo**, la cantante **morena**.

Spanish adjectives can be masculine or feminine, singular or plural. They must agree with the noun in both gender and number.

End in -o: 4 forms	el chico simpático los chicos simpáticos la chica simpática las chicas simpáticas
End in -e: 2 forms	el niño inteligente los niños inteligentes la niña inteligente las niñas inteligentes
End in a consonant: usually, 2 forms	el señor débil los señores débiles la señora débil las señoras débiles

Adjectives that express nationality also have variation of gender and number.

End in -o or in a consonant: 4 forms	el niño español la niña española	los niños españoles las niñas españolas
End in -e: 2 forms	el señor canadiense la señora canadiense	los señores canadienses las señoras canadienses

Position of descriptive adjectives

- In Spanish, adjectives that express types of people or things, as well as their individual qualities or properties, go after the nouns they modify: Cartagena de Indias es una ciudad turística.

- Conversely, adjectives that express typical qualities of the noun precede it: A lo lejos se veían las altas montañas.

- Many adjectives can be placed before or after the noun for style reasons, but some have differences in meaning depending on their position.

ADJECTIVES WITH MEANING CHANGES

Adjective	Before the noun	After the noun
antiguo(a)	former, ex-	ancient, antique
viejo(a)	long-standing	old, elderly
nuevo(a)	different, other	brand new
gran, grande	great, famous	big, large
pobre	unfortunate	penniless
único(a)	only	unique

APOCOPATED ADJECTIVES

bueno → buen
malo → mal   + masculine singular noun
grande → gran

Demonstrative adjectives and pronouns

To indicate where something or someone is located in relation
to the person speaking, use demonstratives. Demonstrative adjectives
and pronouns show gender and number.

Demonstrative pronouns can be used to indicate or to avoid repetition.
They mean *this one/that one* or *these/those*.

Distance from speaker	Singular			Plural	
	Masculine	Feminine	Neuter	Masculine	Feminine
Near	este	esta	esto	estos	estas
At a distance	ese	esa	eso	esos	esas
Far away	aquel	aquella	aquello	aquellos	aquellas

Neuter forms esto, eso, and aquello are always pronouns. They are used
to refer to situations or facts, and to present or to refer to unknown
objects.

Possessive adjectives and pronouns

Possessive adjectives and pronouns express ownership. Possessive
adjectives agree with the noun they accompany. They agree with the thing
(or person) possessed, not with the owner. They can be placed before
or after the noun they accompany.

	Before the noun (*mi tío*)				After the noun (*un tío mío*) or pronouns			
	Singular		Plural		Singular		Plural	
	Masculine	Feminine	Masculine	Feminine	Masculine	Feminine	Masculine	Feminine
my	mi		mis		mío	mía	míos	mías
your (inf.)	tu		tus		tuyo	tuya	tuyos	tuyas
his, her, your	su		sus		suyo	suya	suyos	suyas
our	nuestro	nuestra	nuestros	nuestras	nuestro	nuestra	nuestros	nuestras
your (inf.)	vuestro	vuestra	vuestros	vuestras	vuestro	vuestra	vuestros	vuestras
their, your	su		sus		suyo	suya	suyos	suyas

Numbers

Cardinal numbers

Cardinal numbers express quantity in a precise way: uno, cien, mil.

Ordinal numbers

Ordinal numbers indicate order or position. In Spanish, only the first ordinal numbers are used. After ten, we generally use cardinal numbers. Unlike in English, ordinal numbers are not used for dates, and the names of kings and popes do not require an article.

1.º / 1.ª / 1.ᵉʳ	primero(a), primer*	6.º / 6.ª	sexto(a)
2.º / 2.ª	segundo(a)	7.º / 7.ª	séptimo(a)
3.º / 3.ª / 3.ᵉʳ	tercero(a), tercer*	8.º / 8.ª	octavo(a)
4.º / 4.ª	cuarto(a)	9.º / 9.ª	noveno(a)
5.º / 5.ª	quinto(a)	10.º / 10.ª	décimo(a)

* Use primer and tercer + *masculine singular noun.*

Other numbers

Some numbers express a part of something: medio, la mitad (de), un tercio (de), un cuarto (de), la tercera parte (de), la cuarta parte (de).

Other numbers are used to multiply: el doble, el triple, el cuádruple, dos veces más, tres veces más, etc.

Indefinites

Indefinites indicate existence or quantity in an imprecise way, or absence.

ningún*, ninguno(a)	*no, (not) any, none*	alguien	*someone*
algún*, alguno(a)(os)(as)	*a few, any, one, some*	algo	*something*
poco(a)(os)(as)	*some, few*	nadie	*nobody*
mucho(a)(os)(as)	*many, a lot of*	nada	*nothing*
demasiado(a)(os)(as)	*too much, too many*	cualquier(a)	*any, whichever*
todo(a)(os)(as)	*all, every, throughout*	otro(a)(os)(as)	*another*
varios(as)	*several*	bastante(s)	*enough*
		suficiente(s)	*enough*

* Use ningún and algún + *masculine singular noun.*

Alguien and nadie refer to people. Algo and nada refer to things.

Comparatives

verb + igual que	... as much as ...
igual de + adjective / adverb + que	as ... as
verb + tanto como	... as much as ...
tanto(a)(os)(as) + noun + como	as much / many ... as
tan + adjective / adverb + como	as ... as

más / menos + adjective / adverb / noun + que	more / less ... than
verb + más / menos que	... more / less than
más / menos + adjective + de lo que	more / less ... than
más / menos + noun + del (de la, de los, de las) que	more / less ... than
verb + más / menos de lo que	... more / less than

bueno(a) / bien	→ mejor
malo(a) / mal	→ peor
grande	→ mayor
pequeño(a)	→ menor

Nevertheless, when we talk about size, we use más grande and más pequeño(a). We can also use más pequeño(a) when referring to age.

Superlatives

The superlative is used to express an extreme degree of an adjective.
Use muy + *adjective* to express the same idea.

Adjectives ending in a consonant.	Add -ísimo, -ísima, -ísimos, -ísimas. popular + ísimo → popularísimo
Adjectives ending in a vowel.	Drop the vowel and add the superlative ending. triste + ísimo → tristísimo

The relative superlative is used to describe a noun in comparison to a larger group: Este es el lugar más bonito del mundo.

el / la / los / las + noun + más / menos + adjective + de... / que...

Pronouns

Subject pronouns

Subject pronouns identify the person who is performing an action.

	Singular		Plural
yo	I	nosotros nosotras	we
tú	you (informal)	vosotros vosotras	you (informal)
usted él ella	you (formal) he she	ustedes ellos ellas	you they they

Direct object and indirect object pronouns

To avoid repeating words that have already been mentioned, you can replace the direct object or the indirect object with a pronoun. The object pronoun is necessary:

- With pronominal verbs: Marta nunca se queja.
- When the indirect object is a + *pronoun* (a mí, a ti, a usted…) or a + *noun:* Le envié un mensaje a Pedro.
- When the object noun goes in front of the verb: Estas fresas las compré ayer.

DIRECT OBJECT PRONOUNS

Singular		Plural	
me	*me*	nos	*us*
te	*you* (informal)	os	*you* (informal)
lo la	*you* (formal), *him, it* *you* (formal), *her, it*	los las	*you, them* *you, them*

INDIRECT OBJECT PRONOUNS

Singular		Plural	
me	*to / for me*	nos	*to / for us*
te	*to / for you* (informal)	os	*to / for you* (informal)
le	*to / for you* (formal), *him, her*	les	*to / for you, them*

Direct and indirect object pronouns are placed before the conjugated verb, or attached to the infinitive, the present participle, or the affirmative command.

Direct and indirect object pronouns may be used in the same sentence. In this case, the indirect object pronoun goes before the direct object pronoun. Le and les become se when placed in front of a direct object pronoun.

The pronoun *se*

When speaking about an action without saying exactly who performs it, we use this construction:

se + verb in 3rd person	Se habla español en más de 20 países.

In constructions with se + *verb in the 3rd person*, the verb can be in singular or plural.

se + verb in 3rd person singular with a singular noun, an infinitive, or a clause starting with que	Se prohíbe comer en clase.
se + verb in 3rd person plural with a plural noun	Se necesitan cocineros.

With verbs like caer, olvidar, perder, and romper, to present the action as an accident or something involuntary, we use this construction:

se + indirect object pronoun (me, te, le, nos, os, les) + verb in 3rd person	A mi padre se le perdieron las llaves.

Adverbs

Adverbs and phrases of frequency

These adverbs and adverbial phrases express how often something is done:

nunca	*never*	muchas veces	*many times, often*	diariamente	*daily*
casi nunca	*almost never*	casi siempre	*usually, normally*	semanalmente	*weekly*
rara vez	*seldom, rarely*	siempre	*always*	mensualmente	*monthly*
a veces	*sometimes*	todos los días	*every day*	anualmente	*yearly*

To express the frequency with which we do something during a period of time in a precise way, we can use these structures:

number + vez / veces + al / a la + time	Voy al cine tres veces al mes.
cada + number + time	Tengo clases de guitarra cada dos días.
todos(as) + los(as) + time	Voy de compras todos los fines de semana.

To talk about actions that we do habitually, we can use the structure soler (in the present or imperfect tense) + *infinitive*: Los fines de semana suelo salir con mis amigos.

Adverbs of quantity

Some verbs and adjectives can be modified by a word that expresses quantity.

nada *not at all*	poco *little, not much*	bastante *quite, enough*	mucho *a lot, much*	demasiado *too, too much*

Adverbs and phrases about the future

When you express intention or future plans, you can use these adverbs or expressions:

ahora	*now*	mañana	*tomorrow*
luego, después	*later*	pasado mañana	*the day after tomorrow*
en un rato	*in a while*	mañana por la mañana	*tomorrow morning*
en media hora	*in half an hour*	mañana por la tarde	*tomorrow afternoon / evening*
en dos horas	*in two hours*	mañana por la noche	*tomorrow night*
hoy	*today*	el lunes que viene / el próximo lunes	*next Monday*
esta mañana	*this morning*	el mes que viene / el próximo mes	*next month*
esta tarde	*this afternoon*		
esta noche	*tonight*	el año que viene / el próximo año	*next year*

Adverbs and phrases about the past

These adverbs and time expressions refer to the past tense:

antes	*before*	la semana pasada	*last week*
anoche	*last night*	el mes pasado	*last month*
ayer	*yesterday*	el año pasado	*last year*
anteayer	*the day before yesterday*		

These time expressions often accompany the present perfect tense:

esta mañana / esta semana	*this morning / this week*	hoy	*today*
este siglo / este año / este mes	*this century / this year / this month*	recientemente	*recently*
hasta ahora	*until now*	últimamente	*lately*

The present perfect and the past perfect are frequently used with the adverbs ya and todavía.

- Ya (*already*) is used to express that the action is actually finished: Cuando llegué, ella ya había comido.

- Todavía (*still*) is used to express that the action has not started or is still in progress. Todavía is frequently used in negative constructions: Él todavía no había comido.

Use hace to express the amount of time elapsed since an action was completed.

hace + time expression + que + verb in the preterite tense	Hace una hora que espero.
verb in the preterite tense + desde hace + time expression	Espero desde hace una hora.

Use hacía to describe an action or event that began in the past and continued for some time.

hacía + time expression + que + verb in the imperfect tense	Hacía una hora que esperaba.
verb in the imperfect tense + desde hacía + time expression	Esperaba desde hacía una hora.

Adverbs and phrases of location

Many words and phrases are used to show location.

aquí, acá	*here*	encima de	*on, on top of*
ahí	*there*	debajo de	*under*
allí, allá	*over there*	delante de	*in front of*
		detrás de	*behind*
al lado de	*next to*		
a la derecha de	*to the right of*	cerca de	*near, close to*
a la izquierda de	*to the left of*	lejos de	*far from*

Adverbs ending in -*mente*

Many adverbs are formed from adjectives by adding the suffix -mente to the feminine singular form.

Adjectives ending in -o.	Change -o to -a and add -mente.	lento → lentamente
Adjectives ending in -e or in a consonant.	Add -mente.	frecuente → frecuentemente habitual → habitualmente

Diminutives

Diminutives are suffixes that are added to the end of nouns and some adjectives and adverbs to express small size or other values (affection, irony, etc.). In Spanish, there are several diminutive suffixes: -ito / -ita (the most common), -ico / -ica, -illo / -illa, and -ín / -ina.

REGULAR DIMINUTIVES

Words of two or more syllables that end with an unaccented vowel.	Eliminate the final vowel and add -ito(a): gatito
Words of two or more syllables that end with a consonant other than -n or -r.	Add -ito(a): animalito

IRREGULAR DIMINUTIVES

Monosyllabic words.	Add -ecito(a): florecita Exception: pie → piececito
Words of two or more syllables that end with an accented vowel.	Add -cito(a): cafecito Exception: papá → papaíto, papito; mamá → mamaíta, mamita
Words of two or more syllables that end with -e, -n, or -r.	Add -cito(a): cochecito

Prepositions

Prepositions of place

en	at, in, on, inside (to express location)	de	from (to express origin)
a	to (after the verb ir indicating destination)	desde... hasta de... a	from ... to (to express direction or destination)

The personal *a*

The preposition a works like a marker before certain direct objects:

direct objects referring to a definite or specific person or people, or a definite pet
direct object pronouns referring to people, such as alguien, nadie, alguno, ninguno, or todos

Prepositions *por* and *para*

Por and para can usually be translated as *for* in English.

Uses of *por*		Uses of *para*
«in exchange for»	approximate time	deadline
ratio, proportion, «per»	approximate place	purpose
mode of communication	time periods during the day	opinion
mode of transportation	cause or reason	movement toward a place
«on behalf of»	movement within an area	recipient of an action
object of an errand	agent of an action	comparison, «considering»

Verbs with prepositions

Many verbs require a complement that is introduced by a preposition.

Verbs with *a*	Verbs with *con*	Verbs with *de*	Verbs with *en*
acostumbrarse a *to get used to*	amenazar con *to threaten to*	acordarse de *to remember*	confiar en *to trust*
asistir a *to attend*	casarse con *to marry*	alegrarse de *to be pleased to*	consistir en *to consist of*
atreverse a *to dare*	contar con *to count on*	darse cuenta de *to realize*	fijarse en *to notice*
ayudar a *to help*	enojarse con *to get mad at*	depender de *to depend on*	insistir en *to insist on*
renunciar a *to give up*	soñar con *to dream of*	despedirse de *to say good-bye to*	pensar en *to think about*

Some verbs that require a preposition in English are used without a preposition in Spanish when they refer to a thing: agradecer (*to be grateful for*), buscar (*to look for*), escuchar (*to listen to*), esperar (*to wait for*), mirar (*to look at*), pedir (*to ask for*): Busco un libro. Busco a Juan.

Interrogatives

Interrogatives are words that are used to ask questions. Normally, interrogatives go at the beginning of a sentence.

¿Qué? *What?*	¿Cuál(es)? *Which?*	¿Cuánto(a)? *How much?*	¿Por qué? *Why?*	¿Cómo? *How?*	¿Adónde? *Where to?*
¿Quién(es)? *Who?*	¿Cuándo? *When?*	¿Cuántos(as)? *How many?*	¿Para qué? *What for?*	¿Dónde? *Where?*	¿De dónde? *Where from?*

Relative pronouns

Relative pronouns introduce clauses that give information about a noun.
Unlike in English, relative pronouns are not omitted in spoken Spanish.

que *that*	Used for people and things.
quien, quienes *who*	Used only for people.
el que, la que, los que, las que *which, the one(s) that*	Used when the adjective clause starts with a preposition, especially when the relative pronoun refers to a person; when the adjective clause is at the beginning of the sentence; or when the relative pronoun refers to a noun that has been omitted.

Use the indicative to describe someone or something that exists or is known: Conozco a un chico que habla seis idiomas.

Use the subjuntive to describe someone or something that doesn't exist, is unknown, or whose existence is in question: No hay ningún celular que funcione con energía solar. Necesito una casa que tenga jardín. ¿Hay algo que no entiendas?

Verbs

Verbs are words that express actions and events, and place them in time (past, present, and future). Spanish verbs fall into three conjugations: -ar (*hablar, estudiar*…), -er (*aprender, comer*…), and -ir (*vivir, subir*…).

The infinitive

1st conjugation: -ar	comprar, hablar, estudiar...
2nd conjugation: -er	comer, tener, vender...
3rd conjugation: -ir	abrir, pedir, escribir...

The present participle

The present participle (gerundio) is formed by adding the following endings to the verb stem:

| -ando for -ar verbs | lavar → lavando |
| -iendo for -er, -ir verbs | hacer → haciendo
escribir → escribiendo |

Irregular present participle forms

e > i		o > u	
decir → diciendo	servir → sirviendo	dormir → durmiendo	
medir → midiendo	vestir → vistiendo	morir → muriendo	
pedir → pidiendo		poder → pudiendo	

The past participle

The past participle (participio) of a verb can be used as an adjective to describe a noun. In addition, the past participle is used with the verb estar to express the state or condition of a subject as a result of a previous action: Luis hizo las tareas. Las tareas están hechas.

The past participle has two uses in verb formations:

- With the auxiliary verb haber to form the perfect tenses: the present perfect, the past perfect, etc. In this case, the participle always ends in -o.
- With the auxiliary verb ser to form the passive voice. In this case, the participle agrees in gender and number with the subject.

Regular past participle forms

-ar verbs	Add the ending -ado to the verb stem.	pintar → pintado
-er and -ir verbs	Add the ending -ido to the verb stem.	vestir → vestido

Irregular past participle forms

abrir → abierto	escribir → escrito	resolver → resuelto
cubrir → cubierto	hacer → hecho	romper → roto
decir → dicho	morir → muerto	ver → visto
descubrir → descubierto	poner → puesto	volver → vuelto

The present tense

We use verbs in the present tense in these situations:

- To talk about actions and situations that are occurring while you are speaking.
- To describe repeating routines or actions.
- To describe constant situations or make statements of a general nature.
- To present past occurrences as though they were current.
- To talk about schedules and planned or foreseen future events.

Regular verbs (-*ar*, -*er*, -*ir*)

		Comprar (to buy)	Vender (to sell)	Abrir (to open)
Singular	yo	compro	vendo	abro
	tú	compras	vendes	abres
	usted él, ella	compra	vende	abre
Plural	nosotros(as)	compramos	vendemos	abrimos
	vosotros(as)	compráis	vendéis	abrís
	ustedes ellos(as)	compran	venden	abren

Stem-changing verbs

		Cerrar (e > ie) (to close)	Poder (o > ue) (can, to be able)	Pedir (e > i) (to ask)	Adquirir (e > ie) (to acquire)	Jugar (u > ue) (to play)
Singular	yo	cierro	puedo	pido	adquiero	juego
	tú	cierras	puedes	pides	adquieres	juegas
	usted él, ella	cierra	puede	pide	adquiere	juega
Plural	nosotros(as)	cerramos	podemos	pedimos	adquirimos	jugamos
	vosotros(as)	cerráis	podéis	pedís	adquirís	jugáis
	ustedes ellos(as)	cierran	pueden	piden	adquieren	juegan

Verbs with irregular yo forms

		Dar (to give)	Conocer[1] (to know)	Hacer (to do)	Poner (to put)	Saber (to know)	Traer[2] (to bring)	Ver (to see)	Salir (to leave)
Singular	yo	doy	conozco	hago	pongo	sé	traigo	veo	salgo
	tú	das	conoces	haces	pones	sabes	traes	ves	sales
	usted él, ella	da	conoce	hace	pone	sabe	trae	ve	sale
Plural	nosotros(as)	damos	conocemos	hacemos	ponemos	sabemos	traemos	vemos	salimos
	vosotros(as)	dais	conocéis	hacéis	ponéis	sabéis	traéis	veis	salís
	ustedes ellos(as)	dan	conocen	hacen	ponen	saben	traen	ven	salen

[1] In general, verbs ending in -ecer and -ucir add a z in the yo form like conocer (parecer: yo parezco; traducir: yo traduzco).

[2] The verb caer is conjugated like traer (yo caigo).

Verbs *ser* and *estar*

Ser *(to be)*			
Singular		**Plural**	
yo	soy	nosotros(as)	somos
tú	eres	vosotros(as)	sois
usted él, ella	es	ustedes ellos(as)	son

Estar *(to be)*			
Singular		**Plural**	
yo	estoy	nosotros(as)	estamos
tú	estás	vosotros(as)	estáis
usted él, ella	está	ustedes ellos(as)	están

- Use ser to identify people, places, and things, and to describe physical characteristics and personality traits: La señora Flores **es** mi profesora. Ella **es** muy inteligente.

  Additionally, the verb ser is used in Spanish to express dates and times, possession, location of events, price, material, mathematical equations, and purpose or function (used with para).

- Use estar to express feelings and conditions or when talking about the result of a process: Ellos **están** tristes porque **están** enfermos. Luis **está** muy guapo con esa camisa.

  In addition, the verb estar is used in Spanish to express state, with bien and mal, in progressive tenses, and in idiomatic expressions with de.

Many adjectives change meaning when they are used with ser or with estar.

	Ser	Estar		Ser	Estar		Ser	Estar
atento(a)	courteous	alert	malo(a)	bad	sick, ill	seguro(a)	safe	sure, certain
callado(a)	reserved	quiet	orgulloso(a)	arrogant	proud	verde	green	unripe
listo(a)	smart	ready	rico(a)	rich	delicious	vivo(a)	bright, sharp	alive

The verb *ir*

- To say where someone is going, use ir a + *place*.
- To express intention or future plans, use ir a + *infinitive*.

Ir *(to go)*			
Singular		Plural	
yo	voy	nosotros(as)	vamos
tú	vas	vosotros(as)	vais
usted él, ella	va	ustedes ellos(as)	van

The verb *haber*

- To say that someone or something exists or to ask about the existence of something, use the form hay (*there is, there are*).
- To make recommendations and to express obligation and necessity, use these structures:

hay que + infinitive	tener que + infinitive	deber + infinitive

Verbs like *gustar (a mí me...)*

Many verbs that express likes, interests, feelings, and emotions follow the same pattern as the verb gustar: they are generally conjugated in the third person (singular or plural), with an indirect object pronoun: me, te, le, nos, os, les.

Gustar *(to like)*		
	Singular	Plural
(A mí)	me **gust**a	me **gust**an
(A ti)	te **gust**a	te **gust**an
(A usted) (A él/a ella)	le **gust**a	le **gust**an
(A nosotros/as)	nos **gust**a	nos **gust**an
(A vosotros/as)	os **gust**a	os **gust**an
(A ustedes) (A ellos/a ellas)	les **gust**a	les **gust**an

Verbs like *gustar*		
aburrir	divertir	fascinar
alegrar	doler	importar
apetecer	emocionar	interesar
asustar	encantar	molestar
caer bien / mal	enfadar	parecer
dar miedo	enojar	preocupar
dar pena	extrañar	sorprender
deprimir		

Pronominal verbs

Pronominal verbs (arrepentirse, atreverse, enterarse, quejarse, etc.) are conjugated with a reflexive pronoun: me, te, se, nos, os, se. The pronoun agrees with the subject: ¿Tú te atreves?

Peinarse *(to comb one's hair)*			
Singular		**Plural**	
yo	me **pein**o	nosotros(as)	nos **pein**amos
tú	te **pein**as	vosotros(as)	os **pein**áis
usted él, ella	se **pein**a	ustedes ellos(as)	se **pein**an

Verbs with changes in meaning							
acabar *to finish*	acabarse *to end, to run out*	ir *to go*	irse *to leave, to go away*	quedar *to arrange to meet*	quedarse *to stay*		
acordar *to agree*	acordarse *to remember*	levantar *to lift*	levantarse *to get up*	romper *to break something*	romperse *to get broken*		
aprender *to learn*	aprenderse *to memorize*	parecer *to seem*	parecerse *to look like*	salir *to leave, to go out*	salirse *to go beyond the limits*		
dormir *to sleep*	dormirse *to fall asleep*	poner *to put*	ponerse *to put on*	volver *to come back*	volverse *to turn*		
estudiar *to study*	estudiarse *to learn*						

Reflexive verbs

Reflexive verbs (acostarse, lavarse, levantarse, maquillarse, vestirse, etc.) are pronominal verbs that express an action that is reflected back onto the subject.

Reciprocal verbs

Reciprocal verbs (abrazarse, ayudarse, besarse, conocerse, escribirse, hablarse, llamarse, mirarse, pelearse, perdonarse, quererse, saludarse, verse, etc.) are pronominal verbs that express reciprocal actions. They are conjugated like reflexive verbs, but always in the plural: ¡Abrácense y perdónense!

The present perfect

The present perfect (presente perfecto) is equivalent to *have + past participle*. Use the present perfect tense:

- To describe actions that already happened at the time we consider to be the present: He vivido en esta casa toda mi vida.

- To describe actions that have recently ended: He llegado hace un minuto.

Hablar *(to speak)*			
Singular		**Plural**	
yo	he **habl**ado	nosotros(as)	hemos **habl**ado
tú	has **habl**ado	vosotros(as)	habéis **habl**ado
usted él, ella	ha **habl**ado	ustedes ellos(as)	han **habl**ado

The preterite tense

Use the preterite tense to talk about past actions presented as completed, without mentioning the duration.

		Comprar (to buy)	Comer (to eat)	Escribir (to write)
Singular	yo	compré	comí	escribí
	tú	compraste	comiste	escribiste
	usted él, ella	compró	comió	escribió
Plural	nosotros(as)	compramos	comimos	escribimos
	vosotros(as)	comprasteis	comisteis	escribisteis
	ustedes ellos(as)	compraron	comieron	escribieron

Verbs ending in -car, -gar, and -zar require a spelling change in the yo form of the preterite tense: buscar → yo busqué; llegar → yo llegué; empezar → yo empecé.

Irregular verbs: *ser, ir, decir, tener, estar, hacer,* and *traer*

		Ser (to be), ir (to go)	Decir (to say)	Tener (to have)	Estar (to be)	Hacer (to make, to do)	Traer (to bring)
Singular	yo	fui	dije	tuve	estuve	hice	traje
	tú	fuiste	dijiste	tuviste	estuviste	hiciste	trajiste
	usted él, ella	fue	dijo	tuvo	estuvo	hizo	trajo
Plural	nosotros(as)	fuimos	dijimos	tuvimos	estuvimos	hicimos	trajimos
	vosotros(as)	fuisteis	dijisteis	tuvisteis	estuvisteis	hicisteis	trajisteis
	ustedes ellos(as)	fueron	dijeron	tuvieron	estuvieron	hicieron	trajeron

Irregular verbs: *pedir* and *dormir*

In Spanish, -ir verbs that are e > i stem-changing in the present tense (pedir > pido) have the same change in the third person of the preterite tense.

The verbs dormir and morir are also irregular in the third person (o > u).

		Pedir (to ask)	Dormir (to sleep)
Singular	yo	pedí	dormí
	tú	pediste	dormiste
	usted él, ella	pidió	durmió
Plural	nosotros(as)	pedimos	dormimos
	vosotros(as)	pedisteis	dormisteis
	ustedes ellos(as)	pidieron	durmieron

Irregular verbs: *dar, poder, poner, querer, saber,* and *venir*

		Dar (to give)	Poder (to be able)	Poner (to put)	Querer (to want)	Saber (to know)	Venir (to come)
Singular	yo	di	pude	puse	quise	supe	vine
	tú	diste	pudiste	pusiste	quisiste	supiste	viniste
	usted él, ella	dio	pudo	puso	quiso	supo	vino
Plural	nosotros(as)	dimos	pudimos	pusimos	quisimos	supimos	vinimos
	vosotros(as)	disteis	pudisteis	pusisteis	quisisteis	supisteis	vinisteis
	ustedes ellos(as)	dieron	pudieron	pusieron	quisieron	supieron	vinieron

The imperfect tense

Use the imperfect tense:
- To talk about habitual actions or actions that happened repeatedly in the past.
- To talk about past actions as actions that lasted an undetermined amount of time, without mentioning their end.
- To describe characters and setting, and to explain the circumstances surrounding an event.
- To make a polite request.

		Viajar (to travel)	Volver (to return)	Salir (to leave)
Singular	yo	viajaba	volvía	salía
	tú	viajabas	volvías	salías
	usted él, ella	viajaba	volvía	salía
Plural	nosotros(as)	viajábamos	volvíamos	salíamos
	vosotros(as)	viajabais	volvíais	salíais
	ustedes ellos(as)	viajaban	volvían	salían

Irregular verbs

		Ser (to be)	Ir (to go)	Ver (to see)
Singular	yo	era	iba	veía
	tú	eras	ibas	veías
	usted él, ella	era	iba	veía
Plural	nosotros(as)	éramos	íbamos	veíamos
	vosotros(as)	erais	ibais	veíais
	ustedes ellos(as)	eran	iban	veían

The past perfect

Use the past perfect (pluscuamperfecto) to describe an action that was completed before another action in the past: Cuando él llegó, María ya se había ido.

Hablar *(to speak)*			
Singular		Plural	
yo	había **habl**ado	nosotros(as)	habíamos **habl**ado
tú	habías **habl**ado	vosotros(as)	habíais **habl**ado
usted él, ella	había **habl**ado	ustedes ellos(as)	habían **habl**ado

The future

Use the future tense to talk about things that will happen in the future.

The future tense is also sometimes used idiomatically in Spanish to express conjecture or probability in the present.

		Entrar *(to come in)*	Comer *(to eat)*	Seguir *(to follow)*
Singular	yo	**entrar**é	**comer**é	**seguir**é
	tú	**entrar**ás	**comer**ás	**seguir**ás
	usted él, ella	**entrar**á	**comer**á	**seguir**á
Plural	nosotros(as)	**entrar**emos	**comer**emos	**seguir**emos
	vosotros(as)	**entrar**éis	**comer**éis	**seguir**éis
	ustedes ellos(as)	**entrar**án	**comer**án	**seguir**án

Irregular verbs

poder → podr-	**tener** → tendr-	**decir** → dir-	**saber** → sabr-
poner → pondr-	**venir** → vendr-	**hacer** → har-	**haber** → habr-
salir → saldr-	**valer** → valdr-	**querer** → querr-	**caber** → cabr-

The future perfect

The future perfect (equivalent to *will have + past participle*) is used:

- To talk about an action that will be finished before a particular moment in the future: El martes ya habremos firmado la hipoteca.

- To talk about an action that will be finished before another future action: Cuando salgas del banco, ya habrás cobrado el cheque.
- To express probability in the recent past: Mario no ha llegado aún. Se habrá retrasado por el tráfico.

Comprar (to buy)			
Singular		**Plural**	
yo	habré **compr**ado	nosotros(as)	habremos **compr**ado
tú	habrás **compr**ado	vosotros(as)	habréis **compr**ado
usted él, ella	habrá **compr**ado	ustedes ellos(as)	habrán **compr**ado

The conditional

The conditional is used:

- To express wishes for the present or the future: Me gustaría ir a la fiesta.
- To give advice by putting yourself in the place of the other person: Yo no iría.
- To make polite requests: ¿Podrías prestarme un lápiz?
- To express probability in the past: Serían las cuatro de la tarde cuando llegó Mario.
- In conditional sentences, to express what would occur in the present if a condition had been met: Si hubiéramos acabado con la pobreza, ahora no existiría la injusticia social.

		Entrar (to come in)	**Comer** (to eat)	**Seguir** (to follow)
Singular	yo	entra**ría**	come**ría**	segui**ría**
	tú	entra**rías**	come**rías**	segui**rías**
	usted él, ella	entra**ría**	come**ría**	segui**ría**
Plural	nosotros(as)	entra**ríamos**	come**ríamos**	segui**ríamos**
	vosotros(as)	entra**ríais**	come**ríais**	segui**ríais**
	ustedes ellos(as)	entra**rían**	come**rían**	segui**rían**

Irregular verbs

poder → podr-	**tener** → tendr-	**decir** → dir-	**saber** → sabr-
poner → pondr-	**venir** → vendr-	**hacer** → har-	**haber** → habr-
salir → saldr-	**valer** → valdr-	**querer** → querr-	**caber** → cabr-

The conditional perfect

The conditional perfect is used:

- To express probability in the past: Eva habría llegado tarde al aeropuerto y por eso perdió el avión.
- In conditional sentences, to express what would have occurred in the past if a condition had been met: Si la policía no hubiera detenido a los terroristas, habrían cometido un atentado.

Viajar *(to travel)*			
Singular		**Plural**	
yo	habría **viaj**ado	nosotros(as)	habríamos **viaj**ado
tú	habrías **viaj**ado	vosotros(as)	habríais **viaj**ado
usted él, ella	habría **viaj**ado	ustedes ellos(as)	habrían **viaj**ado

The present subjunctive

Use the subjunctive to express wishes, feelings, emotions, or opinions, to express doubt or uncertainty, and to express value judgments.

		Cantar *(to sing)*	**Comer** *(to eat)*	**Vivir** *(to live)*
Singular	yo	cant**e**	com**a**	viv**a**
	tú	cant**es**	com**as**	viv**as**
	usted él, ella	cant**e**	com**a**	viv**a**
Plural	nosotros(as)	cant**emos**	com**amos**	viv**amos**
	vosotros(as)	cant**éis**	com**áis**	viv**áis**
	ustedes ellos(as)	cant**en**	com**an**	viv**an**

Verbs ending in -car, -gar, -zar, -ger, -gir, and -guir have spelling changes.

-car → -que: sacar → saque, saques…	-ger, -gir → -ja: dirigir → dirija, dirijas…
-gar → -gue: llegar → llegue, llegues…	-guir → -ga: seguir → siga, sigas…
-zar → -ce: abrazar → abrace, abraces…	

Irregular verbs

Irregular verbs in the yo form of the present indicative are also irregular in the present subjunctive.

yo hago → haga, hagas, haga…	yo tengo → tenga, tengas, tenga…
yo conozco → conozca, conozcas, conozca…	yo traigo → traiga, traigas, traiga…

Stem-changing verbs

		Pensar (to think)	Jugar (to play)	Volver (to return)	Pedir (to ask)	Dormir (to sleep)
Singular	yo	piense	juegue	vuelva	pida	duerma
	tú	pienses	juegues	vuelvas	pidas	duermas
	usted él, ella	piense	juegue	vuelva	pida	duerma
Plural	nosotros(as)	pensemos	juguemos	volvamos	pidamos	durmamos
	vosotros(as)	penséis	juguéis	volváis	pidáis	durmáis
	ustedes ellos(as)	piensen	jueguen	vuelvan	pidan	duerman

Irregular verbs: *dar, estar, saber, ser,* and *ir*

		Dar (to give)	Estar (to be)	Saber (to know)	Ser (to be)	Ir (to go)
Singular	yo	dé	esté	sepa	sea	vaya
	tú	des	estés	sepas	seas	vayas
	usted él, ella	dé	esté	sepa	sea	vaya
Plural	nosotros(as)	demos	estemos	sepamos	seamos	vayamos
	vosotros(as)	deis	estéis	sepáis	seáis	vayáis
	ustedes ellos(as)	den	estén	sepan	sean	vayan

The present perfect subjunctive

Use this tense in the same types of sentences in which you would use the present subjunctive, when the action in the dependent clause is presented as completed: Me alegro de que te hayas casado.

Cantar (to sing)			
Singular		Plural	
yo	haya cantado	nosotros(as)	hayamos cantado
tú	hayas cantado	vosotros(as)	hayáis cantado
usted él, ella	haya cantado	ustedes ellos(as)	hayan cantado

The imperfect subjunctive

Use this tense in the same situations in which you would use the present subjunctive when the verb in the main clause is in the past.

		Cantar (to sing)	Comer (to eat)	Vivir (to live)
Singular	yo	cantara	comiera	viviera
	tú	cantaras	comieras	vivieras
	usted él, ella	cantara	comiera	viviera
Plural	nosotros(as)	cantáramos	comiéramos	viviéramos
	vosotros(as)	cantarais	comierais	vivierais
	ustedes ellos(as)	cantaran	comieran	vivieran

If a verb is irregular in the preterite, it is also irregular in the imperfect subjunctive: No sabía que fueras abogado.

The past perfect subjunctive

The past perfect subjunctive is used to talk about conditions that were not completed in the past (hypothetical or contrary-to-fact conditions): Si hubiéramos ahorrado energía, ahora tendríamos más recursos.

Ayudar (to help)			
Singular		Plural	
yo	hubiera **ayud**ado	nosotros(as)	hubiéramos **ayud**ado
tú	hubieras **ayud**ado	vosotros(as)	hubierais **ayud**ado
usted él, ella	hubiera **ayud**ado	ustedes ellos(as)	hubieran **ayud**ado

Affirmative commands

We use affirmative commands to give orders or ask someone to do something. We use the nosotros(as) command to express what we have to do or to suggest something.

	Caminar (to walk)	Comer (to eat)	Escribir (to write)	
Singular	camin**a**	com**e**	escrib**e**	tú
	camin**e**	com**a**	escrib**a**	usted
Plural	camin**emos**	com**amos**	escrib**amos**	nosotros(as)
	camin**ad**	com**ed**	escrib**id**	vosotros(as)
	camin**en**	com**an**	escrib**an**	ustedes

Irregular verbs: *tener, hacer, poner, venir,* and *salir*

	Tener (to have)	Hacer (to do, to make)	Poner (to put)	Venir (to come)	Salir (to leave)	
Singular	ten	haz	pon	ven	sal	tú
	tenga	haga	ponga	venga	salga	usted
Plural	tengamos	hagamos	pongamos	vengamos	salgamos	nosotros(as)
	tened	haced	poned	venid	salid	vosotros(as)
	tengan	hagan	pongan	vengan	salgan	ustedes

Irregular verbs: *ser, decir, ir,* and *dar*

	Ser (to be)	Decir (to say)	Ir (to go)	Dar (to give)	
Singular	sé	di	ve	da	tú
	sea	diga	vaya	dé	usted
Plural	seamos	digamos	vayamos	demos	nosotros(as)
	sed	decid	id	dad	vosotros(as)
	sean	digan	vayan	den	ustedes

Negative commands

Use negative commands when telling someone what not to do.

	Caminar (to walk)	Comer (to eat)	Escribir (to write)	
Singular	no camines	no comas	no escribas	tú
	no camine	no coma	no escriba	usted
Plural	no caminemos	no comamos	no escribamos	nosotros(as)
	no caminéis	no comáis	no escribáis	vosotros(as)
	no caminen	no coman	no escriban	ustedes

Irregular verbs: *dar, estar, ir,* and *ser*

	Dar (to give)	Estar (to be)	Ir (to go)	Ser (to be)	
Singular	no des	no estés	no vayas	no seas	tú
	no dé	no esté	no vaya	no sea	usted
Plural	no demos	no estemos	no vayamos	no seamos	nosotros(as)
	no déis	no estéis	no vayáis	no seáis	vosotros(as)
	no den	no estén	no vayan	no sean	ustedes

The passive voice

Use the passive voice to emphasize the receiver or product of an action rather than the performer:

> **Subject** (receiver) + **verb** (ser + past participle) + **agent** (with por)
>
> Esta pirámide fue construida por los mayas.

In Spanish, the passive voice with ser is less common than in English and is rarely used:

- With an indirect object.
- With progressive tenses.
- With verbs of perception (ver, oír, sentir...) or emotion (querer, odiar...).
- In instructions. In this case, use the construction se + *verb in the 3rd person*.

Progressive tenses

Progressive tenses are used to speak about past, present, or future actions that are in progress. Progressive tenses are formed with the verb estar and the present participle (gerundio) of a verb: Ahora María está leyendo y antes estaba haciendo la comida.

Lavar *(to wash)*			
Singular		Plural	
yo	estoy lavando	nosotros(as)	estamos lavando
tú	estás lavando	vosotros(as)	estáis lavando
usted él, ella	está lavando	ustedes ellos(as)	están lavando

In Spanish, the progressive tenses are not normally used with the verbs ir, venir, conocer, saber, or creer. And remember that to express future plans, we use the future tense or the expression ir a + *infinitive*, not the progressive tenses.

Sentence structures

Expressing probability

To express probability, we use various expressions that are generally accompanied by a clause in the indicative or in the subjunctive.

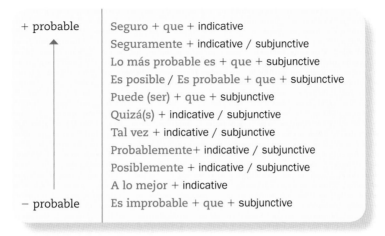

+ probable	Seguro + que + indicative
↑	Seguramente + indicative / subjunctive
	Lo más probable es + que + subjunctive
	Es posible / Es probable + que + subjunctive
	Puede (ser) + que + subjunctive
	Quizá(s) + indicative / subjunctive
	Tal vez + indicative / subjunctive
	Probablemente+ indicative / subjunctive
	Posiblemente + indicative / subjunctive
	A lo mejor + indicative
− probable	Es improbable + que + subjunctive

In addition, to express probability or conjecture, we can also use the structure deber de + *infinitive*, and the future and conditional tenses.

Expressing certainty and doubt

Verbs and expressions that indicate certainty generally require that the dependent clause be in the indicative when the sentence is affirmative.

Es verdad		Estar convencido(a)	+ de que + indicative
Es cierto		Estar seguro(a)	
Es evidente	+ que + indicative	Está claro	+ que + indicative
Es obvio		Está demostrado	
		Saber	

Verbs and expressions that indicate doubt require that the dependent clause be in the subjunctive when the sentence is affirmative.

Es dudoso		Es difícil creer	+ que + subjunctive
Es improbable		Parece mentira	
Es posible	+ que + subjunctive		
Es probable		Dudar	+ (de) que + subjunctive

The following negative expressions of certainty and doubt require a verb in the subjunctive.

No es verdad		No está claro	+ que + subjunctive
No es cierto		No está demostrado	
No es evidente			
No es obvio	+ que + subjunctive		
No es posible		No estar convencido(a)	+ de que + subjunctive
No es probable		No estar seguro(a)	

Expressing opinion

Use verbs like creer, opinar, parecer, pensar, suponer, considerar, imaginar, juzgar, or parecer. You can also use the expressions En mi opinión, Para mí, Desde mi punto de vista, and A mi juicio.

verb + que + indicative	When the verb in the main clause states an opinion in the affirmative: Creo que esta foto es bonita.
no + verb + que + subjunctive	When the verb in the main clause states an opinion in the negative: No creo que esta foto sea bonita.

Expressing value statements

To make value statements, you can use the following constructions:

Es aconsejable / conveniente... Es importante... Es necesario / preciso... Es bueno / malo...	+ infinitive	In general affirmative or negative sentences when there is no subject stated: Es necesario restaurar el edificio.
Es mejor / peor... Es sorprendente / fantástico / peligroso... Es un error / un problema / una tontería... Me parece + adverb / adjective / noun	+ que + subjunctive	When the dependent clause refers to a particular subject: Es una lástima que no podamos ir a la exposición.

Expressing wishes, likes, and preferences

Use verbs like gustar, apetecer, desear, preferir, etc.

verb + infinitive	When there is no subject change: Me gustaría ir a Cancún.
verb + que + subjunctive	When there are two subjects: Me gustaría que fuéramos a Cancún.

You can also use the formula ojalá (que) + *present subjunctive*.

Expressing feelings

Use verbs like alegrar, asustar, divertir, molestar, etc.

verb + infinitive	When the main clause and the dependent clause refer to the same person: Nos encanta jugar.
verb + que + subjunctive	When the main clause and the dependent clause refer to different people: Me molesta que hagas ruido.

Giving advice and making recommendations

To give advice and make recommendations, use these structures:

aconsejar animar a proponer recomendar sugerir	+ infinitive + que + subjunctive	Neutral advice and recommendations: El profesor nos aconsejó escribir una fábula.
deber (present or conditional) haber que (present or conditional) tener que (present or conditional)	+ infinitive	Advice and recommendations with an obligatory tone: Deberías ir al teatro.
Yo en tu lugar Yo que tú	+ conditional	Putting yourself in the other person's place: Yo en tu lugar centraría mi ensayo en los protagonistas del cuento.
command		No leas tan rápido. No te va a entender nadie.

Expressing location

Use donde, adonde, de / desde donde, or por donde.

donde adonde de/desde donde por donde	+ indicative	When the main clause refers to a known, definite, or real place: Fuimos de excursión por donde pasa el río.
	+ subjunctive	When the main clause refers to an unknown, indefinite, or hypothetical place: Prefiero comer en restaurantes donde no haya mucha gente.

Expressing time

Use the following structures:

cuando después de que siempre que en cuanto hasta que	+ indicative + subjunctive	Use the indicative when the main clause refers to past, present, or habitual events: Cuando usamos el transporte público, ahorramos energía. Use the subjunctive when the main clause refers to future events: Cuando usemos el transporte público, ahorraremos energía.
antes de que	+ subjunctive	Lee la etiqueta antes de que te vendan un producto químico.
al antes de después de	+ infinitive	Llámame por teléfono al llegar.

Expressing difficulty

We use the following structures:

aunque a pesar de (que) aun cuando pese a (que) por más / menos + (noun / adjective / adverb) + que	+ indicative + subjunctive	Use the indicative when the clause conveys *even though*: Aunque estaba ocupada, fue a votar. Use the subjunctive when the clause conveys *even if*: Aunque esté ocupada, irá a votar.
por mucho(a)(os)(as) + (noun) + que por muy + adjective / adverb + que	+ subjunctive	Por muchos problemas que tenga, él es optimista.
aun	+ present participle	Aun conociendo a los candidatos, no sé a quién votar.

Expressing condition

Use conditional sentences with si *(if)* clauses to express what could happen if some condition is met.

si + present indicative, present indicative / future indicative / command	To refer to real or likely conditions in either the present or the future: Si termino pronto las tareas, veré el partido en la televisión.
si + imperfect subjunctive, conditional	To express unlikely, hypothetical, or contrary-to-fact conditions in either the present or the future: Si terminara pronto las tareas, vería el partido en la televisión.
si + past perfect subjunctive, conditional	To express what would happen in the present if a condition had been met: Si hubiéramos acabado con la pobreza, ahora no existiría la injusticia social.
si + past perfect subjunctive, conditional perfect	To express what would have occurred in the past if a condition had been met: Si la policía no hubiera detenido a los terroristas, habrían cometido un atentado.

These expressions are also used to express condition:

con tal de que en caso de que a menos que a no ser que salvo que	+ subjunctive	Estoy dispuesto a viajar con tal de que me den el trabajo. No te entrevistarán a no ser que tengas dos cartas de recomendación.

Expressing purpose

Use the following structures:

| para
a
a fin de
con el propósito de | + infinitive | When there is no subject change:
Salí a tomar el sol. |
| | + que + subjunctive | When there are two subjects:
Traigo fotos para que las veas. |

Expressing cause

We use the following structures:

| porque
ya que
puesto que
dado que
debido a que
como | + indicative | No saldré porque tengo que estudiar.
Puesto que nos gusta nadar, fuimos a un hotel con piscina.
No pasé frío debido a que tenía saco de dormir.
Como teníamos una reserva, nos pudimos quedar en el parador. |
| por | + infinitive | Saldré por acompañarte. |

Expressing consequence

We use the following structures:

| así (es) que
por eso
en consecuencia
por lo tanto
por consiguiente
tan + adjective / adverb + que
tanto(a)(os)(as) + noun + que
verb + tanto + que | + indicative | Llovió mucho, así que se inundó la calle.
Hubo un terremoto; por eso se derrumbaron varios edificios.
Ha llovido y, por consiguiente, tenemos que cancelar la excursión.
El viento es tan fuerte que dobla los árboles.
Hay tanta niebla que no se ve nada.
Ayer llovió tanto que se inundaron las calles. |

Reported speech

To speak in reported speech (estilo indirecto), use a verb like decir, contar, or responder followed by que.

| reporting verb + que + indicative | To relay information:
El profesor dice que el examen es el viernes. |
| reporting verb + que + subjunctive | To relay a request or a command:
El profesor dice que estudiemos para el examen. |

With the verb preguntar, in indirect yes/no questions, use si instead of que:
El profesor me pregunta si estudiamos mucho.

In reported speech, it may be necessary to change the verb tense to match the moment of speaking: El profesor me dijo que había pocos errores en mis tareas.

GLOSARIO ESPAÑOL-INGLÉS

A

a   to 1
a bordo de   on (board) 254
a caballo   on horseback 101
a cambio   in return 190
a causa de   because of 5
a comienzos de   at the beginning of 342
a continuación   then, next 47
a diario   daily 50
a dieta   on a diet 106
a diferencia de   unlike 36
a favor (de)   in favor (of) 157
a fin de (que)   so that, in order to 262
a finales de   at the end of 284
a fondo   in depth 302
A la espera de sus noticias, le(s) saluda...   I look forward to hearing from you ... 59
a lo largo de   throughout 172
a lo lejos   in the distance 24
a lo mejor   maybe 196
a mano   by hand 38 handy 117
a mediodía   at noon 282
a menos que   unless 164
a menudo   often 194
a mi juicio   in my opinion 320
a no ser que   unless 164
a partir de   from 166
a pesar de (que)   despite, although 264
a pie   on foot 221
a principios de   at the beginning of 134
A propósito,   By the way, 244
a punto de   about to, on the verge of 204
a que   to 262
¿A qué...?   What ... for? 262
¿A qué se debe(n)...?   What's the reason for ...? 218
a simple vista   at first sight 222
a tiempo   on time 10
a tiempo completo   full-time 131
a tiempo parcial   part-time 131
a través de   through 29
a veces   sometimes 194
abajo   below 166
abandonado(a)   abandoned 51
abandonar   to leave 50
el abaratamiento   fall in price 154
abastecerse con (irreg.)   to use 153
abierto(a)   open 138
el/la abogado(a)   attorney 47
abogar por   to advocate 217
abolir   to abolish 248
abrazarse   to hug 36
el abrazo   hug 17
abreviar   to abbreviate 69
la abreviatura   abbreviation 66
abrir (irreg.)   to open 28
abrir una cuenta   to open an account 148
abrumado(a)   overwhelmed 210
abrumador(a)   overwhelming 110
abstenerse (irreg.)   to abstain 260

abstracto(a)   abstract 94
el/la abuelo(a)   grandfather/grandmother 162
los abuelos   grandparents 6
la abundancia   abundance 295
abundante   abundant 117
abundar   to be abundant 344
aburrido(a)   bored 75 boring 188
el aburrimiento   boredom 200
aburrir   to bore 22
aburrirse   to get bored 188
aburrirse como una ostra   to be bored stiff 188
el abuso de drogas   drug abuse 272
acabar   to finish, to end 34 to end up 49
acabar con   to put an end to 264
acabar de...   to have just ... 11
acabarse   to end, to run out 34
la academia   academy 329
académico(a)   academic 136
la acampada   camping 139
acariciar   to caress 336
acaso   perhaps 336
acceder a   to have access to 45
la accesibilidad   accessibility 269
accesible   affordable 217 accessible 345
el acceso   access 7
accidentado(a)   eventful 112
accidental   accidental 80
el accidente   accident 4
la acción   action 2 act 272
Acción de Gracias   Thanksgiving 74
accionar   to act 268
el aceite   oil 75
la aceituna   olive 79
acelerar   to hurry 211
el acento   accent 278
acentuado(a)   stressed 332
aceptable   acceptable 280
aceptado(a)   accepted 110
aceptar   to accept 88
acerca de   about 68
acercar   to bring closer 1
acercarse   to come closer 46 to approach 67
el acero   steel 303
ácido(a)   acid 106
aclarar   to clarify 244
la aclimatación   acclimatization 117
acoger   to welcome (into a home) 59 to receive 155
la acogida   welcome, reception 58
el acogimiento   welcome, reception 59
acomodar   to place 336
acomodarse   to make oneself comfortable 38
el acomodo   place 325
acompañado(a)   accompanied 23
acompañar   to go with 79 to accompany 100
aconsejable   advisable 117
aconsejar   to advise 91
acontecer (irreg.)   to happen 336
el acontecimiento   event 211
acordar (irreg. ue)   to agree 34

acordarse (irreg. ue)   to remember 34
acordarse de (irreg. ue)   to remember 92
acostado(a)   lying down 102
acostarse (irreg. ue)   to lie down 36
acostumbrarse a   to get used to 92
la actitud   attitude 22
la actividad   activity 3
el/la activista   activist 243
activo(a)   active 104
el acto   event 125
el actor   actor 25
la actriz   actress 24
la actuación   performance 186
actual   present, current 1 modern 23
la actualidad   current situation 1
actualizarse   to be updated 230
actualmente   currently 318
actuar   to perform 192 to act 275
la acuarela   watercolor 306
el acuario   aquarium 139
acudir   to go 256
el acueducto   aqueduct 318
el acuerdo   agreement 133
la acumulación   accumulation 90
acusado(a)   marked, distinct 127
acusar   to accuse 127
la adaptación   adjustment, adaptation 69
adaptado(a)   adapted 5
adaptar(se)   to adjust, to adapt 67
la adecuación   suitability 296
adecuadamente   appropriately 96
adecuado(a)   appropriate 22
adelantar   to pass 204
adelante   ahead 130
Adelante.   Go on. (to encourage action) 1
adelgazar   to lose weight 92
además   also 27
además de   as well as 18
adicional   additional 153
el adiós   goodbye 109
adivinar   to guess 61
el adjetivo   adjective 24
adjetivo(a)   adjectival 150
la administración   government 125
administrar   to hold 260 to manage 266
administrativo(a)   administrative 169
el/la administrativo(a)   office worker 133
admirar   to admire 310
la admisión   admission 183
admitido(a)   admitted 170
admitir   to allow 21 to admit 44
la adolescencia   adolescence 103
el/la adolescente   adolescent 96
adónde   where 189
adoptar   to take 97
adornar   to decorate 19
el adorno   ornament 101
adquirir (irreg. ie)   to acquire 2
adulto(a)   adult 103
el/la adulto(a)   adult 69
adverbial   adverbial 194

C

el **caballo** *horse* 101
la **cabaña** *hut, cabin* 218
caber *to fit* 8
la **cabeza** *head* 75
cada *each* 9 *every* 194
cada vez más *more and more* 39
el **cadáver** *body, corpse* 267
la **cadena** *network* 44
caer (irreg.) *to fall* 19
caer bien/mal *to like/to dislike* 20
caer un chaparrón *to pour down* 216
caerse (irreg.) *to drop* 80 *to fall* 119
el **café** *coffee* 172 *café* 203
la **cafetera** *coffee maker* 7
la **cafetería** *cafeteria* 323
la **caja** *box* 19
la **caja de seguridad** *safe-deposit box* 219
el **cajero** *ATM* 289
la **calabacita** *squash* 78
la **calabaza** *pumpkin* 76
el **calcio** *calcium* 173
calcular *to calculate* 96
el **caldo** *broth* 336
el **calendario** *calendar* 134
la **calidad** *quality* 81
cálido(a) *warm* 220
caliente *hot* 76 *warm* 222
calificar *to describe* 261
calificativo(a) *qualifying* 24
callado(a) *quiet* 106 *reserved* 106
callar *to be quiet* 100
la **calle** *street* 6
calmar *to soothe* 92
el **calor** *heat* 8 *warmth* 210
caluroso(a) *hot* 216
calvo(a) *bald* 17
el **calzado** *footwear* 57
la **cama** *bed* 204
camaleónico(a) *chameleon-like* 345
la **cámara** *camera* 54
cambiar *to change* 11
el **cambio** *change* 2 *exchange* 116
caminar *to walk* 7
la **caminata** *hike* 220
el **camino** *path* 31 *way* 50
el **camión** *bus* 56
la **camisa** *shirt* 36
la **camiseta** *T-shirt* 56
el **campanario** *belfry* 323
la **campaña** *campaign* 99
la **campaña electoral** *electoral campaign* 260
el/la **campesino(a)** *peasant* 40
el **cámping** *camping* 5 *campground* 216
el **campo** *field* 40 *country* 80
la **cana** *gray hair* 20
el **canal** *channel* 44 *canal* 129
canario(a) *Canary (adjective)* 42
la **cancelación** *cancellation* 218
cancelar *to cancel* 220
el **cáncer** *cancer* 8

cancerígeno(a) *carcinogenic* 96
canceroso(a) *cancerous* 96
la **canción** *song* 14
el/la **candidato(a)** *candidate* 260
la **candidatura** *candidacy* 43
la **canela** *cinnamon* 78
el **cangrejo** *crab* 78
la **canoa** *canoe* 216
cansado(a) *tired* 34
cansarse *to get tired* 249
el/la **cantante** *singer* 54
cantar *to sing* 18
la **cantidad** *quantity, amount* 31 *number* 79
el **canto** *singing* 170
la **caña** *straw* 84
la **caña de azúcar** *sugar cane* 172
el **caos** *chaos* 211
caótico(a) *chaotic* 212
la **capacidad** *ability* 43 *skill* 103 *capacity* 323
capaz de *able to* 6
el **capital** *capital* 154
la **capital** *capital* 2
el **capítulo** *chapter* 50
captar *to detect, to grasp* 66 *to grab* 231
la **cara** *face* 20
el **carácter** *nature* 156 *personality* 330
la **característica** *feature* 20
característico(a) *characteristic* 23
caracterizado(a) *characterized* 50
caracterizar *to portray* 230
caracterizarse por *to be characterized by* 230
el **caramelo** *sweet* 117
la **caravana** *camper* 216
el **carbón** *coal* 37
cardinal *cardinal* 250
el/la **cardiólogo(a)** *cardiologist* 90
carecer de (irreg.) *to lack* 343
la **carencia** *lack* 280
el **cargo** *post, position* 94
caribeño(a) *Caribbean* 226
la **caricia** *caress* 343
cariñoso(a) *affectionate* 17
carmesí *crimson* 336
la **carne** *meat* 75
la **carne de res** *beef* 75
el **carné de conducir** *driver's license* 174
caro(a) *expensive* 32
la **carrera** *race* 14 *university course* 165
la **carretera** *road* 234
la **carta** *letter* 32
la **carta de recomendación** *letter of recommendation* 160
el **cartel** *poster* 14 *sign* 38 *cartel* 275
la **cartera** *pocketbook* 275
el/la **cartero(a)** *mail carrier* 32
el **cartón** *cardboard* 19
la **casa** *home* 3 *house* 6
casarse con *to marry* 92
casi *almost* 20
casi nunca *hardly ever* 194
casi siempre *almost always* 194
la **casilla** *square* 192

el **caso** *case* 2
castaño(a) *chestnut, brown* 17
el **castellano** *Spanish (language)* 67
el **castillo** *castle* 221
la **casualidad** *coincidence* 192
el **catalán** *Catalan (language)* 67
catalán(a) *Catalan* 125
el **catálogo** *catalogue* 314
las **cataratas** *falls* 228
el **catarro** *cold* 75
la **catedral** *cathedral* 318
la **categoría** *category* 151
categorizarse *to be categorized* 212
católico(a) *Catholic* 26
el **caucho** *rubber* 56
la **causa** *cause* 96 *reason* 227
causar *to cause* 39
cazar *to hunt* 109
la **cazuela** *pot* 109
el/la **cebador(a)** *person who prepares a maté drink* 77
cebar *to prepare (maté)* 77
ceder *to hand over* 268
ceder el paso *to yield (when driving)* 204
la **celebración** *celebration* 5
celebrar *to celebrate* 14 *to hold* 31
celebrarse *to take place, to be held* 14
célebre *famous* 265
celoso(a) *jealous* 17
celta *Celt* 343
la **célula** *cell* 90
el **celular** *cell phone* 44
el **cemento** *cement* 318
la **cena** *dinner* 47
cenar *to have dinner* 8
el **censo** *census* 284
el **centavo** *cent* 106
centenario(a) *century-old* 31
centrado(a) en *centered on* 156
central *central* 19
centrar *to center* 89
centrarse en *to concentrate on, to focus on* 253
el **centro** *center* 57
el **centro comercial** *shopping mall* 37
el **centro de salud** *clinic* 114
el **centro urbano** *town center* 7
la **cerámica** *ceramics* 295
cerca *near* 58 *close* 210
cerca de *around* 38 *near* 58
cercano(a) *close* 167 *nearby* 203
el/la **cerdito(a)** *piglet* 339
el/la **cerdo(a)** *pork* 75
el **cereal** *cereal* 173
el **cerebro** *brain* 114
la **ceremonia** *ceremony* 85
la **cereza** *cherry* 78
cerrado(a) *closed* 210
cerrar (irreg. **ie**) *to close* 157
la **certeza** *certainty* 196
certificado(a) *certified* 30
el **ceviche** *Peruvian dish consisting of raw fish marinated in lemon juice* 72
el **chachachá** *cha-cha* 227
el **champú** *shampoo* 36

la **charla** *talk* 72
charlar *to chat* 84
el **charro** *Mexican cowboy in traditional dress* 101
el/la **chasqui** *Inca messenger or courier* 12
los **chatinos** *fried plantain* 172
el **cheque** *check* 152
la **chica** *girl* 59
el **chicle** *chewing gum* 117
el **chico** *boy* 20
chicos *guys (when greeting)* 72
chileno(a) *Chilean* 134
chino(a) *Chinese* 157
el **chiste** *joke* 221
el **chivo** *goat* 343
el **chocolate** *chocolate* 85
el/la **chofer** *chauffeur* 200
el **chubasco** *downpour* 216
las **chuletas de cordero** *lamb chops* 78
la **cicatriz** *scar* 17
el **ciclo** *season* 47 *series* 88 *cycle* 102 *course* 165
ciego(a) *blind* 20
cielito *darling (term of endearment)* 23
la **ciencia** *science* 350
las **ciencias de la salud** *medical sciences* 312
científico(a) *scientific* 114
el/la **científico(a)** *scientist* 70
cientos *hundreds* 38
el **cierre** *closure* 338
cierto(a) *true* 2 *certain* 46
la **cifra** *figure* 212
el **cine** *cinema* 44
el **cinturón (de seguridad)** *safety belt* 189
el **circo** *circus* 188
la **circulación** *traffic* 204
circular *circular* 143 *to drive* 277
circulatorio(a) *circulatory* 90
el **Círculo Polar Ártico** *the Arctic Circle* 147
las **circunstancias** *circumstances* 6
la **ciruela** *plum* 78
la **cirugía** *surgery* 5
la **cita** *appointment* 92 *date* 93 *quote* 224
citado(a) *mentioned* 329
citar *to mention* 117 *to quote* 225
la **ciudad** *city, town* 24 *complex* 139
el/la **ciudadano(a)** *citizen* 114
cívico(a) *civic* 289
civil *civil* 159
la **civilización** *civilization* 4
claramente *clearly* 175
la **claridad** *clarity* 174
clarificar *to make clearer* 67
claro (que)... *of course ...* 8
claro(a) *clear* 96 *light* 303
la **clase** *class* 2
la **clase media** *middle class* 248
clásico(a) *classical* 38
clasificado(a) *classified* 160
clasificar *to classify* 7
la **cláusula** *clause* 80
la **clave** *key* 66

el/la **cliente(a)** *client* 38 *customer* 44
el **clima** *climate* 9
climático(a) *climatic* 224
la **clínica** *clinic* 117
el **club náutico** *yacht club* 106
cobarde *cowardly* 20
la **cobertura sanitaria** *health coverage* 114
la **cobertura wifi** *Wi-Fi connection* 7
cobrar *to cash (a check)* 152
el **cobre** *copper* 173
cocer (irreg. **ue**) *to boil* 108
el **coche** *car* 189
el **coche-cama** *sleeper car* 204
el **cocido** *stew* 138
la **cocina** *cuisine* 112 *cooking* 116
cocinado(a) *cooked* 172
cocinar *to cook* 73
el/la **cocinero(a)** *cook* 80
el **código** *code* 67
el **código postal** *ZIP code* 32
el **cognado** *cognate* 124
coherente *coherent* 294
la **coincidencia** *coincidence* 53
coincidir *to coincide* 26
coincidir en/en que *to agree on/ that ...* 183
la **cola** *rear* 222 *line* 266
la **colaboración** *collaboration* 143
el/la **colaborador(a)** *contributor* 69
colaborar *to collaborate* 68
colaborar en *to write for* 44 *to help with* 59 *to help in* 182
colaborativo(a) *collaborative* 67
la **colchoneta** *air mattress* 216
coleccionar *to collect* 189
el **colectivo** *bus* 56
colectivo(a) *collective* 86
el **colegio** *school* 67
el **cólera** *cholera* 342
el **colesterol** *cholesterol* 90
colgar (irreg. **ue**) *to hang* 19 *to put* 38 *to upload* 52
colocar *to put, to place* 5
colombiano(a) *Colombian* 54
la **colonia** *cologne* 91 *colony* 248
la **colonia de vacaciones** *summer camp* 266
colonial *colonial* 7
la **colonización** *colonization* 270
el/la **colono(a)** *colonist* 248
el **color** *color* 219
la **columna** *column* 318
el **columpio** *swing* 293
la **coma** *comma* 136
combatir *to combat* 268
combinar *to combine* 124
el **combustible** *fuel* 153
comentar *to discuss* 44 *to say, to remark* 108
el **comentario** *comment* 28
comenzar (irreg. **ie**) *to begin* 20
comer *to eat* 10
comer como una fiera/como una lima *to eat like a horse* 74
comercial *commercial* 91 *trade (adjective)* 150
comercializarse *to be sold* 125
el/la **comerciante** *vendor* 133

el **comercio** *trade* 148
el **comercio justo** *fair trade* 156
cometer *to commit* 274 *to make* 279
el **cómic** *comic (strip)* 122
cómico(a) *comic* 189
la **comida** *food* 5 *meal* 28 *dish* 79 *lunch* 86
el **comienzo** *beginning* 179
como *as* 2 *like* 7 *since, as* 218 *such as* 318
como consecuencia de *as a result of* 96
como dos gotas de agua *identical* 20
como una bestia *hard* 40
¿Cómo...? *How ... like?* 3 *How ... ?* 16
¿Cómo estás? *How are you?* 16
¿Cómo te va? *How are you doing?* 16
las **comodidades** *comforts* 216
cómodo(a) *comfortable* 102 *convenient* 214
el **compadre** *friend* 56
el/la **compañero(a) (de clase)** *classmate* 3
la **compañía** *company* 148
la **comparación** *comparison* 308
comparar *to compare* 17
comparativo(a) *comparative* 308
compartido(a) *shared* 325
el **compartimento** *compartment* 204
compartir *to share* 25
compatibilizar *to make compatible* 163
compensar *to compensate* 278
la **competencia** *competition* 31 *competence* 175
el/la **competidor(a)** *competitor* 31
competir (irreg. **i, i**) *to compete* 83
la **complejidad** *complexity* 43
complejo(a) *complex* 212
el **complemento** *complement* 92 *accessory* 197
el **complemento agente** *agent* 104
completamente *completely* 43
completar *to complete* 5
completo(a) *complete* 4
complicado(a) *complicated* 87
el **componente** *component* 96
el/la **componente** *member* 49
componer (irreg.) *to make up* 58 *to compose* 195
el **comportamiento** *behavior* 102
comportarse *to behave* 211
la **composición** *composition* 278
la **composición literaria** *literary work* 330
el/la **compositor(a)** *composer* 192
la **compra** *shopping* 3
comprar *to buy* 10
comprender *to understand* 44
comprensible *understandable* 117
la **comprensión** *understanding* 57 *comprehension* 66
comprensivo(a) *understanding* 17
comprobar (irreg. **ue**) *to check* 49
comprometerse *to commit* 260

comprometerse a   to promise 197
el **compromiso**   engagement 100
el **compuesto**   compound 173
compuesto(a) de/por   made up of 326
la **computación**   computing 69
computacional   computational 165
la **computadora**   computer 11
la **computadora portátil**   laptop 295
común   common 4
la **comunicación**   communication 12
comunicar   to communicate 69 to inform 183 to convey 263 to announce 266
comunicarse   to communicate 42
la **comunidad**   community 43
comunista   communist 245
comúnmente   commonly 220
con   with 2
con antelación   in advance 216
con cuidado   carefully 63
con destino a   departing for 189
con detalle   in detail 65
con el fin de   in order to 58
con el propósito de (que)   so as to, in order to 262
con facilidad   easily 110
con frecuencia   frequently 194
con motivo de   on the occasion of 67
con permiso…   if I may … 54
¿Con qué fin/propósito…?   What … for? 262
con tal de (que)   provided (that) 164
con un hilo de voz   barely able to speak 210
conceder   to give, to award 134
la **concentración**   concentration 90
concentrarse   to concentrate 66 to be concentrated 260
el **concepto**   concept 50
conceptual   conceptual 326
la **concesión**   awarding 182
la **conciencia**   awareness 127
concienciado(a)   aware 102
concienciar   to make aware 122
el **concierto**   concert 143
la **conciliación**   reconciliation 163
conciliar   to reconcile 163
conciso(a)   concise 175
la **conclusión**   conclusion 115
concordar (irreg. **ue**)   to agree (in grammar) 80
concretamente   specifically 148
el **concreto**   concrete 318
concreto(a)   concrete 94
el/la **concursante**   contestant 76
el **concurso**   game show 44 contest 67
condensar   to condense 95
la **condición**   condition 37
condicionar   to make dependent on 252
el **cóndor**   condor 203
conducir (irreg.)   to lead 67 to drive 174
el/la **conductor(a)**   driver 204
conectado(a)   online 72

conectar   to turn on 295
el **conector**   connecting phrase 238
la **conexión**   connection 7
la **conferencia**   lecture 95
el/la **conferenciante**   lecturer 329
confesar (irreg. **ie**)   to confess 325
la **confianza**   trust 17 familiarity 57 confidence 201
confiar en   to trust 92
confiar en que   to be confident that 257
configurar   to configure 67
confirmado(a)   confirmed 207
confirmar   to confirm 278
el **conflicto**   conflict 110
el **conflicto armado**   armed conflict 272
el **conflicto bélico**   military conflict 245
conformar   to form 105
confundir con   to mistake for 310
la **confusión**   confusion 110
confuso(a)   confused 279
congelar   to freeze 224
el **conglomerado**   conglomerate 280
el **Congreso**   Congress 261
la **conjetura**   conjecture 196
la **conjugación**   conjugation 2
conjugar   to conjugate 8
la **conjunción**   conjunction 164
el **conjunto**   whole 115 group 139 number 192
conmemorativo(a)   commemorative 41
conocer (irreg.)   to know 2 to meet 37
conocerse (irreg.)   to meet 36 to be known 91
el/la **conocido(a)**   well-known 76 known 94
el **conocimiento**   knowledge 278
los **conocimientos**   knowledge 160
la **conquista**   conquest 245
el/la **conquistador(a)**   conqueror 19
conquistar   to conquer 245 to win the heart of 345
la **consagración**   recognition 343
consagrar   to give recognition to 342
la **consecuencia**   consequence 220
conseguir (irreg. **i, i**)   to accomplish 53 to get 83 to win 170 to manage 214 to obtain 248
el **consejo**   council 165 (piece of) advice 334
conservado(a)   preserved 127
conservador(a)   conservative 245
conservar   to retain 14 to keep 256
considerado(a)   considered 33
considerar   to believe 67 to consider 85
considerarse   to consider oneself 214
la **consigna**   slogan 268
consistir en   to involve 19 to consist of 92
la **consola**   console 67
consolidar   to consolidate 280
la **consonante**   consonant 332

constante   constant 69
constantemente   constantly 67
constar de   to consist of 66
la **constitución**   constitution 244
la **construcción**   construction (in grammar) 80 construction (of building) 159 making 166 construction, building 318
constructivo(a)   constructive 263
el/la **constructor(a)**   maker 166
construido(a)   built 324
construir (irreg.)   to construct 92 to make 166 to build 202
el **consuelo**   consolation 39
la **consulta (médica)**   doctor's office 75
consultar   to look up 67 to consult 116 to check 142 to search for 160
la **consultora**   consultancy firm 212
consumible   that can be eaten 125
consumido(a)   consumed 77
consumir   to consume 117
el **consumo**   consumption 11
contable   countable 94
contactar (con)   to contact 183
el **contacto**   contact 130
el/la **contador(a)**   accountant 133
contagioso(a)   contagious 90
la **contaminación**   pollution 275
contaminar   to pollute 150
contar (irreg. **ue**)   to tell 1 to count 30 to say 39
contar con (irreg. **ue**)   to count on 92 to have 153
contemporáneo(a)   contemporary 142
contener (irreg.)   to contain 19 to restrain 279
el **contenido**   content 11 contents 19
contentarse con   to be satisfied with 336
contento(a)   happy 102
contestar   to answer 65
el **contexto**   context 149
el **continente**   continent 147
continuamente   constantly 325
continuar   to continue 16
la **continuidad**   continuity 324
el **contorno**   outline 324
contra   against 29
lo **contrario**   opposite 157
contrario(a)   opposing 164
contrastar   to contrast 170
el **contraste**   contrast 306
contratar   to take out 116 to hire 160
el **contrato**   contract 133
la **contribución**   contribution 285
contribuir (irreg.)   to help 67 to contribute 99
el **control**   control 110
el **control remoto**   remote 44
controlar   to monitor 98 to control 154 to bring under control 262
convencer (irreg.)   to convince 229
convencido(a)   convinced, sure 38
la **convención**   convention 336
conveniente   advisable 137

de buena educación *good manners* 84

de colores *colored* 19

de cuadros *checked (suit, etc.)* 54

de fondo *background (adjective)* 237

de hecho *as a matter of fact* 231 *actually* 318

de inmediato *immediately* 278

de largo recorrido *long-distance* 204

de madera *wooden* 222

de manera que... *so that ...* 287

de moda *fashionable* 212

de paseo *sightseeing* 210

de paso *while we're at it* 202

de perfil *in profile* 102

de pie *standing* 102

de pronto *suddenly* 119

de repente *suddenly* 211

de rodillas *kneeling* 102

de un lado a otro *to and fro* 44

de visita *visiting, on a visit* 18

debajo *below* 175

el **debate** *debate* 130

debatir *to debate* 52

deber *to have to* 11 *should* 25

deber de *must* 196

los **deberes** *homework* 133 *duties* 245

deberse a *to be due to* 132

debido(a) *proper, due* 117

debido a *due to* 238

debido a que *because* 218

débil *weak* 266

la **década** *decade* 200

el/la **decano(a)** *dean* 317

decepcionado(a) *disappointed* 291

decepcionante *disappointing* 344

decidir *to decide* 2

decidirse a *to decide to* 38

décimo(a) *tenth* 250

decir (irreg.) *to say* 4 *to tell* 14

la **decisión** *decision* 11

decisivo(a) *decisive* 154

la **declaración** *statement* 47

declarar *to state* 67 *to declare* 248

la **decoración** *décor* 7 *decoration* 10

decorar *to decorate* 197

dedicar *to devote* 11

dedicarse a *to do for a living, to work in* 113

el **dedo** *finger* 34

el **defecto** *fault, flaw* 278

defender (irreg. **ie**) *to defend* 249 *to support* 262

el/la **defensor(a)** *champion, defender* 38

la **definición** *definition* 44

definido(a) *definite* 95 *sharp* 324

definir *to define* 65

definitivo(a) *final, definitive* 59

dejar *to leave* 2 *to let* 87

dejar claro *to make clear* 166

dejar de *to stop* 33

del otro lado de *on the other side of* 336

delante (de) *in front (of)* 24

deleitarse con *to enjoy* 203

delgado(a) *thin* 106

la **delicadeza** *kindness* 39

delicioso(a) *delicious* 28

la **delincuencia** *crime* 272

el **delirio** *craziness* 278

el **delito** *crime* 272

la **demanda** *demand* 215

demandado(a) *in demand* 114

los/las **demás** *others, other people* 17 *the other (before noun)* 218

demasiado *too (before adjective)* 48 *too much* 61

demasiado(a) *too much* 48 *too many* 149

la **democracia** *democracy* 260

el/la **demócrata** *democrat* 245

democrático(a) *democratic* 244

demorar *to delay* 336

demorarse *to be delayed* 207

la **demostración** *demonstration* 67

demostrar (irreg. **ue**) *to show* 67

denominado(a) *called* 96

denominarse *to be called* 97

denso(a) *dense, thick* 109

dental *dental* 160

el/la **dentista** *dentist* 75

dentro *inside* 76

dentro de *in (time)* 8 *in, inside* 29

denunciar *to denounce* 258 *to report* 275

el **departamento** *department* 183

Depende. *It depends.* 204

la **dependencia** *dependence* 153

depender de *to depend on* 92

dependiente *subordinate* 162

el/la **dependiente** *salesclerk* 174

el **deporte** *sport* 192

el/la **deportista** *sportsman/ sportswoman* 151

deportivo(a) *sports (adjective)* 47

el **depósito** *deposit* 148

deprimir *to depress* 22

la **derecha** *right* 102

el **derecho** *right* 133

los **derechos civiles** *civil rights* 260

los **derechos humanos** *human rights* 245

derivarse de *to be derived from* 166

el/la **dermatólogo(a)** *dermatologist* 90

el **derramamiento** *spilling* 296

derretirse (irreg. **i, i**) *to melt* 220

la **derrota** *defeat* 248

el **desafío** *challenge* 12

el **desamor** *lack of love* 49

desanimado(a) *depressed* 102

desanimarse *to be discouraged* 53

desaparecer (irreg.) *to disappear* 33

la **desaparición** *disappearance* 342

desapercibido(a) *to go unnoticed* 324

desarrollado(a) *developed* 155

desarrollar *to develop* 43 *to carry out* 142

desarrollarse *to take place* 123 *to be carried out* 173

el **desarrollo** *growth* 90 *development* 98

el **desastre** *disaster* 121

desayunar *to have breakfast* 3

el **desayuno** *breakfast* 216

descalzo(a) *barefoot* 249

el/la **descamisado(a)** *working-class supporter of General Perón and Evita* 267

descansar *to rest* 136

el **descanso** *rest* 31

la **descarga** *download* 67

la **descarga eléctrica** *electric shock* 5

descargar *to download* 111

descartado(a) *discarded* 296

descender (irreg. **ie**) *to decrease* 33 *to get off* 50

descolgar (irreg. **ue**) *to take down* 314

desconectar *to switch off, to unwind* 7

desconfiado(a) *distrustful* 279

la **desconfianza** *distrust* 267

desconocer (irreg.) *not to know* 287

el **descontento** *unhappiness* 248

descontento(a) *unhappy* 102

describir (irreg.) *to describe* 1

la **descripción** *description* 58

descriptivo(a) *descriptive* 230

descubierto(a) *uncovered* 222

el **descubrimiento** *discovery* 4

descubrir (irreg.) *to discover* 1

desde *from* 18 *since* 26

desde luego *of course* 53

desde mi punto de vista *from my point of view* 320

desdeñoso(a) *scornful* 336

deseado(a) *desired* 39

desear *to wish* 37 *to like* 162

el **desecho** *waste* 296

desembarcar *to disembark* 336

desempeñar *to carry out* 169 *to play* 172 *to hold* 175

desempleado(a) *unemployed* 160

el **desempleo** *unemployment* 160

desencadenar *to trigger* 211

el **desencanto** *disappointment* 222

el **desengaño** *disappointment* 49

el **desenlace** *dénouement (literary), ending* 330

el **deseo** *wish* 28

desesperado(a) *desperate* 38

desfavorable *unfavorable* 148

desfavorecido(a) *disadvantaged* 125

el **desfile** *parade* 5

desgraciadamente *unfortunately* 325

designar *to appoint* 261

la **desigualdad** *inequality* 272

desilusionar *to disillusion* 254

el **desorden** *disorder* 295

desordenado(a) *untidy* 244

despacio *slowly* 222

la **despedida** *closing phrase* 59 *farewell* 254

despedir (irreg. **i, i**) *to fire* 160

despedirse de (irreg. **i, i**) *to say goodbye to* 92

el **desperdicio** *waste* 292

el **despertador** *alarm clock* 6
despertar (irreg. **ie**) *to wake up* 26 *to awaken* 352
despertarse (irreg. **ie**) *to wake up* 34
el **desprecio** *contempt* 21
desprenderse de *to be drawn from* 109
la **desproporción** *disproportion* 307
después *then* 2 *later* 23 *after* 24
después de (que) *after* 276
destacable *notable* 343
destacado(a) *highlighted* 24 *prominent* 236
destacar *to highlight, to emphasize* 43 *to stand out* 306
destapar *to open* 83
destinado(a) *intended, aimed* 139
el/la **destinatario(a)** *addressee* 32
el **destino** *destination* 114 *destiny, fate* 329
la **destreza** *skill* 144
la **destrucción** *destruction* 155
destruir (irreg.) *to destroy* 96
desvelar *to reveal* 345
la **desventaja** *disadvantage* 105
detalladamente *in detail* 107
detallado(a) *detailed* 327
el **detalle** *detail* 38
la **detección** *detection* 96
detectar *to detect* 98
el/la **detective** *detective* 18
detener (irreg.) *to detain* 260
detenerse (irreg.) *to stop* 210
deteriorado(a) *damaged* 293
el **deterioro** *deterioration* 292
determinado(a) *definite* 94 *certain* 96 *specific* 124
determinar *to determine* 136 *to help determine* 261
detrás *back* 210
detrás de *behind* 11 *after* 22
la **devolución** *repayment* 148
devolver (irreg.) *to give back* 59 *to return* 127
el **día** *day* 2
el **día feriado** *holiday* 160
el **día festivo** *holiday* 24
la **diabetes** *diabetes* 90
el **diablo** *devil* 184
diagnosticar *to diagnose* 97
el **diagnóstico** *diagnosis* 75
el **diagrama** *diagram* 261
el **dialecto** *dialect* 67
dialogado(a) *dialogue (adjective)* 26
el **diálogo** *dialogue* 16
diariamente *daily* 194
el **diario** *newspaper* 45 *diary* 119
diario(a) *daily* 7
el/la **dibujante** *draftsman/draftswoman* 351
dibujar *to draw* 41
el **dibujo** *drawing* 41
el **diccionario** *dictionary* 66
dicho(a) *said, aforementioned* 296
el/la **dictador(a)** *dictator* 260
la **dictadura** *dictatorship* 258
didáctico(a) *didactic* 116

diestro(a) *right-handed* 20
la **dieta** *diet* 11
la **diferencia** *difference* 19
diferenciado(a) *differentiated* 212
diferenciarse (de) *to stand out (from)* 175 *to be different (from)* 214
diferente *different* 69
diferentes *different* 17 *various* 22
difícil *difficult* 39
la **dificultad** *difficulty* 90 *disadvantage* 205 *problem* 264
dificultar *to hinder* 67
el/la **difunto(a)** *deceased* 113
la **difusión** *spreading* 325
digital *digital* 44
la **dignidad** *dignity* 156
diluido(a) *diluted* 306
la **dimensión** *dimension* 123
el **diminutivo** *diminutive* 332
la **dimisión** *resignation* 267
dinámico(a) *dynamic* 46
el **dinero** *money* 10
Dios *God* 40
el **diploma** *diploma* 165
el/la **diputado(a)** *representative* 244
la **dirección** *address* 32
directamente *directly* 37
directivo(a) *manager* 180
el/la **directivo(a)** *managerial* 180
directo(a) *direct* 36
el/la **director(a)** *director* 67 *principal* 134 *editor* 263
el/la **dirigente** *leader* 343
dirigir *to address* 40 *to direct* 89
dirigirse a *to head for* 47 *to address* 58
discapacitado(a) *disabled* 269
la **disciplina** *discipline* 142
el **disco** *record* 191
la **discoteca** *nightclub, disco* 188
la **discreción** *discretion* 325
discreto(a) *discreet* 343
la **discriminación** *discrimination* 272
discriminatorio(a) *discriminatory* 161
el **discurso** *speech* 265 *discourse* 268
la **discusión** *discussion* 325
discutir *to argue, to discuss* 44
el/la **diseñador(a) (de moda)** *(fashion) designer* 174
diseñar *to design* 10
el **diseño** *design* 65
disfrutar (de) *to enjoy* 45
disimular *to hide* 278
disminuir (irreg.) *to decrease* 11
disolver (irreg.) *to dissolve* 347
la **dispersión** *spreading* 97
disponer de (irreg.) *to have* 114
la **disponibilidad** *availability* 165
disponible *available* 216
la **disposición** *layout* 324
dispuesto(a) a *prepared to, willing to* 144
la **distancia** *distance* 31
distante *faraway* 31
la **distinción** *distinction* 324
distinguir *to distinguish* 57 *to make out* 302

distintivo(a) *distinctive* 324
distinto(a) *different* 134
distintos(as) *different* 24 *various* 31
distraer (irreg.) *to distract* 336
la **distribución** *distribution* 56
distribuir (irreg.) *to distribute* 125
el **distrito** *district* 31
la **diversidad** *diversity* 101
la **diversificación** *diversification* 312
diverso(a) *varied* 57
diversos(as) *various* 41
divertido(a) *fun, enjoyable* 17 *funny, amusing* 61
divertir (irreg. **ie, i**) *to entertain, to amuse* 22
divertirse (irreg. **ie, i**) *to enjoy oneself* 3
dividido(a) *divided* 204
dividir(se) *to divide* 204
la **divinidad** *divinity* 336
las **divisas** *foreign currency* 228
la **división** *division* 136
divorciado(a) *divorced* 59
divulgativo(a) *informative* 293
doblar *to bend* 220
doble *double* 216
el **doble** *double* 48
doblemente *doubly* 300
el/la **doctor(a)** *doctor* 59
el **documental** *documentary* 44
documentar *to document* 286
documentarse *to do research* 254
el **documento** *document* 174
el **dólar** *dollar* 106
la **dolencia** *ailment* 91
doler (irreg. **ue**) *to hurt* 22
el **dolor** *pain* 119
doméstico(a) *domestic* 59
dominar *to control* 279
dominicano(a) *Dominican* 153
el **dominio** *mastery* 38 *control, rule* 248
don *Mr.* 94
la **donación** *donation* 115
el/la **donante** *donor* 115
donar *to donate* 88 *to give* 122
donde *where* 6
dónde *where* 19
doña *Mrs.* 94
dorado(a) *golden* 222
dormido(a) *asleep* 336
dormir (irreg. **u, ue**) *to sleep* 34
dormirse (irreg. **u, ue**) *to fall asleep* 34
los **dos puntos** *colon* 136
las **dotes** *skills* 175
la **droga** *drug* 272
ducharse *to take a shower* 36
la **duda** *doubt, question* 58
dudar *to hesitate* 183 *to doubt* 246
dudoso(a) *doubtful* 252
dulce *sweet* 37
el **dulce** *sweet* 19
el **dulce de leche** *milk caramel* 77
duodécimo(a) *twelfth* 250
la **duquesa** *duchess* 309
la **duración** *duration* 263
durante *during* 23 *for* 40

durar *to last* 5
el **durazno** *peach* 78
durmiente *sleeping* 339
duro(a) *hard* 103

echar *to mail* 37 *to add* 76 *to put* 108
echar de menos *to miss* 14 *to notice it's missing* 117
echar en falta *to notice it's missing* 217
echar la culpa *to blame* 17
echar un vistazo a *to have a quick look at* 301
echar una ojeada a *to take a quick look at* 300
el **eco** *echo* 33
la **economía** *economy* 1 *finances* 177
económicamente *economically* 136 *cheaply* 221
económico(a) *economic* 9 *cheap* 79
el **ecosistema** *ecosystem* 296
el **ecoturismo** *ecotourism* 219
la **ecuación** *equation* 136
ecuatorial *equatorial* 172
la **edad** *age* 58
la **edición** *edition* 314
la **edificación** *building* 319
el **edificio** *building* 24
el **editorial** *editorial* 44
la **editorial** *publisher* 344
la **educación** *education* 9
educado(a) *polite* 58
educar *to educate* 177
educativo(a) *educational* 137
efectivamente *exactly* 186
efectivo(a) *effective* 89
el **efecto** *effect* 38
eficaz *effective* 38
eficiente *efficient* 133
egoísta *selfish* 17
el/la **egresado(a)** *graduate* 175
¿eh? *OK?* 41 *isn't it?* 330
el **eje** *central idea* 273
la **ejecución** *execution, implementation* 169
ejecutar *to execute* 260
ejecutivo(a) *executive* 67
el **ejemplar** *copy* 342
el **ejemplo** *example* 39
ejercer *to practice* 159
el **ejercicio** *exercise* 11
el **ejército** *army* 248
la **elaboración** *preparation* 67 *manufacture* 326
elaborar *to prepare* 77 *to make* 122 *to develop* 344
la **elección** *choice* 41 *election* 260
las **elecciones** *elections* 53
la **electricidad** *electricity* 323
eléctrico(a) *electric* 146
electrónico(a) *e-mail (adjective)* 33 *electronic* 148
el **elefante** *elephant* 332
elegante *elegant* 7
elegido(a) *chosen* 50

elegir (irreg. **i, i**) *to choose* 4 *to elect* 260
elemental *pristine* 337
el **elemento** *element* 49
eliminar *to remove, to eliminate* 69
el **elogio** *praise* 321
embarazada *pregnant* 102
el **emblema** *emblem* 61
emblemático(a) *emblematic* 342
las **emergencias** *emergency (room)* 116
el/la **emigrante** *emigrant* 284
la **emisión** *emission* 296
emitir *to show, to broadcast* 102 *to issue* 165
la **emoción** *emotion* 22 *excitement* 38
emocionado(a) *excited* 20
emocionante *exciting* 225
emocionar *to thrill, to excite* 22
la **empanada** *pastry* 139
empanar *to bread* 139
empaquetar *to pack* 50
empezar (irreg. **ie**) *to begin* 1
empleado(a) *employed* 68
el/la **empleado(a)** *clerk* 32 *employee* 138
emplear *to use* 21 *to employ* 158 *to spend* 208
el **empleo** *job* 114 *employment* 149
emprendedor(a) *entrepeneurial* 133
la **empresa** *company* 45
empresarial *business (adjective)* 180
el/la **empresario(a)** *businessman/businesswoman* 133
en *in* 1 *on* 2 *at* 3 *about* 10
en cambio *on the other hand* 24
en caso de (que)... *in case ...* 164
en comparación con *compared to* 222
en común *in common* 76
en conclusión *in conclusion* 287
en concreto *specific* 231
en consecuencia *consequently* 220
en contra *against* 260
en cuanto *as soon as* 276
en cuanto a *as regards* 268
en cuestión *in question* 110
en curso *in progress* 46
en efecto *indeed* 109
en el extranjero *abroad* 58
en equipo *as a team* 177
en especial *especially* 150
en función de *depending on* 135
en general *in general* 94
en gran medida *to a large extent* 306
en grupo *in a group* 3
en la actualidad *currently, nowadays* 50
en lugar de *instead of* 57
en mal estado *spoiled (food)* 126
en mi opinión *in my opinion* 320
en nombre de *on behalf of* 248
en peligro *at risk* 45
en pleno(a) *in the middle of* 7
en prácticas *intern* 158

en realidad *actually* 231
en resumen *in summary* 287
en un periquete *in a jiffy* 302
en un pispás *in a jiffy* 302
en un principio *at first* 38
en un santiamén *in a jiffy* 302
el/la **enamorado(a)** *lover* 138
enamorado(a) (de) *in love (with)* 17
enamorarse (de) *to fall in love* 17
el **encabezado** *heading* 182
encabezar *to lead* 260
encajar *to fit* 27
encaminarse hacia *to be aimed at* 156
encantado(a) de que *delighted that* 14
encantador(a) *charming, lovely* 219
encantar *to love, to really like* 22
encarcelar *to jail* 260
encargado(a) de *in charge of* 217
encargar *to commission* 39
encargarse de *to undertake, to take care of* 18 *to be in charge of* 153
encender (irreg. **ie**) *to turn on* 295
encerrado(a) *locked up* 210
la **enciclopedia** *encyclopedia* 97
encima de *on top of* 108
encontrar (irreg. **ue**) *to find* 4
encontrarse (irreg. **ue**) *to feel* 48 *to be* 200 *to meet* 246
el **encuentro** *meeting* 200
la **encuesta** *survey* 3
encuestar *to survey* 86
endulzar *to sweeten* 336
energético(a) *energy (adjective)* 272
la **energía** *energy* 38
enfadado(a) *angry (at each other)* 37
enfadar *to anger* 22
enfadarse *to get angry* 46
el **enfado** *anger* 110
el **énfasis** *emphasis* 334
enfático(a) *emphatic* 310
enfatizar *to emphasize* 220
la **enfermedad** *illness* 90
la **enfermería** *nurse's office* 123
el/la **enfermero(a)** *nurse* 95
enfermo(a) *ill* 16
el/la **enfermo(a)** *patient* 88
el **enfoque** *approach* 281
el **enfrentamiento** *confrontation* 248
engañar *to deceive* 192
el **enigma** *enigma* 15
el **enlace** *link* 64
enlazar *to link* 238
enojado(a) *angry* 75
enojar *to anger* 22
enojarse con *to get mad at* 92
enorme *huge* 19
enriquecer (irreg.) *to enrich* 109
el **enriquecimiento** *enrichment* 317
enrojecer (irreg.) *to blush* 210
la **ensalada** *salad* 78
ensayar *to rehearse* 29
el/la **ensayista** *essayist* 329

la **fiesta** *party* 10 *festivity* 23
la **figura** *figure* 113
figurativo(a) *figurative* 306
fijar residencia *to take up residence* 331
fijarse en *to pay attention (to)* 17 *to notice* 92
la **fila** *row* 197 *line* 210
el **filete** *fillet* 78
la **filial** *subsidiary* 154
la **filosofía** *philosophy* 143
filosófico(a) *philosophical* 210
el/la **filósofo(a)** *philosopher* 169
el **fin** *end* 156 *aim* 210
el **fin de semana** *weekend* 8
final *final* 65
el **final** *end* 6
la **final** *final* 23
la **finalidad** *end, purpose* 262
finalizar *to finish* 175
finalmente *finally* 287
la **financiación** *financing* 156
financiar *to finance* 156
financieramente *financially* 177
financiero(a) *financial* 154
las **finanzas** *finance* 44
fingir *to pretend* 343
fino(a) *thin, slim* 8 *fine* 343
la **firma** *signature* 32
firmar *to sign* 32
firmar la paz *to sign a peace treaty* 248
firme *firm* 336
la **Física** *physics* 133
físicamente *physically* 21
físico(a) *physical* 20
el/la **fisioterapeuta** *physical therapist* 160
la **fisioterapia** *physical therapy* 158
flaco(a) *skinny* 332
la **flauta** *flute* 191
la **flexibilidad horaria** *flextime* 163
flexible *flexible* 8
la **flor** *flower* 61
la **flora** *flora* 219
la **fluidez** *free flow* 210
el **flujo** *flow* 154
el **folclore** *folklore* 203
folclórico(a) *folklore (adjective)* 282
el **folleto** *brochure* 113
fomentar *to promote, to encourage* 149
el **fondo** *fund* 156 *background* 306
la **forma** *form* 2 *way* 11 *shape* 18
la **forma de ser** *character, personality* 58
la **formación** *formation* 46 *training* 174
la **formación académica** *educational training* 160
formal *formal* 39
formalizar *to formalize* 183
formar *to form* 31
el **formato** *format* 45
la **fórmula** *formula* 109
formular *to phrase* 116
el **formulario** *form* 134
el **foro** *forum* 11

forrado(a) *upholstered* 222
la **fortaleza** *fortress* 229
el **fósforo** *phosphorous* 173
la **fotografía** *photograph* 5 *photography* 33
fotográfico(a) *photographic* 72
el **fracaso** *failure* 345
la **fracción** *fraction* 136
frágil *fragile* 32
fragmentarse *to break up* 212
el **fragmento** *passage* 26 *excerpt* 33
la **frambuesa** *raspberry* 78
francamente *frankly* 166
el **francés** *French (language)* 143
francés(a) *French* 50
la **franela** *flannel* 56
franquear *to attach postage to* 61
el **franqueo** *postage* 32
la **frase** *sentence* 14 *phrase* 194
la **frecuencia** *frequency* 194
frecuentado(a) *frequented* 200
frecuente *frequent* 46 *common* 50
frecuentemente *frequently* 140
frente (a) *in front (of)* 86 *opposite* 94
la **fresa** *strawberry* 75
el **frijol** *bean* 75
el **frío** *cold* 218
frío(a) *cold* 83
frito(a) *fried* 172
frontal *total, complete* 67
la **frontera** *border* 173
la **fruta** *fruit* 78
el **fruto** *fruit* 172
los **frutos secos** *dried fruits and nuts* 75
el **fuego** *fire* 108 *ardor* 249
la **fuente** *source* 3 *spring (of drinking water)* 296
la **fuente de energía** *energy source* 45
fuera de *outside* 325
fuerte *strong* 94 *powerful* 266 *sharp, large* 280 *heavy* 330
la **fuerza** *force, power* 337
las **fuerzas armadas** *armed forces* 312
fugarse *to escape* 34
la **función** *function* 106 *duty, responsibility* 161 *show, performance* 188
funcional *functional* 317
el **funcionamiento** *operation* 125
funcionar *to work* 36 *to operate* 203
el/la **funcionario(a)** *government employee* 296
la **fundación** *foundation* 89
el/la **fundador(a)** *founder* 180
fundamental *essential, fundamental* 50
fundamentalmente *mainly* 172
los **fundamentos** *basic principles* 326
fundar *to found* 249
el **funeral** *funeral* 43
furioso(a) *furious* 102
el **fusil** *rifle* 272
el **fútbol** *soccer* 6
el **futuro** *future* 8
futuro(a) *future* 2

G

el **gabinete** *cabinet* 306
las **gafas de sol** *sunglasses* 334
el **galeón** *galleon* 195
la **galería** *gallery* 64
el **gallego** *Galician (language)* 67
la **ganadería** *livestock farming* 172
el/la **ganador(a)** *winner* 31
las **ganancias** *profits* 180
ganar *to win* 76 *to gain* 98 *to earn* 179 *to beat* 235
ganarse *to earn* 256
ganarse la vida *to earn a living* 191
el **garaje** *garage* 47
la **garantía** *guarantee* 148
garantizar *to guarantee* 127
la **garganta** *throat* 94
el **gas** *gas* 153
la **gasolina** *gasoline* 204
gastar *to play (jokes)* 21 *to spend* 265
los **gastos** *expenses* 144
la **gastronomía** *gastronomy* 72
gastronómico(a) *gastronomic* 79
el **gato** *cat* 104
la **generación** *generation* 43
general *general* 66
el/la **general** *general* 246
generalmente *generally* 22
generar *to generate* 147
el **género** *gender* 48 *genre* 330
generoso(a) *generous* 17
genético(a) *genetic* 96
genial *great* 131
el **genio** *genius* 43
la **gente** *people* 23
genuino(a) *genuine* 210
la **geografía** *geography* 324
la **Geografía** *geography* 133
geográfico(a) *geographic* 56
el/la **geólogo(a)** *geologist* 160
geométrico(a) *geometric* 306
el/la **gerente** *manager* 153
germinativo(a) *germinative* 96
gesticular *to gesticulate* 210
la **gestión** *management* 126
gestionar *to manage* 125
el **gesto** *gesture* 210
gestualmente *using gestures* 210
el **gigante** *giant* 83
el **gimnasio** *gym* 10
girar *to spin* 193
glacial *bitterly cold* 216
global *global* 148
la **globalización** *globalization* 154
la **glucosa** *glucose* 98
el/la **gobernador(a)** *governor* 245
el/la **gobernante** *ruler* 4
gobernar *to govern* 245
el **gobierno** *government* 43
la **goleta** *schooner* 254
el **golpe** *heist* 289 *bang, bump* 330
el **golpe de Estado** *coup (d'état)* 260
la **goma** *tire* 56
gomero(a) *from Gomera, one of the Canary Islands* 43

gordito(a)   *overweight* 332
gordo(a)   *fat* 40
la **gota**   *drop* 33
la **grabación**   *recording* 42
el **grabado**   *engraving* 12
grabar   *to record* 238
gracias   *thank you* 11
gracias a   *thanks to* 287
gracias a Dios   *thank God* 278
gracioso(a)   *funny* 5
el **grado**   *degree* 196 *grade* 256
(university) degree 326
la **graduación**   *graduation* 19
gradualmente   *gradually* 117
graduarse   *to graduate* 93
el **gráfico**   *chart* 66 *diagram* 155
la **gramática**   *grammar* 2
gramatical   *grammatical* 57
gran, grande   *big, great* 24
la **gran superficie**   *department store* 126
el **granito**   *granite* 318
el **granizo**   *hail* 40
la **granja**   *farm* 108
el/la **granjero(a)**   *farmer* 108
la **grasa**   *fat* 11
gratis   *free* 39
la **gratuidad**   *condition of being free* 115
gratuito(a)   *free* 216
grave   *low* 53 *serious* 90
griego(a)   *Greek* 318
la **gripe**   *flu* 75
gris   *gray* 54
gritar   *to shout* 47
el **grupo**   *group* 3 *cluster* 12 *set* 69
la **guagua**   *bus* 56
guapo   *handsome* 37
guaraní   *Guarani* 77
guardar   *to keep* 109 *to put away* 204
guatemalteco(a)   *Guatemalan* 243
gubernamental   *government (adjective)* 293
la **guerra**   *war* 108
el/la **guerrero(a)**   *warrior* 103
la **guía**   *guide, guidance* 28 *guide (book)* 81
el/la **guía**   *guide* 203
guiado(a)   *guided* 322
guiar   *to guide* 1
guiarse por   *to be guided by* 66
el **guineo**   *banana* 172
el **guion**   *outline* 123 *script* 225
el **guisante**   *pea* 75
la **guitarra**   *guitar* 2
gustar   *to like* 22
el **gusto**   *taste (of person)* 72 *taste (of food)* 108 *like* 225
los **gustos**   *likes* 22

H

haber (irreg.)   *to have (auxiliary)* 140
haber que   *to have to* 334
había   *there was* 6 *there were* 7
la **habilidad**   *ability, skill* 65

la **habitación**   *room* 7 *bedroom* 196
el/la **habitante**   *inhabitant* 42
el **hábito**   *habit* 11
habitual   *usual, common* 6 *regular* 200
habitualmente   *usually, regularly* 47
el/la **hablante**   *speaker* 57
hablar de   *to talk* 1 *to speak* 2
hablarse   *to talk to each other* 36
habrá   *there will be* 80
hace poco   *not long ago* 72
hacer (irreg.)   *to do, to make* 2
hacer frente a   *to face up to* 110
hacer ilusión   *to thrill* 143
hacer memoria   *to try to remember* 230
hacer trampas   *to cheat* 192
hacerse (irreg.)   *to become* 158
hacerse cargo (de)   *to take care (of)* 293
hacerse daño   *to hurt* 119
hacérsele la boca agua a alguien   *to make someone's mouth water* 74
hacia   *toward* 54
la **hacienda**   *country estate* 7
el **hambre**   *hunger* 272
harto(a) (de)   *fed up (with)* 102
hasta   *until* 2 *to* 31 *up to* 67 *even* 158
hasta la bandera   *packed* 188
Hasta la vista.   *See you later.* 16
Hasta luego.   *See you later.* 16
Hasta pronto.   *See you soon.* 16
hasta que   *until* 276
hay   *there are* 6 *there is* 20
la **hazaña**   *feat* 215
el **hecho**   *event* 1 *fact* 39
hecho(a) de   *made of* 19
el **helado**   *ice cream* 22
el **hemisferio**   *hemisphere* 135
heredar   *to inherit* 96
hereditario(a)   *hereditary* 96
la **herencia**   *inheritance* 41
el/la **herido(a)**   *wounded* 289
la **hermana**   *sister* 2
el **hermano**   *brother* 17
hermoso(a)   *beautiful* 100
el **héroe**   *hero* 249
heroico(a)   *heroic* 256
la **herramienta**   *tool* 67
hervir (irreg. **ie, i**)   *to boil* 108
híbrido(a)   *hybrid* 146
la **hidra**   *hydra* 343
el **hielo**   *ice* 83
el **hierro**   *iron* 318
el **hígado**   *liver* 115
la **higiene**   *hygiene* 36
la **hija**   *daughter* 90
el **hijo**   *son* 11
los **hijos**   *children (offspring)* 9
hinchado(a)   *swollen* 75
la **hipoteca**   *mortgage* 148
hipotético(a)   *hypothetical* 162
hispánico(a)   *Hispanic* 329
hispano(a)   *Hispanic* 1
hispanoamericano(a)   *Spanish-American* 47

hispanohablante   *Spanish-speaking* 116
el/la **hispanohablante**   *Spanish speaker* 56
la **historia**   *history* 1 *story* 25
históricamente   *historically* 31
histórico(a)   *historic* 242
el **hogar**   *home* 266
la **hoja**   *sheet (of paper)* 8 *leaf* 33
la **hoja de vida**   *résumé* 160
la **hojarasca**   *dead leaves* 342
hola   *hello* 11
el **hombre**   *man* 24
el **homenaje**   *tribute* 41
hondamente   *deeply* 336
hondureño(a)   *Honduran* 271
el **hongo**   *mushroom* 78
el **honor**   *honor* 141
honradamente   *honestly* 256
la **hora**   *hour* 5 *time* 36
el **horario**   *timetable, schedule* 2 *opening hours* 91 *working hours* 133
las **horas extraordinarias**   *overtime* 160
el **horizonte**   *horizon* 321
horrible   *horrible* 119
la **hortaliza**   *vegetable* 11
hospedarse   *to stay, to lodge* 216
el **hospital**   *hospital* 59
el **hostal**   *guesthouse* 185
hostil   *hostile* 337
el **hotel**   *hotel* 7
hoy   *today* 20
hoy en día   *nowadays* 30
hubo   *there were* 31 *there was* 201
el **hueco**   *space* 210
el/la **huésped**   *guest* 216
el **huevo**   *egg* 78
los **huevos revueltos**   *scrambled eggs* 78
la **humanidad**   *world* 43 *mankind* 317
las **humanidades**   *humanities* 229
humano(a)   *human* 43
humilde   *modest, humble* 20
el **humor**   *humor* 50 *mood* 110
hundir   *to sink* 195

I

el **icono**   *icon* 65
ida y vuelta   *round-trip* 189
la **idea**   *idea* 5
ideal   *ideal* 7
idéntico(a)   *identical* 20
la **identidad**   *identity* 23
identificar   *to identify* 98
identificarse con   *to identify with* 110
la **ideología**   *ideology* 260
el **idioma**   *language* 2
idiomáticamente   *idiomatically* 206
idiomático(a)   *idiomatic* 106
la **iglesia**   *church* 100
ignorar   *to ignore* 67 *not to know* 336
igual   *like it* 25 *the same* 80
igual a   *equals* 136

interrumpir *to suspend* 120
interrumpirse *to pause* 279
la **intersección** *intersection* 266
la **intervención** *operation* 97 *remark* 132 *intervention* 268
intervenir (irreg.) *to take part* 123 *to speak* 238
íntimamente *intimately* 318
íntimo(a) *intimate* 336
intolerable *unbearable* 337
intolerablemente *intolerably* 210
la **intolerancia** *intolerance* 292
la **intranquilidad** *unease* 166
la **introducción** *introduction* 66
introducir (irreg.) *to introduce* 92
introducirse (irreg.) *to be introduced* 67
el/la **intruso(a)** *intruder* 78
inundarse *to be flooded* 220
inusual *unusual* 39
inútil *useless* 343
invadir *to invade* 96
invariable *invariable* 310
la **invasión** *invasion* 245
inventado(a) *made up* 122
inventar *to make up* 25 *to invent* 113
la **inversión** *investment* 156
el/la **inversor(a)** *investor* 156
invertir (irreg. **ie, i**) *to invest* 154
investido(a) de *invested with* 256
la **investigación** *research* 68
el/la **investigador(a)** *researcher* 88
investigar *to research* 14
el **invierno** *winter* 134
la **invitación** *invitation* 10
el/la **invitado(a)** *guest* 10
invitar *to invite* 18
involucrado(a) *involved* 261
involucrarse *to get involved* 293
la **involuntariedad** *unintentionality* 80
involuntario(a) *unintentional* 80
ir (irreg.) *to go* 3
ir de compras *to go shopping* 34
ir de viaje *to go away on a trip* 8
la **ironía** *irony* 345
irónico(a) *ironic* 211
irracional *irrational* 306
irreal *imaginary* 264
irregular *irregular* 2
irrelevante *unimportant* 264
irreparable *irreparable* 279
irse (irreg.) *to leave, to go away* 34
la **isla** *island* 13
la **isoflavona** *isoflavone* 173
el **istmo** *isthmus* 159
italiano(a) *Italian* 127
el **itinerario** *itinerary* 212
la **izquierda** *left* 302

¡ja! *ha!* 72
la **jaima** *Bedouin tent* 109
jamás *never* 278
el **jamón** *ham* 78

el **jarabe** *cough syrup* 92
el **jardín** *yard, garden* 7
el/la **jardinero(a)** *gardener* 174
la **jarra** *pitcher* 79
el/la **jefe(a)** *head* 5 *boss* 40 *manager* 165 *chief* 266
el/la **jefe(a) de Estado** *head of state* 259
el **jengibre** *ginger* 339
la **jornada** *day* 54
la **jornada completa** *full-time* 133
joven *young* 61
el/la **joven** *young person* 3
la **jubilación** *retirement* 162
jubilarse *to retire* 162
el **júbilo** *jubilation, joy* 222
judicial *judicial* 260
judío(a) *Jewish* 345
el **juego** *play, playing* 50 *game* 59 *set* 67
el **juego de mesa** *board game* 192
el **juego de palabras** *play on words* 345
el/la **juez(a)** *judge* 313
la **jugada** *move* 192
el/la **jugador(a)** *player* 29
jugar (a) (irreg. **ue**) *to play* 2
el **jugo** *juice* 77
el **juguete** *toy* 193
la **jungla** *jungle* 195
la **junta militar** *junta* 260
junto a *right by* 33
junto con *together with* 228
juntos(as) *together* 3 *close together* 210
el **jurado** *jury* 183
la **justicia** *justice* 245
justificar *to justify* 39
justo *just* 270
juvenil *young* 273
la **juventud** *youth* 3
juzgado(a) *judged* 256
juzgar *to judge* 320
juzgar que *to think* 320

el **kilo** *kilo* 50
el **kilómetro** *kilometer* 31
el **kiwi** *kiwi* 106

la verdad, *to be honest,* 15
el **laberinto** *labyrinth* 328
la **labor** *work* 125
laboral *labor* 47 *working* 132
el **laboratorio** *laboratory* 70
lacio(a) *straight* 17
el **lado** *side* 44
el **ladrillo** *brick* 318
el **lago** *lake* 219
lamentablemente *regrettably* 244
lamentar *to regret* 209
la **lámpara** *lamp* 326
la **langosta** *lobster* 78

el **langostino** *prawn* 78
lanzar *to launch* 86
el **lápiz** *pencil* 311
largo(a) *long* 31
la **lástima** *pity, shame* 322
lateral *lateral* 203
latino(a) *Latino* 11
latinoamericano(a) *Latin American* 95
la **lavadora** *washer* 3
lavar *to wash* 3
lavarse *to wash* 36
el **lazo** *bow* 100
la **leche** *milk* 63
la **lechuga** *lettuce* 75
lector(a) *reading (adjective)* 124
el/la **lector(a)** *reader* 45
la **lectura** *reading* 26
leer (irreg.) *to read* 3
el **legado** *legacy* 43
el/la **legislador(a)** *legislator* 244
legislativo(a) *legislative* 260
leído(a) *read* 331
lejano(a) *distant* 33
lejos (de) *far (from)* 7
el **lema** *slogan* 139
la **lengua** *language* 42 *tongue* 343
la **Lengua** *Spanish (subject)* 67
el **lenguaje** *language* 14
el **lenguaje figurado** *figurative language* 330
lentamente *slowly* 336
la **lente** *lens* 98
la **lenteja** *lentil* 78
lento(a) *slow* 7
la **lesión** *injury* 96
la **letra** *handwriting* 38 *letter* 39 *lyrics* 192
el **letrero** *sign* 185
levantar *to lift* 34 *to raise* 35
levantarse *to get up* 34 *to stand up* 108
léxico(a) *lexical* 56
la **ley** *law* 116 *act* 127
la **leyenda** *legend* 303
liberal *liberal* 245
liberar *to free* 248
la **libertad** *freedom* 245
la **libertad de expresión** *freedom of speech* 263
el/la **libertador(a)** *liberator* 240
libre *free* 3 *empty* 210
libremente *freely* 268
el **libro** *book* 24
el **libro de texto** *textbook* 65
licenciado(a) (en) *graduated (in)* 175
el/la **licenciado(a) (en)** *graduate (in)* 114
la **licenciatura** *degree* 165
el/la **líder** *leader* 115
liderado(a) por *lead by* 258
el **liderazgo** *leadership* 217
el **lienzo** *canvas* 306
ligero(a) *light* 117
limitado(a) *limited* 95
limitar *to limit* 265
el **límite** *limit* 263
el **limón** *lemon* 77

la **mayúscula** *uppercase* 136
Me alegro de verte. *I'm glad to see you.* 16
Me dirijo a usted(es)... *I am addressing you ...* 59
Me pongo en contacto con usted(es)... *I have contacted you ...* 59
mecánico(a) *mechanical* 148
el/la **mecánico(a)** *mechanic* 158
el **mecanismo** *mechanism* 127
la **media jornada** *part-time* 133
la **media pensión** *half board* 216
mediador(a) *mediating* 324
mediados de *middle of (a month, week, etc.)* 134
la **medialuna** *croissant* 231
mediante *by means of* 97
la **medicación** *medication* 295
el **medicamento** *medicine (drug)* 91
la **medicina** *medicine (science)* 88
médico(a) *medical* 5
el/la **médico(a)** *doctor* 8
la **medida** *measure* 97
las **medidas** *size* 350
el **medio** *means* 97
el **medio ambiente** *environment* 272
el **medio de expresión** *medium* 263
el **medio de transporte** *means of transport* 154
el **medio de vida** *living (earning money)* 39
medio(a) *ordinary, average* 39 *half* 48
medioambiental *environmental* 156
los **medios de comunicación** *media* 44
medir (irreg. **i, i**) *to measure* 306
mejor *better* 8 *best* 11
Mejor dicho, *Rather,* 242
la **mejora** *improvement* 154
mejorar *to improve* 98
el **melanoma** *melanoma* 96
la **melodía** *melody* 27
el **melón** *melon* 75
la **memoria** *memory* 336
mencionar *to mention* 6
menor *lower, smaller* 114
menor de *under (an age)* 68
menos *less* 29 *least* 123 *minus* 136
menos de/que *less than* 308
menos mal (que) *thank God* 243
el **mensaje** *message* 11
el/la **mensajero(a)** *messenger* 30
mensualmente *monthly* 194
mental *mental* 86
mentir (irreg. **ie, i**) *to lie* 4
la **mentira** *lie* 300
el **menú** *menu* 7
el **mercado** *market* 148
el **mercado laboral** *labor market* 163
la **mercancía** *goods, merchandise* 148
merecer la pena *to be worthwhile, to be worth it* 186
merecerse (irreg.) *to deserve* 181
el **mérito** *merit* 249
mero(a) *mere* 166
el **mes** *month* 8

la **mesa** *table* 86
el/la **mesero(a)** *waiter/waitress* 82
el **mesón** *inn, tavern* 79
la **meta** *goal* 254
la **metáfora** *metaphor* 330
el **metal** *metal* 147
metálico(a) *metallic* 76
la **metamorfosis** *metamorphosis* 50
la **metástasis** *metastasis* 96
meteorológico(a) *weather (adjective)* 216
meter *to put in* 40 *to go into (a gear)* 210
meterse *to set* 26 *to get involved* 39
el **metro** *meter* 195 *subway* 278
la **metrópolis** *metropolis* 277
mexicano(a) *Mexican* 3
el/la **mexicanoamericano(a)** *Mexican American* 285
la **mezcla** *mixture* 342
mezclar *to mix* 112
mezquino(a) *mean* 279
la **mezquita** *mosque* 318
el **microclima** *microclimate* 224
el **microcrédito** *microcredit* 156
el **miedo** *fear* 22
la **miel** *honey* 78
el **miembro** *member* 58
mientras *while* 276
mientras que *whereas* 206
mientras tanto *meanwhile* 267
migratorio(a) *migratory* 284
mil *thousand* 48
el **milagro** *miracle* 38
milagroso(a) *miraculous* 109
miles de *thousands of* 147
militar *military* 149
el/la **militar** *soldier* 248
el **millón** *million* 48
el **mineral** *mineral* 11
la **minería** *mining* 172
el **mini-diálogo** *mini-dialogue* 219
el **mínimo** *minimum* 169
mínimo(a) *minimum* 165
el **ministerio** *department, ministry* 273
el/la **ministro(a)** *minister* 262
la **minúscula** *lowercase* 136
el **minuto** *minute* 17
la **mirada** *look, gaze* 139
mirar *to look (at)* 92 *to check* 158
mirar fijo a *to stare at* 278
mirarse *to look at each other* 36
la **misión** *mission* 31
mismo(a) *same* 25
el **misterio** *mystery* 335
misterioso(a) *mysterious* 14
místico(a) *mystic* 219
la **mitad** *half* 48
mítico(a) *mythical* 342
el/la **mochilero(a)** *backpacker* 216
la **modalidad** *type* 144
el **modelo** *model (example)* 3 *model (design)* 25
moderno(a) *modern* 8
el/la **modisto(a)** *fashion designer* 326

el **modo** *way* 39 *mood (in gramar)* 190
mojarse *to get wet* 291
molestar *to bother* 22 *to upset* 22 *to annoy* 23
las **molestias** *ache* 90
molido(a) *ground* 78
momentáneo(a) *momentary* 210
el **momento** *time* 19 *moment* 64
el/la **monarca** *monarch* 248
la **monarquía** *monarchy* 246
la **moneda** *coin* 100 *currency* 153
el/la **monitor(a)** *monitor* 174
monótono(a) *monotonous* 345
la **montaña** *mountain* 24 *mountains* 63
el **montañismo** *mountaineering* 216
montañoso(a) *mountainous* 224
montar *to ride* 189 *to get onto* 223 *to organize* 314
montarse *to get onto* 210
el **montón** *heap* 29
el **monumento** *monument* 61
la **mora** *blackberry* 78
moreno(a) *dark-haired* 20
morir (irreg.) *to die* 102
el/la **mortal** *mortal* 222
el **mosaico** *mosaic* 309
el **mostrador** *counter* 189
mostrar (irreg. **ue**) *to show* 21
mostrarse (irreg. **ue**) *to be* 199
la **motivación** *motive* 215
motivar *to cause* 286
el **motivo** *reason* 218
mover (irreg. **ue**) *to move* 192
moverse (irreg. **ue**) *to move* 33
el **móvil** *cell phone* 67
el **movimiento** *motion* 143 *movement* 262
Mucha suerte. *Good luck.* 14
el/la **muchacho(a)** *boy/girl* 50
mucho *a lot, much* 15 *much (in negatives)* 17
mucho(a) *a lot of* 7
muchos(as) *many, a lot of* 1
mudarse *to move* 107
mudo(a) *mute* 20
el **mueble** *piece of furniture* 24
el **muelle** *dock* 254
la **muerte** *death* 33
muerto(a) *dead* 289
muerto(a) de hambre *very hungry* 102
muerto(a) de sed *very thirsty* 102
muerto(a) de sueño *very sleepy* 102
la **muestra** *evidence* 43 *proof* 67 *sign* 84 *exhibition* 314
la **mujer** *woman* 38 *wife* 39
la **multa** *fine* 150
multar *to fine* 150
la **multinacional** *multinational company* 148
múltiple *multiple* 66
múltiples *many, numerous* 312
la **multiplicación** *multiplication* 136
multiplicar *to multiply* 48
la **multitud** *crowd* 266
multitud de *many* 219

mundial *world (adjective)* 88
la **mundialización** *globalization* 154
el **mundo** *world* 1
municipal *city, local* 260
el/la **muñeco(a)** *doll* 18
el **mural** *mural* 197
el **muralismo** *mural painting* 300
el/la **muralista** *muralist* 300
la **muralla** *wall* 322
el **muro** *wall* 268
el **museo** *museum* 116 *art gallery* 151
la **música** *music* 3
musical *musical (adjective)* 23
el/la **músico(a)** *musician* 191
muy *very* 4

nacer (irreg.) *to be born* 67
nacido(a) *born* 125
el **nacimiento** *birth* 161
la **nación** *nation* 149
nacional *national* 3 *domestic* 273
la **nacionalidad** *nationality* 106
nacionalizarse *to become naturalized* 50
nada *nothing* 8 *at all* 22 *anything* 26
nadar *to swim* 59
nadie *nobody* 6 *anybody* 249
el **naipe** *card* 188
la **naranja** *orange* 77
la **nariz** *nose* 332
la **narración** *story* 6
el/la **narrador(a)** *narrator* 330
narrar *to tell, to recount* 230
la **narrativa** *narrative, fiction* 335
narrativo(a) *narrative* 211
natal *native* 325
la **natilla** *custard* 112
nativo(a) *native* 203
natural *natural* 9
la **naturaleza** *nature* 7
la **naturalidad** *naturalness* XXII
naturalmente *of course* 324
las **náuseas** *nausea* 90
navarro(a) *Navarrese* 324
navegable *navigable* 219
el/la **navegante** *sailor* 248
navegar *to sail* 192
la(s) **Navidad(es)** *Christmas* 19
navideño(a) *Christmas (adjective)* 32
necesario(a) *necessary* 58
la **necesidad** *necessity* 38 *need* 43
necesitado(a) *needy* 125
necesitar *to need* 7
la **negación** *negative* 322
negarse (irreg. **ie**) *to refuse* 92
la **negativa** *refusal* 239
negativo(a) *negative* 7
negociar *to negotiate* 169
el **negocio** *business* 148
los **negocios** *business* 38
negro(a) *black* 54
los **nervios** *nerves* 119
nervioso(a) *nervous* 75

neto(a) *clear* 224
el **neumático** *tire* 56
neutro(a) *neuter* 310 *neutral* 334
la **nevada** *snowfall* 138
nevar (irreg.**ie**) *to snow* 111
la **nevera portátil** *cooler* 216
ni *not even, not a single* 17 *nor/or* 32
ni idea *no idea* 15
ni siquiera *not even* 33
ni... ni... *neither ... nor ...* 225
la **niebla** *fog* 216
los **nietos** *grandchildren* 105
la **nieve** *snow* 220
ningún(o)(a) *(not) any, no (adjective)* 48 *any other (pronoun)* 83
la **niñez** *childhood* 6
el/la **niño(a)** *child* 6
el **nivel** *level* 11
el **nivel de vida** *standard of living* 9
no *not* 2 *no* 15
no obstante *however, nevertheless* 91
no... sino... *not ... but ...* 231
no solo... sino que... *not only ... but ...* 231
la **nobleza** *nobility* 248
la **noche** *night* 37 *evening* 195
la **noción** *notion* 222
nocturno(a) *night (adjective)* 205
nombrar *to mention* 94 *to refer to* 104 *to name* 179
el **nombre** *name* 4 *noun* 24
el **nombre propio** *proper noun* 254
la **norma** *rule* 263
normal *normal* 50
la **normalización** *standardization* 153
normalmente *normally* 41
las **normas de circulación** *traffic laws* 204
las **normas de comportamiento** *standards of behavior* 116
el **norte** *North* 57
norteamericano(a) *North American* 86
la **nota** *mark* 11
notable *remarkable* 307
notablemente *considerably* 33
la **noticia** *news (item)* 44
el **noticiero** *news (program)* 44
la **novedad** *news* 266 *novelty* 324
novedoso(a) *new* 5
la **novela** *novel* 33
la **novela gráfica** *graphic novel* 242
la **novela negra** *crime novel* 330
la **novela rosa** *romance novel* 330
noveno(a) *ninth* 250
el **noviazgo** *engagement* 33
el/la **novio(a)** *boyfriend/girlfriend* 4 *bride/groom* 100
nuclear *nuclear* 295
el **núcleo** *area* 280
el **nudo** *knot* 30
nuevo(a) *new* 1
la **nuez** *nut* 78
la **numeración** *numerals* 250
el **numeral** *numeral* 250
el **número** *number* 33

numeroso(a) *numerous* 43
nunca *(not) ever* 33 *never* 194
la **nutrición** *nutrition* 5

o *or* 2
o sea, *that is,* 244
la **objeción** *objection* 264
la **objetividad** *objectivity* 287
el **objetivo** *aim, objective* 9
el **objeto** *object* 4
el **objeto directo/indirecto** *direct/indirect object* 82
la **obligación** *obligation* 144
obligado(a) a algo *required to do something* 260
obligar *to force* 166
obligatorio(a) *compulsory* 82
la **obra** *work* 50
la **obra cumbre** *outstanding work* 302
la **obra de arte** *work of art* 303
la **obra de teatro** *play* 303
la **obra maestra** *masterpiece* 302
el/la **obrero(a)** *worker* 202
observar *to notice* 22 *to watch* 50 *to look at* 310
obsesionado(a) *obsessed* 86
obstaculizar *to hinder* 69
el **obstáculo** *obstacle* 264
la **obstrucción** *obstruction* 90
obtener (irreg.) *to obtain* 38 *to make* 154
obviamente *obviously* 345
obvio(a) *obvious* 246
la **ocasión** *chance* 24 *occasion* 112
occidental *Western* 23
el **océano** *ocean* 147
el **ocio** *leisure* 192
octavo(a) *eighth* 250
el/la **oculista** *ophthalmologist* 75
ocultar *to hide* 222
oculto(a) *hidden* 297
la **ocupación** *occupation (job)* 94
ocupacional *occupational* 165
ocupado(a) *busy* 2 *taken* 205
ocupar *to take up* 173 *to hold* 175
ocuparse de hacer algo *to be in charge of doing something* 190
la **ocurrencia** *idea* 343
ocurrir *to happen* 2
ocurrírsele algo a alguien *to think of something* 73
odiar *to hate* 104
odiarse *to hate each other* 36
el **oeste** *West* 248
la **oferta** *supply* 155 *offer* 158
la **oferta de trabajo** *job offer* 160
oficial *official* 116
oficiar *to officiate at* 104
la **oficina** *office* 145
la **oficina de correos** *post office* 32
el **oficio** *job, profession* 38
ofrecer (irreg.) *to present* 59 *to offer* 91 *to have* 204
¡oh! *Oh!* 278
el **oído** *ear* 94

oiga, listen, (emphatic) 210
oír (irreg.) to hear 23 to listen to 42
ojalá… I hope … 162
el ojo eye 19
la ola wave 321
la ola de frío cold wave 216
el óleo oil (paint) 306
oler (irreg.) to smell 74
la olla pot 19
olvidar to forget 59 to leave 207
olvidarse to forget 80 to leave 201
omitir to omit 95
el/la oncólogo(a) oncologist 90
ondulado(a) wavy 20
la opción option 19
la ópera opera 23
la operación operation 5 transaction 154
operar to operate on 330
opinar to think 59
la opinión opinion 7
oponerse (irreg.) to oppose 260
la oportunidad opportunity 24
la oposición opposition 143
la opresión oppression 271
oprimido(a) oppressed 249
optar a to aim for 136
optativo(a) optional 142
optimista optimistic 9
opuesto(a) opposite 20
la oración sentence 136
oral oral 124
el orden order 25
la orden order 10
ordenado(a) tidy 106 organized 174
el ordenador computer 86
ordenar to organize 67 to order 79 to clean 92
ordinal ordinal 250
el organismo organism 96 organization 217
la organización organization 86
la organización no gubernamental non-governmental organization 125
organizado(a) organized 31
el/la organizador(a) organizer 66
organizar to organize 19
el órgano organ 115
orgulloso(a) proud 106 arrogant 106
orientado(a) hacia pointing at 84
oriental Eastern 228
orientar to give guidance to 183
el oriente East 37
el origen origin 14
original original 44
original de composed by 190
originalmente originally 66
originariamente originally 23
originario(a) de native of 18 native to 77 originally coming from 193
originarse to originate 186
las orillas shores 219
el oro gold 4
la orquesta orchestra 192
la orquídea orchid 7
la ortografía spelling 117

ortográfico(a) spelling (adjective) 4
oscuro(a) dark 268
óseo(a) bone (adjective) 96
la ostra oyster 188
el otoño fall, autumn 47
otorgar to grant 266
otro(a) other 2 another 8
ovalado(a) oval 303
oye listen 18 look 100

la paciencia patience 10
paciente passive 104
el/la paciente patient 75
el pacto pact 248
padecer (irreg.) to suffer from 96
el padre father 24
los padres parents 6
el padrino best man 100
pagar to pay 39
la página page 2
la página web web page 11
el pago payment 117
el país country 3
el paisaje landscape 61
la palabra word 15
el palacio palace 318
la paleta palette 300
palpable evident 67
el panel board 326
el pánico panic 190
la panorámica panoramic view 134
panorámico(a) panoramic 216
la pantalla screen 8
los pantalones pants 197
la papa potato 78
el papá dad 21
el papel paper 8 role 172
el papel de periódico newspaper, newsprint 29
la papelera trash can 293
los papeles papers (identification) 278
el paquete package 32
el par couple 210 pair 265
para to 2 for 7
para colmo to crown it all 291
para entonces by then 8
para mí as far as I'm concerned 320
para que so that 19
¿Para qué…? What … for? 31
para variar for a change 214
paradisíaco(a) heavenly 219
parado(a) still, not moving 204
la paradoja paradox 50
el parador Spanish state-owned luxury hotel 218
el paraguas umbrella 291
el paraíso paradise 343
paralelamente at the same time 67
el paralelismo parallelism 345
el parapente paragliding 228
pararse to stop 108
el parásito parasite 98
Parece mentira… It's hard to believe … 252

parecer (irreg.) to seem 34 to think 22
parecerse a (irreg.) to look like 34
parecido(a) a similar to 142
la pared wall 200 face 203
la pareja partner 3 pair 15 couple 39
el parentesco kinship 106
el/la pariente relative 105
el parlamento parliament 127
la parodia parody 345
el parque park 59
el parque automotor vehicle fleet 153
el parque de atracciones amusement park 188
la parra grapevine 282
el párrafo paragraph 19
la parte part 48
la participación participation 126
el/la participante participant 31
participar to take part 5
particular particular 37 private 125
particularmente particularly 280
la partida game, round 192 departure 254
el/la partidario(a) supporter 260
el partido game, match 120 party 261
partir to leave 222
la pasa raisin 78
el pasado past 1
pasado(a) past 1 last 36
el pasaje passage 66 ticket 144
el/la pasajero(a) passenger 189
el pasaporte passport 207
pasar to happen 4 to pass 18 to spend 58 to go 186
pasar a limpio to make a clean copy of 117
pasar el rato to pass the time 188
pasarlo en grande to have a great time 188
pasarlo mal to have a hard time 125
pasarse to spend 92
el pasatiempo pastime 193
pasear to walk 210 to take for a walk 214
el paseo walk 6
el pasillo aisle 222
la pasión passion 33
pasivo(a) passive 104
el paso step 59 passing, transition 103 passage 166
el paso de cebra crosswalk 204
el pastel cake 28
el/la pastor(a) minister (of a church) 336
los patacones fried plantain 172
la patente patent 88
paterno(a) paternal 163
el/la patinador(a) skater 345
patinar sobre hielo to ice skate 192
el patio courtyard 219
la patria homeland 248
el patrimonio heritage 43
el pavo turkey 78
la paz peace 248
el/la peatón(a) pedestrian 204

realizar *to carry out 3 to perform 5 to do 66 to make 109 to achieve 306*

realmente *really 39*

rebatir *to refute 256*

rebelarse *to rebel 247*

recaudar *to collect 266*

la **recepción** *reception 7*

el/la **recepcionista** *receptionist 174*

el/la **receptor(a)** *recipient 104*

la **receta** *prescription 75 recipe 79*

rechazar *to reject 69*

el **rechazo** *rejection 67*

Reciban un cordial saludo. *Please accept my cordial greetings. 59*

recibir *to receive 32 to be awarded 89*

reciclar *to recycle 102*

el/la **recién nacido(a)** *newborn baby 115*

reciente *latest 45 recent 96*

recientemente *recently 140*

el **recinto** *area 139*

el **recipiente** *container 76*

recíproco(a) *reciprocal 36*

la **reclamación** *complaint 204*

recoger *to gather 64 to collect 126 to contain 200 to show 345*

la **recogida** *collection 125*

la **recolecta** *collection 125*

recomendable *advisable 7*

la **recomendación** *recommendation 11*

recomendar (irreg. **ie**) *to recommend 11*

reconciliarse *to make up 17*

reconocer (irreg.) *to recognize 23 to admit 86 to acknowledge 285*

reconocible *recognizable 306*

reconocido(a) *renowned 23*

el **reconocimiento** *recognition 38*

reconstruir (irreg.) *to reconstruct 245*

recopilar *to collect 181 to compile 230*

recordable *memorable 222*

recordar (irreg. **ue**) *to remember 1 to remind 177*

recorrer *to travel through 31*

el **recorrido** *route 203*

rectangular *rectangular 303*

el **recuerdo** *souvenir 61 memory 343*

la **recuperación** *recovery 270*

recuperar(se) *to recover 38*

el **recurso** *means, resort 68 resource 146*

el **recurso natural** *natural resource 148*

la **red** *network 37 Internet 45 net 336*

la **redacción** *wording 117 writing 286*

redactar *to write 38*

redondo(a) *round 303*

reducir (irreg.) *to reduce 11*

reemprender *to resume 210*

reescribir (irreg.) *to rewrite 51*

la **referencia** *reference 160*

el **referéndum** *referendum 262*

referido(a) a *relating to 164*

referirse a (irreg. **ie, i**) *to refer to 34 to mean 69*

reflejar *to reflect 36 to show 59*

el **reflejo** *reflection 52*

la **reflexión** *thought 263*

reflexivo(a) *reflexive 36*

la **reforma** *reform 261*

reformar *to reform 244*

el **refresco** *soft drink 83*

el **refrigerador** *refrigerator 63*

refugiarse *to take refuge 291*

regalar *to give as a present 29*

el **regalo** *present 10*

el **régimen** *regime 244*

la **región** *region 9*

registrado(a) *registered 154*

registrar *to register 31 to record 52*

registrarse *to register 68*

el **registro** *register 58*

la **regla** *rule 81*

el **reglamento** *rules 116*

regresar *to come back 108*

el **regreso** *return 266*

la **regulación** *regulation 67*

regular *regular 2 average 7*

regularmente *regularly 230*

la **reina** *queen 245*

reinventar *to reinvent 212*

reír (irreg. **i**) *to laugh 20*

la **reivindicación** *claim 268*

reivindicar *to claim 292*

reivindicativo(a) *of protest 293*

la **relación** *relationship 14 relation 40*

relacionado(a) *related 9*

relacionar *to link 9*

relajado(a) *relaxed 75*

relajarse *to relax 75*

relativo(a) *relative 150*

relativo(a) a *relating to 116*

el **relato** *story, tale 25*

relevante *important 72*

la **religión** *religion 106*

religioso(a) *religious 101*

rellenar *to fill in 160*

relleno(a) *filled 78*

el **reloj** *clock 139 watch 295*

reluciente *gleaming 336*

remediar *to solve 277*

la **remera** *T-shirt 56*

el/la **remitente** *sender 32*

remitir *to refer 286*

remontarse a *to date back to 261*

remoto(a) *remote 44 distant 336*

el **Renacimiento** *Renaissance 325*

rendirse (irreg. **i**) *to give up 131*

el **renombre** *fame 200*

renovable *renewable 156*

renovado(a) *renewed 191*

la **rentabilidad** *profitability 156*

renunciar a *to give up 92*

renunciar a hacer algo *to refuse to do something 260*

repartir *to deliver 33 to distribute 125*

repasar *to revise 2 to review 136*

el **repaso** *revision 60*

la **repetición** *repetition 82*

repetidamente *repeatedly 6*

repetir (irreg. **i, i**) *to repeat 2*

repetitivo(a) *repetitive 7*

el **reportaje** *feature 38 report 52*

reposar *to brew (tea) 87*

el/la **representante** *representative 125*

representar *to represent 55 to perform 57 to mean 69*

representativo(a) *representative 227*

reprobar (irreg. **ue**) *to fail 136*

la **reproducción** *reproduction 340*

reproducir (irreg.) *to reproduce 43*

la **república** *republic 248*

republicano(a) *republican 245*

la **repugnancia** *disgust 166*

requerido(a) *required 165*

el **requerimiento** *request 212*

requerir (irreg. **ie, i**) *to require 4 to demand 212*

el **requisito** *requirement 7*

resaltar *to highlight 43*

la **reseña** *profile 329 review 344*

reseñar *to review 344*

la **reserva** *reserve 146 reservation 218*

reservado(a) *shy 17 reserved 205*

reservar *to book 86*

las **reses** *cattle 222*

la **residencia** *residence 54*

los **residuos tóxicos** *toxic waste 272*

resistir *to withstand 323*

resolver (irreg.) *to solve 55*

resolverse (irreg.) *to be solved 293*

resoplar *to snort 210*

respectivo(a) *respective 327*

respecto a *compared to 45 regarding 143*

respetar *to respect 17*

el **respeto** *respect 57*

respirar *to breathe 75*

responder *to answer 3*

la **responsabilidad** *responsibility 127*

responsable *responsible 133*

el/la **responsable** *person in charge 127*

la **respuesta** *answer 31*

la **resta** *subtraction 136*

restablecer (irreg.) *to resume 86*

restar *to subtract 136*

restar importancia a *to play down the importance of 21*

la **restauración** *restoration 203*

el **restaurante** *restaurant 72*

restaurar *to restore 322*

el **resto** *rest 41*

los **restos** *leftovers 87 wreckage 195*

el **resultado** *result 3*

resultar *to be 38 to turn out (to be) 117*

el **resumen** *summary 45*

resumir *to summarize 38*

retener (irreg.) *to hold back 336*

retrasar *to delay 337*

retrasarse *to be late, to be delayed 207*

el **retraso** *delay 218*

retratar *to portray 307*

el **retrato** *portrait* 306
retroceder *to go back* 210
la **reunión** *meeting* 35
reunir *to meet* 175 *to gather* 236 *to bring together* 285
reunirse *to meet* 3
reutilizar *to reuse* 127
revelar *to show* 338
revisar *to check* 59
la **revisión médica** *medical checkup* 75
el/la **revisor(a)** *(train) conductor* 204
la **revista** *magazine* 48
revivir *to revive* 31
la **revolución** *revolution* 26
revolucionar *to revolutionize* 205
revolucionario(a) *revolutionary* 268
el **rey** *king* 23
los **Reyes Magos** *the Three Wise Men* 37
rico(a) *rich* 39 *delicious* 74
ridículo(a) *ridiculous* 86
el **riego** *watering* 292
el **riesgo** *risk* 86
riguroso(a) *rigorous* 246
el **rincón** *corner* 31
el **riñón** *kidney* 115
el **río** *river* 150
la **riqueza** *wealth* 173 *richness* 195
el **ritmo** *rhythm* 153
el **rito** *rite* 14
el **ritual** *ritual* 77
rizado(a) *curly* 17
robar *to steal* 5 *to rob* 29
el **robo** *robbery* 272
la **roca** *rock* 202
la **rodaja** *slice* 77
rodeado(a) *surrounded* 54
rodear *to surround* 6
la **rodilla** *knee* 102
rojizo(a) *reddish* 303
rojo(a) *red* 63
el **rol** *role* 212
el **rollo** *roll* 112
el **romance** *romance* 38
románico(a) *Romanesque* 320
romano(a) *Roman* 250
romántico(a) *romantic* 22
romper (irreg.) *to break up* 4 *to break* 19
romperse (irreg.) *to get broken* 34 *to break* 80
la **ronda** *round* 84
la **ropa** *clothes* 25
la **ropa de abrigo** *warm clothing* 224
la **rosa** *rose* 33
rosado(a) *pink* 266
roto(a) *broken* 75
la **rudeza** *rudeness* 278
rudo(a) *rough* 40
la **rueda** *round* 84
la **rueda de repuesto** *spare tire* 204
el **ruido** *noise* 22
la **ruina** *ruin* 222
el **rumbo** *course* 314
el **rumor** *rumor* 207
la **ruptura** *break* 342
rural *rural* 31

la **ruta** *route* 159
la **rutina** *routine* 2

S

saber (irreg.) *to know* 1 *to be able to, can* 40
el **sabor** *taste* 76 *flavor* 112
sacar *to get* 11 *to take* 100 *to take out* 108
sacar buenas notas *to get good marks* 132
el **sacerdote** *priest* 105
el **saco de dormir** *sleeping bag* 216
sacrificarse *to make sacrifices* 168
el **sacrificio** *sacrifice* 168
sagrado(a) *holy* 301
la **sal** *salt* 35
la **sala** *room* 188
la **sala de urgencias** *emergency room* 90
el **salar** *salt flat* 128
el **salario** *salary* 168
el **saldo** *bank balance* 148
la **salida** *exit* 192
salir (irreg.) *to go out* 3 *to leave* 34 *to turn out* 38 *to come out* 54
salirse (irreg.) *to go beyond the limits* 34
el **salmón** *salmon* 75
el **salón** *hall* 10 *living room* 138
el **salón de clases** *classroom* 338
la **salsa** *sauce* 92 *salsa* 227
saltar *to hop* 347
el **salto** *leap* 343
la **salud** *health* 11
saludable *healthy* 11
saludar *to say hello* 63 *to greet* 266
saludarse *to greet each other* 34
el **saludo** *greeting* 16
salvar *to rescue* 148 *to save* 292
salvo que *unless* 164
San *Saint* 114
el **sanatorio** *hospital* 330
la **sandía** *watermelon* 75
sangrar *to bleed* 90
la **sangre** *blood* 75
sanguíneo(a) *blood (adjective)* 98
sanitario(a) *health (adjective)* 98
sano(a) *healthy* 278
santiaguero(a) *from Santiago de Cuba* 200
el **santo** *saint's day* 26
el/la **santo(a)** *saint* 26
el **santuario** *sanctuary* 200
el **sarcoma** *sarcoma* 96
satisfacer (irreg.) *to satisfy* 109
satisfecho(a) *satisfied* 145
saturado(a) *saturated* 11
Se me da bien... *I'm good at ...* 18
Se me da mal... *I'm bad at ...* 41
Se ruega silencio. *Silence, please.* 104
secarse *to dry* 308
la **sección** *section* 44
seco(a) *dry* 87
el/la **secretario(a)** *secretary* 145
el **secreto** *secret* 38

secreto(a) *secret* 246
el **sector** *sector* 83
la **secuencia** *sequence* 209
secuestrado(a) *kidnapped* 267
la **secundaria** *secondary education* 137
secundario(a) *secondary* 96
la **sed** *thirst* 224
la **seda** *silk* 106
la **sede** *headquarters* 217
sedentario(a) *sedentary* 96
seducir (irreg.) *to attract* 324
seguido(a) *followed* 66
el/la **seguidor(a)** *follower* 47
el **seguimiento** *monitoring* 98 *follow-up* 273
seguir (irreg. **i, i**) *to follow* 4 *to keep* 14 *to continue* 84
seguir adelante *to go ahead* 132
según *according to* 3 *depending on* 21
el **segundo** *second* 67
segundo(a) *second* 250
seguramente *probably* 14
la **seguridad** *security* 116 *safety* 189 *certainty* 337
la **seguridad social** *social security* 114
seguro *definitely* 32
el **seguro** *insurance* 114
el **seguro de vida** *life insurance* 160
el **seguro dental/médico** *dental/health insurance* 160
seguro(a) *confident* 17 *safe* 106 *sure, certain* 106
la **selección** *selection* 111
seleccionar *to select* 58
el **sello** *stamp* 189
la **selva** *jungle* 4
el **semáforo** *traffic light* 210
la **semana** *week* 6
semanal *weekly (adjective)* 86
semanalmente *weekly (adverb)* 194
sembrar (irreg. **ie**) *to sow* 11
semejante *similar* 271
la **semejanza** *similarity* 19
semestral *one-semester* 169
el **semestre** *semester* 136
semigratuito(a) *almost free* 137
el **senado** *senate* 260
el/la **senador(a)** *senator* 245
sencillo(a) *simple* 76
el **senderismo** *hiking* 219
el **sendero** *path* 7
la **sensación** *feeling* 166 *sensation* 279
sensato(a) *sensible* 20
sensible *sensitive* 20
sentado(a) *seated* 102
sentarse (irreg. **ie**) *to sit* 106
el **sentido** *sense* 39 *meaning* 94
el **sentido común** *common sense* 278
el **sentido del humor** *sense of humor* 20
el **sentimiento** *feeling* 22
sentir (irreg. **ie, i**) *to feel* 23 *to be sorry* 92
sentirse (irreg. **ie, i**) *to feel* 61

el **tacto** *touch* 343

tal *such (pronoun)* 67 *such (adjective)* 210

tal (y) como *just as* 39

tal vez *perhaps* 196

el **talento** *talent* 38

talentoso(a) *talented* 309

el **taller** *workshop* 47

el **tamal** *corn meal and meat empanada wrapped in corn or banana leaves* 172

el **tamaño** *size* 306

también *also* 7

tampoco *neither* 94

tan *so* 8

tanto *so much* 214

tanto como *as much as* 308

tanto(a) que *so much that* 220

la **tapa** *tapa* 79

tapar *to cover* 79

la **taquilla** *box office* 189

tardar (en) *to delay* 32

tarde *late* 6

la **tarde** *afternoon* 2 *evening* 5

la **tarea** *task* 10 *homework* 37

las **tareas domésticas** *housework* 59

la **tarifa** *price* 216

la **tarjeta de embarque** *boarding pass* 189

la **tarjeta de felicitación** *greeting card* 32

la **tarjeta de presentación** *card* 174

la **tarjeta navideña** *Christmas card* 32

la **tarjeta postal** *postcard* 32

el **tarro** *jar* 108

la **tasa de interés** *interest rate* 148

la **taza** *cup* 332

el **té** *tea* 76

Te felicito. *Congratulations.* 11

el **teatro** *theater* 23

el **techo** *ceiling* 303

el **teclado** *keyboard* 133

la **técnica** *technique* 5

técnico(a) *technical* 43

la **tecnología** *technology* 44

tecnológico(a) *technological* 98

el **tejido** *tissue* 115

la **tela** *fabric* 304

la **tele** *TV* 3

las **telecomunicaciones** *telecommunications* 165

telefónico(a) *telephone (adjective)* 239

el **teléfono** *telephone* 8

la **telenovela** *soap opera* 4

el **teletrabajo** *telecommuting* 163

la **televisión** *television* 44

el **televisor** *television set* 219

el **tema** *subject* 14 *song* 190

la **temática** *subject* 230

tembloroso(a) *trembling* 210

temer *to fear, to be afraid of* 166

temerario(a) *reckless* 311

temerse que *to be afraid that* 83

el **temor** *fear* 166

la **temperatura** *temperature* 224

templado(a) *warm* 173

el **templo** *temple* 318

la **temporada** *time* 110 *season* 216

temporal *time (adjective)* 140

temprano *early* 35

temprano(a) *early* 97

la **tendencia** *trend* 270

tener (irreg.) *to have* 2

tener claro(a) *to be sure about* 197

tener en cuenta *to bear in mind, to take into account* 27

tener ganas de *to look forward to* 186

tener lugar *to take place* 5

tener mal perder *to be a sore loser* 192

tener que *to have to* 334

tener razón *to be right* 17

tener sentido *to make sense* 30

el **tenor** *tenor* 200

la **tensión** *tension* 201

tercer(o)(a) *third* 250

el **tercio** *third* 48

el **terciopelo** *velvet* 222

terco(a) *stubborn* 20

la **terminación** *ending* 4

terminado(a) *finished* 140

el **terminal** *terminal* 67

terminar *to end* 4 *to finish* 95

terminar con *to put an end to* 271

terminarse *to finish* 49

el **término** *term* 67

la **ternera** *veal* 78

la **terraza** *balcony* 219 *terrace* 222

el **terremoto** *earthquake* 266

el **terreno** *ground* 98 *land* 306

el **territorio** *territory* 43

el **terrorismo** *terrorism* 272

el/la **terrorista** *terrorist* 274

el **tesoro** *treasure* 146

el/la **testigo** *witness* 254

el **testimonio** *testimony* 97

el **textil** *textile* 31

el **texto** *text* 5

textual *textual* 294

la **tez** *skin* 343

el **tiempo** *time* 3 *tense* 22 *weather* 216

la **tienda** *store* 25

la **tienda de campaña** *tent* 216

la **tierra** *land* 41 *Earth* 295

tímido(a) *shy* 17

el/la **tío(a)** *uncle/aunt* 105

típico(a) *typical* 3 *traditional* 14

el **tipo** *type, kind* 7

la **tira** *strip* 98

tirar *to throw* 111 *to throw away* 127

la **tiroides** *thyroid gland* 96

titulado(a) *named* 224

el **titular** *headline* 44

el **título** *title* 26

el **tobillo** *ankle* 90

tocar *to play* 23 *to touch* 139

todavía *still* 140

todo *everything* 2

todo(a) *all* 22

todos(as) *every* 6 *everyone* 11

la **tolerancia** *tolerance* 245

la **toma de posesión** *inauguration* 289

tomar *to take* 6 *to drink* 76 *to eat* 79 *to sit (an exam)* 134

tomar el pelo *to trick, to tease* 20

tomar el sol *to sunbathe* 188

tomar en cuenta *to bear in mind, to take into account* 278

tomar nota de *to note down* 26

la **tonelada** *metric ton* 80

el **tono** *tone* 58

la **tontería** *stupid thing (to say)* 322

el/la **torcedor(a)** *tobacco factory worker* 200

la **tormenta** *storm* 22

el **toro** *bull* 337

la **toronja** *grapefruit* 78

la **torre** *tower* 318

la **torta** *cake* 112

la **tos** *cough* 90

toser *to cough* 75

los **tostones** *fried plantain* 172

el **total** *total* 125

totalmente *totally* 39

tóxico(a) *toxic* 272

el/la **trabajador(a)** *hard-working* 17

el/la **trabajador(a)** *worker* 95

trabajar *to work* 11

trabajar por cuenta propia *to be self-employed* 132

el **trabajo** *work* 6 *job* 33 *essay* 64

la **tradición** *tradition* 18

tradicional *traditional* 14

tradicionalmente *traditionally* 76

la **traducción** *translation* 251

traducir (irreg.) *to translate* 22

el/la **traductor(a)** *translator* 133

traer (irreg.) *to bring* 2 *to give as a present* 37 *to carry* 108

el **tráfico** *traffic* 204

el **tráfico de drogas** *drug trafficking* 272

el **traje** *suit* 54 *costume* 236

el **traje de baño** *swimming trunks* 56

la **tranquilidad** *calm* 38

tranquilo(a) *calm* 75 *quiet, peaceful* 219

Tranquilo(a). *Don't worry.* 90

la **transacción** *transaction* 154

transandino(a) *trans-Andean* 203

transcurrir *to take place* 337

la **transformación** *transformation* 51

transformar *to transform* 67 *to change* 188 *to turn (into)* 265

transformarse en *to turn into* 266

la **transición** *transition* 110

transmitir *to pass on* 30 *to broadcast* 125

transparente *open* 156 *transparent* 343

transportar *to transport* 204

el **transporte** *transportation* 116

el **tranvía** *streetcar* 50

tras *after* 108

trascendental *extremely important* 296

trasgresor(a) *transgressive* 67

el **trasplante** *transplant* 5

el **trastorno** *disorder* 98

el **tratado** *treaty* 150

el **tratado de paz** *peace treaty* 248

el **tratamiento** *form of address* 57 *treatment* 97

el **tratamiento de textos** *text processing* 174

tratar (de) *to be about* 23

tratarse de *to be* 133

Trato hecho. *It's a deal.* 190

travieso(a) *mischievous* 17

el **trazo** *stroke* 347

el **tren** *train* 92

el **tren de cercanías** *commuter train* 204

el **tren de largo recorrido** *long-distance train* 204

el **tribunal** *court* 260

el **trigo** *wheat* 80

el **triple** *triple* 48

triste *sad* 22

la **tristeza** *sadness* 56

triunfal *triumphal* 306

triunfar *to succeed* 260

la **trompeta** *trumpet* 23

el **trompo** *spinning top* 193

las **tropas** *troops* 306

tropezar (irreg. **ie**) *to stumble* 221

tropical *tropical* 172

la **trova** *ballad* 184

el/la **trovador(a)** *troubadour* 191

el **trozo** *piece* 74

la **trusa** *swimming trunks* 56

la **tumba** *grave* 4

el **tumor** *tumor* 96

el **turismo** *tourism* 114

el/la **turista** *tourist* 203

turístico(a) *tourist (adjective)* 24

turnarse *to take turns* 35

el **turno** *turn* 33

turquesa *turquoise* 219

U

u *or* 66

la **ubicación** *location* 216

ubicado(a) *located* 216

ubicarse *to be located* 325

últimamente *lately* 140

último(a) *last* 23 *latest* 25 *recent* 33

Un beso. *Love, (in letters)* 83

un montón (de) *a lot (of)* 29

Un saludo. *Regards.* 59

undécimo(a) *eleventh* 250

único(a) *only, unique* 24

la **unidad** *unit* 1

unido(a) *joined* 82

uniforme *uniform* 143

el **uniforme** *uniform* 254

la **uniformidad** *uniformity* 67

la **unión** *union* 289

unir *to join* 4 *to connect* 31 *to unite* 248

universal *universal* 2

la **universalización** *universality* 114

la **universidad** *university* 47

universitario(a) *university (adjective)* 137

unos(as) *some* 18

el **urbanismo** *city planning* 280

la **urbanización** *urbanization* 280

urbano(a) *urban* 7

la **urgencia** *emergency* 90 *urgency* 210

urgente *urgent* 32

uruguayo(a) *Uruguayan* 153

usado(a) *used* 94

usar *to use* 2

el **uso** *use* 33

el/la **usuario(a)** *user* 45

el **utensilio** *tool, utensil* 85

el **útero** *uterus* 89

útil *useful* 16

la **utilidad** *usefulness* 116

la **utilización** *use* 69

utilizado(a) *used* 66

utilizar *to use* 8

la **uva** *grape* 75

¡Uy! *Gosh!* 42

V

las **vacaciones** *vacation* 5

la **vacilación** *hesitation* 336

vacío(a) *empty* 222

la **vacuna** *vaccine* 90

la **vacunación** *vaccination* 116

vacunarse *to get vaccinated* 99

el **vacuno** *cattle* 173

el **vagón** *train car* 204

el **vagón-restaurante** *dining car* 204

vale *OK* 123

valer (irreg.) *to be worth* 8 *to count* 311

valer la pena *to be worthwhile, to be worth it* 257

válido(a) *valid* 110

valiente *brave* 20

valioso(a) *valuable* 43

el **valle** *valley* 277

el **valor** *value* 2 *courage* 311

la **valoración** *value statement* 322

valorar *to value* 166

vanguardista *avant-garde* 316

vanidoso(a) *vain* 20

variable *variable* 166

la **variación** *variation* 48

la **variante** *variation* 77

variar *to vary* 7 *to change* 310

la **variedad** *variety* 11

varios(as) *several* 4

la **vasija de barro** *earthenware vessel* 29

el **vaso** *glass* 34

vasto(a) *vast* 295

el/la **vecino(a)** *neighbor* 35 *person next to you* 210

vegetal *plant (adjective)* 173

vegetariano(a) *vegetarian* 79

el **vehículo** *vehicle* 153

la **vela** *candle* 28

el **velero** *sailboat* 141

la **velocidad** *speed* 204

vencer *to beat (in competition)* 83

el/la **vendedor(a)** *salesperson* 22 *seller* 307

vender *to sell* 8

venezolano(a) *Venezuelan* 282

¡venga! *come on!* 30

la **venganza** *revenge* 338

venidero(a) *future* 326

venir (irreg.) *to come* 4

la **ventaja** *advantage* 98

la **ventana** *window* 47

la **ventanilla** *window (of car)* 189

ver (irreg.) *to see* 2 *to watch* 3

el **veraneo** *summer vacation* 336

el **verano** *summer* 2

verbal *verbal* 34

el **verbo** *verb* 2

la **verdad** *truth* 109

¿verdad? *aren't you?/don't you?/ etc.* 14

verdaderamente *truly* 210

verdadero(a) *true* 47

verde *green* 106 *unripe* 106

verdoso(a) *greenish* 303

la **verdura** *vegetable* 10

la **vergüenza** *embarrassment* 56

verificar *to check* 157

verosímil *believable* 230

versátil *versatile* 226

la **versatilidad** *versatility* 268

verse (irreg.) *to see each other* 36

la **versión** *version* 26

la **versión original** *original version* 44

el **verso** *verse, line* 330

vertical *vertical* 203

el **vértigo** *dizziness* 210

el **vestido** *dress* 35 *clothes* 36

vestido(a) *dressed* 54

vestirse (irreg. **i, i**) *to get dressed* 36

vetar *to veto* 263

la **Veterinaria** *veterinary science* 59

la **vez** *time* 11

la **vía** *way* 200

viajar *to travel* 24

el **viaje** *journey, trip* 5 *travel* 8

el/la **viajero(a)** *traveler* 7

la **vicepresidencia** *vice presidency* 267

el/la **vicepresidente(a)** *vice president* 261

el **vicio** *vice* 279

la **victoria** *victory* 248

la **vida** *life* 33

el **video** *video* 29

el **videojuego** *videogame* 3

el **vidrio** *glass* 222

viejo(a) *old* 18

el **viento** *wind* 23

el/la **vikingo(a)** *Viking* 252

el **vinagre** *vinegar* 75

el **vino** *wine* 79

la **viñeta** *comic frame* 123

la **violación** *violation* 259

la **violencia** *violence* 272

virgen *virgin* 101

el **virreinato** *viceroyalty* 248

el **virrey** *viceroy* 248

virtual *virtual* 37

la **virtud** *virtue* 278

el **virus** *virus* 96

la **visibilidad** *visibility* 324

la **visión** *view* 9

la **visita** *visitor* 84 *visit* 139

GLOSARIO INGLÉS-ESPAÑOL

A

a lot *mucho* 15
a lot (of) *un montón (de)* 29
a lot of *muchos(as)* 1 *mucho(a)* 7
abandoned *abandonado(a)* 51
to **abbreviate** *abreviar* 69
abbreviation *la abreviatura* 66
ability *la capacidad* 43 *la habilidad* 65
able to *capaz de* 6
abnormal *anormal* 90
to **abolish** *abolir* 248 *suprimir* 289
about *sobre* 4 *de* 6 *en* 10 *acerca de* 68
about to *a punto de* 204
above *por encima de* 272
above all *sobre todo* 14
abroad *en el extranjero* 58 *al extranjero* 141
absence *la ausencia* 94
to **abstain** *abstenerse (irreg.)* 260
abstract *abstracto(a)* 94
abundance *la abundancia* 295
abundant *abundante* 117
academic *académico(a)* 136
academy *la academia* 329
accent *el acento* 278
to **accept** *asumir* 39 *aceptar* 88
acceptable *aceptable* 280
accepted *aceptado(a)* 110
access *el acceso* 7
to **access** *ingresar* 165
accessibility *la accesibilidad* 269
accessible *accesible* 345
accessory *el complemento* 197
accident *el accidente* 4
accidental *accidental* 80
acclimatization *la aclimatación* 117
accommodation *el alojamiento* 144
accompanied *acompañado(a)* 23
to **accompany** *acompañar* 100
to **accomplish** *conseguir (irreg. i, i)* 53
according to *según* 3 *de acuerdo con* 66
account *la cuenta* 7
accountant *el/la contador(a)* 133
accumulation *la acumulación* 90
accuracy *la precisión* 98
to **accuse** *acusar* 127
ache *las molestias* 90
to **achieve** *lograr* 114 *realizar* 306 *alcanzar* 345
achievement *el logro* 256
acid *ácido(a)* 106
to **acknowledge** *reconocer (irreg.)* 285
to **acquire** *adquirir (irreg. ie)* 2
act *la ley* 127 *la acción* 272
to **act** *actuar* 275 *accionar* 268
action *la acción* 2
active *activo(a)* 104
activist *el/la activista* 243
activity *la actividad* 3
actor *el actor* 25

actress *la actriz* 24
actually *en realidad* 231 *de hecho* 318
ad *el anuncio* 99
to **adapt** *adaptar(se)* 67
to **adapt for film** *llevar al cine (una novela)* 331
adaptation *la adaptación* 69
adapted *adaptado(a)* 5
to **add** *añadir* 17 *echar* 76 *sumar* 144 *agregar* 338
addition *la suma* 136
additional *adicional* 153
address *la dirección* 32
to **address** *dirigir* 40 *dirigirse a* 58
addressee *el/la destinatario(a)* 32
adjectival *adjetivo(a)* 150
adjective *el adjetivo* 24
to **adjust** *adaptar(se)* 67
adjustment *la adaptación* 69
administrative *administrativo(a)* 169
to **admire** *admirar* 310
admission *la admisión* 183 *la entrada* 326
to **admit** *admitir* 44 *reconocer (irreg.)* 86
admitted *admitido(a)* 170
adolescence *la adolescencia* 103
adolescent *el/la adolescente* 96
adult *el/la adulto(a)* 69 *adulto(a)* 103
adulthood *la madurez* 103
advance *el avance* 98
to **advance** *avanzar* 140
advanced *avanzado(a)* 114
advantage *la ventaja* 98
adventure *la aventura* 108
adverb *el adverbio* 48
adverbial *adverbial* 194
advertising *la publicidad* 47
(piece of) advice *el consejo* 334
advisable *recomendable* 7 *aconsejable* 117 *conveniente* 137
to **advise** *aconsejar* 91 *asesorar* 273
adviser *el/la asesor(a)* 212
to **advocate** *abogar por* 217
aeronautics *la aeronáutica* 312
aesthetic *la estética* 43
to **affect** *afectar* 57
affection *el afecto* 21
affectionate *cariñoso(a)* 17
affiliation *la afiliación* 106
affinity *la afinidad* 193
affirmative *afirmativo(a)* 1
affirmative statement *la afirmación* 322
affirmatively *afirmativamente* 239
to **afflict** *afligir* 96
affordable *accesible* 217
aforementioned *dicho(a)* 296
after *detrás de* 22 *después* 24 *tras* 108 *después de (que)* 276
afternoon *la tarde* 2
again *más* 29
against *contra* 29 *en contra* 260
age *la era* 38 *la edad* 58
agent *el agente* 96 *el complemento agente* 104

age-old *ancestral* 31
aggressive *agresivo(a)* 22
agile *ágil* 345
to **agree** *acordar (irreg. ue)* 34 *concordar* 80 *(irreg. ue) estar de acuerdo* 96
to **agree on/that ...** *coincidir en/en que* 183
agreement *el acuerdo* 133
agricultural *agrícola* 173
ahead *adelante* 130
aid *la ayuda* 98
ailment *la dolencia* 91
aim *el objetivo* 9 *el fin* 210
to **aim for** *optar a* 136
aimed *destinado(a)* 139
air *el aire* 7
air conditioning *el aire acondicionado* 219
air mail *el correo aéreo* 32
air mattress *la colchoneta* 216
airplane *el avión* 63
airport *el aeropuerto* 189
aisle *el pasillo* 222
alarm clock *el despertador* 6
alarming *alarmante* 277
alchemist *el/la alquimista* 350
alcohol *el alcohol* 96
alert *atento(a)* 106
alive *vivo(a)* 43
all *todo(a)* 22
allergy *la alergia* 58
alliance *la alianza* 248
to **allow** *admitir* 21 *permitir* 33
allusion *la alusión* 345
ally *el/la aliado(a)* 125
almond *la almendra* 112
almost *casi* 20
almost always *casi siempre* 194
almost free *semigratuito(a)* 137
alone *solo(a)* 50
already *ya* 140
also *también* 7 *además* 27
to **alter** *alterar* 220
alternative *la alternativa* 272 *alternativo(a)* 275
although *aunque, a pesar de (que)* 264
altitude sickness *el mal de altura* 117
aluminum *el aluminio* 318
always *siempre* 6
amazed *asombrado(a)* 123
amazement *el asombro* 210
amazing *portentoso(a)* 210 *sorprendente* 322
ambiguity *la ambigüedad* 116
ambitious *ambicioso(a)* 133
American, US *estadounidense* 52 *el/la estadounidense* 237 *americano(a)* 285
among *entre* 3
amount *la cantidad* 31
to **amuse** *divertir (irreg. ie, i)* 22
amusement park *el parque de atracciones* 188
amusing *divertido(a)* 61
analysis *el análisis* 127
to **analyze** *analizar* 68

anatomy   la anatomía 141
ancient   antiguo(a) 24
and   y 1
anecdote   la anécdota 5
anger   el enfado 110
to anger   enfadar, enojar 22
angry   enojado(a) 75
angry (at each other)   enfadado(a) 37
animal   el animal 15
ankle   el tobillo 90
anniversary   el aniversario 125
to announce   anunciar 67 comunicar 266
to annoy   molestar 23
annual   anual 153
anomaly   la anomalía 278
anonymous   anónimo(a) 324
another   otro(a) 8
answer   la respuesta 31
to answer   responder 3 contestar 65
anthologist   el/la antologista 300
anthology   la antología 300
antibiotic   el antibiótico 75
to anticipate   anticipar, prever 124
antihero   el antihéroe 345
anti-materialism   el antimaterialismo 271
antique   antiguo(a) 24
antiquity   la antigüedad 340
anxiety   la ansiedad 122
anxious   ansioso(a) 42
any   cualquier(a) 22
(not) any   ningún(o)(a) 48
any (in questions)   algún, alguno(a) 19
any more   ya 25 más 72
any other (pronoun)   ningún(o)(a) 83
anybody   nadie 249
anything   algo, nada 26
apart from   aparte de 91
apart from that   por lo demás 7
to appeal   atraer (irreg.) 325
to appear   aparecer (irreg.) 41 surgir 291
appearance   el aspecto 54 la apariencia 106 la aparición 271
to applaud   aplaudir 190
appliance   el aparato 116
applicant   el/la postulante 144
application   la aplicación 98
to apply   aplicar 85 postular 144
to apply for   solicitar 137 pedir (irreg. i, i) 148 presentarse 169
to appoint   designar 261
appointment   la cita 92
to appreciate   apreciar 17
approach   el enfoque 281
to approach   acercarse 67
appropriate   adecuado(a) 22 apropiado(a) 95
appropriate for   dado(a) a 166
appropriately   adecuadamente 96 apropiadamente 294
approval   la aprobación 266
to approve   aprobar (irreg. ue) 290
approximately   aproximadamente 31

aquarium   el acuario 139
aqueduct   el acueducto 318
arable   cultivable 173
arch   el arco 318
archeological   arqueológico(a) 4
archeologist   el/la arqueólogo(a) 4
architect   el/la arquitecto(a) 9
architectural   arquitectónico(a) 318
architecture   la arquitectura 174
ardor   el fuego 249
area   la zona 7 el área 9 el recinto 139 la extensión 147 la superficie 173 el espacio 236 el núcleo 280
aren't you?/don't you?/ etc.   ¿verdad?   14
Argentinean   argentino(a) 23
to argue   pelearse 36 discutir 44 argumentar 68
argument   el argumento 157
argumentative   argumentativo(a) 230
to arise   surgir 58
aristocracy   la aristocracia 305
arm   el brazo 5
armchair   el sillón 38
armed conflict   el conflicto armado 272
armed forces   las fuerzas armadas 312
army   el ejército 248
around   cerca de 38 alrededor (de) 108
to arrange to meet   quedar 34
arrival   la llegada 103
to arrive   llegar 2
arrogant   orgulloso(a) 106
art   el arte 29
art gallery   el museo 151
artery   la arteria 90
article   el artículo 36 el/la artista 151 el/la creador 268
artistic   artístico(a) 29
as   como 218 igual de 308
as a matter of fact   de hecho 231
as a result of   como consecuencia de 96
as a team   en equipo 177
as far as I'm concerned   para mí 320
as much as   tanto como 308
as regards   en cuanto a 268
as soon as   en cuanto 276
as well as   además de 18
to ask   pedir (irreg. i, i) 10 preguntar 29
to ask for   pedir (irreg. i, i) 92
asleep   dormido(a) 336
aspect   el aspecto 7
to assassinate   asesinar 245
assembly   la asamblea 261
assembly plant   la maquila 173
to assess   evaluar 65
to assist   ayudar 90
assistance   la asistencia 273
assistant   el/la asistente 165
to associate with   asociar a/con 112
associated   asociado(a) 26
association   la asociación 67
assumption   la suposición 207

to assure   asegurar 14
asthma   el asma 90
at   en 3 ante 306
at all   nada 22
at first   en un principio 38 al principio 93
at first sight   a simple vista 222
at least   al menos 5 cuando menos 280
at noon   a mediodía 282
at once   enseguida 93
at risk   en peligro 45
at the beginning of   a principios de 134 a comienzos de 342
at the end   al final 91
at the end of   a finales de 284
at the foot of   al pie de 216
at the same time   paralelamente 67
athletic   atlético(a) 74
ATM   el cajero 289
atmosphere   la atmósfera 216 el ambiente 330
atmospheric   atmosférico(a) 296
to attach postage to   franquear 61
attack   el ataque 289
to attack   atacar 104
to attend   asistir a 92
attention   la atención 92
attentively   atentamente 47
attentiveness   las atenciones 109
attitude   la actitud 22
attorney   el/la abogado(a) 47
to attract   seducir (irreg.) 324
attraction   la atracción 139
attractive   atractivo(a) 61
audience   el público 49 la audiencia 52
audio   el audio 124
audio guide   la audioguía 311
audiovisual   audiovisual 69
audition   la audición 170 la prueba 291
auditorium   el auditorio 323
auditory   auditivo(a) 294
aunt   la tía 105
author   el/la autor(a) 11
authoritarian   autoritario(a) 260
authority   la autoridad 268
to authorize   autorizar 260
autobiographical   autobiográfico(a) 343
automobile (adjective)   automovilístico(a) 152
autumn   el otoño 47
auxiliary   auxiliar 138
availability   la disponibilidad 165
available   disponible 216
avalanche   la avalancha 212
avant-garde   vanguardista 316
avenue   la avenida 31
average   regular 7 medio(a) 39 el promedio 115
avocado   el aguacate 78
to avoid   evitar 82
to await   esperar 1
to awaken   despertar (irreg. ie) 352
to award   conceder 134 entregar 317
awarding   la concesión 182

aware   concienciado(a) 102
awareness   la conciencia 127
awful   fatal 322
Aztec   azteca 248

 B

back   la espalda 31 atrás, detrás 87
background   los antecedentes 286 el fondo 306
background (adjective)   de fondo 237
backpacker   el/la mochilero(a) 216
bad   malo(a) 106
bad (adjective)   mal 24
bad luck   la mala pata 107
badly   mal 18
bad-mannered   maleducado(a) 20
baggage   el equipaje 189
baked   al horno 78
balcony   la terraza 219
bald   calvo(a) 17
ballad   la trova 184
balsamic   balsámico(a) 336
to ban   prohibir 259
banana   la banana, el guineo, el plátano 172 el banano 222
banana (adjective)   bananero(a) 222
banana tree   el banano 172
band   la banda 192
bang   el golpe 330
bank   el banco 29
bank balance   el saldo 148
banker   el/la banquero(a) 133
banking   la banca 156
banking (adjective)   bancario(a) 156
banquet   el banquete 254
bar   el bar 191 la barra 337
barbecue   la barbacoa 219
barefoot   descalzo(a) 249
barely able to speak   con un hilo de voz 210
base   la base 143
to base   apoyar 157
to base one's argument on   basarse (en) 193 apoyarse en 352
based on   basado(a) en 42
basic   básico(a) 66
basic principles   los fundamentos 326
basically   básicamente 157
basin   la cuenca 77
basis   la base 172
basketball   el baloncesto 170
Basque (language)   el euskera 67
batch   el lote 67
bath   el baño 7
battalion   el batallón 254
battery   la batería 53
battle   la batalla 210
bay   la bahía 321
to be   estar (irreg.) 1 ser (irreg.) 2 resultar 38 tratarse de 133 mostrarse (irreg. ue) 199 encontrarse (irreg. ue) 200

to be a fact (that)   estar demostrado (que) 252
to be a good idea   convenir (irreg.) 216
to be a sore loser   tener mal perder 192
to be able   poder (irreg. ue, u) 8
to be able to   saber (irreg.) 40
to be about   tratar (de) 23
to be absent (from class)   faltar a clase 132
to be absolutely delicious   estar para chuparse los dedos 74
to be abundant   abundar 344
to be afraid of   temer 166
to be afraid that   temerse que 83
to be after   perseguir (irreg. i, i) 166
to be aimed at   encaminarse hacia 156
to be alarmed   alarmarse 272
to be awarded   recibir 89
to be based on   basarse (en) 154
to be bored stiff   aburrirse como una ostra 188
to be born   nacer (irreg.) 67
to be called   llamarse 17 denominarse 97
to be carried out   desarrollarse 173
to be categorized   categorizarse 212
to be characterized by   caracterizarse por 230
to be clear (that)   estar claro (que) 252
to be concentrated   concentrarse 260
to be confident that   confiar en que 257
to be convinced (that)   estar convencido(a) (de que) 252
to be delayed   demorarse, retrasarse 207
to be derived from   derivarse de 166
to be different (from)   diferenciarse (de) 214
to be difficult   costar (irreg. ue) 39
to be discouraged   desanimarse 53
to be drawn from   desprenderse de 109
to be due to   deberse a 132
to be dying   agonizar 343
to be enough   bastar 325
to be equivalent   equivaler (irreg.) 140
to be estimated   estimarse 144
to be flooded   inundarse 220
to be frowned upon   estar mal visto 84
to be glad to (followed by infinitive)   alegrarse de 16
to be grateful for   agradecer (irreg.) 92
to be guided by   guiarse por 66
to be happy   alegrarse 102
to be happy (with)   estar conforme (con) 263
to be hard work   costar (irreg. ue) 202
to be held   celebrarse 14
to be higher than   superar 177
to be in a good/bad mood   estar de buen/mal humor 102

to be in charge of   encargarse de 153
to be in charge of doing something   ocuparse de hacer algo 190
to be in the habit of   soler (irreg. ue) 194
to be inspired by   inspirarse en 242
to be interested in   interesarse por 243
to be introduced   introducirse (irreg.) 67
to be known   conocerse (irreg.) 91
to be late   retrasarse 207
to be left   quedar 49 quedarse 108 sobrar 127
to be located   ubicarse 325
to be missing   faltar 28
to be more than   superar 251
to be noticed   apreciarse 309
to be on ... (expenses)   correr por parte de... 144
to be pleased to (followed by infinitive)   alegrarse de 92
to be present   estar presente 116
to be quiet   callar 100
to be right   tener razón 17
to be satisfied with   contentarse con 336
to be self-employed   trabajar por cuenta propia 132
to be sold   comercializarse 125
to be solved   resolverse (irreg.) 293
to be sorry   sentir (irreg. ie, i) 92
to be startled   sobresaltarse 210
to be supported by   sustentarse en 43
to be sure (that)   estar seguro(a) (de que) 252
to be sure about   tener claro(a) 197
to be the main character in   protagonizar 122
to be the responsibility of   corresponder a 260
to be updated   actualizarse 230
to be useful   servir (irreg. i, i) 42
to be worth   valer (irreg.) 8
to be worth it   merecer la pena 186 valer la pena 257
to be worthwhile   merecer la pena 186 valer la pena 257
to be wrong   fallar 224
beach   la playa 7
bean   el frijol 75
to bear in mind   tener en cuenta 27 tomar en cuenta 278
beard   la barba 17
to beat   superar 45 vencer 83 ganar 235
beautiful   precioso(a) 21 bello(a) 39 hermoso(a) 100
because   porque 2 puesto que 147 debido a que 218
because of   a causa de 5 por culpa de 287
to become   convertirse en (irreg. ie, i) 38 ponerse (irreg.) 102 hacerse (irreg.) 158 volverse (irreg.) 268
to become apparent   manifestarse (irreg. ie) 268

clock   el reloj 139
close   próximo(a) 105 estrecho(a) 154 cercano(a) 167 cerca 210
to close   cerrar (irreg. ie) 157
close together   juntos(as) 210
closed   cerrado(a) 210
closing phrase   la despedida 59
closure   el cierre 338
clothes   la ropa 25 el vestido 36 el atuendo 94
clue   la pista 30
cluster   el grupo 12
coal   el carbón 37
coast   la costa 219
cod   el bacalao 78
code   el código 67
to coexist   convivir 324
coexistence   la convivencia 245
coffee   el café 172
coffee maker   la cafetera 7
cognate   el cognado 124
coherent   coherente 294
coin   la moneda 100
to coincide   coincidir 26
coincidence   la coincidencia 53 la casualidad 192
cold   el catarro 75 frío(a) 83 el frío 218
cold wave   la ola de frío 216
to collaborate   colaborar 68
collaboration   la colaboración 143
collaborative   colaborativo(a) 67
to collect   recoger 126 recopilar 181 coleccionar 189 recaudar 266
collection   la recogida, la recolecta 125
collective   colectivo(a) 86
cologne   la colonia 91
Colombian   colombiano(a) 54
colon   los dos puntos 136
colonel   el/la coronel 266
colonial   colonial 7
colonist   el/la colono(a) 248
colonization   la colonización 270
colony   la colonia 248
color   el color 219
colored   de colores 19
colorful   vistoso(a) 19
column   la columna 318
comb   el peine 321
to comb one's hair   peinarse 37
to combat   combatir 268
to combine   combinar 124 aunar 344
to come   venir (irreg.) 4 llegar 109
to come back   volver (irreg.) 34 regresar 108
to come closer   acercarse 46
to come down   bajar 195
to come from   proceder de 18
to come in   entrar 38
to come into service   ponerse en servicio 205
Come on!   ¡Venga! 30 ¡Ánimo! 186
to come out   salir (irreg.) 54
to come to an agreement   llegar a un acuerdo 148
comfortable   cómodo(a) 102
comforts   las comodidades 216
comic   cómico(a) 189

comic (strip)   el cómic 122
comic frame   la viñeta 123
comma   la coma 136
command   el manejo 175
commemorative   conmemorativo(a) 41
comment   el comentario 28
commercial   comercial 91
to commission   encargar 39
to commit   comprometerse 260 cometer 274
common   común 4 habitual 6 frecuente 50
common area   la zona de uso común 216
common sense   el sentido común 278
commonly   comúnmente 220
to communicate   comunicarse 42 comunicar 69
communication   la comunicación 12
communist   comunista 245
community   la comunidad 43
commuter train   el tren de cercanías 204
company   la empresa 45 la compañía 148
comparative   comparativo(a) 308
to compare   comparar 17
compared to   respecto a 45 en comparación con 222
comparison   la comparación 308
compartment   el compartimento 204
to compensate   compensar 278
to compete   competir (irreg. i, i) 83
competence   la competencia 175
competition   la competencia 31
competitor   el/la competidor(a) 31
to compile   recopilar 230
to complain   quejarse 34
complaint   la queja 7 la reclamación 204
complement   el complemento 92
complete   completo(a) 4 frontal 67
to complete   completar 5
completely   completamente 43
complex   la ciudad 139 complejo(a) 212
complexity   la complejidad 43
complicated   complicado(a) 87
component   el componente 96
to compose   componer (irreg.) 195
composed by   original de 190
composer   el/la compositor(a) 192
composition   la composición 278
compound   el compuesto 173
comprehension   la comprensión 66
compulsory   obligatorio(a) 82
computational   computacional 165
computer   la computadora 11 el ordenador 86
computer (adjective)   informático(a) 38
computer expert   el/la informático(a) 168
computer science   la informática 165

computing   la computación 69
to concentrate   concentrarse 66
to concentrate on   centrarse en 253
concentration   la concentración 90
concept   el concepto 50
conceptual   conceptual 326
concert   el concierto 143
concise   conciso(a) 175
conclusion   la conclusión 115
concrete   concreto(a) 94 el concreto 318
to condense   condensar 95
condition   la condición 37
condition of being free   la gratuidad 115
condor   el cóndor 203
(train) conductor   el/la revisor(a) 204
to confess   confesar (irreg. ie) 325
confidence   la confianza 201
confident   seguro(a) 17
to configure   configurar 67
to confirm   confirmar 278
confirmed   confirmado(a) 207
conflict   el conflicto 110
confrontation   el enfrentamiento 248
confused   confuso(a) 279
confusion   la confusión 110
conglomerate   el conglomerado 280
to congratulate   felicitar 58
Congratulations.   Te felicito. 11
Congress   el Congreso 261
conjecture   la conjetura 196
to conjugate   conjugar 8
conjugation   la conjugación 2
conjunction   la conjunción 164
to connect   unir 31
connecting phrase   el conector 238
connection   la conexión 7
to conquer   conquistar 245
conqueror   el/la conquistador(a) 19
conquest   la conquista 245
consequence   la consecuencia 220
consequently   en consecuencia, por consiguiente 220
conservative   conservador(a) 245
to consider   creer (irreg.) 58 plantearse 67 considerar 85
to consider oneself   considerarse 214
considerably   notablemente 33
considered   considerado(a) 33
to consist of   constar de 66 consistir en 92
consolation   el consuelo 39
console   la consola 67
to consolidate   consolidar 280
consonant   la consonante 332
constant   constante 69
constantly   constantemente 67 continuamente 325
constitution   la constitución 244
to construct   construir (irreg.) 92
construction   la construcción 318
construction (in grammar)   la construcción 80
construction (of building)   la construcción 159
constructive   constructivo(a) 263

to **consult**   consultar 116
consultancy firm   la consultora 212
to **consume**   consumir 117
consumed   consumido(a) 77
consumption   el consumo 11
contact   el contacto 130
to **contact**   contactar (con) 183
contagious   contagioso(a) 90
to **contain**   contener (irreg.) 19
   recoger 200
container   el recipiente 76
contemporary   contemporáneo(a) 142
contempt   el desprecio 21
content   el contenido 11
contents   el contenido 19
contest   el concurso 67
contestant   el/la concursante 76
context   el contexto 149
continent   el continente 147
to **continue**   continuar 16 seguir (irreg. i, i) 84
continuity   la continuidad 324
contract   el contrato 133
contrast   el contraste 306
to **contrast**   contrastar 170
to **contribute**   contribuir (irreg.) 99 aportar 125
contribution   la cuota 114 la aportación 180 la contribución 285
contributor   el/la colaborador(a) 69
control   el control 110 el dominio 248
to **control**   controlar 154 dominar 279
convenient   cómodo(a) 214
convention   la convención 336
conversation   la conversación 2
conversion   la conversión 153
to **convey**   comunicar 263
to **convince**   convencer (irreg.) 229
convinced   convencido(a) 38
convincing   convincente 55
cook   el/la cocinero(a) 80
to **cook**   cocinar 73
cooked   cocinado(a) 172
cooking   la cocina 116
cooler   la nevera portátil 216
to **cooperate**   cooperar 69
to **coordinate**   coordinar 115
coordination   la coordinación 169
coordinator   el/la coordinador(a) 133
copper   el cobre 173
copy   el ejemplar 342
coral   el coral 228
corn   el maíz 195
corner   el rincón 31 la esquina 343
cornice   la cornisa 222
corporate   corporativo(a) 67
corpse   el cadáver 267
correct   correcto(a) 5
to **correct**   corregir (irreg. i, i) 2
correctness   la corrección 58
correlation   la correlación 208
to **correspond to**   corresponderse con 27 corresponder a 30
corresponding   correspondiente 9
corrupt   corrupto(a) 343

corruption   la corrupción 272
cosmetic   cosmético(a) 114
cosmetics   la cosmética 91
cost   el coste 137
to **cost**   costar (irreg. ue) 217
costume   el traje 236
cough   la tos 90
to **cough**   toser 75
cough syrup   el jarabe 92
council   el consejo 165
to **count**   contar (irreg. ue) 30 valer (irreg.) 311
to **count on**   contar con (irreg. ue) 92
countable   contable 94
counter   el mostrador 189
country   el país 3 el campo 80
country estate   la hacienda 7
country house   la quinta 336
coup (d'état)   el golpe de Estado 260
couple   la pareja 39 el par 210
courage   el valor 311
course   el plato 78 el curso 136 el ciclo 165 el rumbo 314
court   el tribunal 260
courteous   atento(a) 106
courtyard   el patio 219
cousin   primo(a) 73
cover   la cubierta 191
to **cover**   cubrir (irreg.) 31 tapar 79
to **cover (with)**   llenar (de) 197
cowardly   cobarde 20
crab   el cangrejo 78
crafts   las manualidades 187 la artesanía 203
craziness   el delirio 278
crazy (about)   loco(a) (por) 44
cream   la crema 91
to **create**   crear 25
created   creado(a) 98
creation   la creación 69
creative   creativo(a) 39 creador(a) 43
creativity   la creatividad 317
creator   el/la autor(a) 26 el/la creador(a) 98
credit   el crédito 156
creole   criollo(a) 248
cretin   el/la cretino(a) 210
crime   el crimen 265 la delincuencia, el delito 272
crime novel   la novela negra 330
crimson   carmesí 336
crisis   la crisis 272
criterion   el criterio 117
critical   crítico(a) 125
criticism   la crítica 329
croissant   la medialuna 231
crop   el cultivo 172
croquette   la croqueta 79
cross   la cruz 323
to **cross**   cruzar 159 atravesar (irreg. ie) 231
crosswalk   el paso de cebra 204
crossword   el crucigrama 188
crouching   agachado(a) 102
crowd   la multitud 266
to **crown it all**   para colmo 291
cruelty   la crueldad 351

cruise   el crucero 193
to **cry**   llorar 39
Cuban   cubano(a) 38
Cubism   el cubismo 306
Cubist   cubista 302
cucumber   el pepino 78
cuisine   la cocina 112
cultural   cultural 23
culture   la cultura 14
cup   la taza 332
curator   el/la curador(a) 314
to **cure**   curar 8
curiosity   la curiosidad 108
curly   rizado(a) 17
currency   la moneda 153
current   actual 1
current situation   la actualidad 1
currently   en la actualidad 50 actualmente 318
custard   la natilla 112
custom   la costumbre 1
customer   el/la cliente(a) 44
cut   el corte 90
to **cut**   cortar 53
to **cut oneself**   cortarse 90
cycle   el ciclo 102

dad   el papá 21
daily   diario(a) 7 a diario 50 cotidiano(a) 58 diariamente 194
damage   el daño 222
to **damage**   perjudicar 272
damaged   deteriorado(a) 293
dance   el baile 11 la danza 170
to **dance**   bailar 3
danger   el peligro 69
dangerous   peligroso(a) 96
to **dare**   atreverse a 92
dark   oscuro(a) 268
dark-haired   moreno(a) 20
darling (term of endearment)   cielito 23
data   los datos 98
database   la base de datos 174
date   la cita 93 la fecha 94
to **date back to**   remontarse a 261
to **date from**   situarse en 79
daughter   la hija 90
dawn   el alba 33
to **dawn**   amanecer 26
day   el día 2 la jornada 54
dead   muerto(a) 289
deadline   el plazo 141
deaf   sordo(a) 20
to **deal with**   atender (irreg. ie) 39
dean   el/la decano(a) 317
dear   querido(a) 37
Dear ...   Estimado(a)... 59
death   la muerte 33
debate   el debate 130
to **debate**   debatir 52
debut   la presentación en sociedad 105
decade   la década 200
deceased   el/la difunto(a) 113
to **deceive**   engañar 192

to **decide**   decidir 2
to **decide to**   decidirse a 38
decision   la decisión 11
decisive   decisivo(a) 154
to **declare**   declarar 248
décor   la decoración 7
to **decorate**   adornar 19 decorar 197
decoration   la decoración 10
to **decrease**   disminuir (irreg.) 11 descender (irreg. ie) 33
deeply   hondamente 336
defeat   la derrota 248
to **defend**   defender (irreg. ie) 249
defender   el/la defensor(a) 38
to **define**   definir 65
definite   determinado(a) 94 definido(a) 95
definitely   seguro 32
definition   la definición 44
definitive   definitivo(a) 59
degree   la licenciatura 165 el grado 196
(university) degree   el grado 326
delay   el retraso 218
to **delay**   tardar (en) 32 demorar 336 retrasar 337
to **delete**   suprimir 67
delicious   delicioso(a) 28 rico(a) 74
delighted that   encantado(a) de que 14
to **deliver**   entregar 32 repartir 33
demand   la demanda 215
to **demand**   exigir 117 requerir (irreg. ie, i) 212
demanding   exigente 133
democracy   la democracia 260
democrat   el/la demócrata 245
democratic   democrático(a) 244
demonstration   la demostración 67 la manifestación 262
dénouement (literary)   el desenlace 330
to **denounce**   denunciar 258
dense   denso(a) 109
dental   dental 160
dental/health insurance   el seguro dental/médico 160
dentist   el/la dentista 75
departing for   con destino a 189
department   el departamento 183 el ministerio 273
department store   la gran superficie 126
departure   la partida 254
to **depend on**   depender de 92
dependence   la dependencia 153
dependent on   supeditado(a) a 268
depending on   según 21 en función de 135
deposit   el depósito 148
to **depress**   deprimir 22
depressed   desanimado(a) 102
depth   la profundidad 302
dermatologist   el/la dermatólogo(a) 90
descent   la bajada 139
to **describe**   describir (irreg.) 1 calificar 261
description   la descripción 58

descriptive   descriptivo(a) 230
to **deserve**   merecerse (irreg.) 181
design   el diseño 65
to **design**   diseñar 10 proyectar 267
(fashion) designer   el/la diseñador(a) (de moda) 174
desired   deseado(a) 39
desperate   desesperado(a) 38
despite   pese a, a pesar de (que) 264
dessert   el postre 78
destination   el destino 114
destiny   el destino 329
to **destroy**   destruir (irreg.) 96
destruction   la destrucción 155
detail   el detalle 38
detailed   detallado(a) 327
to **detain**   detener (irreg.) 260
to **detect**   captar 66 detectar 98
detection   la detección 96
detective   el/la detective 18
detective (adjective)   policíaco(a) 189
deterioration   el deterioro 292
to **determine**   determinar 136
to **develop**   evolucionar 39 desarrollar 43
developed   desarrollado(a) 155
development   el desarrollo 98
devil   el diablo 184
to **devote**   dedicar 11
diabetes   la diabetes 90
to **diagnose**   diagnosticar 97
diagnosis   el diagnóstico 75
diagram   el gráfico 155 el diagrama 261 el esquema 347
dialect   el dialecto 67
dialogue   el diálogo 16
dialogue (adjective)   dialogado(a) 26
diary   el diario 119
dictator   el/la dictador(a) 260
dictatorship   la dictadura 258
dictionary   el diccionario 66
didactic   didáctico(a) 116
die   el dado 192
to **die**   morir (irreg.) 102
diet   la dieta 11 la alimentación 122
difference   la diferencia 19
different   diferentes 17 distintos(as) 24 diferente 69 distinto(a) 134
different from   alejado(a) de 167
differentiated   diferenciado(a) 212
difficult   difícil 39
difficulty   la dificultad 90
digital   digital 44
dignity   la dignidad 156
diluted   diluido(a) 306
dimension   la dimensión 123
diminutive   el diminutivo 332
din   la algarabía 210 el alboroto 211
dining car   el vagón-restaurante 204
dinner   la cena 47
diploma   el diploma 165
direct   directo(a) 36
to **direct**   dirigir 89

direct/indirect object   el objeto directo/indirecto 82
directly   directamente 37
director   el/la director(a) 67
disabled   discapacitado(a) 269
disadvantage   el inconveniente 97 la desventaja 105 la dificultad 205
disadvantaged   desfavorecido(a) 125
to **disappear**   desaparecer (irreg.) 33
disappearance   la desaparición 342
disappointed   decepcionado(a) 291
disappointing   decepcionante 344
disappointment   el desengaño 49 el desencanto 222
disaster   el desastre 121
discarded   descartado(a) 296
discipline   la disciplina 142
disco   la discoteca 188
discourse   el discurso 268
to **discover**   descubrir (irreg.) 1
discovery   el descubrimiento 4
discreet   discreto(a) 343
discretion   la discreción 325
discrimination   la discriminación 272
discriminatory   discriminatorio(a) 161
to **discuss**   discutir, comentar 44
discussion   la discusión 325
to **disembark**   desembarcar 336
disgust   la repugnancia 166
dish   el plato 3 la comida 79
disheartened   apesadumbrado(a) 254
to **disillusion**   desilusionar 254
disorder   el trastorno 98 el desorden 295
display   la exposición 267 la manifestación 268
disproportion   la desproporción 307
to **dissolve**   disolver (irreg.) 347
distance   la distancia 31
distant   lejano(a) 33 remoto(a) 336
distinct   acusado(a) 127
distinction   la distinción 324
distinctive   distintivo(a) 324
to **distinguish**   distinguir 57
to **distract**   distraer (irreg.) 336
to **distribute**   distribuir (irreg.), repartir 125
distribution   la distribución 56
district   el distrito 31
distrust   la desconfianza 267
distrustful   desconfiado(a) 279
disturbance   la perturbación 212
diversification   la diversificación 312
diversity   la diversidad 101
to **divide**   dividir(se) 204
divided   dividido(a) 204
divided by   entre 136
divinity   la divinidad 336
division   la división 136
divorced   divorciado(a) 59
dizziness   el vértigo 210
dizzy   mareado(a) 75
to **do**   hacer (irreg.) 2 realizar 66

to **do for a living** *dedicarse a* 113
to **do research** *documentarse* 254
to **do something again** *volver a hacer algo* 40
dock *el muelle* 254
doctor *el/la médico(a)* 8 *el/la doctor(a)* 59
doctor's office *la consulta (médica)* 75
document *el documento* 174
to **document** *documentar* 286
documentary *el documental* 44
dog *el perro* 302
doll *el/la muñeco(a)* 18
dollar *el dólar* 106
domestic *doméstico(a)* 59 *nacional* 273
Dominican *dominicano(a)* 153
Don't worry. *Tranquilo(a).* 90
to **donate** *donar* 88
donation *la donación* 115
donor *el/la donante* 115
door *la puerta* 38
double *el doble* 48 *doble* 216
doubly *doblemente* 300
doubt *la duda* 58
to **doubt** *dudar* 246 *poner en duda* 296
doubtful *dudoso(a)* 252
download *la descarga* 67
to **download** *descargar* 111 *bajar* 133
downpour *el chubasco* 216
draft *el borrador* 95 *la corriente de aire* 224
draftsman/draftswoman *el/la dibujante* 351
to **draw** *dibujar* 41
to **draw out (a sound)** *arrastrar* 278
drawback *el inconveniente* 97
drawing *el dibujo* 41
dream *el sueño* 33 *la ilusión* 198
to **dream of** *soñar con (irreg. ue)* 92
dress *el vestido* 35
dressed *vestido(a)* 54
dried fruits and nuts *los frutos secos* 75
to **drink** *beber, tomar* 76
to **drink maté** *matear* 77
drinking *potable* 296
to **drive** *manejar* 141 *conducir (irreg.)* 174 *circular* 277 *animar* 344
driver *el/la conductor(a)* 204
driver's license *el carné de conducir* 174
drop *la gota* 33
to **drop** *caerse (irreg.)* 80 *bajar* 235
drug *el fármaco* 97 *la droga* 272
drug abuse *el abuso de drogas* 272
drug trafficking *el tráfico de drogas* 272
drugstore *la farmacia* 91
dry *seco(a)* 87
to **dry** *secarse* 308
duchess *la duquesa* 309
due *debido(a)* 117
due to *debido a* 238
duration *la duración* 263
during *durante* 23

dusk *el anochecer* 337
duties *los deberes* 245
duty *la función* 161
dynamic *dinámico(a)* 46

each *cada* 9
ear *el oído* 94
early *temprano* 35 *temprano(a)* 97
to **earn** *ganar* 179 *ganarse* 256
to **earn a living** *ganarse la vida* 191
Earth *la tierra* 295
earthenware vessel *la vasija de barro* 29
earthquake *el terremoto* 266
easily *fácilmente* 103 *con facilidad* 110
East *el oriente* 37
Eastern *oriental* 228
easy *fácil* 14
to **eat** *comer* 10 *tomar* 79
to **eat like a horse** *comer como una fiera/como una lima* 74
to **eat one's fill** *ponerse las botas* 74
echo *el eco* 33
ecological agriculture *la agricultura ecológica* 272
economic *económico(a)* 9
economically *económicamente* 136
economy *la economía* 1
ecosystem *el ecosistema* 296
ecotourism *el ecoturismo* 219
edition *la edición* 314
editor *el/la director(a)* 263
editorial *el editorial* 44
to **educate** *educar* 177
education *la educación* 9 *la enseñanza* 338
educational *educativo(a)* 137
educational training *la formación académica* 160
effect *el efecto* 38
effective *eficaz* 38 *efectivo(a)* 89
efficient *eficiente* 133
effort *el esfuerzo* 159
egg *el huevo* 78
eggplant *la berenjena* 78
eighth *octavo(a)* 250
to **elect** *elegir (irreg. i, i)* 260
election *la elección* 260
elections *las elecciones* 53
electoral campaign *la campaña electoral* 260
electric *eléctrico(a)* 146
electricity *la electricidad* 323
electronic *electrónico(a)* 148
elegant *elegante* 7
element *el elemento* 49
elephant *el elefante* 332
elevator *el ascensor* 94
eleventh *undécimo(a)* 250
to **eliminate** *eliminar* 69
e-mail *el correo (electrónico)* 28
e-mail (adjective) *electrónico(a)* 33
to **embark upon** *apostar por (irreg. ue)* 139

to **embarrass** *dar vergüenza* 29 *avergonzar (irreg. ue)* 102
embarrassed *avergonzado(a)* 102
embarrassment *la pena, la vergüenza* 56
embedded *incrustado(a)* 295
emblem *el emblema* 61
emblematic *emblemático(a)* 342
emergency *la urgencia* 90
emergency room *la sala de urgencias* 90 *las emergencias* 116
emigrant *el/la emigrante* 284
emission *la emisión* 296
emotion *la emoción* 22
emotional (state, etc.) *anímico(a)* 102
emphasis *el énfasis* 334
to **emphasize** *destacar* 43 *enfatizar* 220
emphatic *enfático(a)* 310
empire *el imperio* 4
to **employ** *emplear* 158
employed *empleado(a)* 68
employee *el/la empleado(a)* 138
employment *el empleo* 149
empty *libre* 210 *vacío(a)* 222
to **encourage** *animar* 132 *fomentar* 149
encyclopedia *la enciclopedia* 97
end *el final* 6 *el fin* 156 *la finalidad* 262 *el extremo* 306
to **end** *terminar* 4 *acabar(se)* 34 *culminar* 248
to **end up** *acabar* 49
ending *la terminación* 4 *el desenlace* 330
endless *sin fin* 350
energy *la energía* 38
energy (adjective) *energético(a)* 272
energy savings *el ahorro energético* 272
energy source *la fuente de energía* 45
engagement *el noviazgo* 33 *el compromiso* 100
engineer *el/la ingeniero(a)* 133
engineering *la ingeniería* 158
English *inglés(a)* 329
English (language) *el inglés* 21
engraving *el grabado* 12
enhancement *el realce* 200
enigma *el enigma* 15
to **enjoy** *disfrutar (de)* 45 *deleitarse con* 203
to **enjoy oneself** *divertirse (irreg. ie, i)* 3
Enjoy yourselves. *Que se diviertan.* 14
enjoyable *divertido(a)* 17 *entretenido(a)* 345
to **enlarge** *ampliar* 98
enough *bastante(s)* 48 *suficiente* 49 *suficientemente* 311
to **enrich** *enriquecer (irreg.)* 109
enrichment *el enriquecimiento* 317
enrollment *la matrícula* 137

to **enter** *entrar* 38 *presentar* 113
ingresar 163 *inscribirse (en)*
(irreg.) 165
to **entertain** *divertir (irreg. ie, i)* 22
entertaining *entretenido(a)* 345
entertainment *el entretenimiento*
52 *el espectáculo* 192
entity *la entidad* 94
entrance *el ingreso* 136
entrance exam *el examen de*
ingreso 136
entrepreneurial *emprendedor(a)*
133
entry *la entrada* 7
envelope *el sobre* 32
envious *envidioso(a)* 20
environment *el entorno* 268 *el*
medio ambiente 272
environmental *medioambiental*
156 *ambiental* 217
to **envy** *envidiar* 39
equality *la igualdad* 245
equals *igual a* 136
equation *la ecuación* 136
equatorial *ecuatorial* 172
equivalence *la equivalencia* 264
equivalent *equivalente* 51
era *la era* 38 *la época* 77
error *el error* 47
erudite *erudito(a)* 39
to **escape** *fugarse* 34
especially *especialmente* 58 *en*
especial 150
essay *el trabajo* 64 *el ensayo* 330
essayist *el/la ensayista* 329
essential *fundamental* 50 *esencial*
148
to **establish** *establecer (irreg.)* 130
establishment *el establecimiento*
91 *el local* 200
estimate *la estimación* 296
estimated *estimado(a)* 229
eternity *la eternidad* 336
ethnicity *la etnicidad* 271
eucalyptus *el eucalipto* 336
European *europeo(a)* 19
to **evaluate** *evaluar* 65
evangelical *evangélico(a)* 336
evaporation *la evaporación* 147
even *incluso* 21 *hasta* 158
even though *aun cuando* 264
evening *la tarde* 5 *la noche* 195
event *el hecho* 1 *el evento* 2
el acto 125 *el acontecimiento* 211
el episodio 230
eventful *accidentado(a)* 112
ever (in questions) *alguna vez* 15
every *todos(as)* 6 *cada* 194
everyday *cotidiano(a)* 51
everyone *todos(as)* 11
everything *todo* 2
evidence *la muestra* 43
evident *palpable* 67 *evidente* 252
evidently *evidentemente* 197
evil *la maldad* 279
exactly *exactamente* 80
efectivamente 186
exaggerated *exagerado(a)* 306
exam *el examen* 2

to **examine** *examinar* 95
example *el ejemplo* 39
to **excavate** *excavar* 245
excellent *excelente* 11
excelling *la superación* 215
except *excepto* 82
exceptional *excepcional* 43
excerpt *el fragmento* 33
excess *el exceso* 207
excessive *excesivo(a)* 45
exchange *el cambio* 116 *el*
intercambio 130
to **exchange** *intercambiar* 9
to **excite** *emocionar* 22
excited *emocionado(a)* 20
excitement *la emoción* 38
exciting *excitante* 50 *emocionante*
225
to **exclaim** *exclamar* 222
excluded *excluido(a)* 155
exclusive *exclusivo(a)* 7
excursion *la excursión* 65
to **excuse yourself** *excusarse* 238
to **execute** *ejecutar* 260
execution *la ejecución* 169
executive *ejecutivo(a)* 67
exercise *el ejercicio* 11
to **exhibit** *exponer (irreg.)* 303
exhibition *la exposición* 80 *la*
muestra 314
exile *el exilio* 258 *el/la exiliado(a)*
278
to **exile (oneself)** *exiliar(se)* 260
to **exist** *existir* 21
exit *la salida* 192
exotic *exótico(a)* 158
to **expand** *expandir* 217 *ampliarse*
329 *ampliar* 351
to **expect** *esperar* 38
expedition *la expedición* 248
expenses *los gastos* 144
expensive *caro(a)* 32 *costoso(a)*
320
experience *la experiencia* 23
to **experience** *experimentar* 80
experiment *el experimento* 141
to **experiment** *experimentar* 321
expert *experto(a)* 87 *el/la*
experto(a) 122
to **explain** *explicar* 5 *indicar* 278
exponer (irreg.) 286
explanation *la explicación* 101
explanatory *expositivo(a)* 286
explicativo(a) 326
to **explore** *explorar* 193
explorer *el/la explorador(a)* 245
exponent *el exponente* 335
export *la exportación* 154
to **export** *exportar* 148
exporter *el/la exportador(a)* 172
express *expreso(a)* 203
to **express** *expresar* 10 *manifestar*
(irreg. ie) 153
expression *la expresión* 16
to **extend** *prorrogar* 188
extended *amplio(a)* 91
extensive *extenso(a)* 325
extent *la envergadura* 272
external *externo(a)* 286

to **extract** *extraer (irreg.)* 173
extracting *extractor(a)* 173
extraordinary *extraordinario(a)*
204
extreme *extremo(a)* 195 *el*
extremo 325
extremely *sumamente* 110
extremely important *trascendental*
296
eye *el ojo* 19

fable *la fábula* 330
fabric *la tela* 304
fabulous *fabuloso(a)* 99
facade *la fachada* 318
face *la cara* 20 *la pared* 203
to **face up to** *hacer frente a* 110
facilities *las instalaciones* 233
fact *el hecho* 39
factor *el factor* 115
factory *la fábrica* 150
faculty *la facultad* 317
to **fail** *reprobar (irreg. ue)* 136
failure *el fracaso* 345
fair *la feria* 72
fair trade *el comercio justo* 156
faith *la fe* 38
faithful *fiel* 17
faithfulness *la fidelidad* 17
fall *el otoño* 47
to **fall** *caer (irreg.)* 19 *caerse (irreg.)*
119 *bajar* 235
to **fall asleep** *dormirse (irreg. u, ue)*
34
to **fall in love** *enamorarse (de)* 17
fall in price *el abaratamiento* 154
falls *las cataratas* 228
false *falso(a)* 2
fame *el renombre* 200 *la fama* 329
familiar *familiar* 352
familiarity *la confianza* 57
family *la familia* 3
family (adjective) *familiar* 11
famous *famoso(a)* 28 *célebre* 265
fan *el/la aficionado(a)* 49
fantastic *fantástico(a)* 53
fantasy *la fantasía* 50
far (from) *lejos (de)* 7
faraway *distante* 31 *la despedida*
254
farm *la granja* 108
farmer *el/la granjero(a)* 108 *el/la*
agricultor(a) 281
to **fascinate** *fascinar* 22 *apasionar*
210
fascinating *apasionante,*
fascinante 14
fashion designer *el/la modisto(a)*
326
fashionable *de moda* 212
fast *rápido(a)* 41 *rápido* 107
apresuradamente 210
fat *la grasa* 11 *gordo(a)* 40
fate *el destino* 329
father *el padre* 24
fault *el defecto* 278

fauna   la fauna 219
favor   el favor 343
to favor   favorecer (irreg.) 150
favorable   favorable 174
favorite   preferido(a) 3 favorito(a) 65
fear   el miedo 22 el temor 166
to fear   temer 166
feat   la hazaña 215
feature   la característica 20 el reportaje 38 el rasgo 237
fed up (with)   harto(a) (de) 102
federal   federal 260
federation   la federación 125
to feel   sentir (irreg. ie, i) 23 encontrarse (irreg. ue) 48 sentirse (irreg. ie, i) 61
to feel like doing something   apetecer hacer algo (irreg.) 22
feeling   el sentimiento 22 la sensación 166
feminine   femenino(a) 138
fervor   el fervor 329
festival   el festival 190
festive   festivo(a) 285
festivity   la fiesta 23
fever   la fiebre 75
few   pocos(as) 48
fiber   la fibra 173
fiction   la ficción 65 la narrativa 335
fictional   ficticio(a) 168
fictitious   ficticio(a) 262
field   el campo 40
fifth   quinto(a) 48
fight   la lucha 96
to fight   luchar, pelear 248
figurative   figurativo(a) 306
figurative language   el lenguaje figurado 330
figure   la figura 113 la cifra 212
to fill (with)   llenar (de) 84
to fill in   rellenar 160
to fill up   llenarse 33
filled   relleno(a) 78
fillet   el filete 78
final   la final 23 definitivo(a) 59 final 65
final exam   el examen final 136
finally   por fin 93 al fin 109 finalmente 287
finance   las finanzas 44
to finance   financiar 156
finances   la economía 177
financial   financiero(a) 154
financially   financieramente 177
financing   la financiación 156
to find   encontrar (irreg. ue) 4 localizar 26
to find out   averiguar 14
to find out (about)   enterarse (de) 34
fine   bien 16 la multa 150 perfecto 242 fino(a) 343
to fine   multar 150
fine arts   las bellas artes 229
finger   el dedo 34
to finish   acabar 34 terminarse 49 terminar 95 finalizar 175
finished   terminado(a) 140

fire   el fuego 108
to fire   despedir (irreg. i, i) 160
firearm   el arma de fuego 272
firing squad   el pelotón de fusilamiento 342
firm   firme 336
first   primer(o)(a) 5 primero 10
first aid   los primeros auxilios 116
first of all   antes que nada 11
first-aid kit   el botiquín 116
fish   el pescado 78 el pez 193
to fish   pescar 192
fit   el ataque 119
to fit   caber 8 encajar 27 quedar 94
to fit in with   ajustarse a 325
fitted   equipado(a) 7
flag   la bandera 61
flannel   la franela 56
flat tire   el pinchazo 204
flavor   el sabor 112
flaw   el defecto 278
flexibility   la flexibilidad 163
flexible   flexible 8
flextime   la flexibilidad horaria 163
flight   el vuelo 189
flight attendant   el/la asistente de vuelo 209
floor   la planta 6 el suelo 119 el piso 250
flora   la flora 219
flow   el flujo 154
flower   la flor 61
flowerpot   la maceta 11
flu   la gripe 75
flute   la flauta 191
to fly   volar (irreg. ue) 47
to focus on   centrarse en 253
fog   la niebla 216
folklore   el folclore 203
folklore (adjective)   folclórico(a) 282
to follow   seguir (irreg. i, i) 4
followed   seguido(a) 66
follower   el/la seguidor(a) 47
following   siguiente 22
follow-up   el seguimiento 273
fond of   aficionado(a)a 85 apegado(a) a 325
food   la comida 5 la alimentación 57 los alimentos 72
food (adjective)   alimenticio(a) 11 alimentario(a) 125
foot   el pie 119
footwear   el calzado 57
for   para 7 por 11 durante 40
for a change   para variar 214
for example   por ejemplo 26
to forbid   prohibir 80
forbidden   prohibido(a) 161
force   la fuerza 337
to force   obligar 166
forecast   la predicción 9 la previsión 212
to forecast   predecir (irreg.) 9
foreground   el primer plano 306
foreign   extranjero(a) 44
foreign country   el exterior 157
foreign currency   las divisas 228
foreigner   el/la extranjero(a) 278

to foresee   prever 124
foreseen   previsto(a) 2
foretold   anunciado(a) 342
to forget   olvidar 59 olvidarse 80
to forgive   perdonar 39
to forgive each other   perdonarse 36
forgiveness   el perdón 17
form   la forma 2 el formulario 134
to form   formar 31 conformar 105
to form an alliance   aliarse 247
form of address   el tratamiento 57
formal   formal 39
to formalize   formalizar 183
format   el formato 45
formation   la formación 46
former   antiguo(a) 24
formula   la fórmula 109
to formulate   establecer (irreg.) 167
fortress   el alcázar, la fortaleza 229
fortunately   afortunadamente 38
forum   el foro 11
to found   crear 89 fundar 249
foundation   la fundación 89
founder   el/la fundador(a) 180 el/la creador(a) 200
four times (quadruple)   el cuádruple 48
four-month   cuatrimestral 169
fourth   cuarto(a) 250
fraction   la fracción 136
fragile   frágil 32
frame   el marco 222
frankly   francamente 166
freckle   la peca 17
free   libre 3 gratis 39 gratuito(a) 216
to free   liberar 248
free flow   la fluidez 210
freedom   la libertad 245
freedom of speech   la libertad de expresión 263
freely   libremente 268
freeway   la autopista 204
to freeze   congelar 224
French   francés(a) 50
French (language)   el francés 143
frequency   la frecuencia 194
frequent   frecuente 46
frequented   frecuentado(a) 200
frequently   frecuentemente 140 con frecuencia 194
fried   frito(a) 172
friend   el/la amigo(a) 3 el compadre, el/la cuate(a), la llave, el/la mano(a) 56
friendly   amistoso(a) 17 amigable 216 cordial 254
friendship   la amistad 17
to frighten   asustar, dar miedo 22
from   desde 18 a partir de 166 procedente (de) 189 perteneciente a 318
from my point of view   desde mi punto de vista 320
front page   la primera plana 44
fruit   la fruta 78 el fruto 172
fuel   el combustible 153
to fulfill   cumplir (con) 144
to full   lleno(a) 28

full (up)   *lleno(a)* 74
full board   *la pensión completa* 216
full-time   *a tiempo completo* 131
   la jornada completa 133
fun   *divertido(a)* 17
function   *la función* 106
functional   *funcional* 317
fund   *el fondo* 156
fundamental   *fundamental* 50
funeral   *el funeral* 43
funny   *gracioso(a)* 5 *divertido(a)* 61
furious   *furioso(a)* 102
future   *futuro(a)* 2 *el futuro* 8
   venidero(a) 326

G

to **gain**   *ganar* 98
to **gain weight**   *aumentar de peso* 75
Galician (language)   *el gallego* 67
galleon   *el galeón* 195
gallery   *la galería* 64
game   *el juego* 59 *el partido* 120
   la partida 192
game show   *el concurso* 44
gang   *la banda* 289
garage   *el garaje* 47
garden   *el jardín* 7
gardener   *el/la jardinero(a)* 174
garment   *la prenda (de vestir)* 94
gas   *el gas* 153
gasoline   *la gasolina* 204
gastronomic   *gastronómico(a)* 79
gastronomy   *la gastronomía* 72
gate   *la puerta* 119
to **gather**   *recoger* 64 *reunir* 236
gaze   *la mirada* 139
gender   *el género* 48
general   *general* 66 *el/la general* 246
generally   *generalmente* 22
to **generate**   *generar* 147
generation   *la generación* 43
generous   *generoso(a)* 17
genetic   *genético(a)* 96
genius   *el genio* 43
genre   *el género* 330
gently   *suavemente* 337
genuine   *auténtico(a)* 66 *genuino(a)* 210
geographic   *geográfico(a)* 56
geography   *la Geografía* 133
   la geografía 324
geologist   *el/la geólogo(a)* 160
geometric   *geométrico(a)* 306
germinative   *germinativo(a)* 96
to **gesticulate**   *gesticular* 210
gesture   *el gesto* 210
to **get**   *sacar* 11 *conseguir (irreg. i, i)* 83
to **get a puncture**   *pincharse* 209
to **get along (well/badly)**   *llevarse (bien/mal)* 17
to **get angry**   *enfadarse* 46
to **get bored**   *aburrirse* 188
to **get broken**   *romperse (irreg.)* 34
to **get dizzy**   *marearse* 90
to **get dressed**   *vestirse (irreg. i, i)* 36

to **get fit**   *ponerse en forma* 11
to **get good marks**   *sacar buenas notas* 132
to **get in touch**   *ponerse en contacto* 242
to **get involved**   *meterse* 39
   involucrarse 293
to **get lost**   *perderse (irreg. ie)* 80
to **get mad at**   *enojarse con* 92
to **get off**   *descender (irreg. ie)* 50
to **get old**   *envejecer (irreg.)* 102
to **get onto**   *montarse* 210 *montar* 223
to **get ready**   *prepararse* 103
to **get tired**   *cansarse* 249
to **get to do something**   *llegar a hacer algo* 115
to **get up**   *levantarse* 34
to **get used to**   *acostumbrarse a* 92
to **get vaccinated**   *vacunarse* 99
Get well soon.   *Que te mejores.* 16
to **get wet**   *mojarse* 291
ghost   *el fantasma* 222
giant   *el gigante* 83
ginger   *el jengibre* 339
girl   *la muchacha* 50 *la chica* 59
girlfriend   *la novia* 4
to **give**   *dar (irreg.)* 1 *donar* 122
   conceder 134 *aportar* 239
to **give (a name)**   *poner (irreg.)* 26
to **give a prize to**   *premiar* 180
to **give an injection**   *pinchar* 123
to **give as a present**   *regalar* 29 *traer (irreg.)* 37
to **give back**   *devolver (irreg.)* 59
to **give free rein to**   *dar rienda suelta a* 215
to **give guidance to**   *orientar* 183
to **give recognition to**   *consagrar* 342
to **give rise to**   *provocar* 154
to **give up**   *renunciar a* 92 *darse por vencido(a)* 130 *rendirse (irreg. i)* 131
given that   *dado que* 218
glass   *el vaso* 34 *la copa* 54 *el vidrio* 222 *el cristal* 318
gleaming   *reluciente* 336
global   *global* 148
globalization   *la globalización, la mundialización* 154
glucose   *la glucosa* 98
glue   *el pegamento* 29
glued to   *pegado(a) a* 44
GM foods   *los alimentos transgénicos* 275
to **go**   *ir (irreg.)* 3 *acudir* 256
to **go ahead**   *seguir adelante* 132
to **go away**   *irse (irreg.)* 34
to **go away on a trip**   *ir de viaje* 8
to **go back**   *retroceder* 210
to **go beyond the limits**   *salirse (irreg.)* 34
to **go blank (someone's mind)**   *quedarse (alguien) en blanco* 130
to **go into (a gear)**   *meter* 210
to **go into depth**   *profundizar* 302
Go on, (to encourage)   *Anda,* 100

Go on. (to encourage action)   *Adelante.* 1
to **go out**   *salir (irreg.)* 3
to **go shopping**   *ir de compras* 34
to **go through**   *atravesar (irreg. ie)* 110
to **go to**   *pasar* 186
to **go unnoticed**   *desapercibido(a)* 324
to **go up**   *subir* 262
to **go with**   *acompañar* 79
goal   *la meta* 254
goat   *el chivo* 343
God   *Dios* 40
gold   *el oro* 4
golden   *dorado(a)* 222
good   *bien* 7 *buen, bueno(a)* 24
Good afternoon.   *Buenas tardes.* 30
Good luck.   *Mucha suerte.* 14
good manners   *de buena educación* 84
Good thinking.   *Bien pensado.* 258
goodbye   *el adiós* 109
goods   *los bienes, la mercancía* 148
to **govern**   *gobernar* 245
government   *el gobierno* 43 *la administración* 125
government (adjective)   *gubernamental* 293
government employee   *el/la funcionario(a)* 296
governor   *el/la gobernador(a)* 245
to **grab**   *captar* 231
grade   *el grado* 256
gradually   *gradualmente* 117
graduate   *el/la egresado(a)* 175
to **graduate**   *graduarse* 93
graduate (in)   *el/la licenciado(a) (en)* 114
graduated (in)   *licenciado(a) (en)* 175
graduation   *la graduación* 19
grammar   *la gramática* 2
grammatical   *gramatical* 57
grandchildren   *los nietos* 105
grandfather/grandmother   *el/la abuelo(a)* 162
grandparents   *los abuelos* 6
granite   *el granito* 318
to **grant**   *otorgar* 266
grape   *la uva* 75
grapefruit   *la toronja* 78
grapevine   *la parra* 282
graphic novel   *la novela gráfica* 242
to **grasp**   *captar* 66
grateful   *agradecido(a)* 336
gratitude   *el agradecimiento* 58
grave   *la tumba* 4
gray   *gris* 54
gray hair   *la cana* 20
great   *gran, grande* 24 *genial* 131 *fenomenal* 142 *perfecto* 242
great (adjective)   *estupendo(a)* 7
great (adverb)   *estupendo* 29
greater   *mayor* 98
greatest   *mayor* 272
Greek   *griego(a)* 318
green   *verde* 106

green building *la bioconstrucción 156*
greenish *verdoso(a) 303*
to **greet** *saludar 266*
to **greet each other** *saludarse 34*
greeting *el saludo 16*
greeting card *la tarjeta de felicitación 32*
to **grieve** *pesar 249*
groom *la novia 100*
ground *molido(a) 78 el terreno 98 el suelo 347*
group *el grupo 3 el conjunto 139*
grouped *agrupado(a) 330*
to **grow** *crecer (irreg.) 102*
to **grow longer** *alargarse 337*
growing *creciente 98*
growing apart *el alejamiento 67*
growth *el crecimiento 52 el desarrollo 90*
Guarani *guaraní 77*
guarantee *la garantía 148*
to **guarantee** *garantizar 127*
Guatemalan *guatemalteco(a) 243*
to **guess** *adivinar 61*
guest *el/la invitado(a) 10 el/la huésped 216*
guesthouse *el hostal 185*
guidance *la guía 28*
guide *la guía 28 el/la guía 203*
to **guide** *guiar 1*
guide (book) *la guía 81*
guided *guiado(a) 322*
guitar *la guitarra 2*
guys (when greeting) *chicos 72*
gym *el gimnasio 10*

habit *el hábito 11 la costumbre 336*
hail *el granizo 40*
hair *el pelo 20*
half *la mitad, medio(a) 48 el medio 285*
half board *la media pensión 216*
hall *el salón 10*
ham *el jamón 78*
hand *la mano 1*
to **hand over** *entregar 84 ceder 268*
to **handle** *manejar 110*
handsome *apuesto 17 guapo 37*
handwriting *la letra 38*
handy *a mano 117*
to **hang** *colgar (irreg. ue) 19*
to **happen** *ocurrir 2 pasar 4 suceder 260 acontecer (irreg.) 336*
happiness *la alegría 33 la felicidad 39*
happy *contento(a) 102 feliz 106 alegre 111*
happy-go-lucky *alegre 222*
hard *como una bestia 40 duro(a) 103*
hardly *apenas 210*
hardly ever *casi nunca 194*
hardship *las privaciones 336*
hard-working *trabajador(a) 17*

to **harm** *perjudicar 272*
harvest *la cosecha 40*
hat *el sombrero 197*
to **hate** *odiar 104*
to **hate each other** *odiarse 36*
to **have** *tener (irreg.) 2 poseer (irreg.) 38 presentar 43 sufrir 90 llevar 94 disponer de (irreg.) 114 consumir 117 contar con (irreg. ue) 153 ofrecer (irreg.) 204 mantener (irreg.) 326*
to **have (auxiliary)** *haber (irreg.) 140*
to **have a feast** *darse un atracón, darse una comilona 74*
Have a good day. *Que tengas un buen día. 16*
Have a good journey. *Que tengas buen viaje. 16*
Have a good weekend. *Que pasen un buen fin de semana. 16*
to **have a great time** *pasarlo en grande 188*
to **have a hard time** *pasarlo mal 125*
to **have a quick look at** *echar un vistazo a 301*
to **have access to** *acceder a 45*
to **have been** *llevar 38*
to **have breakfast** *desayunar 3*
to **have dinner** *cenar 8*
to **have fallen out** *estar peleados(as) 39*
to **have just ...** *acabar de... 11*
to **have to** *deber 11 haber que, tener que 334*
head *el/la jefe(a) 5 la cabeza 75*
to **head for** *dirigirse a 47*
head of state *el/la jefe(a) de Estado 259*
heading *el epígrafe 155 el encabezado 182*
headline *el titular 44*
headquarters *la sede 217*
health *la salud 11*
health (adjective) *sanitario(a) 98*
health care *la asistencia sanitaria 115*
health care (adjective) *asistencial 115*
health coverage *la cobertura sanitaria 114*
healthy *saludable 11 sano(a) 278*
heap *el montón 29*
to **hear** *oír (irreg.) 23*
heart *el corazón 33*
heart attack *el infarto 90*
heat *el calor 8*
heavenly *paradisíaco(a) 219*
heavy *pesado(a) 32 fuerte 330*
height *la altura 224*
heist *el golpe 289*
hello *hola 11*
help *la ayuda 47*
to **help** *ayudar 1 contribuir (irreg.) 67 ayudar a 92 favorecer (irreg.) 105*
to **help determine** *determinar 261*
to **help each other** *ayudarse 36*
to **help in** *colaborar en 182*
to **help with** *colaborar en 59*

helping *el plato 74*
hemisphere *el hemisferio 135*
here *aquí 14*
hereditary *hereditario(a) 96*
heritage *el patrimonio 43*
hero *el héroe 249*
heroic *heroico(a) 256*
to **hesitate** *dudar 183*
hesitation *la vacilación 336*
hidden *oculto(a) 297*
to **hide** *esconder 19 ocultar 222 disimular 278*
high *alto(a) 11*
high plateau *el altiplano 147*
high school *el bachillerato 324*
high school graduate *el/la bachiller 175*
higher *superior 127 mayor 196*
highest *mayor 52*
to **highlight** *destacar, resaltar 43*
highlighted *destacado(a) 24*
high-pitched *agudo(a) 53*
hike *la caminata 220*
hiking *el senderismo 219*
to **hinder** *dificultar 67 obstaculizar 69*
to **hint** *insinuar 167*
to **hire** *contratar 160 alquilar 216*
Hispanic *hispano(a) 1 hispánico(a) 329*
historic *histórico(a) 242*
historically *históricamente 31*
history *la historia 1*
hobby *la afición 58*
to **hold** *celebrar 31 desempeñar, ocupar 175 albergar 228 administrar 260*
to **hold back** *retener (irreg.) 336*
holiday *el día festivo 24 el día feriado 160 el feriado 203*
holy *sagrado(a) 301*
home *la casa 3 el inicio 216 el hogar 266 la vivienda 318*
homeland *la patria 248*
homeless *sin hogar 269*
homework *la tarea 37 los deberes 133*
Honduran *hondureño(a) 271*
honestly *honradamente 256*
honey *la miel 78*
to **honk** *pitar 210*
honor *el honor 141*
to **hop** *saltar 347*
hope *la esperanza 315*
to **hope** *esperar 24*
hopeful *esperanzado(a) 102*
horizon *el horizonte 321*
horn *el cuerno 29 la bocina 210*
horrible *horrible 119*
horse *el caballo 101*
hospital *el hospital 59 el sanatorio 330*
to **hospitalize** *ingresar 90*
hostile *hostil 337*
hot *caliente 76 caluroso(a) 216*
hot (spicy) *picante 92*
hour *la hora 5*
house *la casa 6*

housework las tareas domésticas 59

How … ? ¿Cómo…? 16

How … like? ¿Cómo…? 3

How about …? ¿Qué tal…? 76

How are you doing? ¿Cómo te va?, ¿Qué tal? 16

How are you? ¿Cómo estás? 16

how many cuántos(as) 31

how much cuánto(a) 17

however sin embargo 5 no obstante 91

hug el abrazo 17

to **hug** abrazarse 36

huge enorme 19 inmenso(a) 210

human humano(a) 43

human rights los derechos humanos 245

humanities las humanidades 229

humble humilde 20

humor el humor 50

hundreds cientos 38

hunger el hambre 272

to **hunt** cazar 109

to **hurry** acelerar, darse prisa 100

to **hurt** doler (irreg. ue) 22 hacerse daño 119

husband el esposo 11 el marido 47

hut la cabaña 218

hybrid híbrido(a) 146

hydra la hidra 343

hygiene la higiene 36

hypothetical hipotético(a) 162

I am addressing you … Me dirijo a usted(es)… 59

I have contacted you … Me pongo en contacto con usted(es)… 59

I hope … ojalá… 162

I look forward to hearing from you … A la espera de sus noticias, le(s) saluda… 59

I'd like to take this opportunity to … Aprovecho para… 182

I'm bad at … Se me da mal… 41

I'm glad to see you. Me alegro de verte. 16

I'm good at … Se me da bien… 18

ice el hielo 83

ice cream el helado 22

to **ice skate** patinar sobre hielo 192

icon el icono 65

icy polar 235

idea la idea 5 la ocurrencia 343

ideal ideal 7

identical como dos gotas de agua, idéntico(a) 20

to **identify** identificar 98

to **identify with** identificarse con 110

identity la identidad 23

ideology la ideología 260

idiom la expresión idiomática 106

idiomatic idiomático(a) 106

idiomatically idiomáticamente 206

idiot el/la imbécil 210

if si 2

if I may … con permiso… 54

if I were you yo en tu lugar, yo que tú 334

to **ignore** ignorar 67

ill enfermo(a) 16 mal 75 malo(a) 106

illiteracy el analfabetismo 272

illness la enfermedad 90

illusory ilusorio(a) 336

to **illustrate** ilustrar 64

illustrated ilustrado(a) 339

illustration la ilustración 81

image la imagen 25

imaginary imaginario(a) 65 irreal 264

imagination la imaginación 166

to **imagine** imaginar(se) 53

to **imitate** imitar 312

immaterial inmaterial 43

immediate inmediato(a) 67

immediately inmediatamente 47 de inmediato 278

immense inmenso(a) 210

immigrant el/la inmigrante 284

immigration la inmigración 284

immunology la inmunología 89

impact el impacto 219

impatient impaciente 17 ansioso(a) 42

impersonal impersonal 80

to **implement** establecer (irreg.) 273

implementation la ejecución 169

implicit implícito(a) 215

to **import** importar 148

importance la importancia 21

important importante 18 relevante 72

imported importado(a) 150

impossible imposible 188

impressive impresionante 100

to **improve** mejorar 98

improvement la mejora 154

to **improvise** improvisar 225

impulsive impulsivo(a) 20

in en 1 por 2 de 3 dentro de 29 bajo 267

in (time) dentro de 8

in a group en grupo 3

in a jiffy en un periquete, en un pispás, en un santiamén 302

in advance con antelación, por adelantado 216

in case … en caso de (que)… 164

in charge of encargado(a) de 217

in common en común 76

in conclusion en conclusión 287

in demand demandado(a) 114

in depth a fondo 302

in detail con detalle 65 detalladamente 107

in front (of) delante (de) 24 frente (a) 86 a favor (de) 157

in general en general 94

in love (with) enamorado(a) (de) 17

in my opinion a mi juicio, en mi opinión 320

in order to con el fin de 58 a fin de (que), con el propósito de (que) 262

in profile de perfil 102

in progress en curso 46

in question en cuestión 110

in return a cambio 190

in summary en resumen 287

in the beginning al principio 330

in the distance a lo lejos 24

in the end al final 201

in the face of ante 109

in the middle of en pleno(a) 7

in the open air al aire libre 22

in writing por escrito 189

inauguration la toma de posesión 289

Inca inca 4

incident el suceso 209

to **include** incluir (irreg.) 11 incorporar 59

inclusion la inclusión 324

income los ingresos 148

incomplete incompleto(a) 296

to **incorporate** incorporar 23

incorrect incorrecto(a) 69

increase el incremento 125 el aumento 126

to **increase** aumentar 11 incrementar 115

incredible increíble 192

indecisive indeciso(a) 20

indeed en efecto 109

indefinite indeterminado(a) 6 indefinido(a) 48

independence la independencia 248 la autonomía 324

independent independiente 125

index el índice 287

index (level) el índice 169

index card la ficha 122

Indian el/la indio(a) 336

to **indicate** indicar 31

indicator el indicador 115

indigenism el indigenismo 277

indigenist indigenista 242

indigenous indígena 12 autóctono(a) 193

indirect indirecto(a) 22

indispensable indispensable 47 imprescindible 170

individual el individuo 24

individually individualmente 3

indolence la indolencia 336

industrial industrial 154

industrialization la industrialización 272

industrialized industrializado(a) 89

industry la industria 152

inequality la desigualdad 272

infamy la infamia 329

infantry la infantería 254

infinite infinito(a) 79

influence la influencia 191

to **influence** influir (irreg.) 306

influential influyente 33

to **inform** *informar 5 comunicar 183*
informal *informal 10*
information *la información 29 los datos 58*
informational *informativo(a) 38*
informative *divulgativo(a) 293*
informed *informado(a) 44*
infusion *la infusión 76*
ingredient *el ingrediente 77*
inhabitant *el/la habitante 42 el/la poblador(a) 280*
to **inherit** *heredar 96*
inheritance *la herencia 41*
inhibition *la inhibición 278*
initial *inicial 211*
initiative *la iniciativa 67*
injury *la lesión 96*
injustice *la injusticia 259*
inn *el mesón 79*
inner *interior 324*
innovation *la innovación 180*
innovative *innovador(a) 306*
inside *dentro de 29 dentro 76 el interior 303 interior 324*
inside out *al revés 36*
to **insinuate** *insinuar 167*
to **insist on** *insistir en 92*
inspector *el/la inspector(a) 205*
inspiration *la inspiración 39*
to **inspire** *inspirar 253*
inspired *inspirado(a) 326*
inspirer *el/la inspirador(a) 282*
instant *el instante 109*
instantaneous *instantáneo(a) 67*
instead of *en lugar de 57*
institute *el instituto 3*
institution *la institución 125 la entidad 156*
institutional *institucional 67*
instructions *las instrucciones 1*
instrument *el instrumento 23*
to **insult** *insultar 210*
insurance *el seguro 114*
integral *integral 312*
integration *la integración 245*
intelligence *la inteligencia 224*
intelligent *inteligente 61*
to **intend** *pretender 67*
intended *destinado(a) 139*
intense *intenso(a) 215*
to **intensify** *intensificar 264*
intensity *la intensidad 154*
intensive *intensivo(a) 183*
intention *el propósito 258 la intención 279*
to **interact** *interactuar 340*
interactive *interactivo(a) 139*
interdependence *la interdependencia 154*
interest *el interés 22*
to **interest** *interesar 22*
interest rate *la tasa de interés 148*
interested *interesado(a) 69*
interesting *interesante 15*
interior *el interior 303*
intern *(el/la estudiante) en prácticas 158 el/la becario(a) 160*
internal *interno(a) 286*
international *internacional 44*

internationalization *la internacionalización 324*
Internet *el/la Internet 7 la red 45*
interpersonal *interpersonal 67*
to **interpret** *interpretar 268*
interpretation *la interpretación 50*
interpreter *el/la intérprete 160*
interrelation *la interrelación 154*
intersection *la intersección 266*
intervention *la intervención 268*
interview *la entrevista 160*
to **interview** *entrevistar 45*
interviewee *el/la entrevistado(a) 69*
interviewer *el/la entrevistador(a) 160*
intimate *íntimo(a) 336*
intimately *íntimamente 318*
intolerably *intolerablemente 210*
intolerance *la intolerancia 292*
to **introduce** *introducir (irreg.) 92*
to **introduce oneself** *presentarse 58*
introduction *la introducción 66 la presentación 170*
intruder *el/la intruso(a) 78*
to **invade** *invadir 96*
invariable *invariable 310*
invasion *la invasión 245*
to **invent** *inventar 113*
to **invest** *invertir (irreg. ie, i) 154*
invested with *investido(a) de 256*
investment *la inversión 156*
investor *el/la inversor(a) 156*
invitation *la invitación 10*
to **invite** *invitar 18*
to **involve** *consistir en 19 implicar 196*
involved *involucrado(a) 261*
iron *el hierro 318*
ironic *irónico(a) 211*
irony *la ironía 345*
irrational *irracional 306*
irregular *irregular 2*
irreparable *irreparable 279*
island *la isla 13*
isn't it? *¿eh? 330*
isoflavone *la isoflavona 173*
isolated *aislado(a) 7*
to **issue** *emitir 165*
isthmus *el istmo 159*
It depends. *Depende. 204*
It's a deal. *Trato hecho. 190*
It's hard to believe ... *Parece mentira... 252*
Italian *italiano(a) 127*
italics *la cursiva 312*
itch *picar 75*
itinerary *el itinerario 212*

to **jail** *encarcelar 260*
jar *el tarro 108*
jealous *celoso(a) 17*
Jewish *judío(a) 345*
job *el trabajo 33 el oficio 38 el empleo 114 el puesto de trabajo 160*

job application *la solicitud de empleo 160*
job interview *la entrevista de trabajo 4*
job offer *la oferta de trabajo 160*
to **join** *unir 4 apuntarse a 139*
joined *unido(a) 82*
joke *la broma 20 el chiste 221*
journalist *el/la periodista 38*
journalistic *periodístico(a) 95*
journey *el viaje 5*
joy *el júbilo 222*
jubilation *el júbilo 222*
judge *el/la juez(a) 313*
to **judge** *juzgar 320*
juzged *juzgado(a) 256*
judicial *judicial 260*
juice *el jugo 77*
jungle *la selva 4 la jungla 195*
junta *la junta militar 260*
jury *el jurado 183*
just *justo 270*
just as *tal (y) como 39*
justice *la justicia 245*
to **justify** *justificar 39*

to **keep** *seguir (irreg. i, i) 14 quedarse 47 guardar 109 mantener (irreg.) 182 conservar 256*
to **keep up** *mantener (irreg.) 230*
key *la clave 66 la llave 80*
keyboard *el teclado 133*
kidnapped *secuestrado(a) 267*
kidney *el riñón 115*
to **kill time** *matar el tiempo 188*
kilo *el kilo 50*
kilometer *el kilómetro 31*
kind *el tipo 7 amable 17 bondadoso(a) 20 la especie 30 cordial 59*
kindness *la delicadeza 39 la amabilidad 278*
king *el rey 23*
kinship *el parentesco 106*
kiss *el beso 17*
to **kiss** *besarse 36*
kiwi *el kiwi 106*
knee *la rodilla 102*
kneeling *de rodillas 102*
knife *el cuchillo 90*
knot *el nudo 30*
to **know** *saber (irreg.) 1 conocer (irreg.) 2*
knowledge *los conocimientos 160 el conocimiento 278*
known *el/la conocido(a) 94*

label *la etiqueta 173*
labor *laboral 47*
labor market *el mercado laboral 163*
laboratory *el laboratorio 70*

lowercase *la minúscula* 136
loyalty *la fidelidad* 230
lubricant *el lubricante* 295
luck *la suerte* 14
luckily *por suerte* 244 *felizmente* 343
lunch *el almuerzo, la comida* 86
lung *el pulmón* 115
luxurious *lujoso(a)* 318
luxury *el lujo* 218
lying down *acostado(a)* 102
lymphoma *el linfoma* 96
lyricism *el lirismo* 331
lyrics *la letra* 192

M

machinery *la maquinaria* 256
made of *hecho(a) de* 19
made up *inventado(a)* 122
made up of *compuesto(a) de/por* 326
magazine *la revista* 48
magic *mágico(a)* 38
magical *mágico(a)* 336
magnesium *el magnesio* 147
magnificent *magnífico(a)* 345
maid of honor *la madrina* 100
mail *la correspondencia, el correo (postal)* 33
to **mail** *echar* 37
mail (adjective) *postal* 32
mail carrier *el/la cartero(a)* 32
mailbox *el buzón* 32
main *principal* 3
main body *el cuerpo* 59
main character *el/la protagonista* 49
mainly *principalmente* 67 *fundamentalmente* 172
majestic *majestuoso(a)* 203
majority *la mayoría* 48
majority (of) *la mayor parte (de)* 48
to **make** *hacer (irreg.)* 2 *poner (irreg.)* 102 *realizar* 109 *fabricar* 148 *obtener (irreg.)* 154 *construir (irreg.)* 166 *cometer* 279
to **make a clean copy of** *pasar a limpio* 117
to **make a complaint** *poner una reclamación* 204
to **make a mistake** *equivocarse* 17
to **make a note of** *apuntar* 122
to **make an effort** *esforzarse (irreg. ue)* 136
to **make aware** *concienciar* 122
to **make clear** *dejar claro* 166
to **make clearer** *clarificar* 67
to **make compatible** *compatibilizar* 163
to **make dependent on** *condicionar* 252
to **make easy** *facilitar* 124
to **make ends meet** *llegar a fin de mes* 177
to **make happy** *alegrar* 22
to **make it** *llegar* 210

to **make oneself comfortable** *acomodarse* 38
to **make oneself up** *maquillarse* 36
to **make out** *distinguir* 302
to **make possible** *facilitar* 67
to **make progress** *avanzar* 141
to **make sacrifices** *sacrificarse* 168
to **make sense** *tener sentido* 30
to **make someone's mouth water** *hacérsele la boca agua a alguien* 74
to **make sure that ...** *asegurarse de que...* 32
to **make up** *reconciliarse* 17 *inventar* 25 *componer (irreg.)* 58
maker *el/la constructor(a)* 166
making *la construcción* 166
malaria *la malaria* 88
malignant *maligno(a)* 96
mambo *el mambo* 226
man *el hombre* 24 *el señor* 50
to **manage** *lograr* 5 *gestionar* 125 *conseguir (irreg. i, i)* 214 *administrar* 266
management *la gestión* 126
manager *el/la gerente* 153 *el/la jefe(a)* 165 *directivo(a)* 180
managerial *el/la directivo(a)* 180
to **maneuver** *maniobrar* 210
manifesto *el manifiesto* 292
mankind *la humanidad* 317
mansion *la mansión* 107
manual *el manual* 67
manufacture *la fabricación* 146 *la elaboración* 326
to **manufacture** *fabricar* 148
many *muchos(as)* 1 *multitud de* 219 *múltiples* 312
map *el mapa* 56
maraca *la maraca* 197
marble *el mármol* 318
mariachi *el mariachi* 23
marital status *el estado civil* 161
mark *la nota* 11
to **mark** *señalar* 66 *marcar* 103
marked *acusado(a)* 127
marker *el marcador* 98
market *el mercado* 148
marriage *el matrimonio* 93
to **marry** *casarse con* 92
martial arts *las artes marciales* 192
masculine *masculino(a)* 24
mass (adjective) *masivo(a)* 67
master *el/la maestro(a)* 351
masterly *magistral* 319
masterpiece *la obra maestra* 302
mastery *el dominio* 38
match *el partido* 120
maté *el mate* 76
maté drinker *matero(a)* 84
maté gourd *el mate* 76
maté leaves *la yerba mate* 76
material *el material* 106
mathematical *matemático(a)* 106
mathematics *las matemáticas* 22
matter *la cuestión* 116
to **matter** *importar* 22
Mayan *maya* 228

maybe *quizá(s)* 15 *a lo mejor* 196
mayor (man) *el alcalde* 104
mayor (woman) *la alcaldesa* 245
meal *la comida* 28 *el plato* 78
mean *mezquino(a)* 279
to **mean** *significar* 15 *referirse a* 69
meaning *el significado* 12 *el sentido* 94 *el matiz* 333
means *el recurso* 68 *el medio* 97
means of transport *el medio de transporte* 154
meanwhile *mientras tanto* 267
measure *la medida* 97
to **measure** *medir (irreg. i, i)* 306
meat *la carne* 75
mechanic *el/la mecánico(a)* 158
mechanical *mecánico(a)* 148
mechanism *el mecanismo* 127
media *los medios de comunicación* 44
mediating *mediador(a)* 324
medical *médico(a)* 5
medical checkup *la revisión médica* 75
medical sciences *las ciencias de la salud* 312
medication *la medicación* 295
medicine *el fármaco* 97
medicine (drug) *el medicamento* 91
medicine (science) *la medicina* 88
medium *el medio de expresión* 263
to **meet** *reunirse* 3 *conocerse (irreg.)* 36 *conocer (irreg.)* 37 *reunir* 175 *encontrarse (irreg. ue)* 246
to **meet (requirements, etc.)** *cumplir (con)* 7
meeting *la reunión* 35 *el encuentro* 200
melanoma *el melanoma* 96
melody *la melodía* 27
melon *el melón* 75
to **melt** *derretirse (irreg. i, i)* 220
member *el/la componente* 49 *el miembro* 58
memorable *recordable* 222
to **memorize something** *aprenderse algo* 34
memory *la memoria* 336 *el recuerdo* 343
mental *mental* 86
mental block *el bloqueo mental* 335
to **mention** *mencionar* 6 *nombrar* 94 *citar* 117
mentioned *citado(a)* 329
menu *el menú* 7
merchandise *la mercancía* 148
mere *mero(a)* 166
merit *el mérito* 249
message *el mensaje* 11
messenger *el/la mensajero(a)* 30
metal *el metal* 147
metallic *metálico(a)* 76
metamorphosis *la metamorfosis* 50
metaphor *la metáfora* 330
metastasis *la metástasis* 96
meter *el metro* 195

metric ton *la tonelada* 80
metropolis *la metrópolis* 277
Mexican *mexicano(a)* 3
Mexican American *el/la mexicanoamericano(a)* 285
microclimate *el microclima* 224
microcredit *el microcrédito* 156
middle class *la clase media* 248
middle of (a month, week, etc.) *mediados de* 134
midterm exam *el examen parcial* 136
migratory *migratorio(a)* 284
military *militar* 149
military conflict *el conflicto bélico* 245
milk *la leche* 63
milk caramel *el dulce de leche* 77
million *el millón* 48
to **mine** *extraer (irreg.)* 146
mineral *el mineral* 11
mini-dialogue *el mini-diálogo* 219
minimum *mínimo(a)* 165 *el mínimo* 169
mining *la minería* 172 *la extracción* 173 *la explotación* 296
minister *el/la ministro(a)* 262
minister (of a church) *el/la pastor(a)* 336
ministry *el ministerio* 273
minus *menos* 136
minute *el minuto* 17
miracle *el milagro* 38
miraculous *milagroso(a)* 109
mirror *el espejo* 328
to **misbehave** *portarse mal* 37
mischievous *travieso(a)* 17
to **miss** *echar de menos* 14 *perder (irreg. ie)* 24 *perderse (irreg. ie)* 349
mission *la misión* 31
mistake *el error* 47 *la equivocación* 311
to **mistake for** *confundir con* 310
mistaken *erróneo(a)* 116
misunderstanding *el malentendido* 56
to **mix** *mezclar* 112
mixture *la mezcla* 342
model *la maqueta* 186
model (design) *el modelo* 25
model (example) *el modelo* 3
modern *moderno(a)* 8 *actual* 23
modest *humilde* 20
mole (on skin) *el lunar* 17
mom *la mamá* 86
moment *el momento* 64 *el instante* 109
momentary *momentáneo(a)* 210
monarch *el/la monarca* 248
monarchy *la monarquía* 246
money *el dinero* 10
monitor *el/la monitor(a)* 174
to **monitor** *controlar* 98
monitoring *el seguimiento* 98
monotonous *monótono(a)* 345
month *el mes* 8
monthly *mensualmente* 194
monument *el monumento* 61

mood *el humor* 110
mood (in grammar) *el modo* 190
moon *la luna* 94
more *más* 3 *mayor* 155
more and more *cada vez más* 39
more than *más de/que* 308
morning *la mañana* 6
moron *el/la cretino(a)* 210
mortal *el/la mortal* 222
mortgage *la hipoteca* 148
mosaic *el mosaico* 309
mosque *la mezquita* 318
most *lo que más* 21 *más* 26
(the) most *más* 27
most (of) *la mayor parte (de)* 48
most outstanding *cumbre* 54
mother *la madre* 59
mother (adjective) *materno(a)* 56
motion *el movimiento* 143
to **motivate** *animar* 344
motive *la motivación* 215
motor vehicle (adjective) *automotor* 153
mountain *la montaña* 24
mountain sickness *el soroche* 117
mountaineering *el montañismo* 216
mountainous *montañoso(a)* 224
mountains *la montaña* 63
mouse *el ratón* 104
move *la jugada* 192
to **move** *moverse (irreg. ue)* 33 *mudarse* 107 *mover (irreg. ue)* 192
to **move forward** *avanzar* 192
to **move on** *avanzar* 210
movement *el movimiento* 262
movie *la película* 22
Mr./Mrs. *señor(a)* 20 *don/doña* 94
much *mucho* 17
multinational company *la multinacional* 148
multiple *múltiple* 66
multiplication *la multiplicación* 136
to **multiply** *multiplicar* 48
mural *el mural* 197
mural painting *el muralismo* 300
muralist *el/la muralista* 300
museum *el museo* 116
mushroom *el hongo* 78
music *la música* 3
musical (adjective) *musical* 23
musician *el/la músico(a)* 191
must *deber de* 196
mustache *el bigote* 17
mute *mudo(a)* 20
mysterious *misterioso(a)* 14
mystery *el misterio* 335
mystic *místico(a)* 219
mythical *mítico(a)* 342

name *el nombre* 4
to **name** *nombrar* 179
named *titulado(a)* 224

narrative *narrativo(a)* 211 *la narrativa* 335
narrator *el/la narrador(a)* 330
nation *la nación* 149
national *nacional* 3
nationality *la nacionalidad* 106
native *el/la indígena* 41 *nativo(a)* 203 *natal* 325
native of *originario(a) de* 18
native to *originario(a) de* 77
natural *natural* 9 *crudo(a)* 222
natural resource *el recurso natural* 148
naturalness *la naturalidad* XXII
nature *la naturaleza* 7 *el carácter* 156
nausea *las náuseas* 90
navigable *navegable* 219
near *cerca, cerca de* 58 *inmediato(a)* 140
nearby *cercano(a)* 203
neatness *la limpieza* 174
necessary *necesario(a)* 58 *preciso(a)* 322
necessity *la necesidad* 38
need *la necesidad* 43
to **need** *necesitar* 7 *faltar* 83
needy *necesitado(a)* 125
negative *negativo(a)* 7 *la negación* 322
to **negotiate** *negociar* 169
neighbor *el/la vecino(a)* 35
neighborhood *el barrio* 58
neither *tampoco* 94
neither ... nor ... *ni... ni...* 225
nerves *los nervios* 119
nervous *nervioso(a)* 75
nervous tension *la ansiedad* 122
net *la red* 336
network *la red* 37 *la cadena* 44
neuter *neutro(a)* 310
neutral *neutro(a)* 334
never *nunca* 194 *jamás* 278
nevertheless *no obstante* 91
new *nuevo(a)* 1 *novedoso(a)* 5
newborn baby *el/la recién nacido(a)* 115
news *la novedad* 266
news (item) *la noticia* 44
news (program) *el noticiero* 44
newspaper *el papel de periódico* 29 *el diario, el periódico* 45
newsprint *el papel de periódico* 29
next *próximo(a)* 8 *siguiente* 35 *a continuación* 47
next (to) *al lado (de)* 123
nice *amable* 17 *bonito(a)* 19 *lindo(a)* 73
night *la noche* 37
night (adjective) *nocturno(a)* 205
nightclub *la discoteca* 188
ninth *noveno(a)* 250
no *no* 15
no (adjective) *ningún(o)(a)* 48
no doubt *sin duda* 41
no idea *ni idea* 15
no matter how *por más que* 264
no matter how much/how many *por mucho(a)(os)(as)* 264

no sooner ..., as soon as ... apenas... 50
nobility la nobleza 248
nobody nadie 6
noise el ruido 22
non-governmental organization la organización no gubernamental 125
nor/or ni 32
normal normal 50
normally normalmente 41
North el norte 57
North American norteamericano(a) 86
nose la nariz 332
not no 2
not a single ni 17
not ... but ... no... sino... 231
(not) ever nunca 33
not long ago hace poco 72
not moving parado(a) 204
not only ... but ... no solo... sino que... 231
not to know desconocer (irreg.) 287 ignorar 336
notable destacable 343
to **note down** tomar nota de 26 anotar 27
notebook el cuaderno 347
notes los apuntes 124
nothing nada 8
notice advertir (irreg. ie, i) 210
to **notice** observar 22 fijarse en 92
to **notice it's missing** echar de menos 117 echar en falta 217
notion la noción 222
noun el nombre 24
novel la novela 33
novelty la novedad 324
now ahora 2 ya 42
nowadays hoy en día 30 en la actualidad 50
nuclear nuclear 295
number el número 33 la cantidad 79 el conjunto 192
numeral el numeral 250
numerals la numeración 250
numerous numeroso(a) 43 múltiples 312
nurse el/la enfermero(a) 95
nurse's office la enfermería 123
nut la nuez 78
nutrition la nutrición 5

object el objeto 4
objection la objeción 264
objective el objetivo 9
objectivity la objetividad 287
obligation la obligación 144
obsessed obsesionado(a) 86
obstacle el obstáculo 264 el impedimento 325
obstruction la obstrucción 90
to **obtain** obtener (irreg.) 38 lograr 125 conseguir (irreg. i, i) 248
obvious obvio(a) 246 evidente 252

obviously evidentemente 197 obviamente 345
occasion la ocasión 112
occupation (job) la ocupación 94
occupational ocupacional 165
ocean el océano 147
odd curioso(a) 26
of de 1
of course por supuesto 38 desde luego 53 naturalmente 324
of course ... claro (que)... 8
of others ajeno(a) 278
of protest reivindicativo(a) 293
of solidarity solidario(a) 127
offer la oferta 158
to **offer** ofrecer (irreg.) 91
office la oficina 145
office worker el/la administrativo(a) 133
official oficial 116
to **officiate at** oficiar 104
often a menudo 194
oil el aceite 75 el petróleo 147
oil (adjective) petrolífero(a) 173
oil (paint) el óleo 306
oilfield la explotación petrolífera, el yacimiento de petróleo 173
OK de acuerdo 41 vale 123
OK? ¿eh? 41
old viejo(a) 18 antiguo(a) 81
old person el/la anciano(a) 50
older mayor 17
olive la aceituna 79
to **omit** omitir 95
on en 2 sobre 304
on (board) a bordo de 254
on a diet a dieta 106
on a visit de visita 18
on behalf of en nombre de 248
on foot a pie 221
on his mother's side materno(a) 336
on horseback a caballo 101
on the occasion of con motivo de 67
on the other hand en cambio 24
on the other side of del otro lado de 336
on the verge of a punto de 204
on time a tiempo 10
on top of encima de 108
on your own solo(a) 221
Once upon a time ... Érase una vez... 339
oncologist el/la oncólogo(a) 90
one-semester semestral 169
online conectado(a) 72
only solo 6 único(a) 24
open abierto(a) 138 transparente 156
to **open** abrir (irreg.) 28 destapar 83 inaugurar 314
open-air al aire libre 193
opening hours el horario 91
opera la ópera 23
to **operate** funcionar 203
to **operate on** operar 330

operation la operación 5 la intervención 97 el funcionamiento 125
ophthalmologist el/la oculista 75
opinion la opinión 7
opportunity la oportunidad 24
to **oppose** oponerse (irreg.) 260
opposing contrario(a) 164
opposite opuesto(a) 20 frente (a) 94 lo contrario 157 al frente 200
opposition la oposición 143
oppressed oprimido(a) 249
oppression la opresión 271
optimistic optimista 9
option la opción 19
optional optativo(a) 142
or o 2 u 66
oral oral 124
oral skills la expresión oral 238
orange la naranja 77 anaranjado(a) 303
orchestra la orquesta 192
orchid la orquídea 7
order la orden 10 el orden 25 el pedido 39
to **order** ordenar 79 pedir (irreg. i, i) 72
ordinal ordinal 250
ordinary medio(a) 39
organ el órgano 115
organism el organismo 96
organization la organización 86 la entidad 125 el organismo 217
to **organize** organizar 19 ordenar 67 montar 314
organized organizado(a) 31 ordenado(a) 174
organizer el/la organizador(a) 66
origin el origen 14
original original 44
original version la versión original 44
originally originariamente 23 originalmente 66
originally coming from originario(a) de 193
to **originate** originarse 186
ornament el adorno 101
other otro(a) 2
other people los/las demás 17
others los/las demás 17
out of control incontrolado(a) 90
outline el guion 123 el esquema 152 el contorno 324
outside el exterior 303 exterior 309 fuera de 325 afuera 37
outstanding work la obra cumbre 302
oval ovalado(a) 303
over sobre 111
overtime las horas extraordinarias 160
overweight gordito(a) 332
overwhelmed abrumado(a) 210 agobiado(a) 211
overwhelming abrumador(a) 110
own propio(a) 27
to **own** poseer (irreg.) 256
owner el/la propietario(a) 180

proof *la muestra* 67
propaganda *la propaganda* 269
proper *debido(a)* 117
proper noun *el nombre propio* 254
property *la propiedad* 24 *el inmueble* 200
proportion *la proporción* 306
proposal *la propuesta* 41
to **propose** *proponer (irreg.)* 14 *plantear* 55 *presentar* 261
prose *la prosa* 330
to **prosper** *prosperar* 278
prosperity *la prosperidad* 111
prosperous *próspero(a)* 285
to **protect** *proteger* 256
to **protect oneself** *protegerse* 96
protection *protección* 224
protein *la proteína* 173
protest *la protesta* 242
to **protest** *protestar* 262
proud *orgulloso(a)* 106
to **provide** *proporcionar* 52 *aportar* 55 *facilitar* 166 *prestar* 183 *proveer (irreg.)* 296
to **provide (medical) attention** *prestar atención* 115
provided (that) *con tal de (que)* 164
province *la provincia* 125
psychiatrist *el/la psiquiatra* 92
psychologist *el/la psicólogo(a)* 75
psychology *la psicología* 143
public *el público* 4 *público(a)* 61
publication *la publicación* 66 *la aparición* 342
publicity (adjective) *publicitario(a)* 145
to **publish** *publicar* 33
published *publicado(a)* 54
publisher *la editorial* 344
pulse *el pulso* 91
pumpkin *la calabaza* 76
punctuality *la puntualidad* 205
punctuation *la puntuación* 117
punctuation mark *el signo de puntuación* 117
purpose *el propósito* 58 *la finalidad* 262
purse *el bolso* 21
to **pursue** *perseguir (irreg. i, i)* 166
to **put** *poner (irreg.)* 2 *colocar* 5 *colgar (irreg. ue)* 38 *echar* 108
to **put an end to** *acabar con* 264 *terminar con* 271
to **put away** *guardar* 204
to **put in** *meter* 40
to **put in contact with** *poner en contacto con* 127
to **put on** *poner (irreg.)* 3 *ponerse (irreg.)* 34
to **put up with** *soportar* 248 *sufrir* 270

qualifying *calificativo(a)* 24
quality *la cualidad* 24 *la calidad* 81

quantifier *el cuantificador* 48
quantity *la cantidad* 31
quarter *el cuarto* 48
quarter (of) *la cuarta parte (de)* 48
Quechua *quechua* 77
queen *la reina* 245
question *la pregunta* 3 *la duda* 58 *la cuestión* 173
to **question** *poner en duda* 296
questionnaire *el cuestionario* 303
quick *ágil* 31 *rápido(a)* 41
to **quicken one's pace** *apresurar el paso* 210
quickly *pronto* 40 *rápido* 107
quiet *callado(a)* 106 *tranquilo(a)* 219
quinoa *la quinua* 296
quite *bastante* 48
quite a few *bastante(s)* 48
quote *la cita* 224
to **quote** *citar* 225

race *la carrera* 14 *la raza* 278
racial *racial* 271
radiation *la radiación* 96
radiation therapy *la radioterapia* 97
radical *radical* 289
radio *la radio* 52
radio drama *el radioteatro* 266
radioactive *radiactivo(a)* 272
rage *la rabia* 210
railroad *el ferrocarril* 184
railroad track *la línea* 205
rain *la lluvia* 267
to **rain** *llover (irreg. ue)* 6 *entrenar* 75
raincoat *el impermeable* 224
rainy *lluvioso(a)* 22
to **raise** *levantar* 35
to **raise (questions)** *plantear* 166
raisin *la pasa* 78
ranch *la estancia* 336
rare *raro(a)* 296
raspberry *la frambuesa* 78
rather *más bien* 244
Rather, *Mejor dicho,* 242
rational *racional* 324
rationalized *racionalizado(a)* 49
raw *crudo(a)* 172
raw material *la materia prima* 146
ray *el rayo* 96
to **reach** *llegar a* 125 *alcanzar* 137
to **reach (years of age)** *cumplir* 125
to **react** *reaccionar* 40
reaction *la reacción* 143
reactive *reactivo(a)* 98
read *leído(a)* 331
to **read** *leer (irreg.)* 3
reader *el/la lector(a)* 45
reading *la lectura* 26
reading (adjective) *lector(a)* 124
ready *preparado(a)* 1 *listo(a)* 106
real *real* 65 *auténtico(a)* 77
realism *el realismo* 335
reality *la realidad* 67
to **realize** *darse cuenta de* 92

really *realmente* 39
to **really like** *encantar* 22
rear *la cola* 222
reason *la razón* 24 *el motivo* 218 *la causa* 227
reasonable *razonable* 20
reasoning *la argumentación* 143
to **rebel** *rebelarse* 247
to **recall** *evocar* 31
to **receive** *recibir* 32 *acoger* 155
recent *último(a)* 33 *reciente* 96
recently *recientemente* 140
reception *la recepción* 7 *la acogida* 58 *el acogimiento* 59
receptionist *el/la recepcionista* 174
recipe *la receta* 79
recipient *el/la receptor(a)* 104
reciprocal *recíproco(a)* 12
reckless *temerario(a)* 311
recognition *el reconocimiento* 38 *la consagración* 343
recognizable *reconocible* 306
to **recognize** *reconocer (irreg.)* 23
to **recommend** *recomendar (irreg. ie)* 11
recommendation *la recomendación* 11
reconcile *conciliar* 163
reconciliation *la conciliación* 163
to **reconstruct** *reconstruir (irreg.)* 245
record *el disco* 191
to **record** *registrar* 52 *grabar* 238
recording *la grabación* 42
to **recount** *narrar* 230
to **recover** *recuperar(se)* 38
recovery *la recuperación* 270
rectangular *rectangular* 303
to **recycle** *reciclar* 102
red *rojo(a)* 63
reddish *rojizo(a)* 303
to **reduce** *reducir (irreg.)* 11
reef *el arrecife* 228
to **refer** *remitir* 286
to **refer to** *referirse a (irreg. ie, i)* 34 *nombrar* 104
reference *la referencia* 160
referendum *el referéndum* 262
to **reflect** *reflejar* 36
reflection *el reflejo* 52
reflexive *reflexivo(a)* 36
reform *la reforma* 261
to **reform** *reformar* 244
refrain *el estribillo* 192
refrigerator *el refrigerador* 63
refusal *la negativa* 239
to **refuse** *negarse (irreg. ie)* 92
to **refuse to do something** *renunciar a hacer algo* 260
to **refute** *rebatir* 256
Regards. *Un saludo.* 59
regarding *respecto a* 143
regime *el régimen* 244
region *la región* 9
register *el registro* 58 *la matriculación* 134
to **register** *registrar* 31 *registrarse* 68 *matricularse* 136

registered *inscrito(a)* 138 *registrado(a)* 154 *matriculado(a)* 169

to **regret** *arrepentirse (de) (irreg. ie)* 34 *lamentar* 209

regrettably *lamentablemente* 244

regular *regular* 2 *habitual* 200

regularly *habitualmente* 47 *regularmente* 230

regulation *la regulación* 67

to **rehearse** *ensayar* 29

to **reinvent** *reinventar* 212

to **reject** *rechazar* 69

rejection *el rechazo* 67

related *relacionado(a)* 9

relating to *relativo(a) a* 116 *referido(a) a* 164

relation *la relación* 40

relationship *la relación* 14

relative *el/la familiar* 27 *el/la pariente* 105 *relativo(a)* 150

to **relax** *relajarse* 75

relaxed *relajado(a)* 75

reliable *fiable* 45

to **relieve the boredom** *matar el aburrimiento* 200

religion *la religión* 106

religious *religioso(a)* 101

to **rely on** *apoyarse en* 125

to **remain** *mantenerse (irreg.)* 126

remark *la intervención* 132

to **remark** *comentar* 108

remarkable *notable* 307

to **remember** *recordar (irreg. ue)* 1 *acordarse (irreg. ue)* 34 *acordarse de (irreg. ue)* 92

to **remind** *recordar (irreg. ue)* 177

remote *el control remoto, remoto(a)* 44

to **remove** *eliminar* 69 *quitar* 87 *suprimir* 332

Renaissance *el Renacimiento* 325

renewable *renovable* 156

renewed *renovado(a)* 191

renowned *reconocido(a)* 23

to **rent** *alquilar* 10

to **repair** *arreglar* 293

to **repay** *corresponder a* 278

repayment *la devolución* 148

to **repeat** *repetir (irreg. i, i)* 2

repeatedly *repetidamente* 6

repetition *la repetición* 82

repetitive *repetitivo(a)* 7

to **replace (with)** *sustituir (por) (irreg.)* 51

report *el informe* 47 *el reportaje* 52

to **report** *informar* 68 *denunciar* 275

to **represent** *representar* 55

representative *el/la representante* 125 *representativo(a)* 227 *el/la diputado(a)* 244

to **reproduce** *reproducir (irreg.)* 43

reproduction *la reproducción* 340

republic *la república* 248

republican *republicano(a)* 245

reputation *la fama* 38

request *la petición* 39 *el requerimiento* 212

to **request** *solicitar* 126

to **require** *requerir (irreg. ie, i)* 4

required *requerido(a)* 165

required to do something *obligado(a) a algo* 260

requirement *el requisito* 7

to **rescue** *salvar* 148

research *la investigación* 68

to **research** *investigar* 14

researcher *el/la investigador(a)* 88

reservation *la reserva* 218

reserve *la reserva* 146

reserved *callado(a)* 106 *reservado(a)* 205

residence *la residencia* 54

resignation *la dimisión* 267

resort *el recurso* 68

resource *el recurso* 146

respect *el respeto* 57

to **respect** *respetar* 17

respective *respectivo(a)* 327

responsibility *la responsabilidad* 127 *la función* 161

responsible *responsable* 133

rest *el descanso* 31 *el resto* 41

to **rest** *descansar* 136

restaurant *el restaurante* 72

restoration *la restauración* 203

to **restore** *restaurar* 322

to **restrain** *contener (irreg.)* 279

result *el resultado* 3

résumé *el currículum (vítae), la hoja de vida* 160

to **resume** *restablecer (irreg.)* 86 *reemprender* 210

to **retain** *conservar* 14

to **retire** *jubilarse* 162

retirement *la jubilación* 162

return *el regreso* 266

to **return** *devolver (irreg.) to*

to **reuse** *reutilizar* 127

to **reveal** *desvelar* 345

revenge *la venganza* 338

to **reverse** *dar marcha atrás* 210

review *la crítica* 123 *la reseña* 344

to **review** *repasar* 136 *reseñar* 344

to **revise** *repasar* 2

revision *el repaso* 60

to **revive** *revivir* 31

revolution *la revolución* 26

revolutionary *revolucionario(a)* 268

to **revolutionize** *revolucionar* 205

to **rewrite** *reescribir (irreg.)* 51

rhythm *el ritmo* 153

rice *el arroz* 74

rich *rico(a)* 39

richness *la riqueza* 195

to **ride** *montar* 189

ridiculous *ridículo(a)* 86

rifle *el fusil* 272

right *la derecha* 102 *exacto(a)* 133 *el derecho* 222

right by *junto a* 33

right now *ahora mismo* 63

right-handed *diestro(a)* 20

rigorous *riguroso(a)* 246

to **ring** *sonar (irreg. ue)* 6

to **ring a bell** *sonar (irreg. ue)* 130

rise *la subida* 138

risk *el riesgo* 86

rite *el rito* 14

ritual *el ritual* 77

river *el río* 150

road *la carretera* 234

roast *asado(a)* 78

to **rob** *robar* 29

robbery *el robo* 272

rock *la roca* 202

role *el papel* 172 *el rol* 212

roll *el rollo* 112

Roman *romano(a)* 250

romance *el romance* 38

romance novel *la novela rosa* 330

Romanesque *románico(a)* 320

romantic *romántico(a)* 22

room *la habitación* 7 *la sala* 188 *el espacio* 233

room service *el servicio de habitaciones* 216

rooming house *la pensión* 214

roomy *amplio(a)* 7

root *la raíz* 8

rope *la cuerda* 30

rose *la rosa* 33

rough *rudo(a)* 40

round *la ronda, la rueda* 84 *la partida* 192 *redondo(a)* 303

round-trip *ida y vuelta* 189

route *la ruta* 159 *el recorrido* 203

routine *la rutina* 2

row *la fila* 197

royal *real* 31

royalty *la realeza* 248

rubber *el caucho* 56

rude *maleducado(a)* 20

rudeness *la rudeza* 278

ruin *la ruina* 222

rule *la regla* 81 *el dominio* 248 *la norma* 263

ruler *el/la gobernante* 4

rules *las bases* 67 *el reglamento* 116

rumor *el rumor* 207

to **run** *correr* 119

to **run (as candidate)** *presentarse* 130

to **run out** *acabarse* 34

to **run out of gasoline** *quedarse sin gasolina* 204

runner *el/la corredor(a)* 31

rural *rural* 31

S

sacrifice *el sacrificio* 168

sad *triste* 22 *apenado(a)* 255

sadness *la pena, la tristeza* 56

safe *seguro(a)* 106

safe-deposit box *la caja de seguridad* 219

safety *la seguridad* 189

safety belt *el cinturón (de seguridad)* 189

said *dicho(a)* 296

to **sail** *navegar* 192

sailboat *el velero* 141

sailor *el/la navegante* 248

to **take part** *participar* 5 *intervenir (irreg.)* 123

to **take place** *tener lugar* 5 *celebrarse* 14 *producirse (irreg.)* 52 *desarrollarse* 123 *transcurrir* 337

to **take refuge** *refugiarse* 291

to **take turns** *turnarse* 35

to **take up** *ocupar* 173

to **take up residence** *fijar residencia* 331

taken *ocupado(a)* 205

tale *el relato* 25

talent *el talento* 38

talented *talentoso(a)* 309

talk *la charla* 72

to **talk** *hablar de* 1 *conversar* 69

to **talk to each other** *hablarse* 36

tall *alto(a)* 221

tapa *la tapa* 79

task *la tarea* 10

taste *el sabor* 76

taste (of food) *el gusto* 108

taste (of person) *el gusto* 72

tasteless *soso(a)* 35

tavern *el mesón* 79

tea *el té* 76

to **teach** *enseñar* 43

teacher *el/la profesor(a)* 8

teaching *la enseñanza* 317

team *el equipo* 23

to **tease** *tomar el pelo* 20

technical *técnico(a)* 43

technique *la técnica* 5

technological *tecnológico(a)* 98

technology *la tecnología* 44

telecommunications *las telecomunicaciones* 165

telecommuting *el teletrabajo* 163

telephone *el teléfono* 8

telephone (adjective) *telefónico(a)* 239

television *la televisión* 44

television set *el televisor* 219

to **tell** *contar (irreg. ue)* 1 *decir (irreg.)* 14 *narrar* 230 *indicar* 278

temperature *la temperatura* 224

temple *el templo* 318

tendency *la propensión* 96

tenor *el tenor* 200

tense *el tiempo* 22

tension *la tensión* 201

tent *la tienda de campaña* 216

tenth *décimo(a)* 250

term *el término* 67

term (of office) *el mandato* 261

terminal *el terminal* 67

terrace *la terraza* 222

terrible *fatal* 322

terribly *mal* 18

terrific *fenomenal* 142

to **terrify** *dar pánico* 190

territory *el territorio* 43

terrorism *el terrorismo* 272

terrorist *el/la terrorista* 274

terrorist attack *el atentado* 274

test *la prueba* 66

testimony *el testimonio* 97

text *el texto* 5 *el escrito* 174

text processing *el tratamiento de textos* 174

textbook *el libro de texto* 65

textile *el textil* 31

textual *textual* 294

to **thank** *agradecer (irreg.)* 92

thank God *menos mal (que)* 243 *gracias a Dios* 278

thank you *gracias* 11

thanks to *gracias a* 287

Thanksgiving *Acción de Gracias* 74

that *que* 1

that can be eaten *consumible* 125

that is, *o sea,* 244

that's why *de ahí* 79 *por eso* 220 *de ahí que* 287

the other (before noun) *los/las demás* 218

The problem is that … *Lo malo es que…* 311

the same *igual* 80

the Three Wise Men *los Reyes Magos* 37

theater *el teatro* 23

then *pues* 1 *después* 2 *entonces* 8 *luego* 41 *a continuación* 47 *ahí* 268

there *allí* 7 *ahí* 25

there are *hay* 6

there is *hay* 20

there was *había* 6 *hubo* 201

there were *había* 7 *hubo* 31

there will be *habrá* 80

therefore *por (lo) tanto* 220

thick *denso(a)* 109

thin *fino(a)* 8 *delgado(a)* 106

thing *la cosa* 1

to **think** *pensar (irreg. ie)* 2 *creer (irreg.)* 7 *parecer (irreg.)* 22 *opinar* 59 *plantearse* 67 *juzgar que* 320

to **think about** *pensar en (irreg. ie)* 92

to **think of something** *ocurrírsele algo a alguien* 73

third *el tercio* 48 *tercer(o)(a)* 250

thirst *la sed* 224

this way *así* 11

thousand *mil* 48

thousands of *miles de* 147

threat *la amenaza* 69

to **threaten to (followed by infinitive)** *amenazar con* 92

to **thrill** *emocionar* 22 *hacer ilusión* 143

throat *la garganta* 94

through *por* 1 *a través de* 29

throughout *a lo largo de* 172

to **throw** *tirar* 111

to **throw away** *tirar* 127

to **throw up** *vomitar* 90

thyroid gland *la tiroides* 96

ticket *el pasaje* 144 *la entrada* 188 *el boleto* 189

tidy *ordenado(a)* 106

to **tie** *atar* 100

time *el tiempo* 3 *la vez* 11 *el momento* 19 *la hora* 36 *la corbata* 54 *la temporada* 110 *la época* 253

time (adjective) *temporal* 140

timeline *la línea del tiempo* 251

times *por* 176

timetable *el horario* 2

tin *el estaño* 173

tip *la propina* 79

tire *la goma, la llanta, el neumático* 56

tired *cansado(a)* 34

tissue *el tejido* 115

title *el título* 26

to *a* 1 *para* 2 *hasta* 31 *a que* 262

to a large extent *en gran medida* 306

to and fro *de un lado a otro* 44

to be honest, *la verdad,* 15

tobacco *el tabaco* 96

today *hoy* 20

together *juntos(as)* 3

together with *junto con* 228

token *la ficha* 192

tolerance *la tolerancia* 245

tomorrow *mañana* 8

tone *el tono* 58

tongue *la lengua* 343

too (before adjective) *demasiado* 48

too many *demasiado(a)* 149

too much *demasiado(a)* 48 *demasiado* 61

tool *la herramienta* 67 *el utensilio* 85

total *frontal* 67 *el total* 125

totally *totalmente* 39

touch *el tacto* 343

to **touch** *tocar* 139

tourism *el turismo* 114

tourist *el/la turista* 203

tourist (adjective) *turístico(a)* 24

toward *hacia* 54

tower *la torre* 318

town *la ciudad* 24 *el pueblo* 40 *la localidad* 228 *la población* 249

town center *el centro urbano* 7

toxic *tóxico(a)* 272

toxic waste *los residuos tóxicos* 272

toy *el juguete* 193

trade *el comercio* 148

trade (adjective) *comercial* 150

tradition *la tradición* 18

traditional *típico(a), tradicional* 14

traditionally *tradicionalmente* 76

traffic *la circulación, el tráfico* 204

traffic jam *el atasco* 204

traffic laws *las normas de circulación* 204

traffic light *el semáforo* 210

traffic sign *la señal de tráfico* 204

train *el tren* 92

train car *el vagón* 204

training *la formación* 174

trait *el rasgo* 20

transaction *la operación, la transacción* 154

to **transform** *transformar* 67

transformation *la transformación* 51

transgressive *trasgresor(a)* 67

transition *el paso* 103 *la transición* 110

to **translate** *traducir (irreg.)* 22
translation *la traducción* 251
translator *el/la traductor(a)* 133
transparent *transparente* 343
transplant *el trasplante* 5
to **transport** *transportar* 204
transportation *el transporte* 116
trash can *la papelera* 293
travel *el viaje* 8
to **travel** *viajar* 24
travel agency *la agencia de viajes* 189
to **travel through** *recorrer* 31
traveler *el/la viajero(a)* 7
tray *la bandeja* 121
treasure *el tesoro* 146
treatment *el tratamiento* 97
treaty *el tratado* 150
tree *el árbol* 220
tree-lined avenue *la alameda* 298
trembling *tembloroso(a)* 210
trend *la tendencia* 270 *la corriente* 335
tribute *el homenaje* 41
trick *el artificio* 337
to **trick** *tomar el pelo* 20
to **trigger** *desencadenar* 211
trillion *el billón* 154
trip *el viaje* 5 *la excursión* 65
triple *el triple* 48
triumphal *triunfal* 306
troops *las tropas* 306
tropical *tropical* 172
troubadour *el/la trovador(a)* 191
true *cierto(a)* 2 *verdadero(a)* 47
truly *verdaderamente* 210
trumpet *la trompeta* 23
trunk (of car) *el maletero* 204
trust *la confianza* 17
to **trust** *confiar en* 92
truth *la verdad* 109
try *el intento* 345
to **try** *intentar* 29 *probar (irreg. ue)* 72
to **try on** *probarse (irreg. ue)* 94
to **try to remember** *hacer memoria* 230
T-shirt *la camiseta, la playera, la polera, la remera* 56
tumor *el tumor* 96
tuna *el atún* 75
turkey *el pavo* 78
turn *el turno* 33
to **turn** *ponerse (irreg.)* 11 *volverse (irreg.)* 34
to **turn (into)** *transformar* 265
to **turn into** *convertirse en (irreg. ie, i)* 38 *convertir en (irreg. ie, i)* 51 *transformarse en* 266
to **turn on** *poner (irreg.)* 42 *conectar, encender (irreg. ie)* 295
to **turn out** *salir (irreg.)* 38
to **turn out (to be)** *resultar* 117
turn signal *el intermitente* 204
to **turn up** *subir* 42 *presentarse* 183
turquoise *turquesa* 219
twelfth *duodécimo(a)* 250

type *el tipo* 7 *la modalidad* 144
typical *típico(a)* 3 *propio(a)* 24

umbrella *el paraguas* 291
unbearable *intolerable* 337
uncertain *incierto(a)* 19
uncle *el tío* 105
uncomfortable *incómodo(a)* 102
uncovered *descubierto(a)* 222
under *bajo* 50
under (an age) *menor de* 68
to **undergo** *sufrir* 51 *someterse a* 114 *experimentar* 280
underground *subterráneo(a)* 295
to **underline** *subrayar* 329
to **understand** *comprender* 44 *entender (irreg. ie)* 66
to **understand each other** *entenderse (irreg. ie)* 36
understandable *comprensible* 117
understanding *comprensivo(a)* 17 *la comprensión* 57
to **undertake** *encargarse de* 18
undifferentiated *indiferenciado(a)* 96
unease *la intranquilidad* 166
unemployed *desempleado(a)* 160
unemployment *el desempleo* 160
unexpected *inesperado(a)* 188
unfavorable *desfavorable* 148
unfortunate *pobre* 24
unfortunately *por desgracia* 244 *desgraciadamente* 325
unhappiness *el descontento* 248
unhappy *descontento(a)* 102
uniform *uniforme* 143 *el uniforme* 254
uniformity *la uniformidad* 67
unimportant *irrelevante* 264
unintentional *involuntario(a)* 80
unintentionality *la involuntariedad* 80
union *la unión* 289
unique *único(a)* 24 *singular* 324
uniqueness *la singularidad* 268
unit *la unidad* 1
to **unite** *unir* 248
universal *universal* 2
universal suffrage *el sufragio universal* 260
universality *la universalización* 114
university *la universidad* 47
university (adjective) *universitario(a)* 137
university course *la carrera* 165
unless *a menos que, a no ser que, salvo que* 164
unlike *a diferencia de* 36 *al contrario que* 306
unlikely *improbable* 196
unmistakable *inconfundible* 210
unnecessary *innecesario(a)* 177
unripe *verde* 106
unsuccessful *fallido(a)* 314
untidy *desordenado(a)* 244

until *hasta* 2 *hasta que* 276
unusual *inusual, raro(a)* 39
to **unwind** *desconectar* 7
up to *hasta* 67
upholstered *forrado(a)* 222
to **upload** *colgar (irreg. ue)* 52 *subir* 98
upper *superior* 5
uppercase *la mayúscula* 136
to **upset** *molestar* 22 *alterar* 211
urban *urbano(a)* 7
urbanization *la urbanización* 280
urge for *el afán de* 215
urgency *la urgencia* 210
urgent *urgente* 32
Uruguayan *uruguayo(a)* 153
use *el uso* 33 *la utilización* 69 *el aprovechamiento* 126
to **use** *usar* 2 *utilizar* 8 *emplear* 21 *aprovechar* 114 *abastecerse con (irreg.)* 153 *poner* 204
used *utilizado(a)* 66 *usado(a)* 94
useful *útil* 16
usefulness *la utilidad* 116
useless *inútil* 343
user *el/la usuario(a)* 45
using gestures *gestualmente* 210
usual *habitual* 6
usually *habitualmente* 47
utensil *el utensilio* 85
uterus *el útero* 89

vacation *las vacaciones* 5
vaccination *la vacunación* 116
vaccine *la vacuna* 90
vague *impreciso(a)* 48
vain *vanidoso(a)* 20
valid *válido(a)* 110
valley *el valle* 277
valuable *valioso(a)* 43
value *el valor* 2
to **value** *apreciar* 17 *valorar* 166
value statement *la valoración* 322
variable *variable* 166
variation *la variación* 48 *la variante* 77
varied *diverso(a)* 57
variety *la variedad* 11
various *diferentes* 22 *distintos(as)* 31 *diversos(as)* 41
to **vary** *variar* 7
vast *vasto(a)* 295
veal *la ternera* 78
vegetable *la verdura* 10 *la hortaliza* 11
vegetarian *vegetariano(a)* 79
vehicle *el vehículo* 153
vehicle fleet *el parque automotor* 153
velvet *el terciopelo* 222
vendor *el/la comerciante* 133
Venezuelan *venezolano(a)* 282
verb *el verbo* 2
verbal *verbal* 34
versatile *versátil* 226
versatility *la versatilidad* 268

verse *la estrofa* 330 *el verso* 330
version *la versión* 26
vertical *vertical* 203
very *muy* 4
very hungry *muerto(a) de hambre* 102
very sleepy *muerto(a) de sueño* 102
very soon *enseguida* 179
very thirsty *muerto(a) de sed* 102
veterinary science *la Veterinaria* 59
to **veto** *vetar* 263
vice *el vicio* 279
vice presidency *la vicepresidencia* 267
vice president *el/la vicepresidente(a)* 261
viceroy *el virrey* 248
viceroyalty *el virreinato* 248
vicinity *la proximidad* 210
victory *la victoria* 248
video *el video* 29
videogame *el videojuego* 3
view *la visión* 9 *la vista* 216
Viking *el/la vikingo(a)* 252
village *el pueblo* 40
vinegar *el vinagre* 75
violation *la violación* 259
violence *la violencia* 272
virgin *la virgen* 101
virtual *virtual* 37
virtue *la virtud* 278
virus *el virus* 96
visibility *la visibilidad* 324
visit *la visita* 139
to **visit** *visitar* 21
visitor *la visita* 84 *el/la visitante* 219
visual *visual* 117
to **visualize** *visualizar* 268
visually *visualmente* 117
vital *vital* 296
vitamin *la vitamina* 11
vivid *vivo(a)* 306
vocabulary *el vocabulario* 20
vocation *la vocación* 169
voice *la voz* 42
volcano *el volcán* 195
volume *el volumen* 44
voluntary work *el voluntariado* 273
volunteer *el/la voluntario(a)* 125
vote *el voto* 256
to **vote** *votar* 41
to **voter** *el/la votante* 260
voucher *el bono* 67
vowel *la vocal* 332
vowel (adjective) *vocálico(a)* 2

wait *la espera* 114
to **wait for** *esperar* 92
waiter/waitress *el/la mesero(a)* 82
to **wake up** *despertar (irreg. ie)* 26 *despertarse (irreg. ie)* 34
walk *el paseo* 6

to **walk** *caminar* 7 *pasear* 210
wall *la pared* 200 *el muro* 268 *la muralla* 322
to **want** *querer (irreg.)* 8
war *la guerra* 108
warm *templado(a)* 173 *cálido(a)* 220 *caliente* 222
warm clothing *la ropa de abrigo* 224
warmth *el calor* 210
to **warn** *alertar* 45
Warning! *¡Atención!* 20
warrior *el/la guerrero(a)* 103
to **wash** *lavar* 3 *lavarse* 36
washer *la lavadora* 3
waste *el desperdicio* 292 *el desecho* 296
watch *el reloj* 295
to **watch** *ver (irreg.)* 3 *observar* 50
water *el agua* 33
watercolor *la acuarela* 306
waterfront *el malecón* 229
watering *el riego* 292
watermelon *la sandía* 75
wave *la ola* 321
wavy *ondulado(a)* 20
way *la forma* 11 *la manera, el modo* 39 *el camino* 50 *la vía* 200
weak *débil* 266
wealth *la riqueza* 173
weapon *el arma* 96
to **wear** *llevar* 94
weather *el tiempo* 216
weather (adjective) *meteorológico(a)* 216
web page *la página web* 11
website *el sitio web* 230
wedding *la boda* 71
week *la semana* 6
weekend *el fin de semana* 8
weekly (adjective) *semanal* 86
weekly (adverb) *semanalmente* 194
to **weigh** *pesar* 61
weight *el peso* 11
weight (importance) *el peso* 172
welcome *la acogida* 58 *el acogimiento* 59 *la bienvenida* 84 *bienvenido(a)* 300
to **welcome (into a home)** *acoger* 59
welfare *el bienestar, la protección* 114 *la prestación* 115
well *pues* 14 *bien* 322
Well, *Bueno,* 20
well-known *el/la conocido(a)* 76
West *el oeste* 248
Western *occidental* 23
what *qué* 3 *cuál(es)* 39
What ... for? *¿Para qué...?* 31 *¿A qué...?, ¿Con qué fin/ propósito...?* 262
What do you think ...? *¿Qué crees que...?* 320
What do you think of ...? *¿Qué piensas/opinas de (que)...?, ¿Qué te parece...?* 320
What's the reason for ...? *¿A qué se debe(n)...?, ¿Cuál es la razón/ el motivo de...?* 218

wheat *el trigo* 80
when *cuando* 2 *cuándo* 27
whenever *siempre que* 276
where *donde* 6 *dónde* 19 *adónde* 189
whereas *mientras que* 206
whether *si* 2
which *cuál(es)* 3
while *el rato* 47 *mientras* 276
while we're at it *de paso* 202
whistle *el silbo* 13 *el silbido* 42
to **whistle** *silbar* 42
white *blanco(a)* 20
who *quién* 9 *quien* 18
whole *el conjunto* 115 *entero(a)* 249
whom *quién* 19 *quien* 85
whose *cuyo(a)* 39
Why ...? *¿Por qué...?* 218
wide *amplio(a)* 56
widespread *extendido(a)* 101
wife *la esposa* 33 *la mujer* 39
Wi-Fi connection *la cobertura wifi* 7
will *la voluntad* 278
willing to *dispuesto(a) a* 144
to **win** *lograr* 29 *ganar* 76 *conseguir (irreg. i, i)* 170
to **win the heart of** *conquistar* 345
wind *el viento* 23 *eólico(a)* 272
to **wind up** *subir* 222
window *la ventana* 47
window (of car) *la ventanilla* 189
wine *el vino* 79
winner *el/la ganador(a)* 31
winter *el invierno* 134
wireless *inalámbrico(a)* 44
wish *el deseo* 28
to **wish** *desear* 37
to **wish well (on birthday)** *felicitar* 14
with *con* 2
within reach *al alcance* 91
without *sin* 6
to **withstand** *resistir* 323
witness *el/la testigo* 254
woman *la mujer* 38
wonder *la maravilla* 158
to **wonder** *preguntarse* 14
wonderful *maravilloso(a)* 109
wood *la madera* 147
wooden *de madera* 222
word *la palabra* 15
wording *la redacción* 117
work *el trabajo* 6 *la obra* 50 *la labor* 125
to **work** *trabajar* 11 *funcionar* 36
work experience *la experiencia profesional* 160
to **work in** *dedicarse a* 113
work of art *la obra de arte* 303
worker *el/la trabajador(a)* 95 *el/la obrero(a)* 202
working *laboral* 132
working hours *el horario* 133
workplace *el lugar de trabajo* 161
workshop *el taller* 47
world *el mundo* 1 *la humanidad* 43
world (adjective) *mundial* 88

ÍNDICE GRAMATICAL

CRÉDITOS FOTOGRÁFICOS

161 Helen Chelton López de Haro/Jorge Cueto; GoGo Images/A. G. E. FOTOSTOCK **163** Marcus Lund/A. G. E. FOTOSTOCK **166** J. Jaime **167** Helen Chelton López de Haro/Jorge Cueto; J. Jaime **168** SCIENCE PHOTO LIBRARY/A. G. E. FOTOSTOCK; Thinkstock/GETTY IMAGES SALES SPAIN; ISTOCKPHOTO **169** Helen Chelton López de Haro/Jorge Cueto **171** Helen Chelton López de Haro/Jorge Cueto; Lemoine/ A. G. E. FOTOSTOCK **172** Helen Chelton López de Haro/Jorge Cueto; Zubair Ali Khan Lodi/A. G. E. FOTOSTOCK **173** Helen Chelton López de Haro/Jorge Cueto; Photos.com Plus/GETTY IMAGES SALES SPAIN **174** Helen Chelton López de Haro/Jorge Cueto **177** Helen Chelton López de Haro/Jorge Cueto **179** M. Sánchez **181** Prats i Camps; Getty Images Sales Spain/ISTOCKPHOTO **184** Alamy Images/ACI AGENCIA DE FOTOGRAFÍA; Julian Love/GETTY IMAGES SALES SPAIN **185** Panoramic Images, Richard Cummins/GETTY IMAGES SALES SPAIN **186** Helen Chelton López de Haro/Jorge Cueto; I. PREYSLER **187** Helen Chelton López de Haro/Jorge Cueto; Getty Images Sales Spain/ISTOCKPHOTO **188** Helen Chelton López de Haro/Jorge Cueto; Thinkstock/GETTY IMAGES SALES SPAIN **189** Prats i Camps; Thinkstock/GETTY IMAGES SALES SPAIN **190** Helen Chelton López de Haro/Jorge Cueto; Alamy Images/ACI AGENCIA DE FOTOGRAFÍA **191** Helen Chelton López de Haro/Jorge Cueto; Prats i Camps; Alamy Images/ACI AGENCIA DE FOTOGRAFÍA **192** Helen Chelton López de Haro/Jorge Cueto; J. Escandell.com; ReinhardDirscherl/A. G. E. FOTOSTOCK; Photos.com Plus, Thinkstock/GETTY IMAGES SALES SPAIN; AbleStock.com/HIGHRES PRESS STOCK **193** Riccardo Sala/A. G. E. FOTOSTOCK; A. Prieto/AGENCIA ESTUDIO SAN SIMÓN **195** Thinkstock/GETTY IMAGES SALES SPAIN **197** Helen Chelton López de Haro **198** Helen Chelton López de Haro/Jorge Cueto; ISTOCKPHOTO/Getty Images Sales Spain **199** Alamy Images/ACI AGENCIA DE FOTOGRAFÍA; ISTOCKPHOTO **200** Francois Ancellet/ Gamma-Rapho/GETTY IMAGES SALES SPAIN; Thinkstock/GETTY IMAGES SALES SPAIN **201** Helen Chelton López de Haro/Jorge Cueto; Thinkstock/GETTY IMAGES SALES SPAIN **202** Helen Chelton López de Haro/Jorge Cueto; Alamy Images/ACI AGENCIA DE FOTOGRAFÍA **203** Alamy Images/ACI AGENCIA DE FOTOGRAFÍA **204** Helen Chelton López de Haro/Jorge Cueto **205** GARCÍA-PELAYO/Juancho **207** Helen Chelton López de Haro/Jorge Cueto **208** Thinkstock/GETTY IMAGES SALES SPAIN **210** AbleStock.com/HIGHRES PRESS STOCK **211** J. Jaime **212** imagedepotpro/GETTY IMAGES SALES SPAIN **213** Helen Chelton López de Haro/Jorge Cueto; S. Padura; RENFE/EFE **214** Helen Chelton López de Haro/Jorge Cueto; Thinkstock/GETTY IMAGES SALES SPAIN **215** S. Padura; CONTIFOTO **216** J. Jaime; S. Enríquez; Thinkstock/GETTY IMAGES SALES SPAIN; I. PREYSLER; ISTOCKPHOTO **217** Michele di Piccione; Prats i Camps **219** Oscar Garces, Robert Harding Produc./A. G. E. FOTOSTOCK **221** J. Jaime **222** Rafa Salafranca/EFE **223** REUTERS/CORDON PRESS **224** Steve Graham/GETTY IMAGES SALES SPAIN **225** Helen Chelton López de Haro/Jorge Cueto **226** Prats i Camps; Thinkstock/GETTY IMAGES SALES SPAIN **227** Rob Crandall/A. G. E. FOTOSTOCK; Thinkstock/GETTY IMAGES SALES SPAIN **228** Heimann/Bilderberg/Photononstop/P. Revilla/Joerg; Chris Allan/GETTY IMAGES SALES SPAIN **229** Helen Chelton López de Haro/Jorge Cueto; P. Revilla/Photononstop/Sime; Angelo Cavalli/A. G. E. FOTOSTOCK **231** Panoramic Images/ GETTY IMAGES SALES SPAIN **233** Thinkstock/GETTY IMAGES SALES SPAIN **235** C. Díez Polanco; AbleStock.com/HIGHRES PRESS STOCK **236** J. C. Muñoz; J. V. Resino; M. Sánchez; Alan Copson, FOODCOLLECTION, Franco Pizzochero, Stewart Cohen/A. G. E. FOTOSTOCK; ZUMA Press/lafototeca.com/Russell Gordon/EFE; I. PREYSLER; ISTOCKPHOTO **237** Lluïsa March; Prats i Camps **240** Sami Sarkis/A. G. E. FOTOSTOCK; José de la Cuesta/CORDON PRESS **241** Prats i Camps; José Jácome/EFE **242** Helen Chelton López de Haro/Jorge Cueto; I. PREYSLER **243** Helen Chelton López de Haro/Jorge Cueto; Thinkstock/GETTY IMAGES SALES SPAIN **244** Helen Chelton López de Haro/ Jorge Cueto **246** ACI AGENCIA DE FOTOGRAFÍA; C. Díaz Polanco **247** E. Limbrunner/MUSEO HISTÓRICO NACIONAL, ARGENTINA; SuperStock/A. G. E. FOTOSTOCK; Antonio Gisbert/The Bridgeman Art Library/GETTY IMAGES SALES SPAIN; NASA Kennedy Space Center (NASA-KSC)/NASA **248** Krauel/MUSEO HISTÓRICO CASA DE SUCRE, QUITO; MUSEO NAVAL, MADRID **249** C. Díez Polanco; Science Photo Library/A. G. E. FOTOSTOCK; REAL ACADEMIA DE BELLAS ARTES DE SAN FERNANDO, MADRID/GARCÍA-PELAYO/JUANCHO **251** J. Carlos Muñoz/A. G. E. FOTOSTOCK; Oronoz/ALBUM; J. Donoso/SYGMA/CONTIFOTO; GARCÍA-PELAYO/JUANCHO; DEA PICTURE LIBRARY/GETTY IMAGES SALES SPAIN **253** Thinkstock/GETTY IMAGES SALES SPAIN **254** Helen Chelton López de Haro/Jorge Cueto; Thinkstock/GETTY IMAGES SALES SPAIN **255** C. Díez Polanco; Documenta/ALBUM **256** Alamy Images, Photos12.com - Oasis/ACI AGENCIA DE FOTOGRAFÍA; KEYSTONE/SYGMA/CONTIFOTO **258** Prats i Camps; CORDON PRESS **259** Prats i Camps **260** EFE **261** David Crane/ZUMA Press/ lafototeca.com, Leo La Valle/lafototeca.com/EFE **263** EFE **265** Getty Images Sales Spain/ISTOCKPHOTO **266** KEYSTONE/SYGMA/ CONTIFOTO **267** Thinkstock/GETTY IMAGES SALES SPAIN **268** Zoonar/unknown/A. G. E. FOTOSTOCK **269** Helen Chelton López de Haro/ Jorge Cueto **270** Helen Chelton López de Haro/Jorge Cueto; Prats i Camps; Sune Wendelboe/GETTY IMAGES SALES SPAIN **271** AFP/Johan Ordonez/GETTY IMAGES SALES SPAIN **272** Micah Wright/A. G. E. FOTOSTOCK **273** S. Enríquez; Jeff Greenberg/A. G. E. FOTOSTOCK **274** Thinkstock/GETTY IMAGES SALES SPAIN **275** Thinkstock/GETTY IMAGES SALES SPAIN **277** Larry Reider/SIPA-PRESS, Oscar Rivera/EFE **278** S. Padura **280** Agustín Faggiano/GETTY IMAGES SALES SPAIN **281** Helen Chelton López de Haro/Jorge Cueto; Thinkstock/GETTY IMAGES SALES SPAIN **282** GARCÍA-PELAYO/JUANCHO **283** Alejandro Bolívar, JMS/Action Press/ZUMA Press/lafototeca.com, Miguel Rajmil/ lafototeca.com/EFE **285** S. Padura; Miguel Rajmil/EFE; Thinkstock/GETTY IMAGES SALES SPAIN **286** Prats i Camps **289** EFE **291** G. Aldana **292** I. PREYSLER **293** Prats i Camps **295** Andras Jancsik/GETTY IMAGES SALES SPAIN **296** C. Díez Polanco; Ian Trower/GETTY IMAGES SALES SPAIN **298** J. V. Resino; Eddie Brady/GETTY IMAGES SALES SPAIN **299** Jorge Fuentesaz/EFE; Dominik Pabis/GETTY IMAGES SALES SPAIN **300** Helen Chelton López de Haro/Jorge Cueto/E. Talavera **301** Helen Chelton López de Haro/Jorge Cueto; Getty Images Sales Spain/ISTOCKPHOTO **302** F. Po; Helen Chelton López de Haro/Jorge Cueto **303** A. Guerra; Photos.com Plus/GETTY IMAGES SALES SPAIN/ THE MUSEUM OF MODERN ART, NEW YORK **304** Helen Chelton López de Haro/Jorge Cueto; Prisma/ALBUM **305** G. Aldana; Carlos S. Pereyra/A. G. E. FOTOSTOCK **306** DEA PICTURE LIBRARY/ALBUM; Christie's Images/The Bridgeman Art Library/INDEX **307** F. Po; INTERFOTO/A. G. E. FOTOSTOCK; SOTHEBY'S/SIPA-PRESS/EFE; GARCÍA-PELAYO/JUANCHO **309** C. Pérez; EFE **311** S. Enríquez **312** Helen Chelton López de Haro/Jorge Cueto **313** D. Dipasupil, Michael Salas/GETTY IMAGES SALES SPAIN; NASA **314** COLECCIÓN DE BURT B. HOLMES/GARCÍA-PELAYO/JUANCHO **315** Helen Chelton López de Haro/Jorge Cueto; Museo Mural Diego Rivera, Mexico City, Mexico/The Bridgeman Art Library/INDEX; Getty Images Sales Spain/ISTOCKPHOTO **316** Helen Chelton López de Haro/Jorge Cueto; Lonely Planet/ GETTY IMAGES SALES SPAIN **317** F. Ontañón; Art on File, Robert Harding World Imagery/Richard Cummins/CORBIS/CORDON PRESS **318** C. Pérez; ARCO/La TerraMagica/A. G. E. FOTOSTOCK **319** Demetrio Carrasco, JTB Photo, Miguel Ángel Muñoz, Waldhaeusl.com/A. G. E. FOTOSTOCK **321** JaumeGual, Javier Larrea/A. G. E. FOTOSTOCK **323** Helen Chelton López de Haro; S. Padura; Bruce Bi/A. G. E. FOTOS-TOCK **324** Fernando Camino/Cover, Universal Images Group/Arcaid/GETTY IMAGES SALES SPAIN **326** ARGAZKI PRESS **327** Helen Chelton López de Haro/Jorge Cueto; Eco Images/UIG, Kul Bhatia/A. G. E. FOTOSTOCK **328** Helen Chelton López de Haro/Jorge Cueto; MATTON-BILD **329** Chema Moya/EFE **330** Helen Chelton López de Haro/Jorge Cueto **331** Sigefredo/Archdc/KORPA/ZUMAPRESS.com/EFE; Thinkstock/ GETTY IMAGES SALES SPAIN **333** Helen Chelton López de Haro/Jorge Cueto **334** Helen Chelton López de Haro/Jorge Cueto **335** Balleste-ros/EFE; AbleStock.com/HIGHRES PRESS STOCK **339** Helen Chelton López de Haro/Jorge Cueto; Thinkstock/GETTY IMAGES SALES SPAIN **340** Tomas Abad/A. G. E. FOTOSTOCK **341** Carl & Ann Purcell, The Granger collection/A. G. E. FOTOSTOCK; MUSEU PICASSO, BARCELONA/ GARCÍA-PELAYO/JUANCHO **342** Helen Chelton López de Haro/Jorge Cueto; EFE; S. Padura **343** Prats i Camps; S. Enríquez; **345** Helen Chel-ton López de Haro/Jorge Cueto; GARCÍA-PELAYO/JUANCHO **347** alan64/A. G. E. FOTOSTOCK **349** SYGMA/CONTIFOTO; The Bridgeman Art Library/MUSEUM ICONOGRAFÍA **350** TEATRO MUSEO DALÍ, FIGUERAS/ORONOZ; R. Manent; Jane Sweeney, Oscar Garces/A. G. E. FOTOSTOCK; MUSEO NACIONAL CENTRO DE ARTE REINA SOFÍA/GARCÍA-PELAYO/JUANCHO **351** A. Quier/SIPA-PRESS/EFE; MUSEO NACIONAL CENTRO DE ARTE REINA SOFÍA/GARCÍA-PELAYO/JUANCHO; Thinkstock/GETTY IMAGES SALES SPAIN; ARCHIVO SANTILLANA

Agradecimientos: Cruz Roja Española